AF218743

ACCESO GRATIS *a la Lectura en la Nube*

Para visualizar el libro electrónico en la nube de lectura envíe junto a su nombre y apellidos una fotografía del código de barras situado en la contraportada del libro y otra del ticket de compra a la dirección:

ebooktirant@tirant.com

En un máximo de 72 horas laborales le enviaremos el código de acceso con sus instrucciones.

INTELIGENCIA ARTIFICIAL Y PREVENCIÓN DE RIESGOS LABORALES: OBLIGACIONES Y RESPONSABILIDADES

INTELIGENCIA ARTIFICIAL Y PREVENCIÓN DE RIESGOS LABORALES: OBLIGACIONES Y RESPONSABILIDADES

Directoras:
Mª ÁNGELES EGUSQUIZA BALMASEDA
BEATRIZ RODRÍGUEZ SANZ DE GALDEANO

Autores:
Mª ÁNGELES EGUSQUIZA BALMASEDA
JOSÉ LUIS GOÑI SEIN
MARÍA JORQUI AZOFRA
RAQUEL LUQUIN BERGARECHE
JULEN LLORENS ESPADA
MIRENTXU MARÍN MALO
LUIS PÉREZ CAPITÁN
BEATRIZ RODRÍGUEZ SANZ DE GALDEANO

tirant lo blanch
Valencia, 2023

© TIRANT LO BLANCH
EDITA: TIRANT LO BLANCH
C/ Artes Gráficas, 14 - 46010 - Valencia
TELFS.: 96/361 00 48 - 50
FAX: 96/369 41 51
Email:tlb@tirant.com
www.tirant.com
Librería virtual: www.tirant.es
DEPÓSITO LEGAL: V-1547-2023
ISBN: 978-84-1169-044-7
MAQUETA: Disset Ediciones

Si tiene alguna queja o sugerencia, envíenos un mail a: *atencioncliente@tirant.com*. En caso de no ser atendida su sugerencia, por favor, lea en *www.tirant.net/index.php/empresa/politicas-de-empresa* nuestro procedimiento de quejas.

Responsabilidad Social Corporativa: http://www.tirant.net/Docs/RSCTirant.pdf

Índice

Capítulo segundo:

EL REGLAMENTO UE DE INTELIGENCIA ARTIFICIAL Y SU INTERRELACIÓN CON LA NORMATIVA DE SEGURIDAD Y SALUD EN EL TRABAJO ....

JOSÉ LUIS GOÑI SEIN

Capítulo tercero:

RESPONSABILIDAD CIVIL EN MATERIA DE INTELIGENCIA ARTIFICIAL
Y SU INCIDENCIA EN EL ÁMBITO DE REPARACIÓN DEL DAÑO DERI-
VADO DE ACCIDENTE DE TRABAJO Y ENFERMEDAD PROFESIONAL
ESPAÑOL..   123

JULEN LLORENS ESPADA

SEGUNDA PARTE
LA INCORPORACIÓN DE SISTEMAS DE INTELIGENCIA
ARTIFICIAL EN LA EMPRESA Y SU IMPACTO EN MATERIA DE
PREVENCIÓN DE RIESGOS LABORALES

Capítulo Cuarto:

APORTACIONES DE LA INTELIGENCIA ARTIFICIAL EN MATERIA PRE-
VENTIVA Y NUEVOS RIESGOS EMERGENTES.............................. 161

MIRENTXU MARÍN MALO

Capítulo quinto:

INTELIGENCIA ARTIFICIAL Y SALUD LABORAL ....

JULEN LLORENS ESPADA

Capitulo sexto:

UTILIZACIÓN DE NUEVAS TECNOLOGIAS CON FINES DE GESTION PREVENTIVA. POSIBILIDADES A LA LUZ DE LA NORMATIVA EN MATERIA DE SEGURIDAD Y SALUD LABORAL 253

LUIS PÉREZ CAPITÁN

TERCERA PARTE
RESPONSABILIDAD CIVIL POR DAÑOS DERIVADOS DE LA INTELIGENCIA ARTIFICIAL

Capítulo séptimo:

Capítulo octavo:

Capítulo noveno:

RESPONSABILIDAD CIVIL POR EL SUMINISTRO DE CONTENIDOS Y SERVICIOS DIGITALES

RAQUEL LUQUIN BERGARECHE

16

PRESENTACIÓN

La digitalización y el desarrollo de la inteligencia artificial (IA) han dado lugar a una nueva revolución industrial, con un impacto incuestionable en la organización del trabajo y en las formas de producción y que también abre importantes interrogantes sobre su viabilidad y límites. En el ámbito específico de la seguridad y salud en el trabajo, la IA va a permitir el desarrollo de nuevos productos, servicios, aplicaciones y formas de organización del trabajo, que pueden contribuir a la mejora de la seguridad y salud en el trabajo, pero que también pueden traer consigo nuevos riesgos. La seguridad y salud en el trabajo constituye, por tanto, un ejemplo paradigmático de las oportunidades, pero también de las amenazas que el desarrollo de la IA puede traer consigo y de los retos de adaptación normativa que plantea. En efecto, la incorporación de estos nuevos desarrollos tecnológicos puede aportar importantes mejoras para el desarrollo de un trabajo en condiciones de seguridad. Asimismo, el desarrollo de esta tecnología va a traer consigo cambios en los propios sistemas de gestión preventiva y de vigilancia de salud, que se podrán beneficiar de estos avances, pero que también deberán permanecer alerta a los posibles riesgos. Todo ello requiere una intervención normativa que adecue las exigencias de seguridad y las respectivas obligaciones de fabricantes y empresarios y que también aborde los problemas que puede plantear un fallo en estos equipos desde el punto de vista de la responsabilidad.

Ante esta nueva revolución industrial la UE presentó ya en el año 2014 una Estrategia Digital, que pretendía situar a Europa como líder de la estrategia digital y artífice de un modelo ético de desarrollo. En su conocido como paquete digital compuesto por las comunicaciones de la Comisión "Configurar el futuro digital de Europea" " Una estrategia Europea de Datos" y el "Libro Blanco sobre inteligencia artificial- Un enfoque europeo orientado a la excelencia y la confianza", la UE reconoció la urgencia de afrontar los retos que plantea esta nueva revolución industrial con el fin, por un lado, de convertir a Europa en un referente en la materia y, por otro, de garantizar un marco jurídico y ético adecuado.

La Comisión ha dado respuesta a estas invitaciones con un paquete de propuestas legislativas de suma importancia para garantizar la viabilidad de los sistemas de IA, la seguridad de los productos a los que se incorporan y un régimen equilibrado de responsabilidad[1]. Esta regulación se completa con la aprobación de los Reglamentos referidos a servicios y mercados digitales[2]. Estas iniciativas de la Comisión han estado marcadas por el deseo de asegurar un marco regulador protector de los derechos fundamentales y garante de la seguridad de los usuarios, que, a su vez, se coordine y complemente con el resto de normativa ya vigente en la materia. Con este objetivo, la Comisión parte de un enfoque basado en el riesgo de los sistemas e identifica los usos que han de estar prohibidos y aquellos otros que conllevan un alto riesgo y que, en consecuencia, han de someterse a unos requisitos adicionales. Este enfoque basado en el riesgo se traslada también al ámbito de la responsabilidad civil y, en consecuencia, se contemplan reglas especiales destinadas a facilitar la prueba de la culpa para determinados sistemas de IA considerados de alto riesgo. En este abordaje normativo la UE parte de un planteamiento basado en la gobernanza, que pretende completar el marco normativo ya existente en materia de seguridad del producto, responsabilidad y protección de datos. Con todo, en este planteamiento se echa en falta una consideración singular de los aspectos relacionados con la seguridad y salud en el trabajo y, en general, con la normativa en materia laboral.

Partiendo de este incipiente marco legislativo, el propósito de la monografía es analizar las implicaciones jurídicas que la integración en la empresa de la Inteligencia Artificial plantea en el ámbito de la seguridad y salud en el trabajo.

---

[1]   Propuesta de Reglamento por el que se establecen normas armonizadas en materia de IA COM (2021) 206 final, de 21 de abril. Propuesta de Reglamento del Parlamento Europeo y del Consejo relativo a máquinas y sus partes y accesorios COM (2021) 202 final. Propuesta de Directiva sobre responsabilidad en materia de IA de 28 de septiembre de 2022 (COM(2022) 496 final. Propuesta de modificación de la Directiva 85/374/CE, de 25 de julio, se presentó el pasado 28 de septiembre de 2022, (COM (2022) 495

[2]   Propuesta de Reglamento del Parlamento Europeo y del Consejo relativo a la responsabilidad civil por el funcionamiento de los sistemas de Inteligencia Artificial, de 20 de octubre del 2020. Reglamento (UE) 2022/2065 del Parlamento Europeo y del Consejo de 19 de octubre de 2022 relativo a un mercado único de servicios digitales y por el que se modifica la Directiva 2000/31/CE (Reglamento de Servicios Digitales).

La monografía se estructura en torno a tres grandes ejes. En primer lugar, se trata de realizar una aproximación a las obligaciones de los fabricantes de sistemas de IA destinados a utilizarse en el lugar de trabajo y a sus posibles responsabilidades. Para ello, se realiza una primera aproximación a los requisitos de seguridad que el fabricante de sistemas de IA ha de observar. En un segundo capítulo se profundiza en la propuesta de Ley de IA, con el fin de definir las claves de esta nueva normativa, que parte de un enfoque basado en el riesgo. Por último, se presenta el régimen de responsabilidades del fabricante de equipos que incorporan sistemas de IA destinados a ser utilizados en el trabajo.

La segunda parte de la monografía, desciende en el análisis concreto de las oportunidades y riesgos que los sistemas de IA presentan en materia de seguridad y salud en el trabajo. Se presenta, en primer lugar, una visión panorámica de los nuevos riegos que pueden entrañar para la seguridad y salud de los trabajadores. En un segundo capítulo se analizan las posibilidades que la IA abre para la vigilancia de la salud y su viabilidad conforme al marco normativo vigente. Por último, se presentan las oportunidades que la utilización de estos nuevos avances puede presentar para la gestión preventiva y su encaje en el actual modelo de organización preventiva diseñado por la Ley de Prevención de Riesgos Laborales.

Se cierra la monografía con el estudio del marco normativo propuesto en materia de responsabilidad civil. La UE ha llevado a cabo una intensa labor con el fin de esbozar un régimen normativo común en una materia de suma relevancia para el desarrollo de la IA. Tras unas propuestas iniciales que finalmente se han visto desechadas, al UE ha apostado por una propuesta de Directiva en materia de responsabilidad derivada de IA, que pretende facilitar la carga de la prueba y coordinarse con las normas generales ya existentes en la materia. Asimismo, la UE ha planteado también una reforma del régimen vigente en materia de responsabilidad por productos defectuosos, con el fin de acomodarlo a los nuevos retos que plantean los sistemas de IA no corpóreos. Por último, la UE ha abordado ya el marco de obligaciones y responsabilidades de los prestadores de servicios digitales. A lo largo de tres capítulos, se analiza este nuevo marco legislativo y sus implicaciones para el ordenamiento interno.

20

Por último, cabe señalar que la monografía que se presenta es fruto del trabajo conjunto de investigadores del área de Derecho del Trabajo y Derecho Civil, en el marco de dos proyectos financiados por la Universidad Pública de Navarra y el Ministerio de Ciencia e Innovación, la Agencia Estatal de Investigación y el FEDER[3].

---

[3]   PRO-UPNA20 (6135). *Implicaciones jurídicas de la integración de la robótica avanzada en la empresa: normas de seguridad, protección de datos, responsabilidad del fabricante y riesgos laborales.* PID2021-123514NB-100. PJUPNA-*Transformación digital y prevención de riesgos laborales. Inteligencia Artificial y Prevención de Riesgos Laborales: retos para la normativa preventiva y en materia de responsabilidad* financiado por MCIN/AEI/10.13039/501100011033/ FEDER, UE.

PRIMERA PARTE
REGLAMENTO DE INTELIGENCIA ARTIFICIAL Y NORMATIVA DE SEGURIDAD DEL PRODUCTO: OBLIGACIONES Y RESPONSABILIDADES PARA EL FABRICANTE Y EMPRESARIO

Capítulo primero:
LOS SISTEMAS DE INTELIGENCIA ARTIFICIAL EN EL ÁMBITO LABORAL Y EL MARCO REGULADOR EUROPEO DE SEGURIDAD DEL PRODUCTO

BEATRIZ RODRÍGUEZ SANZ DE GALDEANO
Profesora Titular de Derecho del Trabajo
Universidad Pública de Navarra

SUMARIO: I.- LA INCORPORACIÓN DE SISTEMAS DE IA EN LA EMPRESA Y SU IMPACTO EN MATERIA DE PREVENCIÓN DE RIESGOS LABORALES: 1.- Los avances tecnológicos determinantes de la industria 4.0, 2.- Aproximación a las principales aportaciones de la industria 4.0 en la empresa y sus implicaciones en materia de PRL: *2.1. Robótica avanzada, 2.2. Sistemas de Gestión.* 3.- Algunas particularidades de estos nuevos equipos y los retos para el legislador. II.- INSUFICIENCIA DEL MARCO NORMATIVO EXISTENTE Y PRIMEROS AVANCES EN EL SENO DE LA UE: 1.- Primeros pasos, 2.- Creación de directrices éticas en materia de IA, 3.- Revisión de la normativa existente y formulación de propuestas legislativas. III.- LA PROPUESTA DE LEY IA: UNA APUESTA POR UNA APROXIMACIÓN HORIZONTAL Y COHERENTE CON EL RESTO DE BLOQUES NORMATIVOS: 1.- Amplitud de su ámbito de aplicación y apuesta por un planteamiento basado en niveles de riesgo, 2.- Enfoque horizontal y sistema entrelazado con el resto de normativa,3.- Fijación de requisitos generales y remisión a las especificaciones técnicas. IV.- VUELTA A LO CONCRETO: LOS REQUISITOS DE SEGURIDAD DE LOS NUEVOS SISTEMAS DE IA UTILIZADOS EN EL ÁMBITO LABORAL: 1.- Robots-máquinas: normativa de máquinas y legislación de IA: *1.1. Concepto de máquina y sistemas de IA, 1.2. Procedimiento de evaluación y certificación de los sistemas de IA incluidos en el campo de aplicación de la normativa de máquinas, 1.3. Requisitos esenciales de seguridad, 1.4. Las normas técnicas y los organismos de normalización para las máquinas con sistemas de IA,* 2.- Normativa de seguridad para la fabricación de Epis inteligentes, 3.- Exoesqueletos: ni máquinas ni productos sanitarios, 4.- Vehículos guiados en el ámbito de la empresa, 5.- Drones, 6.- Software de gestión independiente. V.- LAS OBLIGACIONES DEL EMPRESARIO RESPECTO DE PRODUCTOS QUE INCORPORAN SISTEMAS DE IA: 1.- Integración en el ámbito laboral de productos seguros: obligación de evaluación de riesgos, de formación e información, 2.- La alteración y adaptación del equipo: el empresario como posible fabricante, 3.- El empresario como usuario de un sistema de IA, 4.- Las obligaciones del empresario como posible responsable de tratamiento de datos. VI.- ALGUNOS DESAFÍOS PENDIENTES. VII.- BIBLIOGRAFÍA.

I. LA INCORPORACIÓN DE SISTEMAS DE IA EN LA EMPRESA Y SU IMPACTO EN MATERIA DE PREVENCIÓN DE RIESGOS LABORALES

1. *Los avances tecnológicos determinantes de la industria 4.0*

Cuando se habla de la cuarta revolución industrial o de la industria 4.0, se está haciendo referencia al impacto que en la organización productiva, social y económica van a tener avances tecnológicos determinantes, tales como el tratamiento masivo de datos, la interconectividad de las cosas, la computación en la nube y, muy en particular, el desarrollo de la inteligencia artificial.

Desde el punto de vista legislativo este impacto inminente requiere adaptaciones de un marco normativo que en su actual configuración no ofrece respuesta a los principales interrogantes que plantea esta nueva revolución. Como en anteriores revoluciones, la evolución de la técnica se sitúa un paso por delante del marco normativo vigente. Junto a ello, la revolución tecnológica actual, a diferencia de otras anteriores, se caracteriza por su complejidad y por su rápida extensión a las más diversas áreas vitales. La incorporación de estos avances tecnológicos afecta a todos los ámbitos de la vida (social, consumo, productivo, económico, de administración pública). Sin embargo, el impacto de estos avances tecnológicos no tiene unas características uniformes. Por ejemplo, un robot de cocina es un equipo con un sistema de IA, ahora bien, los riesgos que entraña no son los mismos que los de un robot industrial o los de un dron con fines militares. Junto a ello, ha de tenerse en cuenta que en la actualidad desde el propio ámbito técnico no existe unanimidad a la hora de caracterizar estos sistemas de IA y su potencialidad. Todo ello introduce elementos de complejidad a la hora de abordar una intervención normativa en este ámbito.

Por otro lado, ha de tenerse en cuenta que cualquier intervención legislativa ha de ponderar los diversos intereses en juego. No cabe duda de que resulta necesario asegurar un nivel adecuado de seguridad y prevención de los riesgos que estos nuevos avances entrañan, sin desconocer al mismo tiempo el impacto positivo que pueden tener en nuestro desarrollo vital y los importantes intereses económicos en juego.

2. Aproximación a las principales aportaciones de la industria 4.0 en la empresa y sus implicaciones en materia de PRL

La incorporación de sistemas de IA en la empresa puede traer consigo una mejora de la seguridad y salud de los trabajadores, pero también puede conllevar algunos desafíos para la protección del bienestar de los trabajadores y para la garantía de sus derechos fundamentales[1].

Desde un punto de vista descriptivo y siguiendo en este punto a la OSHA, cabe ya identificar los siguientes desarrollos tecnológicos con impacto en materia de seguridad: la robótica avanzada (incluyendo los drones y exoesqueletos), los sistemas de inteligencia artificial con fines de gestión y los EPIs inteligentes.

2.1.-Robótica avanzada

La incorporación de robots en la industria para el desarrollo de determinadas tareas es algo muy habitual en la práctica totalidad de los sectores industriales. Se ha recurrido a ellos como parte de la cadena de producción, para asumir tareas de producción intensivas. Se trata generalmente de robots que están ubicados con carácter fijo en una línea industrial tradicional y que realizan de forma automatizada una tarea concreta.

Este tipo de robótica con fines industriales ha experimentado un desarrollo exponencial en los últimos años gracias a la incorporación de los avances facilitados por el desarrollo de la inteligencia artificial. La incorporación a los robots tradicionales de sensores capaces de interactuar con el entorno y de sistemas de tratamiento de datos

---

[1]   AGUILAR DEL CASTILLO, M. C.: "El uso de la inteligencia artificial en la prevención de riesgos laborales", en *Revista Internacional y Comparada de Relaciones Laborales y Derecho del Empleo*, vol. 8, núm. 1, enero-marzo 2020, págs. 263-293; MUÑOZ RUIZ, A. B.: "Cambio tecnológico y transformación digital: líneas de futuro de la OIT en materia de prevención de riesgos laborales", en *International Journal of Information Systems and Software Engineering for Big Companies (IJISEBC)*, núm. 6 (I), págs. 111-122.

para ejecutar tareas de forma autónoma, ha dado lugar a una nueva generación de robots, que está liderando en gran medida la nueva revolución industrial.

En cuanto a las tareas que este tipo de robots puede acometer, se encontrarían las tareas físicas preferentemente en la industria, tales como actividades de embalaje de cortado, de apilar, de manejar cargas, de recoger y clasificar.

En los últimos años se está produciendo un rápido desarrollo de los robots destinados a realizar tareas relacionadas con personas, tales como robots dedicados al cuidado o ayudar a las personas a realizar tareas básicas de su vida como vestirse, levantarse o tareas de rehabilitación.

También, comienzan a abrirse paso los robots capaces de realizar tareas que implican habilidades cognitivas, tales como los robots de servicios que se utilizan, por ejemplo, en el ámbito de la educación o formación, con el fin de entrenar y de enseñar a las personas[2].

Dentro de esta categoría de robótica avanzada, habría que considerar de forma específica la incorporación de drones con diferentes finalidades a la empresa. Con carácter general, se trata de aparatos de vuelo guiados que permiten llevar a cabo funciones de vigilancia o supervisión, incluso en zonas de difícil acceso. Este tipo de aparatos, pueden incorporar cámaras con el fin de captar imágenes y también sistemas de IA con el fin de llevar a cabo un procesamiento masivo de datos y ayudar en la toma de decisiones.

Los drones podrían encajar en la categoría de robots, si bien, el que sean un vehículo guiado, destinado a la circulación aérea, determina que se trata como una categoría especifica. Su utilización se ha generalizado en los últimos años y comienza también a extenderse en la industria.

También merecen un tratamiento específico, a pesar de que podrían encajar en la genérica definición de robot, los exoesqueletos. La característica diferenciadora de este tipo de equipos radica en que se incorporan directamente al cuerpo humano y en que son accionados

---

[2]   EU-OSHA: *Advanced robotics and automation: implications for occupationl safety and health*, 2022, disponible en: https://osha.europa.eu/en/publications/advanced-robotics-and-automation-implications-occupational-safety-and-health

directamente por el propio usuario como si fuesen una extremidad más. Este tipo de sistemas no se basan con carácter general en tecnologías de IA, sino que utilizan mecanismos de diferente tipo para ayudar y facilitar el movimiento físico de las personas. Se utilizan con el fin de minimizar los esfuerzos en tareas que implican cierta carga física.

2.2. Sistemas de Gestión

La IA ha permitido también el desarrollo de software destinado a facilitar las tareas de gestión en la empresa[3]. Se trata de programas informáticos que permiten obtener información sobre el desarrollo del trabajo, rendimiento de los equipos, etc. con el fin genéricamente de mejorar la productividad y eficiencia de la empresa. En ocasiones este software se incorpora a los propios equipos de trabajo con el fin de tener un conocimiento óptimo y en tiempo real sobre el funcionamiento de estos equipos. Estos sistemas se basan en el procesamiento de datos, personales o no, y pueden tener diversas finalidades.

Estos sistemas entrañan en la mayoría de las ocasiones un control del propio trabajador y, desde este punto de vista, puede que las decisiones que se adopten puedan consistir en la simple formulación de recomendaciones sobre la forma correcta de desarrollar el trabajo, o que pretendan la evaluación del trabajador y de sus posibles errores o incluso servir como base para la adopción de medidas disciplinarias[4].

2.3.- EPIS inteligentes

Los equipos de protección individual inteligentes son el ejemplo por antonomasia de los avances que para la mejora de la seguridad y salud en el trabajo puede conllevar la integración de soluciones de

---

[3]   EU-OSHA: *Artificial intelligence for worker management: an overview*, 2022, disponible en https://osha.europa.eu/en/publications/artificial-intelligence-worker-management-overview
[4]   EU-OSHA: *Artificial intelligence for worker management: mapping definitions, uses and implications*, 2022, disponible en: https://osha.europa.eu/en/publications/artificial-intelligence-worker-management-mapping-definitions-uses-and-implications

inteligencia artificial en equipos de protección tradicionales. Estos EPIs inteligentes interactúan con el entorno, bien a través del propio material del EPI (por ejemplo, tejidos inteligentes que cambian de color), o bien, a través de dispositivos electrónicos, como sensores o detectores[5]. Según señala la Agencia Europea pueden funcionar sin recoger datos personales, sería el ejemplo más sencillo de EPI, que simplemente incorpora, por ejemplo, dispositivos de visibilidad o de calentamiento. Más desarrollados son los EPis que pueden recoger datos, los cuales, a su vez, pueden ser personales, por ejemplo, datos biométricos o de localización, o datos de detección de movimiento. También puede ocurrir que recojan datos, pero que no sean de carácter personal; se trataría, por ejemplo, de datos sobre el propio estado del EPI o sobre el entorno de quien lo usa.

3. Algunas particularidades de estos nuevos equipos y los retos para el legislador

La genérica aproximación a los nuevos desarrollos tecnológicos que se incorporan a la empresa realizada en el apartado anterior permite concluir que una de las características comunes de estos nuevos avances es su heterogeneidad. Las exigencias de seguridad de un sistema de IA con fines de gestión, de un robot que incorpora soluciones de IA para diferentes funcionalidades, de un dron utilizado con fines de supervisión o de un exoesqueleto pueden llegar a variar considerablemente. Conviene, por ello, a la hora de esbozar una aproximación normativa a los requisitos de seguridad y a las posibles responsabilidades tener presente la singularidad de cada uno de estos elementos.

Teniendo en cuenta esta heterogeneidad, sí que cabe identificar algunos retos comunes de estos nuevos avances tecnológicos.

Así, un primer reto común que plantean estos avances es su propia categorización como producto o como servicio, a efectos de aplicar la normativa tradicional de seguridad y de responsabilidad. Tradicionalmente, la normativa de seguridad estaba destinada a garantizar

---

[5]   EU-OSHA: *Equipo de protección personal inteligente: protección inteligente de cara al futuro*, 2020, disponible en https://osha.europa.eu/es/publications/smart-personal-protective-equipment-intelligent-protection-future.

la comercialización sin riesgos de productos concebidos como bienes corpóreos. En el ámbito de los servicios, la normativa no pensaba tanto en la garantía de seguridad del servicio entendido como un bien, sino en garantizar que los consumidores y usuarios finales tuvieran un marco normativo que les permitiera reclamar. Tal y como se verá posteriormente, la normativa de seguridad del producto está pensada para ser aplicada a bienes materiales, corpóreos y se basa en la visibilización de la marca CE para que puedan ser comercializados. Se plantea, por ello, cómo proceder a certificar las máquinas que incorporan sistemas de IA. Asimismo, se plantea cómo garantizar la seguridad de software que es comercializado de forma independiente para desarrollar una aplicación concreta[6].

Asimismo, la normativa tradicional en materia de seguridad se plantea como objetivo principal garantizar un nivel elevado de seguridad de los equipos que se comercializan en el mercado. Puede observarse cómo el objetivo principal de esta normativa es, por tanto, la garantía de la seguridad, eso es, salvaguardar la integridad de las personas. Sin embargo, no incorpora otros requerimientos de diseño y fabricación de este tipo de sistemas o de equipos con el fin de garantizar la salvaguarda del derecho fundamental a la intimidad y los principios básicos en materia de protección de datos. También habrían de tenerse en cuenta las características propias del usuario profesional, del trabajador, diferentes a las del usuario común, y que, en consecuencia, pueden requerir disposiciones específicas en materia de formación, información y para asegurar que la utilización de dichos equipos en el entorno laboral respeta también los derechos laborales básicos.

Por ello, la utilización de estos sistemas de IA obliga a tener en cuenta diferentes bloques normativos. Por un lado, se encontraría la normativa en materia de seguridad del producto que, como se verá, tiene como objetivo fundamental garantizar un nivel elevado de protección y facilitar la libre circulación de productos. Ahora bien, junto

---

[6] Vid., sobre esta quiebra del sistema tradicional de responsabilidad por producto: LLANEZA GONZÁLEZ, P.: *Seguridad y responsabilidad en la internet de las cosas (IoT)*, Wolters Kluwer, Madrid, 2018. NAVAS NAVARRO, S.: *Daños ocasionados por sistemas de inteligencia artificial: especial atención a su futura regulación*, Comares, Granada, 2022.

con esta normativa, que es la que tradicionalmente ha centrado la actuación europea para salvaguardar el mercado único, también ha de tenerse en cuenta la normativa de protección de datos y la normativa de IA. En efecto, por primera vez, los productos no solo pueden entrañar un riesgo para la seguridad y salud de las personas, sino que también pueden comprometer su privacidad o afectar a derechos fundamentales. Por ello, como se verá, los nuevos avances tecnológicos obligan a cohonestar la normativa en materia de seguridad del producto con las nuevas normas en materia de protección de datos e IA.

Una tercera singularidad de estos nuevos productos en sentido amplio es que están basados en una tecnología que requiere constantes actualizaciones. En ocasiones las actualizaciones puede que sean automáticas e incluso pueden entrañar cambios en el funcionamiento y aplicaciones de los equipos. Esta constante actualización del equipo determina que sea difícil fijar un único momento para evaluar y certificar la seguridad de producto. Asimismo, aunque todavía no parece que esta tecnología se haya generalizado, se apunta un futuro en que el propio equipo pueda desarrollar capacidad para aprender y modificar los patrones de funcionamiento en función de los datos recibidos del entorno.

En directa conexión con esta permanente mutabilidad de los equipos, se encuentra el papel protagonista de diferentes agentes y operadores, más allá del fabricante y del distribuidor, a lo largo de la vida del producto. Así, en un robot avanzado podría intervenir el fabricante del equipo, pero también el desarrollador del software que se incorpora, o el operador que utiliza este equipo e incorpora diferentes actualizaciones o nuevos programas informáticos a su funcionamiento. En lo que aquí interesa el empresario que adquiere estos productos con la finalidad de incorporarlos en su empresa puede tener un rol fundamental a la hora de actualizar el funcionamiento del equipo y de realizar un uso adecuado a las finalidades previstas.

II. INSUFICIENCIA DEL MARCO NORMATIVO EXISTENTE Y PRIMEROS AVANCES EN EL SENO DE LA UE

1. *Primeros pasos: el enfoque europeo en materia de IA*

El fenómeno de la digitalización en sus múltiples manifestaciones ha penetrado ya en la industria, en la economía y en la sociedad y ha obligado a las diferentes instancias políticas a trabajar para dar respuesta a los retos que plantea. Particularmente intensa ha sido esta labor en el seno de la UE, que ha liderado una serie de actuaciones, con el fin de dotar a los Estados de la Unión de un marco normativo que permita un desarrollo seguro y fiable de estos nuevos avances; ahora bien, esta respuesta no se ha concretado todavía en la aprobación de normas concretas, ya que requiere un estudio detenido de las implicaciones reales de estos nuevos desarrollos tecnológicos con el fin de arbitrar las oportunas propuestas normativas.

El primer hito significativo que constituye el pistoletazo de salida es la Comunicación de la Comisión de 25 de abril de 2018 (COM 2018) 237 final, titulada: "Inteligencia artificial para Europa". En esta Comunicación la Comisión se marca el ambicioso objetivo de que la UE se convierta en un motor en materia de IA sin olvidar los valores éticos y jurídicos que han inspirado su creación. Por ello, contempla iniciativas en el plano de la inversión, la investigación y el apoyo a las empresas, pero también se propone garantizar un marco ético y jurídico alineado con los valores inspiradores de la Unión.

A esta comunicación inicial de la UE, en la que se dibujaba el escenario querido en lo relacionado con la IA para Europa, le siguió, con un propósito más concreto, el Libro Blanco sobre Inteligencia Artificial. Un enfoque europeo orientado a la excelencia y la confianza COM (2020) 65 final, de 19 de febrero de 2020, y el Informe sobre repercusiones en materia de seguridad y responsabilidad civil de la inteligencia artificial, el internet de las cosas y la robótica COM (2020) 64 final.

Por último, ha de destacarse la Comunicación COM (2021) 205 final, de 21 de abril de 2021: "Fomentar un planteamiento europeo en materia de inteligencia artificial". En esta Comunicación se presenta la propuesta legislativa en materia de IA y se revisa el plan coordinado sobre la inteligencia artificial, que pretende reforzar la colaboración de los estados miembros en la creación de un liderazgo mundial de la UE en materia de IA.

Esta intensa actividad política de la UE ha dado lugar a una serie de iniciativas concretas que han permitido, por un lado, la fijación de unas directrices éticas en materia de IA, basadas en los grandes valores de la UE, y, por otro, la revisión y adecuación de la normativa existente y el desarrollo de una propuesta legislativa en materia de IA.

2. Creación de directrices éticas en materia de IA

Uno de los primeros pasos de la UE para afrontar los nuevos retos derivados de la IA fue la creación en 2018 de un Grupo de expertos de alto nivel en materia de Inteligencia Artificial.

El cometido principal de este grupo era asesorar a la UE en las propuestas políticas en la materia realizando recomendaciones de diversa índole[7]. Una de las aportaciones más destacadas del grupo han sido las Directrices éticas para una IA fiable[8], que fueron recogidas y asumidas por la Comisión en su comunicación, COM (2019) 168 final, de 8 de abril de 2019: "Generar confianza en la inteligencia artificial centrada en el ser humano", en la que la comisión asumió las directrices del Grupo de expertos de alto nivel. La conclusión principal del Grupo es que la inteligencia artificial fiable ha de ser legal, ética y robusta. El grupo renuncia a desarrollar el primero de los tres componentes, que corresponde a las instancias legislativas, sin embargo, ofrece orientaciones sobre la IA ética y robusta que cabe esperar que inspiren el desarrollo normativo correspondiente. De un modo más particularizado el grupo enumera los siete requisitos que deben cumplir los sistemas de IA para ser fiables: 1) acción y supervisión humanas, 2) solidez técnica y seguridad, 3) gestión de la privacidad y de los

---

[7]   Pueden consultarse los principales informes del grupo en este enlace: https://ec.europa.eu/digital-single-market/en/high-level-expert-group-artificial-intelligence

[8]   El primer borrador se publicó el 18 de diciembre de 2018 y tras un proceso de consultas se publicó la versión definitiva el 8 de abril de 2019, puede consultarse en: KK0219841ESN.es.pdf

datos, 4) transparencia, 5) diversidad, no discriminación y equidad, 6) bienestar ambiental y social, y 7) rendición de cuentas.

Ahora bien, el grupo de expertos no se limitó a la elaboración de estos siete requisitos, sino que trató de trasladar a la práctica en forma de lista de evaluación las cuestiones fundamentales que han de ser valoradas para determinar si una IA es fiable. Esta lista tuvo una primera versión piloto y tras un proceso de exposición pública se tradujo en la Lista de evaluación para una Inteligencia Artificial Fiable, conocida por sus siglas en inglés (ALTAI) [9]. La lista toma como referencia los siete requisitos identificados como básicos para tener una IA fiable, a partir de aquí identifica una serie de cuestiones que han de plantearse para determinar si el sistema de IA es fiable.

El siguiente paso del grupo ha sido elaborar consideraciones específicas atendiendo a tres sectores que se han considerado prioritarios y que son: el sector público, el sector sanitario y el sector industrial y del IoT. El objetivo es concretar el listado de cuestiones planteadas para garantizar una IA fiable teniendo en cuenta las particularidades de cada sector[10].

Este esfuerzo del grupo constituye el primer paso hacia la normalización europea en materia de inteligencia artificial. En efecto, tal y como se verá posteriormente, uno de los mayores escollos para el desarrollo de estos nuevos avances tecnológicos se encuentra en la falta de especificaciones técnicas que concreten en el estado del arte para el diseño y fabricación de este tipo de productos de forma segura.

3. *Revisión de la normativa existente y formulación de propuestas legislativas*

Como corolario lógico del marco europeo para una IA ética y fiable se debía abordar la tarea de reforma normativa. Para ello, la UE tenía como premisa asegurar una gobernanza suficiente, coherente y no redundante en la materia. Se pretendía, en suma, asegurar un de-

---

[9]   Disponible   en a   ltai_final_14072020_cs_accessible2_jsd5pdf_correct-title_3AC24743-DE11-0B7C-7C891D1484944E0A_68342_(1).pdf

[10]   Sectoral_Considerations_On_The_Policy_And_Investment_Recommendations_For_Trustworthy_Artificial_Intelligence_0.pdf

sarrollo normativo suficiente, que no supusiera una carga excesiva para el desarrollo de las innovaciones tecnológicas y que, a su vez, aprovechara el marco normativo existente integrando un conjunto de normas coherente.

Esta labor de reforma y de proposición normativa ha afectado a las áreas de seguridad del producto, de responsabilidad y de prestación de servicios digitales.

En lo que se refiere a la seguridad del producto, se está acometiendo una labor de revisión de la normativa existente, pero siempre en el marco del denominado nuevo enfoque en materia de seguridad del producto. Este nuevo enfoque se basa en un sistema de armonización de los requisitos esenciales de seguridad, que se imponen de forma obligatoria a los fabricantes, pero cuyo cumplimiento se presume, siempre que el fabricante observe las normas técnicas, elaboradas por los organismos de normalización. El sistema se cierra con la evaluación y certificación de la conformidad mediante procedimientos más o menos simples, según la peligrosidad del producto. Como se verá, la UE ha partido de este nuevo enfoque y ha pretendido que la nueva norma reguladora de los sistemas de IA, se integre de forma coherente en este marco normativo existente. Con este objetivo, la UE ha apostado por una norma horizontal, la propuesta de Reglamento por el que se establecen normas armonizadas en materia de Inteligencia Artificial (Reglamento de Inteligencia Artificial)[11], que recoge los requisitos esenciales de seguridad de estos sistemas, pero que ha previsto que los productos que ya eran objeto de normativa específica, se sigan rigiendo por dicha normativa, aunque también han de respetar los requisitos esenciales de seguridad en materia de IA. Con todo, como se verá a continuación, el desarrollo de la IA va a obligar también a acomodar esta normativa específica. Por el momento, la UE ha comenzado por la normativa de máquinas.

Por otro lado, se ha abordado también una profunda revisión de la normativa sobre servicios digitales. Tal y como se ha señalado la

---

[11]   COM (2021) 106 final, de 21 de abril de 2021. El pasado 25 de noviembre de 2022, el Consejo adoptó su propuesta transaccional sobre esta materia, 2021/0106/COD, disponible en https://data.consilium.europa.eu/doc/document/ST-14954-2022-INIT/es/pdf

heterogeneidad es una nota común de los avances tecnológicos propiciados por la IA. Esta heterogeneidad determina que en ocasiones los sistemas de IA, no se comercialicen como productos (en sentido amplio, incluyendo también software), sino que son utilizados en el marco de una prestación de servicios. Atendiendo a esta nueva realidad, la UE ha tenido también que reformar la normativa sobre servicios digitales. Merece destacarse, en este sentido la Directiva de servicios digitales, sobre la que se profundiza en la parte final de esta obra[12].

Por último, las particularidades propias de la IA también han obligado a una reconsideración de las reglas en materia de responsabilidad civil que, por el momento, se han concretado en la propuesta de 28 de septiembre de 2022 de Directiva sobre responsabilidad en materia de IA[13] y en la propuesta de revisión de la Directiva 85/374, de 25 de julio de 1985, sobre responsabilidad por daños causados por productos defectuosos[14].

III. LA PROPUESTA DE REGLAMENTO IA: UNA APUESTA POR UNA APROXIMACIÓN HORIZONTAL Y COHERENTE CON EL RESTO DE BLOQUES NORMATIVOS

La propuesta de Reglamento de IA es la norma de referencia en la que se han plasmado los requisitos para garantizar una IA fiable y segura, sin menoscabo del desarrollo tecnológico. Constituye el referente que los principales operadores del mercado han de tener en cuenta a la hora de diseñar, fabricar y comercializar estos sistemas de IA. El objetivo de la norma es asegurar un marco homogéneo para todos los Estados miembros y un nivel adecuado de seguridad, sin perjudicar el favorecimiento de la innovación y avance tecnológicos. Se abordan

---

[12]   Directiva 2019/770, del Parlamento Europeo y del Consejo de 20 de mayo de 2019, relativo a determinados aspectos de los contratos de suministro de contenidos y servicios digitales.

[13]   COM (2022) 496 final. Esta propuesta reemplaza la anterior de 20 de octubre de 2020 para la elaboración de un Reglamento relativo a la responsabilidad civil por el funcionamiento d ellos sistemas de inteligencia artificial.

[14]   La última versión es de 28 de septiembre de 2022, (COM (2022) 495

con detenimiento en el siguiente capítulo los principales pilares de esta propuesta normativa, pero a los efectos perseguidos en este capítulo, interesa destacar las implicaciones que esta nueva norma tiene para los fabricantes de productos destinados al ámbito laboral, que incorporen sistemas de IA, o de sistemas de IA comercializados de forma independiente.

La normativa sobre seguridad de los productos se asienta en el ya mencionado Nuevo enfoque en materia de armonización. Conforme a este nuevo enfoque la UE se propuso garantizar un elevado nivel de seguridad de los productos que circulaban en la UE y a su vez garantizar un procedimiento ágil de actualización de las normas técnicas y de evaluación y verificación del cumplimiento de los requisitos esenciales de seguridad. Este nuevo enfoque en materia de armonización se encuentra plenamente consolidado en los países de la Unión y ha demostrado su eficacia para la consolidación de un libre mercado europeo de productos.

En este contexto, el primer reto de la nueva normativa de IA era buscar un sistema coherente con la normativa ya existente y a la vez tenía que responder a los retos que plantean los nuevos sistemas de IA que, tal y como se ha destacado, se caracterizan por su heterogeneidad. Para ello, la nueva ley de IA incluye en su ámbito de aplicación a todo tipo de sistemas de IA y diferencia las exigencias de seguridad atendiendo a niveles de riesgos. A su vez, la nueva norma ha tratado de ofrecer una respuesta integral a los retos de seguridad de estos sistemas, pero también complementaria y coherente con las ya dadas por otros bloques normativos. Por último, la ley de IA se inspira en el modelo asentado en materia de seguridad del producto y parte de una definición general de los requisitos de seguridad y de la remisión posterior a las normas técnicas.

1. Amplitud de su ámbito de aplicación y apuesta por un planteamiento basado en niveles de riesgo

Tal y como se señalaba al inicio una de las características de los nuevos avances tecnológicos es su heterogeneidad. La nueva revolución industrial ha traído consigo robots inteligentes, nuevos sistemas de gestión, vehículos guiados o autónomos, dispositivos de protección portátiles, etc. Esta heterogeneidad ha traído consigo el que en ocasiones se hicieran referencias genéricas a la robótica o a la inteligencia artificial, o al aprendizaje autónomo de las máquinas, como conceptos sinónimos[15]. Por eso, uno de los mayores retos normativos era clarificar cuál era el objeto de regulación. Para ello, cabían dos grandes enfoques, uno genérico, con el fin de encontrar una definición lo suficientemente amplia, que aglutinase al grueso de estos nuevos equipos; otro enfoque específico, que trata de dar respuestas distintas en función de los usos y aplicaciones a los que estos nuevos equipos se destinan, que es la opción seguida por EE.UU[16].

La nueva norma opta por definir en términos amplios su ámbito de aplicación y ofrecer un marco general, basado en la clasificación de riesgos. No se ha optado, por tanto, por un abordaje sectorial, basado, por ejemplo, en los concretos usos a los que se destinan los sistemas de IA o en las concretas características físicas del sistema (por ejemplo, su carácter corpóreo o su funcionamiento independiente).

Ahora bien, tal y como se apuntaba al inicio, los nuevos avances se caracterizan por su heterogeneidad, por ello, un abordaje normativo preciso requiere también tener en cuenta los diferentes condicionantes y destinos de los sistemas de IA. Esta especificidad se trata de conseguir con la nueva norma a través de la categorización de los sistemas de IA según su riesgo.

Resumiendo, la nueva norma de IA divide los sistemas de IA en sistemas con riesgo inadmisible y sistemas de alto riesgo, riesgo limitado y riesgo mínimo. Los sistemas de alto riesgo deben cumplir una serie de requisitos de seguridad. Para ello el fabricante ha de asegurarse de que sus sistemas se adecúan a tales riesgos. Respecto del resto de sistemas, que no son de alto riesgo, los fabricantes pueden voluntariamente cumplir códigos de conducta.

---

[15]   Como ejemplo de esta confusión, llama la atención que al inicio los textos políticos de la UE hicieran referencia a la robótica y que la propia definición de robot, elaborada por el grupo Robolaw, fuera tan genérica que conceptuara como robot también un sistema de software que incluyera IA, en lugar de categorizar el robot como un hardware que incluye IA, es decir como subdisciplina de la IA.

[16]   BERLTOLINI, A.: *Artificial Intelligence and Civil Liability*, 2020, informe requerido por el Parlamento Europeo, disponible en https://www.europarl.europa.eu/thinktank/en/document/IPOL_STU(2020)621926: págs. 22 y ss.

Entre los sistemas de alto riesgo se incluyen aquellos destinados a ser utilizados como componente de seguridad de uno de los productos contemplados en el Anexo II de la propuesta y también aquellos sistemas que en sí mismos son uno de estos productos, siempre que estos productos conforme a su propia legislación de armonización deban someterse a una evaluación externa. Entre los productos que recoge el Anexo se encuentran, productos sometidos a la normativa del nuevo enfoque y destinados a ser utilizados en el ámbito profesional tales como las máquinas, los equipos de protección individual, ascensores, equipos a presión, aparatos para uso en atmósferas explosivas, ascensores. Ahora bien, no basta con que el sistema de IA se incorpore o sea uno de estos productos, sino que además es necesario que requiera evaluación de conformidad de un tercero. Este tipo de evaluaciones de conformidad se contemplan en la normativa sectorial de seguridad de cada producto y su imposición depende del grado de peligrosidad. Así, por ejemplo, en el caso de las máquinas se requiere dicha evaluación por tercero cuando se trate de alguna de las máquinas incluidas en el Anexo IV entre las que figuran sierras, plataformas elevadoras, máquinas moldeadoras, máquinas portátiles de impacto, etc

Asimismo, según el art. 6.2 se consideran sistemas de IA de alto riesgo los mencionados en el Anexo III de la propuesta. En este caso el Anexo no recoge un listado de productos por referencia a sus normas específicas, sino que se toma como criterio el uso y el ámbito al que se destina el sistema de IA. En lo que aquí interesa se incluyen sistemas de IA utilizado en el ámbito del empleo, gestión de los trabajadores y acceso al autoempleo y, en concreto, los sistemas dedicados a la selección de trabajadores y los sistemas destinados a adoptar decisiones en materia de promoción o asignación de tareas evaluación del rendimiento y conducta de los trabajadores en el marco de dichas relaciones.

2. Enfoque horizontal y sistema entrelazado con el resto de normativa

Una de las inquietudes de la Comisión es asegurar la gobernanza mediante la aplicación efectiva de la legislación vigente. Se pretende aprovechar las estructuras ya existentes y evitar diseñar un marco normativo demasiado complejo o redundante. Por ello, la propuesta de ley IA tiene entre sus objetivos integrarse de forma coherente y complementaria con el marco normativo ya existente en la materia. De forma expresa la propuesta de ley de IA pretende ser coherente con la normativa sectorial, reguladora de los requisitos de seguridad de los productos. Para ello, contempla que los requisitos de seguridad de los sistemas de IA se comprueben como parte de los procedimientos de evaluación previstos en la normativa específica. De tal forma que, cabe decir, que la ley de IA tiene una vocación transversal, por cuanto, pretende dibujar el panorama genérico de requisitos que ha de cumplir cualquier sistema de IA, entendido en sentido amplio. Ahora bien, consigue también un enfoque particularizado, necesario dada la heterogeneidad de sistemas de IA, a través de la clasificación de los sistemas en niveles de riesgos según sus características y el uso al que se destinen y también a través de una coordinación con la normativa ya existente en materia de nuevo enfoque, a la que pretende complementar.

Por otro lado, tal y como se ha visto en el apartado anterior, la propuesta de ley tiene en cuenta la regulación de esta normativa sobre seguridad del producto a la hora de calificar un determinado sistema como de alto riesgo.

Por último, la propuesta pretende ser coherente con la normativa en materia de protección de datos y en materia de no discriminación, y a lo largo de su articulado recoge alguna referencia concreta sobre esta materia.

3. Fijación de requisitos generales y remisión a las especificaciones técnicas

El esquema tradicional del nuevo enfoque en materia de armonización técnica ha inspirado también la nueva normativa de IA. El nuevo enfoque trata de garantizar un nivel elevado de seguridad y una rápida adaptación a los avances tecnológicos. Para ello, las normas obligatorias se limitan a fijar los requisitos de seguridad obligatorios que deben observar los fabricantes y son los organismos de normalización los que elaboran y actualizan las normas técnicas, de cumplimiento voluntario, pero que permiten al fabricante que las sigue beneficiarse de la presunción de conformidad de sus productos, esto es, de que sus productos cumplen los requisitos obligatorios. Como novedad, la propuesta de IA contempla la posibilidad de que la Comisión elabore especificaciones comunes, que recojan estándares técnicos. Estas especificaciones se aprobarán para el caso de que no haya normas armonizadas o cuando sean insuficientes. Para su elaboración la Comisión ha de recabar los puntos de vista de los organismos y grupos de expertos pertinentes.

En cuanto a los requisitos obligatorios, la propuesta de Ley de IA obliga al fabricante a implantar, documentar y mantener un sistema de gestión de riesgos que incluye la identificación de los riesgos conocidos y previsibles vinculados al sistema de IA, la estimación y evaluación de los riesgos que podría sufrir cuando se utilice conforme a su finalidad o conforme a un uso indebido razonablemente previsible, la evaluación de otros riesgos detectados en el análisis de datos posterior a la comercialización y las medidas para gestionar esos riesgos.

El sistema se completa con la previsión de un sistema de evaluación, que obliga a someter a los sistemas de IA a pruebas para comprobar si funcionan de un modo adecuado.

IV. VUELTA A LO CONCRETO: LOS REQUISITOS DE SEGURIDAD DE LOS NUEVOS SISTEMAS DE IA UTILIZADOS EN EL ÁMBITO LABORAL

1. Robots-máquinas: normativa de máquinas y legislación de IA

Una de las aportaciones principales de los nuevos desarrollos tecnológicos a la industria se produce en el ámbito de la robótica, mediante robots avanzados capaces de realizar tareas humanas e, incluso, de adoptar decisiones en función de los datos del entorno. La cuestión que se pretende abordar en este apartado es cuál es la normativa de referencia a la hora fabricar este tipo de robots. Para dar respuesta a esta cuestión resulta necesario realizar una labor previa de acotación del concepto de robot, teniendo en cuenta la normativa de seguridad de las máquinas. Esta tarea resulta harto difícil por cuanto el concepto robot tiene múltiples acepciones y porque también el concepto normativo de máquina, recogido en la normativa comunitaria, plantea algunas incógnitas en la práctica.

No existe consenso a la hora de definir un robot. La RAE define robot en su primera acepción como: "Máquina o ingenio electrónico programable que es capaz de manipular objetos y realizar diversas operaciones". En su segunda acepción señala que: "robot que imita la figura y los movimientos de un ser animado". Se trata de definiciones generales que, en parte se encuentran influenciadas por concepciones que tienen su origen en la literatura y el cine y que tienden a ver al robot como un alter ego de la persona humana.

No obstante, este tipo de definiciones no permiten un acercamiento real a las diferentes categorías de robot y que tenga en cuenta sus diferentes funcionalidades. Así, parecen asociar el concepto de robot a un bien mueble, corpóreo, por otro lado, parecen asociar el concepto de robot a su capacidad de funcionamiento autónomo, cuando no todos los robots tienen esta funcionalidad.

Una definición más amplia y que a la vez permite incluir los más diversos tipos de robots es la propuesta por Bertolini en el marco del proyecto europeo Robolaw que señala que:

"*A machine, wich (i) may be ither provided of a physical body, allowing it to interact with the external world, or rather have an intangible nature-such as a software or program-, (ii) wich in its functioning is alternatively directly controlled or simply supervised by a human being, or may even act autonomously in order to (iii) perform tasks, which present different degrees of complexity (repetitive or not) and may entail the adoption of not predetermined choices among possible alternatives yet aimed at attaining a result or provide information for further judgment, as so determined by its user, creator or programmer, (iv) including but not limited to the modification of the external environment, and which in so doing may (v) interact and cooperate with humans in various forms and degrees.*"

Partiendo de este concepto genérico la cuestión que se plantea es qué normativa de seguridad se debe aplicar a estos robots destinados a ser utilizado en la industria. Desde luego, desde el momento en que incorporan un sistema de IA habrá de tenerse en cuenta la propuesta de ley de IA. Ahora bien, tal y como se ha visto, dicha normativa trata de diseñar un esquema coherente con el resto de normas específicas en materia de seguridad del producto y, en concreto, ha establecido un marco específico de relación entre la ley IA y la normativa de seguridad de las máquinas. Además, la Comisión ha iniciado un proceso de revisión de la Directiva Máquinas, con el objetivo de precisar algunos aspectos ambiguos que su aplicación había puesto de manifiesto y también con el objetivo de acomodar la regulación de la anterior norma a las nuevas implicaciones derivadas de la IA.

En líneas generales, cabe adelantar que cuando un sistema de IA sea una máquina o se destine a ser incorporado a una máquina ha de aplicarse la normativa sectorial específica de máquinas, pero teniendo en cuenta las especificaciones de seguridad de la propuesta de ley de IA.

1.1. Concepto de máquina y sistemas de IA

De acuerdo con el art. 1 de la Directiva 2006/42 de 17 de mayo, quedan incluidos en su ámbito de aplicación, entre otros, las máquinas y los componentes de seguridad. En la actualidad se está tramitando una revisión de esta norma, que conducirá a la aprobación del Reglamento relativo a máquinas[17]. La propuesta pretende clarificar el ámbito objetivo de aplicación y tener en cuenta la evolución de la técnica, con el fin de incorporar las adaptaciones necesarias; ahora bien, este proceso de modificación pretende ser equilibrado y tener en cuenta el impacto económico que reformas sustanciales pueden tener en un contexto de todavía cierta incertidumbre en cuanto al avance tecnológico.

Partiendo de estas premisas, la propuesta de Reglamento mantiene el ámbito de aplicación, en los términos de la anterior Directiva y actualiza el listado de productos excluidos. La mayor novedad se encuentra en la toma en consideración de las implicaciones de la IA en la propia definición de máquina. Así, se mantiene la definición general de máquina en el art. 3.1 a) y se entiende por tal: "el conjunto de partes o componentes vinculados entre sí, de los cuales al menos uno es móvil, asociados para una aplicación determinada, provisto o destinado a estar provisto de un sistema de accionamiento distinto de

---

[17]   Propuesta de Reglamento del Parlamento Europeo y del Consejo relativo a las máquinas y sus partes y accesorios COM (2021) 202, final.

la fuerza humana o animal", y en el apartado f, señala que también será máquina el conjunto de partes o componentes al que solo le falte la carga de un software destinado a su aplicación específica.

Igualmente, en la definición de componente de seguridad incluye expresamente el software, así, el apartado 3) del art 3 de la propuesta señala que se entiende por tal todo componente físico o digital de una máquina, incluido el software, que sirva para desempeñar una función de seguridad.

Teniendo en cuenta estas definiciones, quedarían incluidas en el ámbito de aplicación del nuevo Reglamento de máquinas los sistemas de IA embebidos en productos que encajan en la definición de máquina. Esto es, aquellos sistemas de IA incorporados a un conjunto de partes o componentes de los cuales uno es móvil y que están destinados para una aplicación determinada y que precisan un sistema de accionamiento distinto de la fuerza humana.

Asimismo, quedarían incluidos los conjuntos de partes o componentes a los que solo les falta incorporar un software para que puedan realizar una aplicación específica. De tal manera, que los sistemas de IA que se comercializan de forma autónoma en el mercado no serían en sí mismos una máquina, pero desde el momento en que se destinan a una máquina, quedarán incluidos en el ámbito de aplicación del Reglamento y, como se verá posteriormente, es el fabricante de la máquina que incorpora el sistema de IA, el que deberá asegurar que reúnen los requisitos de seguridad tanto de la ley de IA como de la normativa de máquinas.

Podría haberse planteado si estos sistemas de software destinados a cargarse en un bien corpóreo para que desarrolle una concreta aplicación podrían considerarse como equipos intercambiables. Tradicionalmente, un equipo intercambiable era un dispositivo que era acoplado por el propio operador de la máquina para aportar una función nueva, por ejemplo, los equipos ensamblados en tractores agrícolas para diferentes funciones como arar, recolectar, elevar, etc. El legislador de la propuesta de máquinas ha mantenido sin variación la definición de equipo intercambiable y parece que en su espíritu está la idea de entender estos equipos como dispositivos físicos, que requieren su propia evaluación de conformidad.

Por lo tanto, tal y como se señala anteriormente, un sistema de IA autónomo, salvo como se verá a continuación, que constituya un componente de seguridad, solo quedará incluido en la nueva propuesta de máquinas cuando vaya incorporado a un conjunto que conforma una máquina.

Mención aparte merecen los sistemas de IA que constituyen un componente de seguridad. En este caso el apartado 3 del art. 3 de la propuesta ha contemplado expresamente el software autónomo como componente de seguridad. En consecuencia, ha de entenderse que un sistema digital o software, basado o no en IA, destinado a incorporarse a una máquina para desempeñar una función de seguridad que se comercialice por separado, tendrá la consideración de componente de seguridad y quedará, en consecuencia, incluido en el ámbito de aplicación de la propuesta de Reglamento relativo a máquinas y sometido a los requisitos de seguridad y exámenes de conformidad contemplados en esta normativa.

De lo expuesto hasta el momento, cabe concluir lo siguiente:

1. Los sistemas de IA destinados a incorporarse a máquinas quedan incluidos en la propuesta de Reglamento de máquinas

2. En coherencia con lo anterior se consideran máquinas los conjuntos a los que solo les falten un software para desarrollar una aplicación específica. En este caso, será el fabricante de la máquina quien deberá garantizar el cumplimiento de la normativa de seguridad de las máquinas y en materia de IA.

3. Se incluye también en el ámbito de la propuesta de Reglamento relativo a las máquinas los componentes de seguridad, entre los cuales, se incluye específicamente el software que sirve para desempeñar una función de seguridad.

1.2. Procedimiento de evaluación y certificación de los sistemas de IA incluidos en el campo de aplicación de la normativa de máquinas

La propuesta de Reglamento de IA prevé que en caso de que el sistema de IA se incorpore en una máquina, la comprobación del cumplimiento de los requisitos de seguridad fijados en la normativa de IA, se llevará a cabo siguiendo los procedimientos de evaluación de la normativa de máquinas. Esta es la opción seguida con carácter general por la propuesta en materia de IA, tal y como se deduce de los trabajos preparatorios y expresamente del considerando 63, el cual señala que: "En el caso de los sistemas de IA de alto riesgo asociados a productos cubiertos por la legislación de armonización vigente en la Unión que sigue el planteamiento del nuevo marco legislativo, conviene que la evaluación de si cumplen o no los requisitos establecidos en el presente Reglamento se enmarque en la evaluación de la conformidad ya prevista en dicha legislación".

Con carácter general los procedimientos de evaluación y acreditación de la conformidad varían dependiendo de la peligrosidad del producto. En el caso de la normativa de máquinas, para aquellas que no se consideran especialmente peligrosas, bastará con que el fabricante aplique el procedimiento de control interno definido en el Anexo VI de la propuesta y que no requiere la intervención de un tercero.

En el caso de máquinas consideradas de alto riesgo el fabricante ha de seguir uno de los siguientes procedimientos: realización de un examen de tipo, seguido de un control interno de producción para verificar que los productos se adecúan al modelo tipo; o sometimiento a un procedimiento de aseguramiento de la calidad total. En ambos casos se requiere la intervención de un tercero, organismo notificado que evalúa la aplicación del sistema de calidad.

El anexo I de la propuesta de Reglamento recoge el listado de máquinas, partes y accesorios considerados de alto riesgo. Entre estos productos la propuesta incluye por primera vez, en sus apartados 24 y 25: "el software que garantiza las funciones de seguridad, incluidos los sistemas de inteligencia artificial (IA)" y "las máquinas que incorporan sistemas de IA que garantizan las funciones de seguridad". Por lo tanto, la funcionalidad de seguridad del sistema de IA es la clave que determina que la máquina en la que se incorpora sea considerada de alto riesgo. En efecto, el Anexo, incorpora las máquinas peligrosas tradicionales, pero en cuanto a las máquinas que incluyen sistemas de IA, solo las ha considerado especialmente peligrosas cuando los sistemas de IA sean destinados a garantizar funciones de seguridad. Se entiende, por tanto, que cuando el sistema de IA se destine a otras aplicaciones distintas, relacionadas con la ejecución el trabajo, pero no directamente con la seguridad, no serán consideradas de alto riesgo. Por lo tanto, cabe pensar que, por ejemplo, máquinas con sistemas de IA que tienen como función garantizar la precisión de una máquina de corte, detectar averías, avisar de la necesidad de repuestos, no estarían incluidas en el Anexo. Lo anterior, no obstante, no significa que estas máquinas con sistemas IA, pero no peligrosas, no deban cumplir los requisitos esenciales de seguridad, sino que simplemente se confía en la evaluación interna, por parte del fabricante, sin intervención de un tercero, para acreditar tal conformidad.

De lo expuesto hasta ahora cabe concluir, que han de someterse a procedimientos de evaluación de la conformidad, con intervención por terceros, las siguientes máquinas:

- Máquinas, incluidas en el listado de máquinas peligrosas, con independencia de que incluyan sistemas de IA.
- Máquinas que incorporan sistemas de IA con funciones de seguridad
- El software que garantiza funciones de seguridad

1.3. Requisitos esenciales de seguridad

Tal y como se acaba de ver, todo tipo de máquinas con sistemas de IA, han de cumplir los requisitos esenciales de seguridad previstos en el Reglamento de máquinas. Ello es así por cuanto estamos ante máquinas incluidas en el ámbito de aplicación de la normativa sectorial de máquinas, con independencia de que incorporen sistemas de IA.

La propuesta de Reglamento de máquinas ha modificado los requisitos esenciales de seguridad para dar respuesta a los desafíos que plantean las tecnologías emergentes. Estos requisitos esenciales de seguridad se aplicarán a toda máquina, con independencia de que incorpore o no un sistema de IA calificado de alto riesgo. De manera resumida estos nuevos requisitos son los siguientes:

- Las máquinas con nuevas tecnologías digitales deben incluir en la evaluación los riesgos que aparezcan después de introducir la máquina en el mercado debido a un comportamiento autónomo y evolutivo.

- Se incorpora un nuevo requisito relativo a la ciberseguridad para abordar los riesgos derivados de acciones maliciosas de terceros
- Se incorporan requisitos específicos para atender a los riesgos ergonómicos y de estrés relacionados con una posible interacción entre humanos y máquinas
- Se incorporan exigencias específicas para garantizar la trazabilidad de la seguridad de las máquinas y habrá de incorporarse información específica en el expediente técnico.

Además de estos requisitos esenciales de seguridad, cuando las máquinas incorporen sistemas de IA han de observarse también los requisitos de seguridad previstos en la propuesta de Reglamento de IA.

De acuerdo con el esquema de nivel de riesgos establecido por esta propuesta, las máquinas con sistemas de IA considerados de alto riesgo, habrán de cumplir los requisitos esenciales de seguridad exigidos por la propuesta de Ley de IA. Aquellas máquinas que no incorporen sistema de IA de alto riesgo, no han de observar requisitos de seguridad, aunque pueden seguir los códigos de conducta del sector.

La normativa de IA ha considerado como IA de alto riesgo los sistemas que reúnan dos requisitos: que se destinen a ser utilizados como componentes de seguridad o que sean un producto sometido a legislación de nuevo enfoque y especificados en el Anexo II de la propuesta siempre que, a su vez, conforme a tal legislación, deban someterse a una evaluación por tercero.

Trasladando esta categorización al ámbito de las máquinas, han de considerarse sistemas de IA de alto riesgo:

- Aquellos sistemas que se incorporan al producto, en nuestro caso una máquina, como componente de seguridad o pueden ser considerados en sí mismos como un producto, como una máquina. En el caso de las máquinas, tal y como se ha visto, no cabrá considerar el sistema de IA como máquina en sí mismo, ya que la definición de máquina habla de un conjunto de partes de las cuales una es móvil y solo incluye expresamente en la definición de máquina al sistema de IA que realiza funciones de seguridad. Por eso, en el ámbito de la normativa de máquinas los sistemas de IA de alto riesgo, se reducen al software con funciones de seguridad.

- Siempre que, a su vez, conforme con la normativa de máquinas requieren evaluación de terceros. Esto sucede para las máquinas incluidas en el Anexo I, consideradas de alto riesgo, entre las que se incluye expresamente el software que garantiza funciones de seguridad[18].

De acuerdo con lo anterior los sistemas de IA con funciones de seguridad son siempre de alto riesgo, ya que reúnen ambos requisitos y cabe concluir también que son los únicos sistemas de IA, destinados a máquinas, que pueden ser considerados de alto riesgo.

De acuerdo con lo expuesto hasta el momento y con el fin de clarificar este complejo entramado normativo puede concluirse lo siguiente.

- Todas las máquinas que incorporen sistemas de IA, han de cumplir los requisitos esenciales de seguridad de la normativa de máquinas.
- Los sistemas de IA de alto riesgo han de cumplir los requisitos de seguridad recogidos en la ley de IA
- Tienen la calificación de sistema de IA de alto riesgo aquellos destinados a ser componentes de seguridad de una máquina y aquel software comercializado para realizar funciones de seguridad y ser incorporado a una máquina.

1.4. Las normas técnicas y los organismos de normalización para las máquinas con sistemas de IA

Hasta el momento, la aproximación al esquema básico de la propuesta de Reglamento de máquinas ofrece un conjunto normativo que pretende garantizar los objetivos habituales de las normas del nuevo enfoque, garantizar un elevado nivel de seguridad, sin menos-

---

[18] Además, también se consideran peligrosas, entre otras, las: sierras circulares, con hojas finas, cepilladoras con avance manual para madera, máquinas para moldear plásticos por inyección o comprensión, máquinas para moldear caucho,

cabo del avance tecnológico y adoptando una perspectiva simplificada y eficaz, que arbitre mecanismos para facilitar el cumplimiento de la normativa y su acreditación en la práctica. Con estos objetivos en el horizonte la propuesta de reforma mantiene el esquema clásico de la legislación de nuevo enfoque, basado en la remisión a normas técnicas, voluntarias, pero cuyo seguimiento permite al fabricante demostrar fácilmente el cumplimiento de las normas obligatorias.

El problema es que en lo relativo a la IA, no solo la legislación obligatoria se sitúa por detrás del avance tecnológico, sino que también la labor de los organismos de normalización para consensuar normas técnicas en materia de IA resulta todavía muy incipiente.

Ha de tenerse en cuenta que para poder operar como organismo notificado es precisa la autorización de la UE y de los organismos nacionales y esta autorización habilita para ejercer las funciones de verificación propias de tales organismos respecto de una categoría concreta de productos. Esta circunstancia, unida a la especificidad de los requisitos de seguridad requeridos a los sistemas de IA, suscita dudas sobre si los organismos notificados en el ámbito de las máquinas pueden estar capacitados para verificar el cumplimiento de los requisitos de seguridad previstos en la propuesta de ley IA.

Fuera del ámbito de actuación propio de los organismos de normalización, tampoco en los círculos científicos existe un consenso en cuanto a qué pueda considerarse como estado del arte en materia de IA.

Por el momento, solo existen aproximaciones aisladas realizadas por algunos organismos de normalización a título particular.

2. Normativa de seguridad para la fabricación de EPIs inteligentes

La diferencia fundamental entre un EPI tradicional y un EPI inteligente, es que este último interactúa con el entorno o medio para reportar información al usuario o formular recomendaciones. EL CEN los define como: "equipos de protección individual que [...] muestran una respuesta intencionada y explotable tanto a los cambios del entorno/medio como a una señal/indicación externa"(4). Resulta fundamental, por tanto, esa interacción con el entorno que se puede producir a través de medios electrónicos o a través de materiales mejorados. A su vez en esa interacción con el entorno puede ocurrir que los EPIs lleven a cabo recopilación de datos personales o no.

Los requisitos de seguridad de los EPIs tradicionales se encuentran recogidos en el Rgto. 2016/425, de 9 de marzo de 2016, que sustituye a una Directiva anterior del año 1989. En el sector de los EPI existe un consolidado acervo de normas técnicas, que han facilitado la expansión del sector y la garantía de un elevado nivel de protección a los trabajadores. Sin embargo, esta regulación no responde a las nuevas exigencias derivadas del desarrollo de las nuevas tecnologías y a las peculiaridades características de los EPIs inteligentes.

En efecto, el elenco de requisitos esenciales de seguridad contenido en el Anexo II del Reglamento, atiende a cuestiones como la ergonomía, los materiales, la ligereza y solidez de los equipos o su comodidad y eficacia, pero no contiene requisitos relativos a la incorporación de dispositivos eléctricos, como baterías, o a los efectos que la interacción con el entorno a través de sensores puede provocar.

Cabría plantearse que parte de estos requerimientos de seguridad pueden estar cubiertos por otras normas del nuevo enfoque como la de productos eléctricos, pero ha de tenerse en cuenta que la incorporación de sensores y dispositivos al EPI tradicional lo transforma en un nuevo producto, que en su conjunto ha de reunir los requisitos de seguridad y fiabilidad[19].

El problema nuevamente es que, por un lado, ha de adaptarse la normativa obligatoria, en este caso el Reglamento de EPIs, para incorporar requisitos de seguridad adecuados para estos nuevos equipos y, por otro lado, han de desarrollarse por los organismos de normalización las necesarias normas técnicas, que den las oportunas soluciones técnicas para cumplir con los requisitos de seguridad. Junto a ello, también en este caso se requiere una adecuación de los propios organismos de evaluación de la conformidad. Los organismos que tradicionalmente verifican la conformidad de los EPIS no tienen

---

[19] THIERBACH, M.: "Equipos de protección inteligentes: la protección inteligente de cara al futuro", *Documento de reflexión*, OSHA, 2020, disponible en https://osha.europa.eu/es/publications/smart-personal-protective-equipment-intelligent-protection-future

formación especializada en materia de electrónica o programación y, por ello, pueden no ser los más aptos para llevar a cabo ese tipo de evaluaciones.

Asumiendo este panorama de falta de normas técnicas, en el marco normativo actual, el fabricante de EPIs que incorporen sistemas de IA, ha de observar la normativa sectorial específica sobre EPIs y las prescripciones específicas recogidas en la propuesta de ley IA, que reproducen el mismo esquema visto anteriormente para las máquinas. De tal manera que el fabricante de un EPI inteligente ha de observar los requisitos esenciales de seguridad previstos en el Reglamento 2016/425, además, ha de tenerse en cuenta lo establecido en la futura Ley de IA.

Conforme con esta propuesta normativa, se consideran sistemas de IA de alto riesgo y, por tanto, han de reunir obligatoriamente los requisitos de la propuesta, aquellos destinados a ser utilizados como componentes de seguridad de alguno de los productos del Anexo II, siempre que estos productos requieran la evaluación de conformidad de un organismo independiente. Entre los productos del Anexo II figuran los EPIs y conforme con el Rgto. 2016/425, se someten a evaluación de conformidad de un tercero los Epis encuadrados en la categoría III; estos Epis son los que protegen frente a riesgos que pueden tener consecuencias muy graves, se incluyen, por ejemplo, Epis que protegen frente a sustancias y mezclas peligrosas, frente a caídas de altura, frente a radiaciones, ahogamiento, descargas eléctricas, heridas de bala, etc.

En consecuencia, el fabricante de EPIs, que incluyan sistemas de IA y que encajen en la categoría III ha de observar los requisitos de seguridad previstos en la normativa de IA y someterlos a verificación. La verificación, tal y como dispone la normativa de IA, se llevará a cabo conforme a las reglas particulares de la normativa de EPIs, lo cual supone que los organismos notificados para evaluar la conformidad de los EPIs, inteligentes o no, serán los encargados de evaluar también que los sistemas de IA incorporados a dichos Epis cumplen con los requistios de seguridad previstos en la propuesta de ley IA.

En lo que se refiere al resto de EPIs, los de categorías I y II, cuando incorporen sistemas de IA, no serán considerados de alto riesgo, ya que no cumplirían los requisitos del Anexo II, ni del Anexo III de la propuesta de Ley de IA, que exige que el sistema de IA se destine a la contratación o selección de personal y al seguimiento de las tareas de los trabajadores. No parece que sea este el propósito principal de un Epi inteligente, y ello a pesar de que puede recabar información que ayuda a la selección. Parece que el sentido de la propuesta de IA es realizar una interpretación restrictiva de los sistemas de alto riesgo, con el fin de no poner trabas a la innovación. En consecuencia, solo cuando los sistemas de IA tengan como propósito tales funciones de selección o evaluación del desempeño se calificarán como alto riesgo. No es el caso, por tanto, de los EPIs inteligentes, siempre que su propósito sea la protección del trabajador y no persigan otros fines tales como la evaluación o supervisión.

3. Exoesqueletos: ni máquinas ni productos sanitarios

Con carácter general este tipo de equipos quedan incluidos en el ámbito de aplicación del Rgto. (UE) 2017/745, de 5 de abril, sobre productos sanitarios, que recoge los requisitos esenciales de seguridad que han de reunir. Ahora bien, el ámbito de aplicación del citado Reglamento, definido en su capítulo I, se circunscribe a los productos destinados a fines médicos como diagnóstico, prevención seguimiento, tratamiento; lo cual, a los efectos que aquí interesa, impide su aplicación cuando los exoesqueletos se destinen a un uso profesional[20].

Descartada la aplicación del Rgto. 29017/745, parece que este tipo de equipos podrían resultar de aplicación la normativa de máquinas dados los amplios términos en que define su ámbito de aplicación. El problema es que tampoco se han desarrollado normas técnicas por parte de los organismos de normalización cuya observancia permita aplicar la presunción de conformidad. Esta falta de normativa técnica da lugar a una cierta inseguridad en el sector de los fabricantes a la hora de diseñar y elaborar este tipo de equipos con fines profesionales.

---

[20]   INSST: "Exoesqueletos I: definición y clasificación", NTP 1.162 y "Exoesqueletos II: criterios para la selección e integración en la empresa", NTP1163 disponible en: https://www.insst.es/documents/94886/566858/NTP+1162+Exoesq ueletos+I+Definici%C3%B3n+y+clasificaci%C3%B3n+-+A%C3%B1o+2021. pdf/6f074ccc-6e03-bb05-dd59-efb5fa4e1fc8?t=1658924532645

4. Vehículos guiados en el ámbito de la empresa

Los vehículos de guiado autónomo (Automated guide Vehicles, AGV) son medios de transporte que circulan de forman autónoma y sin conductor. Se utilizan cada vez más en las empresas como sistemas de transporte con la finalidad de transportar mercancías y materiales. Se suelen diferenciar entre aquellos que no se comunican con el entorno y se mueven en rutas predeterminadas y aquellos otros que tienen mecanismos de interacción que les permiten gestionar los movimientos.

En ambos casos se está ante productos que encajan en la definición de máquina y han de cumplir, en consecuencia, los requisitos esenciales de seguridad vistos. En la medida en que incorporen sistemas de IA, habrán de observarse también las disposiciones antes vistas.

Probablemente, el rápido desarrollo de estos vehículos y su integración cada vez más habitual en las empresas, han motivado que se disponga ya de normas técnicas internacionales con las exigencias de seguridad que han reunir estos equipos. Se trata de la norma ISO 3691-4, que sustituye la norma anterior que databa del año 1997. Además, en Europa ha de tomarse como referencia también la norma EN 1175:2020, que recoge requisitos de seguridad específicos para carretillas de manutención.

5. Drones

La comercialización de drones con fines de uso profesional ha de tener en cuenta los requisitos impuestos por la normativa de seguridad del producto. La norma de referencia es el Reglamento 2019/945 de la Comisión, de 12 de marzo de 2019, sobre sistemas de aeronaves no tripuladas, que, en desarrollo de lo dispuesto en el Rgto. UE 2018/1139, de 4 de julio de 2018, sobre normas comunes en el ámbito de la aviación civil, establece los requisitos esenciales de seguridad. Junto a este Reglamento ha de tenerse en cuenta el 2019/947, de la Comisión de 24 de mayo de 2019, relativo a las normas y los procedimientos aplicables a la utilización de aeronaves no tripuladas, que diferencia las categorías de uso de los drones según los riesgos que implica. Esas categorías son abierta, específica o certificada. En el caso de los drones con fines de uso profesional en la mayoría de las ocasiones se enmarcarán en la categoría de uso específica o certificada. La categoría de uso específica, con carácter general, requiere una autorización operacional por parte de la autoridad competente. Esta autorización se concede una vez analizada la evaluación del riesgo operacional en la que se describen características de la operación con drones, riesgos y medidas de actuación. En el caso de las operaciones en categoría certificada se exige que el diseño, producción y mantenimiento del dron cuenten con una certificación sometida a unas condiciones particulares.

Además de esta normativa relativa a los requisitos de seguridad y condiciones de uso de los drones, ha de tenerse en cuenta la normativa específica en materia de seguridad en el trabajo y, en concreto, la obligación del empresario de evaluar los riesgos que presenta la utilización de este tipo de equipos y de formación e información al trabajador. La utilización de este tipo de equipos puede ayudar al empresario en la supervisión y coordinación del trabajo pero siempre teniendo en cuenta el marco regulador de la normativa preventiva que, en ocasiones, requiere la presencia física de determinados recursos. Igualmente, en el caso de que los drones estén dotados de dispositivos de captación de imágenes que supongan tratamiento de datos ha de estarse a lo dispuesto con carácter general por la normativa en la materia.

Por último, en los casos en que este tipo de aeronaves no tripuladas incorporen sistemas de IA, ha de tenerse en cuenta la propuesta de Reglamento de IA y, en concreto, lo dispuesto en su art. 2.2 que señala que los sistemas de IA que sean componentes de seguridad de productos o productos comprendidos en el ámbito de aplicación, entre otros, del Rgto 2018/1139, solo se les aplicará el art. 84 de la propuesta, que impone a los estados obligaciones de seguimiento de estos sistemas, a efectos de valorar la actualización del Rgto.. Resulta, por tanto, que, respecto de determinados productos, en general de transporte, entre los que se incluyen los drones, la propuesta de Reglamento de IA no ha contemplado obligaciones específicas de seguridad.

6. Software de gestión independiente

La amplia definición de IA permite entender también como tal el software independiente, que no se destina a ser incorporado en ningún equipo físico y que se comercializa con propósitos generalmente de gestión. Entre los fines para los que pueden ser utilizados estos sistemas se encuentran, suministrar información e incluso modelos predictivos, que pueden ayudar en la toma de decisiones, supervisar o vigilar la actividad de los trabajadores o mejorar la salud y seguridad de los trabajadores identificando posibles riesgos y dando pautas de actuación[21].

Este software de gestión quedaría extramuros de la normativa del nuevo enfoque, y en concreto, de la ya referida normativa en materia de máquinas o EPIs, salvo que se incorporase a uno de estos equipos, o salvo que en sí mismo pudiera considerarse una máquina o un EPI; en cuyo caso habrían de tenerse en cuenta los requisitos de seguridad previstos en estas normas, y habrían de integrarse también los específicos recogidos en la propuesta de Reglamento de IA.

Fuera de estos casos de software incorporado a un hardware, la comercialización de estos sistemas de IA con fines de gestión tiene en la propuesta de Reglamento de IA su norma de cabecera. Atendiendo al esquema de esta propuesta, la primera cuestión que se ha de despejar es si este tipo de software puede considerarse como un sistema de IA de alto riesgo. Para ello, es necesario analizar si el software encaja en alguno de los ámbitos definidos como de alto riesgo y, en el ámbito específico del empleo, si encaja en alguno de los sistemas de IA contemplados en el apartado 4 del Anexo III y que tienen propósitos de contratación, selección o evaluación de candidatos o que se utilizan para tomar decisiones en materia de promoción, resolución de relaciones contractuales, asignación de tareas, seguimiento y alusión del rendimiento y la conducta. Será necesario, en consecuencia, un análisis casuístico de cada sistema y de la funcionalidad para la que se destina para determinar su calificación como de alto riesgo.

---

[21]   EU- OSHA: "Artificial intelligence for worker management: mapping definitions, uses and implications, 2022, disponible en https://osha.europa.eu/es/publications/artificial-intelligence-worker-management-prevention-measures. EUROFOUND: *Anticipating and managing the impact of change. Ethics in the digital workplace*, 2022, Oficina de Publicaciones de la Unión Europea, Luxemburgo, págs. 6 y ss, disponible en https://www.eurofound.europa.eu/sites/default/files/ef_publication/field_ef_document/ef22038en.pdf

Una vez despejada la categoría en la que encaja un sistema de IA, el fabricante que lo comercialice habrá de seguir los requisitos de la ley de IA que, como ya se ha mencionado, varían según se trata de alto riesgo o no. En el primer caso, el fabricante habrá de seguir los requisitos obligatorios de seguridad y llevar a cabo la evaluación de conformidad. En el resto de casos bastará con que el fabricante tenga en cuenta los códigos de conducta existentes.

Con todo, las dudas se pueden plantear respecto de aquellos sistemas de IA que tienen como finalidad principal supervisar o servir para el control del rendimiento pero que indirectamente pueden recabar información que sirva para tales propósitos. Piénsese, por ejemplo, en un sistema de IA diseñado para comprobar el rendimiento de determinados equipos o posibles averías pero que, a su vez, también permite comprobar el ritmo y actividad del operario.

En estos casos, parece que ha de primar el propósito confesado de la propuesta de Reglamento de IA de no restringir el avance en materia de IA, salvo en aquellos casos que verdaderamente pueden colisionar con derechos fundamentales; en consecuencia, no se considerarán como sistemas de alto riesgo aquellos que no tengan como propósito principal llevar a cabo las funciones descritas, de selección, supervisión, etc. Cuestión diferente es qué ocurriría en los casos en los que sistemas no destinados específicamente para tales funciones sean aprovechados por el empresario para tomar decisiones en materia de contratación, promoción o incluso medidas sancionadoras. En estos casos, no se estaría ante un sistema de IA de alto riesgo, sino ante un uso inadecuado de un sistema que no encaja en la categoría de alto riesgo. En consecuencia, sería el empresario, que ha hecho un uso para el que no estaba previsto del sistema de IA, el principal responsable.

V. LAS OBLIGACIONES DEL EMPRESARIO RESPECTO DE PRODUCTOS QUE INCORPORAN SISTEMAS DE IA

Una vez vistas las obligaciones del fabricante de sistemas de IA o de equipos que los incorporen, es el momento de analizar cuáles son las obligaciones del empresario que adquiere tales productos con el fin de utilizarlos en el ámbito laboral. La norma de referencia en este punto es lógicamente la Ley de Prevención de Riesgos Laborales

(LPRL), que erige al empresario como principal obligado. También habrán de tenerse en cuenta algunas obligaciones específicas que la normativa de seguridad del producto contempla para quienes lleven a cabo modificaciones sustanciales en los equipos.

A estas obligaciones, contempladas en el bloque normativo tradicional sobre seguridad y salud en el trabajo, han de sumarse las obligaciones específicas impuestas por la normativa de IA y por la normativa de protección de datos. Tal y como se verá a continuación, la propuesta de ley de IA impone obligaciones al usuario de tales sistemas, que, en el ámbito laboral, será el empresario. Por su parte, el Reglamento (UE) 2016/679, de 27 de abril, General de Protección de Datos (RGPD) recoge una serie de obligaciones que atañen principalmente al empresario, en cuanto posible responsable del tratamiento de datos.

1. Integración en el ámbito laboral de productos seguros: obligación de evaluación de riesgos, de formación e información

La normativa de seguridad del producto, aunque tiene como fin garantizar unos estándares elevados de seguridad, no siempre tiene en cuenta las peculiaridades derivadas de la utilización en un ámbito profesional de los equipos. La integración en el medio laboral de los productos entraña riesgos específicos que pueden tener su origen en el propio entorno laboral y en sus condicionantes físicos y medioambientales, en la organización del trabajo (ritmos de producción, reparto de tareas) o en las propias características de los trabajadores. La normativa de seguridad y salud en el trabajo erige al empresario en el principal obligado frente al trabajador, al que reconoce el derecho a una protección eficaz. Con el fin de ayudar al empresario en el cumplimiento de tan exigente obligación, la LPRL va desganando una serie de obligaciones concretas, algunas de la cuales son desarrolladas en normativa específica. En lo que se refiere a los riesgos derivados de la utilización de equipos de trabajo, ha de estarse a lo dispuesto en el art. 41 LPRL, que obliga al empresario a utilizar los equipos conforme a los fines recomendados por el fabricante, a instalarlos y mantenerlos de forma adecuada y a informar y formar a los trabajadores sobre su utilización y posibles riesgos. De forma específica esta obligación general se desarrolla en el RD 1215/1992, de 18 de julio, sobre utilización por los trabajadores de los equipos de trabajo, el RD 486/97, de 14 de abril, sobre lugares de trabajo o el RD 485/1997, de 14 de abril, sobre señalización de seguridad y salud en el trabajo.

La exigencia con que la normativa de prevención de riesgos laborales configura la obligación de seguridad del empresario y el amplio elenco de obligaciones específicas determina que, en la práctica, el empresario se convierta en el principal obligado frente al trabajador y ello a pesar de que también la normativa de prevención de riesgos impone al fabricante ciertas obligaciones. Junto a ello, existen también motivos de orden procesal, tales como la facilidad para entablar una demanda frente al empresario y la inversión de la carga de la prueba, que explican que el empresario sea el principal objetivo de las reclamaciones por daños derivados de accidente[22].

Sin embargo, la complejidad de estos nuevos avances tecnológicos y la posibilidad de que existan riesgos desconocidos de cuyo alcance se tenga conocimiento después de la comercialización, aconsejarían una revisión de la separación entre las obligaciones empresariales y del fabricante. Sería oportuno reforzar las obligaciones postventa del fabricante y las obligaciones de información del empresario sobre riesgos detectados durante el funcionamiento de los diversos equipos.

2. La alteración y adaptación del equipo: el empresario como posible fabricante

La normativa en materia en materia de seguridad del producto se centra en los estadios previos a la comercialización. Su objetivo primordial es asegurar que en el momento de la comercialización los equipos reúnen los estándares esenciales de seguridad. Por ello, esta normativa tiene en el fabricante, importador o distribuidor a sus principales obligados. Una vez que el producto es comercializado, es el usuario el que debe utilizarlo conforme su uso previsto y contemplar las medidas adecuadas. En el caso de que el usuario sea un usuario profesional, como el empresario, habrá de tener en cuenta la nor-

---

[22] RODRÍGUEZ SANZ DE GALDEANO, B.: *Obligaciones y responsabilidades de los fabricantes de equipos de trabajo*, Lex Nova, Valladolid, 2005.

mativa específica en materia de prevención de riesgos laborales. Esta normativa también se caracteriza, tal y como se ha visto, por tener al empresario como principal obligado.

Sin embargo, pueden existir momentos, durante el proceso de fabricación y también con posterioridad a la comercialización, en los que sería necesario tender puentes entre el empresario, usuario profesional y el fabricante. Tal y como se ha advertido, la normativa tradicional en la materia se caracteriza por un enfoque un tanto fragmentario de la cuestión, que tiende a fijar en el momento de la puesta en comercialización la frontera que separa las obligaciones de fabricante y empresario[23].

Este enfoque llevado a sus últimas consecuencias no respondería bien a la realidad puesto que en el marco actual de constantes avances tecnológicos y de innovación digital, cada vez es más frecuente que el usuario pueda realizar fácilmente alteraciones y actualizaciones en el equipo, cuyo alcance es necesario tener en cuenta para valorar si el equipo todavía reúne los requisitos de seguridad. Por ello, la normativa del nuevo enfoque abre un puente de conexión y apuesta por considerar fabricantes aquellas personas que modifiquen sustancialmente el producto ya puesto en comercialización. Así la Guía azul sobre aplicación de las normas de producto, señala que: "Un producto que ha sido objeto de cambios o de revisiones para modificar sus prestaciones, sus fines o su tipo originales puede ser considerado un producto nuevo. La persona que lleva a cabo los cambios se convertirá en el fabricante y deberá asumir las obligaciones correspondientes".

Las actualizaciones de software o las reparaciones pueden ser incluidas entre las operaciones de mantenimiento siempre que no modifiquen un producto ya introducido en el mercado de tal manera que puedan afectar a su observancia de los requisitos vigentes."[24]

---

[23] La propia Guía azul sobre la aplicación de las normas de producto, reconoce que en la legislación de nuevo enfoque no se define qué es un usuario final por cuanto no están sujetos a obligaciones, salvo las específicas derivadas de su condición de empresarios. Vid. Guía azul sobre la aplicación de las normas de producto de la UE, 2014, disponible en: https://op.europa.eu/es/publication-detail/-/publication/3dbc738a-6d06-11e5-9317-01aa75ed71a1, pág. 36

[24] Guía azul sobre la aplicación de las normas de producto de la UE, 2014, pág. 18.

En la misma línea la propuesta de Reglamento relativo a la seguridad general de los productos[25], en su art. 12.1 señala que: "Se considerará fabricante a efectos del presente Reglamento a las personas físicas o jurídicas, distintas del fabricante, que modifiquen sustancialmente el producto; y estarán sujetas a las obligaciones que impone al fabricante el artículo 8 en lo que respecta a la parte del producto afectada por la modificación o a la totalidad del producto si la modificación sustancial repercute en su seguridad. 2. Se considerará que una modificación es sustancial cuando se cumplan los tres criterios siguientes:

a) la modificación altera las funciones, el tipo o el rendimiento previstos del producto de una manera que no estaba contemplada en la evaluación inicial del riesgo del producto;

b) la naturaleza del peligro ha cambiado o el nivel de riesgo ha aumentado debido a la modificación;

c) los cambios no han sido realizados por el consumidor para su propio uso."

En lo que se refiere a la normativa específica, directamente relativa a equipos de trabajo, ha de destacarse que también la propuesta de Reglamento de máquinas, tiene como objetivo expreso aclarar el concepto de modificación sustancial, que ya se recogía en la Directiva actualmente vigente. Así, el art. 15 de la propuesta, titulado: "otros casos en que son aplicables las obligaciones de los fabricantes", señala expresamente que: "A los efectos del presente Reglamento, se considerará fabricante a una persona física o jurídica, distinta del fabricante, el importador o el distribuidor, que lleve a cabo una modificación sustancial de la máquina, la parte o el accesorio, y que, por consiguiente, estará sujeta a las obligaciones del fabricante establecidas en el artículo 10 con respecto a la pieza del producto afectada por la modificación o, si la modificación sustancial afecta a la seguridad del producto en su conjunto, con respecto a todo el producto."

Por su parte, el art. 3, en su apartado 16 define modificación sustancial como: "una modificación de una máquina, una parte o un ac-

---

25   COM (2021) 346 final, de 30 de junio de 2021.

cesorio, por medios físicos o digitales, después de que dicho producto se haya introducido en el mercado o puesto en servicio, que no haya sido prevista por el fabricante y debido a la cual pueda verse afectada la conformidad del producto con los requisitos esenciales de salud y seguridad".

Estos cambios normativos apuntan, por tanto, a que el empresario puede erigirse en fabricante y, por tanto, estar obligado a verificar la conformidad del producto cuando introduzca cambios sustanciales en el equipo. La cuestión trascendental es cómo concretar el significado de modificación sustancial y diferenciarlo de otras modificaciones, que no entrañan tal carácter sustancial, y que pueden considerarse meras actualizaciones. Parece que el elemento determinante se encuentra en que la alteración no haya sido prevista por el fabricante y pueda afectar a los requisitos esenciales de seguridad. En coherencia con lo anterior, parece que las actualizaciones del equipo previstas por el fabricante, no han de considerarse modificación sustancial porque, en principio, ya han sido tenidas en consideración en la evaluación inicial. Por ello, cuando el empresario se limite por ejemplo a actualizar el software conforme a las indicaciones del propio fabricante, no estaríamos ante un supuesto de modificación sustancial. Distinto sería el caso cuando el empresario actualiza una máquina, modificando su funcionamiento, sin el acuerdo del fabricante o para un uso no previsto. Es en estos casos cuando el empresario se equipararía al fabricante y tendría, por tanto, que garantizar y acreditar el cumplimiento de los requisitos de seguridad y estampar un nuevo marcado CE.

3. El empresario como usuario de un sistema de IA

El art.3 de la propuesta de Reglamento IA define al usuario como toda persona física o jurídica, autoridad pública, agencia u organismo de otra índole que utilice un sistema de IA bajo su propia autoridad, salvo cuando su uso se enmarque en una actividad personal de carácter no profesional. De acuerdo con esta definición, el empresario que utiliza el sistema de IA como medio de producción en su empresa, tiene la condición de usuario a efectos de la IA. Este rol del empresario, como usuario de IA, añade nuevas obligaciones a las ya mencionadas en materia de seguridad en el trabajo y a las que se verán a continuación en el ámbito de la protección de datos.

Las obligaciones que la propuesta impone a los usuarios se refieren a los casos de utilización de sistemas calificados como de alto riesgo. Estos sistemas, tal y como se ha visto anteriormente, son aquellos sistemas de IA que son un producto sometido a legislación de armonización, o un componente de seguridad de dichos productos y que, conforme a su normativa específica, la evaluación de conformidad precisa la intervención de un organismo independiente. Asimismo, han de considerarse de alto riesgo lo sistemas de IA utilizados en el ámbito del empleo para alguna de las finalidades recogidas en el apartado 4 del Anexo III.

Así, el art. 14 obliga a arbitrar medidas de vigilancia humana respecto de los sistemas de alto riesgo durante su tiempo de funcionamiento. El objetivo de esta vigilancia es reducir al mínimo posibles riesgos para la salud, seguridad o derechos fundamentales. En el caso de utilización de estos sistemas en el ámbito laboral, será el empresario el encargado de garantizar estas medidas de vigilancia humana de acuerdo con la información que le haya facilitado el proveedor.

Asimismo, el empresario como usuario de un sistema de alto riesgo, ha de observar las obligaciones recogidas en el art. 29 entre las que se incluyen: asegurarse de que los datos de entrada son pertinentes para la finalidad prevista del sistema de IA; vigilar el funcionamiento del sistema e informar de posibles incidentes; interrumpir si fuera necesario su funcionamiento; e informar a las autoridades en caso necesario; conservar los archivos de registro que se generan automáticamente y utilizar la información facilitada para cumplir la obligación de evaluación de impacto relativa a la protección de datos.

4. Las obligaciones del empresario como posible responsable de tratamiento de datos

La propuesta de Reglamento de IA tiene un carácter transversal y no impide la aplicación de otra normativa sectorial, como la ya analizada de seguridad del producto o la de seguridad en el trabajo. De hecho, una de las preocupaciones de la propuesta es garantizar un marco normativo coherente con el resto de normas sectoriales. Entre estas normas sectoriales ocupa un lugar destacado la normativa de protección de datos, por cuanto en la práctica serán frecuentes situaciones en las que el funcionamiento de los sistemas de IA exija un tratamiento de datos, sean personales o no. La propia propuesta en su justificación señala que debe aplicarse sin perjuicio del Reglamento de Protección de Datos y en los considerandos señala que, a la hora de valorar la peligrosidad de un sistema de IA, ha de tenerse en cuenta sus consecuencias adversas para derechos fundamentales como el de la protección de datos.

Estas declaraciones contrastan con la escasez de preceptos en la propuesta de Reglamento de IA referidos expresamente a las implicaciones en materia de protección de datos de los sistemas de IA y que traten de coordinar ambos bloques. Solo el art. 29.6 de la propuesta contiene una referencia al Reglamento de protección de datos, cuando obliga a los usuarios de los sistemas de IA de alto riesgo a utilizar la información suministrada por el fabricante del sistema para llevar a cabo la evaluación de impacto exigida por el art. 35 RGPD.

No hay más referencias a lo largo de la propuesta a las obligaciones específicas en materia de protección de datos. Cabe apreciar una suerte de fragmentación entre, por un lado, las obligaciones de los fabricantes de sistemas de IA, centradas en garantizar la seguridad y, por otro lado, las obligaciones en materia de protección de datos que parecen incumbir únicamente al usuario final.

Esta rígida separación entre la normativa de protección de datos, determina que, cuando el sistema de IA comporte el tratamiento de datos, el empresario, como usuario del sistema, adquiera la condición de responsable del tratamiento de datos y sea el principal obligado por la normativa de protección de datos. Estas obligaciones variarán según las utilidades del sistema de IA, el tipo de datos que se traten y la finalidad que se persiga.

Con carácter general, ha de recordarse que el RGPD se aplica exclusivamente cuando exista tratamiento de datos personales, no, por tanto, cuando los datos que se manejen no tengan tal entidad. Habrá por lo tanto supuestos en los que los sistemas de IA incorporados por el empresario no recopilen datos personales, sino, por ejemplo, datos sobre funcionamiento y rendimiento de la maquinaria, sobre la calidad del proceso de producción o de los propios productos, etc. No obstante, en otros casos puede que sí exista el citado tratamiento, lo cual obliga a respetar los principios y obligaciones específicas requeridas por el RGPD.

En una aproximación muy genérica, cabe recordar que el RGPD pivota sobre los principios de licitud, lealtad y transparencia, que determinan la necesidad de justificar el tratamiento de datos por alguno de las bases jurídicas previstas en el art. 6 RGPD y en garantizar su utilización para tal fin

En general, en el ámbito laboral, podrá justificarse la necesidad del tratamiento por motivos relacionados con la ejecución del contrato o con el cumplimiento de una obligación legal o en la existencia de un interés legítimo del interesado. Tal y como se ha señalado los sistemas de IA pueden permitir al empresario el acceso a un amplio volumen de información sobre la forma en que se desarrolla la prestación de trabajo y sobre los propios trabajadores, que pueden hallar justificación en motivos tales como la necesidad de supervisar y controlar la actividad laboral, necesidades de organización y dirección. Será necesario analizar en cada caso si concurre la base legítima para el tratamiento[26]. Una vez acreditada la necesidad del tratamiento, el empresario ha de asegurar el cumplimiento del resto de principios en materia de protección de datos que le exigen garantizar los derechos del interesado entre los cuales están los de información, rectificación, supresión, limitación del tratamiento y oposición.

En orden a asegurar el cumplimiento de estos principios generales, el RGPD desgrana en sus artículos 24 y siguientes toda una serie de obligaciones que han de ser observadas por el responsable del tratamiento, en nuestro caso el empresario. Así se obliga a adoptar las medidas técnicas y organizativas apropiadas para garantizar que el tratamiento es conforme con el RGPD. En concreto, se le obliga a adoptar medidas desde el diseño, entre las que figuran la seudonimización, la minimización. Asimismo, se señala que entre las medidas técnicas y organizativas figura el seguimiento de políticas de protección de datos y la adhesión a códigos de conducta o mecanismos de certificación.

El RGPD exige, por último, la realización de una evaluación de impacto, cuando, con carácter general, el tratamiento implique un alto

---

[26]   Vid.: BAZ RODRÍGUEZ, J.: Privacidad y protección de datos de los trabajadores en el entorno digital, Wolters Kluwer, 2019; GOÑI SEIN, J.L.: La nueva regulación europea y española de protección de datos y su aplicación al ámbito de la empresa (incluido el Real Decreto-Ley 5/2018), Bomarzo, 2018.

riesgo para los derechos y libertades de las personas físicas y, en particular, cuando suponga una evaluación sistemática de aspectos personales que se base en tratamiento automatizado o en la elaboración de perfiles sobre cuya base se tomen decisiones con efectos jurídicos. La AEPD, como autoridad de control, ha elaborado una lista indicativa de tratamientos de datos que exigirían tal evaluación en la que figuran los tratamientos que impliquen perfilado o valoración de sujetos en ámbitos de su vida como el desempeño en el trabajo, tratamientos que impliquen toma de decisiones automatizadas, tratamientos que impliquen la observación, monitorización, supervisión o geolocalización[27].

Se observa, por tanto, cómo el empresario se erige en el máximo garante del cumplimiento de los principios de protección de datos. Existen, sin embargo, tal y como se señalaba, momentos en los que quizás no sea el empresario quien se encuentre en mejor posición para asegurar el cumplimiento de tales principios. Así, por ejemplo, el fabricante del sistema IA puede encontrarse en una situación más adecuada para garantizar el tratamiento de los datos para las estrictas funcionalidades del sistema de IA, garantizando cuando fuera posible la anonimización. Igualmente, el propio fabricante podría estar en mejor posición para arbitrar desde el mismo diseño mecanismos que permitieran un fácil ejercicio de derechos como los de acceso y rectificación.

Habrá también ocasiones, en las que el fabricante del sistema IA puede ayudar al empresario al cumplimiento de sus obligaciones y, en consecuencia, hubiera sido deseable la imposición de ciertas obligaciones específicas, principalmente de información, al citado fabricante. Así, el diseñador del sistema IA puede ayudar al empresario en el cumplimiento del deber de transparencia, facilitando en un lenguaje sencillo información sobre los datos que se recogen, el modo de recogida, el tratamiento y su finalidad. También el fabricante podría suministrar información valiosa sobre el funcionamiento del sistema de IA y sus posibles aplicaciones, en orden a determinar si se está ante un sistema que encaje en alguno de ellos supuestos de tratamiento de datos que requiere evaluación de impacto.

---

[27]   https://www.aepd.es/es/documento/listas-dpia-es-35-4.pdf

Así ha sido puesto de manifiesto explícitamente en su informe sobre la propuesta por la Agencia Europea de Protección de Datos y por el supervisor Europeo de Protección de datos. En línea con lo señalado en este informe existen diferentes ámbitos y momentos concretos dentro del proceso de fabricación y utilización de sistemas de IA en los que tanto la normativa de IA, como la de protección de datos deberían interactuar de forma explícita.

No se ha tratado en la propuesta de integrar ya en el diseño y fabricación de los sistemas de IA los principios que presiden la normativa en materia de protección de datos. Hubiera sido interesante, por ejemplo, que en la propuesta de ley se impusiera al fabricante de sistemas de IA obligaciones con el fin de que desde el diseño se evitara el tratamiento de datos innecesarios, se incorporan al sistema mecanismos que permitieran el ejercicio de derechos como el de cancelación o corrección.

Asimismo, también hubiera sido factible que el fabricante realizara una evaluación de riesgos del sistema teniendo en cuenta los posibles usos a los que se destine, lo cual a su vez podría ayudar al usuario final en su propia evaluación. En efecto, tanto la propuesta de ley de IA como la normativa en materia de protección de datos han previsto sus propios mecanismos de evaluación y acreditación de la conformidad. Así, tal y como se ha visto, la propuesta de ley de IA, exige que los productos de alto riesgo se sometan a una evaluación por tercero[28]. Por su parte, el RGPD exige también en determinadas ocasiones

---

[28]   Así lo han puesto de manifiesto el EDPD-EDPS en su comunicado conjunto: "The Proposal is missing a clear relation to the data protection law as well as other EU and MemberStates law applicable to each 'area' of high-risk AI system listed in Annex III. In particular, the proposal should include the principles of data minimization and data protection by design as one of the aspects to take into consideration before obtaining the CE marking, given the possible high level of interference of the high-risk AI systems with the fundamental rights to privacy and to the protection of personal data, and the need to ensure a high level oftrust in the AI system.Therefore, the EDPB and the EDPS recommend amending the Proposalso as to clarify therelationship between certificates issued under the said Regulation and data protection certifications, seals and marks. Lastly, the data protection authorities should be involved in the preparation and establishment of harmonized standards and common specifications.". Joint Opinion 5/2021 on the proposal for a Regulation of the Europan Paliament and of the Council laying down harmonised rules on

una evaluación de impacto. Teniendo en cuenta este marco normativo hubiera sido oportuno prever un procedimiento de evaluación que sirviera para ambos propósitos, sin embargo, no ha sido así, el marcado CE previsto en la propuesta de ley de IA servirá para acreditar la conformidad con tal propuesta, pero no exime de la posible de la realización de la evaluación de impacto adicional en caso de que se den los requisitos previstos en el RGPD.

VI. ALGUNOS DESAFÍOS PENDIENTES

Tras el análisis precedente cabe concluir que el desarrollo de la inteligencia artificial ocupa un lugar destacado en la agenda política de la UE. Las diversas instituciones europeas han mantenido una intensa actividad con el fin de aproximarse a los principales desafíos de estos nuevos desarrollos tecnológicos. En esta tarea se ha contado con el protagonismo no solo de agentes políticos, sino también de expertos reconocidos. El resultado comienza a vislumbrarse en forma de diversas propuestas legislativas y de forma destacada con la próxima aprobación de la propuesta de Reglamento de IA. Existen, empero, algunos aspectos que, tras un primer acercamiento a la propuesta, podrían reconsiderarse.

El escollo principal del modelo de seguridad diseñado en materia de IA para garantizar el avance del sector pero también la fiabilidad de tales sistemas, es la falta de normas técnicas sobre la materia. La propuesta de IA se ha basado en el modelo del Nuevo Enfoque en materia de armonización técnica que ha resultado ciertamente eficiente para garantizar un adecuado funcionamiento del mercado único y una libre circulación de productos sin menoscabo de la seguridad. Sin embargo, ha de destacarse que en lo que se refiere a los requisitos de seguridad de los productos tradicionales, ha existido un amplio soporte en el desarrollo de las normas técnicas gracias a la intensa y consolidada labor realizada por los organismos de normalización europeos y nacionales. Existe, por ello, un amplio espectro de normas

---

artificial intelligence (Artificial Intelligence Act). 18 de junio de 2021, disponible en https://edpb.europa.eu/system/files/2021-06/edpb-edps_joint_opinion_ai_regulation_en.pdf:

técnicas cuyo seguimiento permite asegurar el cumplimiento de los requisitos de seguridad. Estas consolidadas normas técnicas han permitido, a su vez, dar confianza tanto a los empresarios, fabricantes de productos, como a los propios usuarios y consumidores.

Ahora bien, en materia de IA no existe una batería de normas técnicas con soluciones para el diseño y fabricación, acorde con los requisitos obligatorios de seguridad, de los diversos sistemas de IA.

Por el momento, en el seno de CEN y CENELEC se creó un grupo específico de trabajo con el fin de diseñar la estrategia en materia de normalización en materia de IA y dar soporte a la estrategia europea en materia de IA. El resultado de este trabajo se recoge en el informe titulado "Road Map on Artificial Intelligence"[29]. El informe realiza una aproximación muy realista al panorama actual de la normalización en materia de IA, y reconoce que solo existen seis estándares técnicos publicados, que, además, han sido desarrollados por el organismo de normalización internacional ISO (en concreto por el grupo JTC 1/SC 42). El informe reconoce la necesidad de que los organismos de normalización europeos, sin duplicar el trabajo, lleven a cabo su propio desarrollo en materia de normalización con el fin de garantizar el cumplimiento de los requisitos de seguridad marcados por la normativa europea. Para ello, se propone crear un Comité Técnico específico, dentro de CEN-CENLEC, encargado de abordar esta temática.

Por otro lado, aunque la propuesta pretende integrarse de forma coherente con la normativa existente, se echa en falta una mejor coordinación con la normativa de protección de datos y con la normativa de seguridad en el trabajo. La propuesta señala expresamente que su aplicación se realizará sin perjuicio de lo dispuesto en la normativa de protección de datos y la normativa de seguridad laboral, pero quizás hubiera sido más oportuno una incorporación de los principios propios de protección de datos y de seguridad en el trabajo desde el propio diseño de los sistemas de IA. En efecto, uno de los principios de gestión del riesgo presente tanto en la normativa de protección de

---

[29]   Disponible en: https://www.cencenelec.eu/media/CEN-CENELEC/AreasO-fWork/CEN-CENELEC_Topics/Artificial%20Intelligence/Quicklinks%20Gene-ral/Documentation%20and%20Materials/cen-clc_fgreport_roadmap_ai.pdf

datos como en la de seguridad y salud en el trabajo es el de prevención desde el diseño, lo cual significa que siempre que sea posible se tratará de minimizar los riesgos en el origen. Sin embargo, la propuesta normativa en materia de IA ha preferido, que sean los usuarios, en nuestro caso el empresario, quienes con la información facilitada por los proveedores de sistemas de IA, velen por la privacidad de los trabajadores y por su seguridad y salud.

Por último, la propuesta de ley se basa en un sistema de pirámide de riesgos, en virtud del cual determinados sistemas de IA considerados de alto riesgo han de cumplir una serie de requisitos obligatorios. En lo que atañe al ámbito del empleo, gestión de trabajadores y acceso al autoempleo, se señala que tendrán tal consideración los sistemas destinados a contratación o selección, a clasificar solicitudes, a tomar decisiones relativas a la promoción, asignación de tareas, seguimiento y evaluación. Se trata de una definición un tanto amplia que va a requerir probablemente esfuerzos futuros por una mayor concreción. Además, en la práctica se van plantear problemas de calificación para aquellos sistemas de IA, cuya finalidad no es alguno de estos usos de alto riesgo, pero que fácilmente pueden ser utilizados para tales usos. En estos casos, parece que el fabricante del sistema no tendría que seguir los requisitos obligatorios y que sería el empresario el responsable de un uso desviado, no obstante, quizás en un futuro convendría ampliar la calificación de sistemas de IA de alto riesgo respecto de los que razonablemente se pueda esperar un uso no previsto.

VII. BIBLIOGRAFÍA

AGUILAR DEL CASTILLO, M. C.: "El uso de la inteligencia artificial en la prevención de riesgos laborales", en *Revista Internacional y Comparada de Relaciones Laborales y Derecho del Empleo*, vol. 8, núm. 1, enero-marzo 2020.

BAZ RODRÍGUEZ, J.: *Privacidad y protección de datos de los trabajadores en el entorno digital*, Wolters Kluwer, 2019.

BERTOLINI, A.: *Artificial Intelligence and Civil Liability*, 2020, informe requerido por el Parlamento Europeo, disponible en: https://www.europarl.europa.eu/thinktank/en/document/IPOL_STU(2020)621926

EDPB-EDPS. JoInt Opinion 5/2021 on the proposal for a Regulation of the Europan Paliament and of the Council laying down harmonised rules on artificial intelligence (Artificial Intelligence Act). 18 de junio de 2021, disponible en https://edpb.europa.eu/system/files/2021-06/edpb-edps_joint_opinion_ai_regulation_en.pdf:

EU-OSHA: *Advanced robotics and automation: implications for occupationl safety and health*, 2022, disponible en: https://osha.europa.eu/en/publications/advanced-robotics-and-automation-implications-occupational-safety-and-health

EU-OSHA: *Artificial intelligence for worker management: an overview*, 2022, disponible en https://osha.europa.eu/en/publications/artificial-intelligence-worker-management-overview

EU-OSHA: *Artificial intelligence for worker management: mapping definitions, uses and implications*, 2022, disponible en: https://osha.europa.eu/en/publications/artificial-intelligence-worker-management-mapping-definitions-uses-and-implications

EU-OSHA: *Equipo de protección personal inteligente: protección inteligente de cara al futuro*, 2020, disponible en https://osha.europa.eu/es/publications/smart-personal-protective-equipment-intelligent-protection-future.

EU- OSHA: " Artificial intelligence for worker management: mapping definitions, uses and implications, 2022, disponible en https://osha.europa.eu/es/publications/artificial-intelligence-worker-management-prevention-measures.

EUROFOUND: *Anticipating and managing the impact of changes. Ethics in the digital workplace*, 2022, Oficina de PUblicacciones de la Unión Europea, Luxemburgo, págs. 6 y ss, disponible en https://www.eurofound.europa.eu/sites/default/files/ef_publication/field_ef_document/ef22038en.pdf

GOÑI SEIN, J.L.: *La nueva regulación europea y española de protección de datos y su aplicación al ámbito de la empresa*, Bomarzo, Albacete, 2018.

INSST: "Exoesqueletos I: definición y clasificación", NTP 1.162, "Exoesqueletos II: criterios para la selección e integración en la empresa", NTP1163 disponible en: https://www.insst.es/documents/94886/566858/NTP+1162+Exoesqueletos+I+Definici%C3%B3n+y+clasificaci%C3%B3n+-+A%C3%B1o+2021.pdf/6f074ccc-6e03-bb05-dd59-efb5fa4e1fc8?t=1658924532645

LLANEZA GONZÁLEZ, P.: *Seguridad y responsabilidad en la internet de las cosas (IoT)*, Wolters Kluwer, Madrid, 2018.

MUÑOZ RUIZ, A. B.: "Cambio tecnológico y transformación digital: líneas de futuro de la OIT en materia de prevención de riesgos laborales", en *International Journal of Information Systems and Software Engineering for Big Companies (IJISEBC)*, núm. 6 (I).

NAVAS NAVARRO, S.: *Daños ocasionados por sistemas de inteligencia artificial: especial atención a su futura regulación*, Comares, Granada, 2022.

RODRÍGUEZ SANZ DE GALDEANO, B.: *Obligaciones y responsabilidades de los fabricantes de equipos de trabajo*, Lex Nova, Valladolid, 2005.

THIERBACH, M.: "Equipos de protección inteligentes: la protección inteligente de cara al futuro", *Documento de reflexión*, OSHA, 2020, disponible en https://osha.europa.eu/es/publications/smart-personal-protective-equipment-intelligent-protection-future

Capítulo segundo:
EL REGLAMENTO UE DE INTELIGENCIA ARTIFICIAL Y SU INTERRELACIÓN CON LA NORMATIVA DE SEGURIDAD Y SALUD EN EL TRABAJO

JOSÉ LUIS GOÑI SEIN
Catedrático de Derecho del Trabajo
Universidad Pública de Navarra

SUMARIO: I.- INTRODUCCIÓN: PROCESO DE REGULACIÓN DEL REGLAMENTO DE IA; II.- COHERENCIA CON EL ACERVO SOCIAL EUROPEO: DIRECTIVA DE SEGURIDAD Y SALUD LABORAL; III.- DISEÑO EUROPEO DE INTELIGENCIA ARTIFICIAL: 1. Definición de IA; 2. Pirámide de riesgos; 3. Requisitos obligatorios para los sistemas IA de "Alto Riesgo"; IV.- SISTEMAS DE IA EN EL TRABAJO Y SU IMPACTO EN LA SEGURIDAD Y SALUD LABORAL: 1. Automatización por IA: dispositivos robóticos 2. Software de gestión algorítmica; 3. Trabajo en plataformas digitales; V.- LA IA DE ALTO RIESGO Y GESTIÓN DE RIESGOS DE SEGURIDAD Y SALUD LABORAL: 1. Identificación de riesgos asociados a IA; 2. Evaluación de riesgos; 3. Medidas de gestión de riesgos; VI.- TRANSPARENCIA ALGORÍTIMICA Y GOBERNANZA PARTICIPATIVA: 1. La información como contenido previo de fiabilidad del sistema de IA; 2. Sistemas de IA y participación sindical; 3. Derecho de los trabajadores a una explicación de las decisiones automatizadas y a impugnarlas; VII.- CONCLUSIONES. VIII.- BIBLIOGRAFÍA.

I. INTRODUCCIÓN: PROCESO DE REGULACIÓN DE LA LEY DE IA

Varios hitos importantes jalonan el recorrido de la propuesta de reglamento por el que se establecen las normas armonizadas en materia de inteligencia artificial (Ley de Inteligencia Artificial)[1]. A groso modo, el punto de arranque podría situarse en la Comunicación adoptada, en abril de 2018, por la Comisión sobre la Estrategia Europea sobre la Inteligencia Artificial (IA), en la que se propone una IA centrada en el ser humano y se alienta el uso de esta poderosa tecnología para ayudar a resolver los mayores desafíos del mundo (enfermedades, cambio climático, desastres naturales, un transporte más seguro, etc.). Esta estrategia apoya una IA ética, segura y vanguardista «made in Europe»[2].

Con posterioridad, en junio de 2018, la Comisión creará un Grupo Independiente de Expertos de Alto Nivel sobre Inteligencia Artificial, que se encargará de formular unas directrices sobre una IA fiable. Estas directrices establecen un marco para conseguir una IA fiable, basada en tres componentes: licitud, ética y robustez. Dicho marco no aborda explícitamente el primero de los tres componentes expuestos de la inteligencia artificial (IA lícita), sino que se centra en ofrecer orientaciones sobre el fomento y la garantía de una IA ética y robusta, proporcionando orientación sobre cómo poner en práctica esos principios en los sistemas sociotécnicos.

Bajo el impulso de la nueva Presidenta Von der Layen, en febrero de 2020, la Comisión presentará el Libro Blanco sobre Inteligencia Artificial, donde sienta las bases de la propuesta de Reglamento. En él se propone un marco jurídico sobre los sistemas de IA, referido, en particular, a los de nivel elevado de riesgo, que ofrezca confianza en los ciudadanos, y sustentado sobre los valores y derechos fundamentales de la UE , sin suponer una excesiva carga para los que entrañan unos riesgos menores. El Libro Blanco reconoce que "los trabajadores y los empleadores se ven directamente afectados por el diseño y el uso de los sistemas de IA en el lugar de trabajo" y que "la participación de los interlocutores sociales será un factor crucial para garantizar un

---

[1]   *Propuesta de Reglamento del Parlamento Europeo y del Consejo por el que se establecen normas armonizadas en materia de Inteligencia Artificial (Ley de Inteligencia Artificial) y se modifican determinados Actos Legislativos de la Unión,* COM (2021) 206 final.

[2]   [COM(2018) 237 final]

enfoque de la IA en el trabajo centrado en las personas"[3]. Considera, además, que, "a la luz de su importancia para las personas y del acervo de la UE que aborda la igualdad en el empleo, el uso de aplicaciones de IA para los procesos de contratación, así como en situaciones que afecten a los derechos de los trabajadores, se consideraría siempre de "alto riesgo" y, por tanto, se aplicarían en todo momento los requisitos[4] referidos a los mismos.

Junto al Libro Blanco se presentó el Informe sobre las implicaciones en materia de seguridad y responsabilidad civil de la inteligencia artificial, el Internet de las cosas y la robótica, en el que se concluye que la legislación vigente en materia de seguridad de los productos presenta algunas deficiencias que deben subsanarse en la Directiva sobre máquinas. Tras la publicación del Libro Blanco y el informe que lo acompaña, la Comisión puso en marcha una amplia consulta a la sociedad civil, la industria y el mundo académico de los Estados miembros, de propuestas concretas para un enfoque europeo de la IA.

El 21 de abril de 2021, la Comisión Europea hizo público su borrador de la propuesta de Reglamento sobre Inteligencia Artificial (Ley IA). La propuesta, en consonancia con lo avanzado en el Libro Blanco, establece normas armonizadas para, entre otros objetivos, garantizar que el desarrollo, la comercialización y el uso de los sistemas de IA en el mercado de la UE sean seguros, fiables y respeten la legislación vigente en materia de derechos fundamentales y valores de la Unión. Adopta la forma de un Reglamento, y ello no solo para garantizar una aplicación directa, sino para hacer que se aplique de la misma manera en todos los Estados miembros, evitando la fragmentación del mercado[5].

La propuesta se diseña siguiendo un enfoque normativo "basado en el riesgo" para la seguridad y los derechos fundamentales, lo cual "significa que el riesgo (potencial) que presenta una aplicación de IA condiciona las reglas que se le aplicarán"[6]. No en todos los sistemas

---

[3] *White Paper on Artificial Intelligence. A European approach to excellence and trust*, COM (2020) 65 final, p. 7
[4] Ibidem p.18
[5] TULLINNI, P.: "La nuova proposta europea sull'intelligenza artificiale e le relazioni di lavoro", *Trabajo, Persona, Derecho, Mercado* 5 (2022). p. 106.
[6] HOEDEMAEKERS, J.: *Draft law on AI: where are we today?*, 17/2/2022.

de IA será, por tanto, preceptivo adoptar los requisitos mínimos necesarios para subsanar los riesgos y problemas vinculados a la IA, sino tan solo en aquellas "situaciones concretas en que existe un motivo de preocupación justificado o en los que es posible anticipar razonablemente que se producirán un problema en un futuro próximo". En concreto, se establece para los sistemas de IA que plantean un riesgo alto para la seguridad y salud o los derechos fundamentales de las personas. Estos sistemas de IA deben cumplir unos requisitos específicos que garanticen su fiabilidad y ser sometidos, antes de su comercialización, a procedimientos de evaluación de la conformidad (Exposición de motivos).

En lo que atañe al ámbito de las relaciones laborales, la Propuesta, si bien alude al tema, solo tangencialmente aborda los problemas y desafíos que plantea la toma de decisiones empresariales basadas en los algoritmos. Tiene en cuenta lo ya señalado al respecto en el Libro blanco y la idea expresada por la Comisión en marzo de 2021 de que los "sistemas de inteligencia artificial (IA) a menudo se aplican para dirigir la contratación, supervisar las cargas de trabajo, definir las tarifas de remuneración, conducir la trayectoria profesional o potenciar la eficiencia de los procesos"[7], y, en consonancia con ello, establece, en el Anexo III, que los sistemas de IA en el trabajo, cuando se utilizan para la gestión de las personas, sobre todo para la contratación o selección de personal, clasificar o evaluar a candidatos en entrevistas, y también cuando se utilizan para tomar decisiones relativas a la promoción y resolución de relaciones o para hacer un seguimiento y evaluación del rendimiento o la conducta de las personas trabajadoras, deben ser considerados de Alto riesgo, dado que pueden afectar de un modo considerable a las futuras perspectivas laborales y los medios de subsistencia de dichas personas[8]. No obstante, la propuesta no identifica plenamente los desafíos que los sistemas de IA pueden plantear en el lugar de trabajo, ni analiza el impacto sobre la seguridad y salud laboral; se limita a constatar que los sistemas de IA pueden perpetuar situaciones de discriminación o que su falta de trasparencia

---

[7]   Plan de Acción del Pilar Europeo de Derechos Sociales, COM (2021) 102, final, 4, marzo, 2021, pág. 14.

[8]   Considerando 36 de la Propuesta de Reglamento COM (2021) 206 final, supra nota 1.

puede afectar a los derechos a la protección de los datos personales y a la privacidad.

La propuesta ha suscitado reacciones diversas. El Consejo Económico y Social Europeo, por ejemplo, lo ha acogido con satisfacción, aunque encuentra aspectos mejorables, que iremos destacando a lo largo de este comentario[9]. Otros, en cambio, lo critican porque consideran que obstaculiza la innovación[10]. A la Propuesta le queda un camino de diálogo institucional por recorrer entre representantes del Parlamento Europeo, la Comisión Europea y el Consejo[11], por lo que es susceptible de modificación. Al final del proceso legislativo, los tres órganos unificarán sus propuestas en un texto final y se procederá a la publicación oficial del Reglamento[12]. Su aplicación no será inmediata, pues la Propuesta prevé una moratoria de dos años a partir de la entrada en vigor, que se producirá a los veinte días de su publicación.

II. COHERENCIA CON EL ACERVO SOCIAL EUROPEO: DIRECTIVA DE SEGURIDAD Y SALUD LABORAL.

El Reglamento de IA está impregnada de un doble carácter social y económico. De un lado, tiene por objeto garantizar la protección de los derechos fundamentales y la seguridad de los usuarios a fin de ganar su confianza en el desarrollo y adopción de la IA. De otra parte, se funda sobre el valor económico del funcionamiento del mercado

---

[9] Dictamen, Comité Económico y Social Europeo, *sobre la Propuesta de Reglamento del Parlamento Europeo y del Consejo por el que se establecen normas armonizadas en materia de inteligencia artificial (Ley de Inteligencia Artificial) y se modifican determinados actos legislativos de la Unión* [COM(2021) 206 final] INT/940

[10] Así, entre otros, MCAFEE, A.: "EU proposals to regulate AI are only going to hinder innovation", *Financial Times*, uno de los expertos de la Iniciativa por la Economía Digital (IDE) del Instituto Tecnológico de Massachusetts (MIT); Alberto R. Aguiar en: https://www.businessinsider.es/criticas-reglamento-ia-europeo-porque-limitara-innovacion-904937.

[11] En su sesión de los días 5 y 6 de diciembre de 2022, el Consejo de la Unión Europea (ITE) adoptó su posición sobre la propuesta de Reglamento por el que se establecen normas armonizadas en el ámbito de la inteligencia artificial (Reglamento de Inteligencia Artificial).

[12] HOEDEMAEKERS, J.: *Draft law on AI: where are we today?*, op. cit.

interno y la libre circulación de los sistemas de IA y los productos y servicios conexos.

Dado el fundado temor que la utilización intensiva y masiva de los sistemas de IA despierta sobre los posibles riesgos potenciales en materia de discriminaciones por razón de género, edad, discapacidad, religión, raza u orientación sexual, las instituciones europeas persiguen, ante todo, asegurar "un nivel elevado de protección de la salud, la seguridad y los derechos humanos"[13]. En el área del trabajo, que nos ocupa aquí, surgen preocupaciones significativas relacionados con el uso de la IA, particularmente, en la analítica de recursos humanos. Los procesos de toma de decisiones algorítmica exponen al trabajador no solo a decisiones sesgadas, sino a mayores riesgos estructurales de estrés y físicos[14]. Todo esto genera en las personas físicas afectadas y también en las empresas usuarias inseguridad jurídica y falta de confianza que la normativa de IA trata de solventar mediante la salvaguarda de los propios valores fundamentales de la UE y de la defensa de los derechos fundamentales de los afectados, en particular, los relativos al tratamiento de los datos.

En igual medida, la Ley de IA se propone enervar la tendencia de los Estados miembros a regular mediante normas nacionales el desarrollo y uso de los sistemas de IA. Ello es visto como un problema para el libre tránsito internacional de bienes y servicios basados en la IA en el mercado interno de la UE, porque puede dar lugar a la fragmentación del mercado interior y reducir la seguridad jurídica de los operadores que desarrollan o utilizan sistemas de IA. Por ello, el regulador europeo se esfuerza en crear un marco jurídico de la Unión que garantice un nivel elevado y coherente de protección en toda la Unión, mediante el establecimiento de obligaciones uniformes para todos los operadores[15].

El problema central de la UE es cómo garantizar un nivel adecuado y coherente de protección en toda la Unión de respeto de los derechos fundamentales de la UE, asegurando a la vez, una uniformidad

---

[13]   Considerando 1 de la Propuesta.

[14]   MOORE, Ph. V. : OSH and the Future of Work: Benefits and Risks of Artificial Intelligence Tools in Workplaces, Disponible en: https://link.springer.com/ chapter/10.1007/978-3-030-22216-1_22#notes.

[15]   Considerando 2 de la Propuesta

de tratamiento[16]. El equilibrio de estas dos perspectivas se pretende alcanzar, por una parte, mediante un sistema de gobernanza a escala de los Estados miembros, en el que la nueva Autoridad nacional de supervisión de IA estará coordinada con las restantes autoridades de Protección de Datos y de la Competencia (art. 59 Ley de IA), y, por otra parte, por medio de un mecanismo de cooperación a escala de la Unión, en el que se prevé la creación de un Comité Europeo de Inteligencia Artificial (art. 56), que prestará apoyo a los Estados miembros en la aplicación y el cumplimiento del Reglamento de IA.

Pero más allá de esta compleja gobernanza, se confía en lograr el desarrollo de ambos objetivos a través del llamamiento a la coherencia con la legislación ya aplicable en los sectores donde ya se utilicen o es probable que se utilicen los sistemas de IA. Sea cual sea el espacio en el que operen, los sistemas de IA deben ser, por lo pronto, compatibles con los valores fundacionales de la UE, con la Carta de Derechos Fundamentales de la Unión Europea y el Derecho derivado de la Unión vigente en materia. Asume, en este sentido, una relevancia especial, en particular, el cuadro de derechos y obligaciones derivadas de las Directivas de no discriminación e igualdad de género, o del Reglamento General de Protección de Datos personales [Reglamento (UE) 2016/679]; y ello no solo como garantía de salvaguarda de los derechos de la persona, sino también como modo de asegurar a los operadores y a consumidores una confianza en la economía digital o en general en la sociedad digital[17]

Asimismo, en la medida en que los sistemas de IA se emplean como componentes de productos, software de gestión algorítmica o plataformas de servicios, la normativa específica de estos bienes o servicios deberá tener muy presente la legislación del nuevo marco legislativo. Esta Ley de IA, debido a su carácter transversal, se superpone a la legislación europea de los diversos sectores concernidos, de forma que deberá ser implementada y aplicada en la normativa sectorial correspondiente. En concreto, debe ser incorporada a la normativa europea

---

[16]   PIZZETTI, Fr.: La proposta di Regolamento sull'IA della Commisiones Europea presentata il 21.4.2021 (COM2021) 206 final) tra Mercato Unico e competizione digitale globale, *Diritto di Internet*, n° 4, 2021, p. 593.

[17]   Idem

sujeta actualmente a revisión, como la Directiva sobre máquinas[18] o la Directiva relativa a la seguridad general de los productos [19]y la que aborda los problemas específicos de responsabilidad vinculados a los sistemas de IA[20]. Así mismo, está estrechamente vinculada también con la legislación sectorial en materia de servicios, y deberá ser tenida en cuenta el Reglamento de Servicios Digitales (DSA)[21] y el Reglamento de Mercados Digitales (DMA)[22].

El Reglamento de IA omite referencia alguna al acervo social comunitario. Fuera de las disposiciones relativas a la no discriminación, no se toma en consideración la legislación laboral o de seguridad y salud laboral que puede verse asimismo implicada en los problemas derivados del desarrollo y utilización de la IA. Pero es indudable que la IA debe ser implementada y aplicada de acuerdo con la legislación de la Unión sobre el trabajo y la seguridad y salud laboral. Los sistemas de IA no solo deben cubrir los riesgos de seguridad específicos de tales sistemas, y los derivados de las máquinas en las que se insertan, sino que deben igualmente contemplar y cubrir los riesgos de seguridad y salud laboral específicos derivados de su uso en el lugar de trabajo.

En general, con respecto del uso de los sistemas de IA en el lugar de trabajo, que pueden tener su impacto negativo en la salud del trabajo, resulta, por tanto, de aplicación la Directiva marco de seguridad y salud en el trabajo (Directiva 89/391/CEE), que establece los princi-

---

[18]   Propuesta de Reglamento del Parlamento Europeo y del Consejo relativo a máquinas y sus partes y accesorios COM (2021) 202 final.

[19]   Propuesta de Reglamento del Parlamento Europeo y del Consejo relativo a la seguridad general de los productos, por el que se modifica el Reglamento (UE) n.º 1025/2012 del Parlamento Europeo y del Consejo y se deroga la Directiva 87/357/CEE del Consejo y la Directiva 2001/95/CE del Parlamento Europeo y del Consejo [COM(2021) 346 final – 2021/0170 (COD)].

[20]   Propuesta de Directiva relativa a la adaptación de las normas de responsabilidad civil extracontractual a la inteligencia artificial (Directiva sobre responsabilidad en materia de IA) de 28 de septiembre de 2022 COM (2022) 496 final.

[21]   Reglamento (UE) 2022/2065 del Parlamento Europeo y del Consejo de 19 de octubre de 2022 relativo a un mercado único de servicios digitales y por el que se modifica la Directiva 2000/31/CE (Reglamento de Servicios Digitales).

[22]   Reglamento (UE) 2022/1925 del Parlamento Europeo y del Consejo de 14 de septiembre de 2022 sobre mercados disputables y equitativos en el sector digital y por el que se modifican las Directivas (UE) 2019/1937 y (UE) 2020/1828 (Reglamento de Mercados Digitales).

pios fundamentales para promover la mejora de la seguridad y de la salud en el trabajo, y garantiza unos requisitos mínimos de seguridad y salud en toda la UE.

El Reglamento de IA se debe interconectar con la normativa de seguridad y salud laboral para hacerla segura para los trabajadores, que son, en realidad, los usuarios últimos de dichos dispositivos y sobre los que gravitan los riesgos derivados de su uso. En este sentido, el proveedor que desarrolla un sistema de IA con un fin laboral y el empleador que quiera usar dicho sistema de IA o integrarlo en un sistema informático, deberán evaluar en qué medida el uso de la gestión algorítmica o su integración en el entorno laboral afecta a la salud y la seguridad de los trabajadores[23] y, además, aplicar todos los principios preventivos de la Directiva, bien para minimizar o para controlar el riesgo.

La propuesta de IA debe implementarse, además, en consonancia con la aplicación de otras disposiciones en materia laboral como la Directiva sobre marco general de información y consulta de los trabajadores (Directiva 2002/14/CE), o la propia Directiva relativa a las condiciones laborales transparentes y previsibles (Directiva 2019/1152)[24]. Además, está intensamente relacionada con el nuevo marco legislativo europeo proyectado en materia de trabajo en plataformas digitales, esto es, la Propuesta de Directiva sobre la mejora de las condiciones de trabajo en plataformas digitales, de 9 de diciembre de 2021[25], primera norma sectorial laboral que regula la aplicación de la IA en el contexto sociolaboral, que contiene una referencia a la interconexión entre las mismas[26].

---

[23] KULLMAN, M, CEFALIELLO, A..: "The Interconnection between the AI Act and the EU's Occupational Safety and Health Legal Framework", *Global Workplace Law*, /24/01/2022. Disponible en: http://global-workplace-law-and-policy. kluwerlawonline.com/2022/01/24/the-interconnection-between-the-ai-act-and-the-eus-occupational-safety-and-health-legal-framework/

[24] BAZ RODRÍGUEZ, J.: "Responsabilidad algorítmica y gobernanza de la inteligencia artificial en el ámbito sociolaboral. Entre la perspectiva y la prospectiva", *Trabajo y Derecho* 89/2022(mayo), p. 17.

[25] COM (2021) 762 final.

[26] En el Considerando 36 de la Propuesta de Ley de IA se hace alguna consideración aislada a las personas que prestan servicios a través de plataformas.

III. DISEÑO EUROPEO DE INTELIGENCIA ARTIFICIAL:

1. *Definición de IA*

La confianza en el uso de la Inteligencia Artificial y el desarrollo de sistemas de IA seguros, requiere, como indica la norma proyectada (Considerando 6), "definir con claridad la noción del sistema de "IA". Sin embargo, la Propuesta adopta, en su artículo 3.1, una formulación amplia que dista bastante de la más sencilla definición acogida por la Comisión, que, en su Comunicación de 2018, aplicaba la IA a *"sistemas que manifiestan un comportamiento inteligente al ser capaces de analizar el entorno y realizar acciones, con cierto grado de autonomía, con el fin de alcanzar objetivos específicos"*[27].

La propia definición de la IA ha sido uno de los aspectos más problemáticos de la propuesta de la Comisión[28]. Un gran número de países cuestionaron esta definición por ser demasiado amplia y ambigua, lo que conllevaría el riesgo de incluir programas de software simple. Además, se cuestionaba la posibilidad contemplada inicialmente en la propuesta de que la Comisión pudiera modificar mediante un acto delegado, el Anexo I del Reglamento, que definía (ha desaparecido acuerdo transaccional) las técnicas que constituyen la IA.

La Propuesta Transaccional del Consejo de diciembre de 2022, ha optado por una definición que proporciona unos criterios más claros distinguiendo los sistemas de IA de otros sistemas de software más clásicos. El nuevo art. 3.1 define ahora los sistemas de IA como *"un sistema concebido para funcionar con elementos de autonomía que, a partir de datos e información generados por máquinas o por seres humanos, infiere la manera de alcanzar una serie de objetivos, utilizando para ello estrategias de aprendizaje automático o estrategias*

---

[27]   Comunicación de la Comisión al Parlamento Europeo, al Consejo Europeo, al Consejo, al Comité Económico y Social Europeo sobre *"Inteligencia artificial: anticipar su impacto en el trabajo para garantizar una transición justa*, INT/845.
[28]   Para la Comisión el "sistema de IA", es el *"software que se desarrolla empleando una o varias de las técnicas y estrategias que figuran en el anexo I y que puede, para un conjunto determinado de objetivos definidos por seres humanos, generar información de salida como contenidos, predicciones, recomendaciones o decisiones que influyan en los entornos con los que interactúa".*

basadas en la lógica y el conocimiento, y produce información de salida generada por el sistema, como contenidos (sistemas de inteligencia artificial generativa), predicciones recomendaciones o decisiones, que influyen en los entornos con los que interactúa el sistema de IA"

La definición es mucho más específica que la adoptada en su día por la Comisión, aunque sigue siendo lo suficientemente amplia y flexible como para adaptarse a cualquier cambio tecnológico. En relación con la actualización de los sistemas de IA, se ha suprimido el Anexo I y los correspondientes poderes de la Comisión para la adopción de actos delegados para actualizarlo. En su lugar, se han añadido, en el preámbulo del texto, las definiciones de "aprendizaje automático" (considerando 6 bis) y "estrategias basadas en la lógica y el conocimiento". Por otra parte, para garantizar que el Reglamento se puede adaptar a las transformaciones futuras, se ha facultado a la Comisión para la supresión del sistema de IA de alto riesgo cunado ya no planteen riesgos considerables para los derechos fundamentales, salud o seguridad (art. 7 del Reglamento)

Estos sistemas de IA pueden estar diseñados bien para operar autónomamente, (por ejemplo, software de análisis de imágenes, motores de búsqueda, sistemas de reconocimiento de voz y rostro), o bien como componentes de un producto, y por tanto, integrados en dispositivos de hardware (por ejemplo, coches autónomos, drones, dispositivos médicos, robots avanzados)[29].

2. Pirámide de riesgos

El Reglamento de IA se asienta sobre el concepto de riesgo y adopta un enfoque de aplicación gradual de las normas vinculantes en función de la intensidad y el alcance de los riesgos que pueden generar los sistemas de IA. No todos los sistemas de IA están, por tanto, sujetos a las mismas reglas[30]. Así, con el fin de introducir un conjunto proporcionado y eficaz de normas, el regulador articula cuatro categorías de

---

[29] DELPONTE, L.: European Artificial Intelligence (AI) leadership, *the path for an integrated visión*, Department for Economic, Scientific and Quality of Life Policies, Brussels, 2018, p. 11.

[30] AISLINN KELLY-LYTH: "The AI Act and algorithmic mangement", *Dispatch Nº 39*, European Union (2021), p. 3.

José Luis Goñi Sein

riesgo. Estas cuatro categorías de riesgos están ordenadas de mayor a menor impacto para los derechos fundamentales y la seguridad, conformando una pirámide de riesgos. Se identifican como: 1) Riesgo inadmisible o "Prácticas prohibidas" (Título II); 2) Alto riesgo (Título III); 3) Riesgo limitado (Título IV); 4) Riesgo mínimo (Título IX). La mayor parte de la regulación se refiere a los dos primeros sistemas de IA.

A). "Riesgo inadmisible". En primer lugar, se declaran prohibidas una serie de prácticas de IA de manipulación, explotación y control social, que contravienen los valores de la Unión de respeto a la dignidad humana, libertad, igualdad, democracia y Estado de Derecho y de los derechos fundamentales, que reconoce la UE, como el derecho a la no discriminación, la protección de datos y la privacidad. El artículo 5 del Reglamento de IA se ocupa de ello y proscribe, en concreto, la puesta en servicio o el uso de las técnicas subliminales "que trascienden la conciencia de una persona con el objeto de alterar de manera sustancial su comportamiento de un modo que provoque o sea razonablemente probable que provoque perjuicios físicos o psicológicos a esa persona o a otra, o que tenga ese efecto". Asimismo, se prohíbe la introducción o uso de sistemas de IA para la explotación de puntos débiles de grupos de personas que sean vulnerables por su edad o discapacidad cuando se causa con tales prácticas un perjuicio físico, psicológico, el uso de IA para la evaluación o clasificación de personas físicas atendiendo a su comportamiento social o a características personales o de su personalidad o predichas de forma que la puntuación resultante provoque un trato perjudicial o desfavorable hacia determinadas personas físicas o grupos de personas físicas, que es injustificable y desproporcionado respecto a su comportamiento social o a la gravedad de éste. Igualmente, se prohíbe el uso de sistemas de identificación biométrica remota en tiempo real en espacios de acceso público por las autoridades públicas, salvo en situaciones de estricta necesidad para lograr un interés público esencial superior a los riesgos[31], debiendo mediar autorización expresa de una autoridad judicial o administrativa independiente de un Estado miembro .

---

[31]   Se entiende por situaciones excepcionales, por ejemplo, la búsqueda selectiva de posibles víctimas concretas de un delito (menores desaparecidos); determinadas amenazas para las infraestructuras críticas, la vida o la seguridad física o amena-

En el contexto laboral privado, la potencial relevancia de las conductas prohibidas quedaría reducida, en principio, a las dos primeras prácticas, porque las dos siguientes se refieren a actos realizados por autoridades públicas y/o en lugares públicos. No obstante, no debe descartarse que en el entorno empresarial se recurra a estos sistemas de manipulación, control social o de identificación biométrica de sus empleados bien en espacios públicos o privados. En línea con la posición bastante radical mantenida por el Comité Europeo de Protección de Datos, el CESE se muestra partidario de prohibir el uso de la IA para el reconocimiento biométrico automatizado (los rostros, la forma de andar, la voz y otras señales biométricas) sea en los espacios de acceso público, o en privados, excepto con fines de autenticación en circunstancias específicas, por ejemplo, para facilitar el acceso a espacios sensibles desde el punto de vita de la seguridad; así como, respecto de su uso para la observación del comportamiento humano, o para clasificar a las personas, o para inferir emociones, la conducta, la intención o los rasgos de una persona física, excepto en casos muy específicos, como determinados fines relacionados con la salud, en los que sea importante reconocer las emociones del paciente. Todas estas prácticas son enormemente invasivas y pueden menoscabar los derechos fundamentales de las personas, pero como la prohibición de la ley de IA se limita solo al ámbito policial, la presunción no operaría respecto de todas aquellas formas de reconocimiento biométrico (incluidas las emociones) que se lleven a cabo en el ámbito privado, en concreto, en los lugares de trabajo[32].

En relación con las técnicas subliminales, se pone como ejemplo la práctica prohibida de introducir en la cabina de un conductor de transporte un sonido inaudible para prolongar las horas de conducción más allá de lo seguro y saludable[33]. Parece un tanto improbable,

---

zas terroristas, detección, localización e identificación de autores o sospechosos de alguno de los 32 delitos mencionados en la Decisión Marco 2002/584JAI del Consejo.

[32] Dictamen, Comité Económico y Social Europeo, sobre la Propuesta de Reglamento de IA, supra nota 9, Apartados 4.6 a 4.8.

[33] VEALE, M. / ZUIDERVEEN BORGESIUS, FR.:"Demystifying the Draft EU Artificial Intelligence Act Analysing the good, the bad, and the unclear elements of the proposed approach", *Computer Law Review International, A Journal of Information Law and Technology*, CRI 4/2021, p. 98 .

pero es evidente que podrían llegarse a desplegar componentes subliminales de este y otro tipo, e incluso aprovecharse de ciertas vulnerabilidades de personas con alguna discapacidad o deficiencia laboral, para alterar el comportamiento de la conducta del empleado. En todo caso, conviene tener presente que el factor desencadenante final no es si se cumplen los fines del posible manipulador, sino si la actividad causa o puede causar a esa persona o a otra un daño físico o psicológico. Esto limita en gran medida el alcance de la prohibición[34].

B) "Alto Riesgo". Se distinguen, en un segundo plano, los sistemas que presentan "Alto Riesgo" por tener "consecuencias perjudiciales importantes para la salud, la seguridad y los derechos fundamentales de las personas"[35]. Estos sistemas "constituyen el verdadero núcleo duro de la regulación europea de la IA"[36] y se hallan sujetos a un conjunto de "requisitos obligatorios, los cuales deben garantizar que los sistemas de IA de alto riesgo disponibles en la Unión (…) no entrañen riesgos inaceptables para intereses públicos importantes de la UE, reconocidos y protegidos por el Derecho de la Unión"[37]. La calificación de "Alto Riesgo" se aplica a dos subcategorías de sistemas de IA (art. 6):

– por un lado, los sistemas de IA que estén destinados a ser utilizados como componentes de seguridad de productos ya cubiertos por determinada legislación de armonización de la Unión en materia de salud y seguridad (por ejemplo, máquinas, componentes de seguridad para maquinaria); si deben someterse a una evaluación de conformidad realizada por un organismo independiente para su introducción en el mercado o puesta en servicio.

– por otro lado, los sistemas de IA "autónomos" o no incorporados a otros productos específicos. En el anexo III se identifican ocho posibles áreas de uso: 1) identificación biométrica remota de personas (en tiempo real o a distancia") (en lo no prohibi-

---

34   Ibidem, p.99.
35   Considerando 27 de la Propuesta.
36   BAZ RODRÍGUEZ, J.: "Responsabilidad algorítmica y gobernanza de la inteligencia artificial en el ámbito sociolaboral. Entre la perspectiva y la prospectiva", cit. p. 13.
37   Considerando 27 de la Propuesta.

do); 2) gestión y funcionamiento de infraestructuras críticas; 3) educación y formación profesional; 4) el empleo, la gestión de los trabajadores y el acceso al autoempleo; 5) acceso y disfrute de servicios privados y públicos privados y públicos y ayudas públicas esenciales; 6) aplicación de la ley; 7) gestión de la migración, asilo y control fronterizo; 8) administración de justicia y procesos democráticos.

- El Consejo propone, además, incluir en la clasificación de IA de alto riesgo una serie de criterios de clasificación horizontales con el fin de garantizar que no se incluyen en la clasificación de sistemas de alto riesgo sistemas de IA que probablemente no provocan violaciones graves de derechos fundamentales, como cuando la información de salida del sistema de IA es meramente accesoria respecto de la acción o decisión que vaya a adoptarse y no dé lugar a un riesgo importante para la salud, seguridad, o derechos fundamentales

Su aplicación potencial al trabajo se limita fundamentalmente a dos ámbitos: 1) identificación biométrica de las personas físicas (en lo no considerado como prohibido) (nº 1 del Anexo III); 2) *"empleo, gestión de los trabajadores y acceso al autoempleo"* (nº 4 del Anexo III). Dentro de este último se distinguen los supuestos siguientes:

a) *"sistemas de IA destinados a utilizarse para la contratación o selección de personas físicas, en particular para publicar anuncios de empleos específicos, analizar y filtrar solicitudes de empleo y evaluar a los candidatos;*

b) *IA destinado a utilizarse para tomar decisiones relativas a la promoción y rescisión de relaciones contractuales de índole laboral, para la asignación de tareas a partir de comportamientos individuales o rasgos o características personales para realizar al seguimiento y evaluación del rendimiento y el comportamiento de las personas en el marco de dichas relaciones".*

La calificación de alto riesgo se reserva, así, como señalaba al principio, para los sistemas de IA que se utilizan para "la contratación y la selección de personal, para la toma de decisiones relativas a la promoción y la rescisión de los contratos, y para la asignación de tareas y el seguimiento o la evaluación de personas en relaciones contractuales de índole laboral", y ello porque "pueden afectar de modo considerable a las futuras perspectivas laborales y los medios de subsistencia de dichas personas"[38].

Es importante observar que la inclusión en la lista de "Alto Riesgo" de los sistemas de IA para el control, el seguimiento y la evaluación de trabajadores supone admitir una suerte de presunción de licitud de su uso[39]. Como advierte el CESE, "puede llevar a la legitimación, normalización e integración de un gran número de prácticas de IA que todavía reciben muchas críticas y cuyos beneficios sociales son cuestionables o inexistentes"[40]. Es probable que ello ocasione, además, un problema de interferencia, porque la implementación de estos sistemas se superpondrá con la normativa de protección de datos y con la legislación laboral, pudiendo generar conflictos con la regulación de los derechos digitales de los trabajadores y con los derechos laborales derivados de la legislación laboral nacional y los convenios colectivos. Es preciso recordar que la Agencia Española de Protección de Datos ha impuesto a Mercadona una multa de 3,15 millones de euros por infracción del RGPD al disponer un sistema de reconocimiento facial en varias tiendas para evitar la entrada de personas que habían cometido un delito contra sus empleados o bienes y que habían sido condenados en sentencia firme con una orden de alejamiento sobre las instalaciones de Mercadona.

c) "Riesgo limitado". En un tercer nivel se consideran los sistemas de riesgo limitado, que son los destinados a interactuar con personas físicas y sistemas de reconocimiento de emociones o de categorización biométrica en cuanto al funcionamiento de los mismos, o sistemas que generen manipulación de imágenes y sonidos y que puedan inducir erróneamente a una persona a

---

[38] Considerando 36 de la Propuesta.
[39] O validación de uso de estas técnicas: ÁLVAREZ CUESTA, H.: "Inteligencia artificial: Derecho de la UE y Derecho comparado. La Propuesta de una Ley sobre IA", en AA. VV.: (Dir. RIVAS VALLEJO, P.): *Discriminación algorítmica en el ámbito laboral: perspectiva de género e intervención*, Thomson Reuters-Aranzadi, Cizur Menor, 2022, p. 390.
[40] Dictamen, Comité Económico y Social Europeo, sobre la Propuesta de Reglamento de IA, supra nota 9, Apartados 4.13.

pensar que son auténticos o verídicos (ultrafalsificación). Para estos sistemas de IA la Ley únicamente establece, en el artículo 52, una exigencia de transparencia. Se limita a imponer a los proveedores la obligación de informar a los usuarios de que están interactuando con una máquina de IA cuando no resulte evidente.

d) "Riesgo mínimo". Por último, el resto de sistemas de IA que no impliquen riesgo (v. gr. video juegos, aplicaciones de imagen, etc.) se engloban bajo la calificación de riesgo mínimo y pueden desarrollarse y utilizarse con arreglo a la legislación vigente sin obligaciones jurídicas adicionales. El regulador considera que la mayoría de los sistemas de IA utilizados actualmente en la UE pertenecen a esta categoría. Y tan solo sugiere que por parte de los proveedores, se opte voluntariamente por aplicar los requisitos de una IA digna de confianza y adherirse a códigos de conducta voluntaria con los requisitos establecidos para una IA de alto riesgo (art. 69).

En el lugar de trabajo, es probable que la mayoría de los casos de uso de gestión algorítmica se consideren de bajo riesgo, no sujetos a ninguna evaluación y autorizados de facto, aun cuando representen un peligro para la salud de los trabajadores, y ello debido a que buena parte de los sistemas de IA de alto riesgo utilizados en el ámbito laboral no alcancen el impacto perjudicial significativo para la salud que exige el Reglamento de IA (Considerando 27), al dar lugar, por lo general, a riesgos psicológicos (v. gr. estrés) que no se manifiestan de manera inmediata, sino de forma gradual[41].

En cualquier caso, el empresario que pretenda implementar los sistemas de IA de Riesgo alto, tengan o no un impacto perjudicial importante, habrá de integrar los principios y obligaciones relativas a la normativa de protección de datos personales y los de prevención de riesgos laborales, efectuando los correspondientes procedimientos de evaluación de impacto, y los de análisis de proporcionalidad.

---

[41]   KULLMAN , M, CEFALIELLO, A..: "The Interconnection between the AI Act and the EU's Occupational Safety and Health Legal Framework", cit.

Otro tanto cabe decir de los sistemas de Riesgo limitado y Riesgo mínimo. El empresario, si bien no está obligado a cumplir con los requisitos establecidos para los sistemas de Alto riesgo, salvo aplicación voluntaria, deberá evaluar el impacto de los riesgos residuales del sistema sobre la protección de datos y la seguridad y salud del trabajador desde la perspectiva de la prevención de riesgos laborales.

3. Requisitos obligatorios para los sistemas de IA de "Alto Riesgo"

Tal y como se ha apuntado anteriormente, cuando el sistema de IA entrañe altos riesgos para los derechos fundamentales y la seguridad, la Ley de IA impone el cumplimiento de una serie de requisitos y la obligación de someterlo a una evaluación de conformidad "*antes de su introducción en el mercado*" (arts. 9 y 30 a 51). El proveedor debe llevar a cabo la evaluación de conformidad bajo su responsabilidad.

La evaluación se basa en verificaciones de control interno, para lo que se requiere una autoevaluación [art. 43.1 a), Anexo VI]. En el caso de determinados sistemas de IA, deberá participar en el proceso de evaluación un organismo notificado independiente [art. 43.1 b), Anexo VII]. Es el caso, por ejemplo, de los sistemas de identificación biométrica remota que están sujetos a una evaluación de la conformidad realizada por un tercero [42], quedando, por tanto, exceptuados de la autoevaluación.

La evaluación de la conformidad les permitirá a los proveedores demostrar el cumplimiento de los requisitos obligatorios. El primero de estos requisitos específicos se refiere al establecimiento de un "sistema de gestión de riesgos" y mantenimiento durante todo el ciclo de vida del sistema de IA. Lo cual requiere varias actuaciones: identificar y analizar los riesgos conocidos y previsibles; evaluar los riesgos y adoptar las medidas oportunas de eliminación; reducción de riesgos asociados a la utilización del sistema; y comprobar que funcionan de

---

[42]   PONCE DEL CASTILLO, A.: "The AI Regulation: Entering an AI Regulatory Winter? Why An Ad Hoc Directive on Ai in Employment Is Required" *ETUI Research Paper–Policy Brief* 2021.07.

un modo adecuado a su finalidad prevista (art. 9). Estas actuaciones serán precisadas más adelante.

El segundo requisito versa sobre los "Datos y gobernanza de datos" y consiste en que los sistemas de IA de alto riesgo que implican el entrenamiento de modelos de datos, han de desarrollarse cumpliendo determinados criterios de calidad de datos, esto es, eligiendo un diseño adecuado, formulando los supuestos pertinentes, y atendiendo a posibles sesgos, lagunas o deficiencias, de forma que "*el entrenamiento, la validación y las pruebas* sean *pertinentes y representativos, carezcan de errores y estén completos*" (art. 10).

Los otros requisitos se relacionan con la documentación técnica (los sistemas de alto riesgo han de contar con una documentación técnica previamente a su introducción en el mercado que demuestre el cumplimiento de los requisitos necesarios) (art. 11); el mantenimiento de registro automático de eventos ("archivos de registro", garantizándose la trazabilidad) (art. 12); la transparencia y suministro de información a los usuarios (con instrucciones de uso, especificando cualquier circunstancia que puede dar lugar a riesgos para la salud y seguridad o los derechos fundamentales) (artículo 13); la vigilancia humana (permitiendo entender las capacidades del sistema de IA, interpretar la información de salida, decidir no utilizar o interrumpir el funcionamiento del sistema de IA) (art.14) ; la precisión, solidez y ciberseguridad (han de ser resistentes a errores o fallos, previendo subsanación de fallos y vulnerabilidades del sistema con copias de seguridad y medidas para prevenir y control los ataques) (art. 15).

Por lo que respecta a los sistemas de IA utilizados para el "empleo, gestión de trabajadores y acceso al autoempleo" (n° 4 Anexo III), quedan sujetos a un procedimiento de evaluación de conformidad de control interno a cargo del proveedor (Anexo VI). Éste debe verificar que el sistema de calidad establecido es conforme con los requisitos exigidos, sin que se deba someter a una evaluación externa por un tercero independiente (art. 43.2). En consecuencia, el trámite exigido reposa exclusivamente, como bien indica BAZ RODRÍGUEZ, en "una suerte de declaración de conformidad del sistema con los requisitos normativamente impuestos a cargo del propio proveedor, a partir de lo cual se obtiene la marca CE como indicador externo del cumplimiento normativo"[43].

Nótese que las obligaciones recaen fundamentalmente en el proveedor[44]. El empresario, a efectos del Reglamento de IA, es un simple usuario del sistema de IA de alto riesgo; es decir, una *"persona física o jurídica, incluidas las autoridades públicas, órganos u organismos de otra índole, bajo cuya autoridad se utilice un sistema de IA"* (art. 3.4), que, como tal, asume solo las obligaciones subordinadas que establece el art. 29 de la Propuesta. Las fundamentales son las de usar los sistemas de IA con arreglo a las instrucciones de uso que los acompañen (apartado1) y vigilar que el sistema de IA funciona de acuerdo a las referidas instrucciones de uso, informando, si presenta algún riesgo o detecta un incidente grave o un defecto de funcionamiento, al proveedor o distribuidor e interrumpir el uso del sistema de IA (apartado 4).También se obliga a asegurar que los datos de entrada sean pertinentes para la finalidad prevista del sistema de IA de alto riesgo (Apartado 3) y a conservar los archivos de registro que los sistemas de IA generan automáticamente.

En cambio, el proveedor carga con las obligaciones principales: debe diseñar las tecnologías conforme a los estándares de la Ley de IA, y debe demostrar, como se ha señalado, el cumplimiento de los requisitos establecidos mediante un conjunto de documentación técnica redactada antes de que el sistema sea colocado en el mercado (art.11). Además, antes de comercializar un sistema de IA de alto riesgo, el proveedor, en algunos casos, debe registrarlo en una base de datos de la UE que sea de acceso público.

En suma, el proveedor es el que asume el mayor número de responsabilidades, aunque no por ello se diluyen las obligaciones específicas que tiene atribuidas el empleador/usuario. Obsérvese que, según establece el art. 29.2, las obligaciones de los usuarios de los sistemas de IA de alto riesgo deben entenderse, "sin perjuicio de otras obligaciones que el Derecho de la Unión o nacional imponga a los usuarios". Y, por

---

[43]   BAZ RODRÍGUEZ, J.: "Responsabilidad algorítmica y gobernanza de la inteligencia artificial en el ámbito sociolaboral. Entre la perspectiva y la prospectiva", cit. p. 15.

[44]   AISLINN KELLY-LYTH: "The AI Act and algorithmic mangement...", op. cit. p. 6.

tanto, al usuario/empresario le corresponde observar, aparte de las indicadas obligaciones subordinadas en materia de IA, la normativa de protección de datos (RGPD), y el acervo social comunitario, señaladamente en lo que aquí importa, la Directiva Marco en materia de seguridad y salud en el trabajo (Directiva 89/391/CEE) y la Directiva relativa a las condiciones laborales transparentes y previsibles (Directiva 2019/1152).

IV. SISTEMAS DE IA EN EL TRABAJO Y SU IMPACTO EN LA SEGURIDAD Y SALUD LABORAL:

Los sistemas de Inteligencia artificial están omnipresentes en el lugar de trabajo y aportan una muy variada funcionalidad, desde la automatización de tareas, gestión monitorizada de la actividad de los trabajadores, analítica de datos, hasta la adopción automatizada de decisiones. Los sistemas de IA ofrecen un potencial de desarrollo innovador prácticamente ilimitado, merced a la evolución de las nuevas tecnologías y a las propias dinámicas de aprendizaje automático (*machine learning*) y de aprendizaje profundo (*deep learning*) que se encargan de obtener conocimiento a partir de las combinaciones algorítmicas de datos, siendo superfluo tratar de listar cada una de sus múltiples aplicaciones en el orden laboral, así como especificar los instrumentos técnicos utilizados para ello.

A efectos de la Ley de IA, no todos los sistemas de IA usados en el ámbito laboral tienen las mismas implicaciones desde el punto de vista de la salud, seguridad y el respeto a los derechos fundamentales. Como ya se ha señalado, los supuestos de uso potencial de sistemas de IA en el entorno laboral específicamente mencionados por la Ley de IA se encuentran en la categoría segunda de sistemas de "alto riesgo". En el Anexo III, se identifican hasta ocho ámbitos de riesgo siendo uno de ellos el relativo al "empleo, gestión de los trabajadores" (apartado 4 del Anexo III), que incluye dos supuestos: 1) las aplicaciones o herramientas destinadas a la selección y contratación; y 2) sistemas empleados para la promoción, la asignación de tareas, y gestión de los empleados (vigilancia, evaluación del rendimiento, o el despido).

La selección realizada no dibuja un mapa completo de posibles usos de sistemas susceptibles de causar daño a la seguridad, salud y derechos fundamentales de los trabajadores. Las aplicaciones de IA catalogadas como de alto riesgo se contraen, por decirlo de una manera abreviada, a la gestión algorítmica de personas. Pero los sistemas de IA que presentan implicaciones para la salud y seguridad de los empleados, no se contraen únicamente a ellos. Hay otras áreas de riesgo no definidas por la Ley de IA que plantean importantes problemas para la salud y seguridad de los trabajadores; piénsese, por ejemplo, en el trabajo asistido, los cobots, o el nuevo modelo y método de trabajo a través de plataformas o el trabajo remoto y virtual, o los sistemas tecnológicos de IA EHS que se utilizan para prevenir accidentes en materia de seguridad y salud laboral.

El diverso campo de utilización de la IA en el ámbito laboral es susceptible de ser analizada desde el prisma de los dos ejes fundamentales de la aplicación de la IA identificados por la Agencia Europea de Seguridad y Salud en su Informe "*Impact of artificial intelligence on occupational safety and health*" de 2021[45]; a saber: (1) Robótica avanzada y automatización de tareas; (2) la gestión algorítmica de recursos humanos. O tal vez mejor aún, desde la taxonomía desarrollada por la EU-OSHA en su posterior informe "*Advanced robotics, artificial intelligence and the automation of tasks: definitions, uses, policies and strategies and occupational safety and health*" de 2022, que incluye, además, otras tres dimensiones: (3) el trabajo a través de plataformas; (4) los nuevos sistemas de control de seguridad y salud de los trabajadores y (5) el trabajo remoto y virtual.

Desde la perspectiva de la seguridad y salud laboral, los sistemas de IA que se integran en los lugares de trabajo aportan, desde luego, oportunidades para el bienestar de los propios trabajadores. Entre los beneficios podría estar, por ejemplo, una mejor asignación de tareas, o una intervención temprana con el fin de prevenir exposiciones tóxicas o enfermedades[46]. Pero, a la vez presentan también una capacidad

---

[45]   European Agency for Safety and Health at Work (EU-OSHA), 2021, *Impact of artificial intelligence on occupational safety and health* Disponible en: https://osha.europa.eu/en/publications/impact-artificial-intelligence-occupational-safety-and-health.

[46]   HOWARD, J.: "Artificial intelligence: Implications for the future of work, 22/09/2019, Disponible en: https://onlinelibrary.wiley.com/doi/10.1002/ajim.23037.

para inferir una serie de efectos negativos sobre la salud de los trabajadores. El stress, la ansiedad, o el acoso son algunos de los efectos perjudiciales de la integración de la IA en el lugar de trabajo. De todas formas, vale la pena enfatizar con MOORE que no es la Inteligencia artificial la que genera los posibles problemas de seguridad y salud de los empleados, sino la forma en que se implementan y se aplican los instrumentos de IA, que es lo que puede crear condiciones positivas o negativas[47].

Seguidamente, se resaltan de forma esquemática los beneficios y riesgos que para la seguridad y salud presentan los sistemas de IA, siguiendo una sistemática que va más allá del conjunto reducido de funcionalidades de IA considerados como de alto riesgo por la Ley de IA, y centrándonos principalmente en las tres indicadas primeras dimensiones, que ofrecen una mayor identidad específica en relación con los riesgos que plantea la IA.

1. Automatización por IA: dispositivos robóticos

Desde la década de los 80, la automatización a través de la robótica ha inducido a grandes y pequeñas fábricas de producción al reemplazo de muchos trabajadores que venían realizando manualmente sus tareas, lo cual ha tenido su impacto positivo en términos de seguridad y salud laboral. La automatización robótica permite sacar a los trabajadores de circunstancias desfavorables, como determinados trabajos forzados o especialmente penosos e insalubres, y mejorar su salud física relacionada con trastornos musculo-esqueléticos, evitando muchas de las tareas monótonas y repetitivas[48].

La robótica avanzada no debe ser asociada solo con el sector de la fabricación, en particular de automóviles porque se utiliza en todos los sectores (agricultura, almacenamiento, logística, servicios, etc.),

---

[47]   MOORE, PH.V.: "OSHA and the Future of Work: Benefits and Risks of Artificial Intelligence Tools in Workplaces", 19/06/2019. Disponible en: https://link.springer.com/chapter/10.1007/978-3-030-22216-1_22#notes.

[48]   European Agency for Safety and Health at Work (EU-OSHA), 2022, *Advanced robotics and automation:implications for occupational safety and health Report*. Disponible en https://osha.europa.eu/en/publications/summary-advanced-robotics-and-automation-implications-occupational-safety-and-health.

inclusive en tareas relacionadas con la persona, como, por ejemplo, la enfermería para asistir a pacientes con movilidad reducida, o en tareas quirúrgicas y médicas. La robótica ha traído un escenario laboral más seguro, porque permite influir en la disminución de accidentes de trabajo y ayudar, además, a las personas con movilidad reducida, o con algún tipo de deficiencia física o sensorial a conseguir o mantener el puesto de trabajo. Un exoesqueleto o las extensiones robóticas "se presentan como una gran oportunidad de integrar a trabajadores con discapacidad en el ámbito laboral respecto a tareas o funciones que por limitaciones físicas, no les sería posible desarrollar sin ese suplemento"[49]

Pero la automatización robótica, a pesar de sus múltiples bondades, no está exenta de riesgos porque también pueden provocar prácticas o conductas no seguras, ni saludables. La Agencia Europea llama la atención sobre la posibilidad de que la automatización robótica dé lugar a una subcarga cognitiva y al aburrimiento, a la presión sobre el rendimiento e intensificación del trabajo, y a ciertos factores de riesgo, como el aislamiento y la falta de interacción con los compañeros.

En los últimos tiempos, los robots ya no solo ejecutan tareas simples y repetitivas sino que vienen provistos de un cierto grado de autonomía y realizan también funciones de interacción colaborativa con los trabajadores humanos en espacios de trabajo compartidos. Los cobots, que es como se les denomina a estos nuevos robots, empiezan a pensar y a tomar decisiones usando la inteligencia artificial. Su presencia en las empresas es cada vez mayor, proporcionando ayuda en una gama mayor de tareas, que no son tareas simples o repetitivas sino que implican capacidades cognitivas.

Desde el punto de vista de la protección de la salud y seguridad en el trabajo, los beneficios de la incorporación de estos robots mejorados con IA para las personas trabajadoras son evidentes: mejoran, por lo pronto, el mantenimiento del empleo de los trabajadores con dificultades físicas, pueden identificar riesgos potenciales y pronosti-

---

[49]   CUATRECASAS, INSTITUTO DE ESTRATEGIA LEGAL EN RRHH: *Robótica y su impacto en los Recursos Humanos y en el Marco Regulatorio de las Relaciones Laborales*, Cuatrecasas, Wolters Kluwer, Madrid, 2018, p. 344.

car el resultado más probable, realizar medidas preventivas e incluso eliminar el error humano de los incidentes en el lugar de trabajo.

Pero hay que prestar mucha atención a estos cobots o sistemas automatizados de IA porque, a su vez, también generan riesgos para la salud y seguridad de los trabajadores, al margen de otro tipo de vulnerabilidades en la seguridad que pueden afectar a la integridad de la programación del Software al estar conectados a Internet. La mayor movilidad y la autonomía de la decisiones basada en algoritmos de autoaprendizaje, podrían hacer -como pone de relieve la EU-OSHA[50]- que sus acciones sean menos predecibles para los trabajadores que colaboran con ellos. No se excluye que pueda haber contactos fortuitos y, en consecuencia, se produzcan accidentes de trabajo debidos a esa colisión.

Por otra parte, los robots mejorados con IA pueden crear situaciones de estrés y problemas psicológicos si no se implementan correctamente, porque obligan al trabajador a realizar el trabajo al ritmo y nivel del cobot, de manera que puede verse presionado a alcanzar el nivel de productividad exigido por la máquina[51]. La Organización Internacional de Normalización (ISO) viene trabajando desde 2016 en la elaboración de criterios o principios guía para una colaboración segura, recomendando que se adopten entre otras medidas: controles de parada monitorizados relacionados con la seguridad; guiado del cobot por una mano humana; controles de monitorización de la velocidad y la separación; y limitaciones de potencia de fuerza[52]

---

[50]   European Agency for Safety and Health at Work (EU-OSHA), 2021, *Impact of artificial intelligence on occupational safety and health* , cit.

[51]   MOORE, PH.V.: "OSH and the Future of Work: Benefits and Risks of Artificial Intelligence Tools in Workplaces", cit.

[52]   Cfr. HOWARD, J.: "Artificial intelligence: Implications for the future of work, 22/09/2019 cit.; International Organization for Standardization. ISO/TS 15066:2016. Robots and Robotic Devices—Collaborative Robots. https://www.iso.org/standard/62996.html.

2. Software de gestión algorítmica

Otra dimensión donde la de Inteligencia Artificial demuestra su influencia es en la gestión de trabajadores basada en la IA[53]. Existe un auge importante de aplicaciones informáticas y de dispositivos sensores (sencillos y avanzados o inteligentes), dirigidos a recoger gran cantidad de datos para inferir de ellos, funcionalidades muy diversas. Aplicaciones que se instalan en cualquier dispositivo digital sea Android o iOS, Smartphone o Tablet, o sensores que se integran en la ropa (wearable), e incluso se incrustan en el cuerpo, y que, conectados entre sí o a otros dispositivos, forman un Internet de las cosas, brindando a las empresas una cantidad significativa beneficios y mejoras.

El impacto de la información obtenida a través de estos dispositivos inteligentes es potencialmente grande tanto en los procesos operativos de trabajo como en los de la salud y seguridad. Estos dispositivos inteligentes con la ayuda de herramientas de minería de datos y de análisis de datos, permiten a la empresa hacer un seguimiento exhaustivo del trabajador en tiempo real (dentro y fuera del ámbito laboral), aumentar el control del mismo, elaborar un perfil, evaluar su rendimiento, y, a la postre, resolver el problema de las ineficiencias en la productividad del trabajador. Son una herramienta muy eficaz de gestión de los recursos humanos, ya que hacen posible mejorar la eficiencia, reducir costos y administrar el tiempo y los recursos de manera más efectiva.

También aportan ventajas en el campo de la tutela de la seguridad y salud laboral, proporcionando, ante todo, valor y un entorno seguro. Dichos sistemas de IA pueden alertar si se exceden determinados

---

[53] Para referirse a ello, la EU-OSHA utiliza la expresión AIWM, que hace referencia a un sistema de gestión de los trabajadores que recopila datos, a menudo en tiempo real, sobre el espacio de trabajo, los trabajadores, el trabajo que realizan y las herramientas (digitales) que utilizan para su trabajo, que luego se introducen en un modelo basado en la IA que toma decisiones automatizadas o semiautomatizadas o proporciona información a los responsables de la toma de decisiones sobre cuestiones relacionadas con la gestión de los trabajadores. European Agency for Safety and Health at Work (EU-OSHA), 2022, *Artificial intelligence for worker management: implications for occupational safety and health. Report*. Disponible en https://osha.europa.eu/en/publications/artificial-intelligence-worker-management-implications-occupational-safety-and-health.

niveles de exposición a agentes tóxicos o si se detecta alguna anomalía para la seguridad; así, por ejemplo, el peligro de sobrecalentamiento y de incendio; de desgaste de la vida útil de los materiales; o el de atrapamiento. Mediante el visionado por computadora, es posible también controlar el uso efectivo por los empleados de las medidas de seguridad, en particular, de los equipos de trabajo individuales, advirtiendo del riesgo mediante una señal sonora o luminosa, o impidiendo el acceso hasta que la persona no esté debidamente equipada. Esta tecnología de IA puede ayudar a mejorar los procesos de toma de decisiones, reducir riesgos y evitar accidentes laborales.

Todo ello sin olvidar el impacto positivo de la IA para el propio bienestar y la calidad de la salud de los trabajadores. Los trabajadores están siendo equipados con sensores avanzados o inteligentes para observar la respuesta del trabajador ante la asignación de tareas y objetivos específicos. Poniendo en relación la exigencia psicofísica de la tareas asignadas con los signos vitales (v. gr. frecuencia cardíaca, temperatura de la piel, etc.) se puede detectar cuándo el trabajador está cansado y, en consecuencia, ajustar la asignación y/u organización del trabajo para permitir que el trabajo sea seguro[54]. Es importante observar que no hay dos cuerpos iguales y, sin embargo, las normas que determinan las actividades de trabajo intensivo que un trabajador puede soportar se basan en promedios estadísticos. Con algoritmos de aprendizaje automático se puede llegar a personalizar la seguridad de un individuo, conocer su límite de exposición y de fatiga, y calcular su riesgo ergonómico.

Lo expuesto no plantearía problemas si la inteligencia artificial como instrumento masivo de análisis y combinación inteligente de datos se instrumentara únicamente al servicio de la predicción de sucesos, la disminución de siniestralidad, y la mejora de la salud del trabajador. Pero es evidente que los datos recogidos se utilizan también, como ya se ha señalado, por la dirección de la empresa para tomar decisiones con vistas a mejorar la eficiencia productiva, lo que puede no casar con un trabajador no especialmente apto para determinados niveles de exigencia. Suscita, en este sentido, una gran preocupación la ges-

---

[54]   KULLMAN , M, CEFALIELLO, A..: "The Interconnection between the AI Act and the EU's Occupational Safety and Health Legal Framework", cit.

tión que se puede hacer de estos datos, porque hay experiencias de tecnologías de IA implementadas con el propósito de mejorar la salud del propio trabajador, que luego son utilizadas para evaluar el rendimiento del trabajador y proceder a su despido. La única manera de conjurar ese riesgo es que el empleador acceda "a los datos de los trabajadores solo cuando los datos estén agregados y anonimizados"[55].

Los factores de riesgo derivados del uso del software de gestión algorítmico van mucho más allá de estos problemas éticos jurídicos (pérdida de privacidad, discriminación, etc.) que no son objeto de análisis en este comentario. Los riesgos que orbitan en torno a la potencialidad de seguimiento y control que conllevan estos dispositivos inteligentes, son, en particular, los riesgos psicosociales y de salud mental. La digitalización con la gestión algorítmica ha traído, como bien han descrito los sociólogos PAYÁ CASTIBLANQUE y CALVO PALOMARES[56], una intensificación del trabajo, una mayor disponibilidad y probabilidad de tener largas jornadas de trabajo y de estar expuestos a niveles más elevados de exigencia cuantitativas, emocionales y sensoriales, así como la pérdida de autonomía como consecuencia de nuevos sistemas de control. Los trabajadores se esfuerzan en maximizar el tiempo. Todo lo cual genera una alta tensión y se traduce en el incremento del estrés laboral.

Como observa la Agencia Europea de Seguridad y Salud laboral, la presión sobre el rendimiento, la competitividad, la individualización y el aislamiento social, pueden ser fuente de ansiedad y de estrés. La misma presión de no poder descansar cuando lo necesitan puede provocar accidentes y problemas de salud, como trastornos musculoesqueléticos y enfermedades cardiovasculares[57].

---

[55]   Idem.
[56]   PAYÁ CASTIBLANQUE, R. y CALVO PALOMARES, R.: "Sistemas de prevención y protección en el orden social sobre los riesgos emergentes de origen psicosocial en la economía digital", AA. VV. (Dirs. RODRÍGUEZ-PIÑERO ROYO, M. Y TODOLÍ SIGNES, A.) *Vigilancia y control en el Derecho del Trabajo Digital*, Thomson Reuters Aranzadi, Gebrakitat Valenciana, Cizur Menor, 2020, pp. 535 y ss.
[57]   European Agency for Safety and Health at Work (EU-OSHA), 2021, *Impact of artificial intelligence on occupational safety and health* , cit.

3. Trabajo en plataformas digitales

Un tercer campo de desarrollo de la IA que presenta implicaciones específicas para la seguridad y salud laboral es el trabajo realizado en plataformas digitales. Por tal, cabe entender "todo trabajo organizado a través de una plataforma digital de trabajo y realizado en la Unión por una persona física sobre la base de una relación contractual entre la plataforma digital de trabajo y la persona, con independencia de que exista una relación contractual entre la persona y el destinatario del servicio"[58]. El ejemplo emblemático es el de la actividad de reparto o trabajo de entrega a domicilio realizado comúnmente en bicicleta (Rider), abordado de manera pionera en España, primero a través del Real Decreto- ley 9/2021 y luego en la Ley 12/2021[59], y cuya regulación se pretende extender dentro de la UE a otros sectores productivos mediante la propuesta de Directiva sobre la mejora de las condiciones de trabajo en plataformas digitales[60]. Este tipo de trabajo se realiza mediante una herramienta informática, gestionada a través de algoritmos, que se usa como soporte de control, gestión y organización de la productividad. A diferencia del trabajo digital estándar visto anteriormente, tiene una singularidad importante, que radica en la especial consideración de la reputación *on line* del trabajador para la adopción de decisiones automatizadas concernientes a su vida laboral.

Los trabajadores deben instalarse, en sus dispositivos móviles, una aplicación conectada a la plataforma que les va indicando donde deben recoger las mercancías y realizar sus entregas. La plataforma registra infinidad de datos del trabajador, sean de acceso a la plataforma, de relación entre clientes y trabajadores, y de evaluación de

---

[58]   Art. 2 de la Propuesta de DIRECTIVA DEL PARLAMENTO EUROPEO Y DEL CONSEJO relativa a la mejora de las condiciones laborales en el trabajo en plataformas digitales, COM(2021) 762 final.

[59]   Vid. BAYLOS GRAU. A.: "La larga marcha hacia el trabajo formal: el caso de los riders y la Ley12/20 21", *Cuad. relac. labor.* 40 (1) 2022.

[60]   Communication from the Commission to the European Parliament, the Council, the European Economic and Social Committee and the Committee of the Regions. *Better working conditions for a stronger social Europe: harnessing the full benefits of digitalisation for the future of work*, Bruselas, 9-12, 2021, COM (2021) 761 final.

los trabajadores por parte de los clientes. Sobre la base de los datos registrados, un software operado algorítmicamente, estima un perfil y otorga una valoración que será determinante para la asignación de sucesivos encargos. Los algoritmos aprenden de las cantidades de tareas aceptadas y de las calificaciones y reseñas realizadas por los clientes, siendo claves no solo para una buena reputación en línea que les garantiza la posibilidad de trabajo, sino también para la desactivación, en su caso, de la conexión y ser expulsados de la plataforma[61].

En estas circunstancias de trabajo, el trabajador se ve obligado a estar conectado constantemente, a pujar por el mayor número de trabajos y a esforzarse al máximo en el mejor y más rápido cumplimiento de sus encargos, incrementando la intensidad y velocidad de trabajo, explotando al máximo sus recursos, con el fin de conseguir el tipo de perfil más beneficioso, sin consideración de su seguridad y su salud. Esto puede dar lugar a un mayor riesgo de accidentes de trabajo (en particular, riesgos de accidente de tráfico) y puede implicar también un fuerte impacto negativo en la salud del trabajador, en especial, en la salud mental, por estrés y miedo a perder el puesto de trabajo dada su especial situación de precariedad y la inseguridad contractual. Los riesgos laborales a los que se exponen las personas trabajadoras se aglutinan mayoritariamente dentro de la categoría de riesgos psicosociales, y aparecen como consecuencia de la necesidad de permanecer atento a los dispositivos para otorgar una respuesta inmediata, así como de atender continuamente a los requerimientos sonoros y de contenido, lo que puede traer aparejados el estrés, la adicción al trabajo (Workaholic), la adicción a la tecnología (nomofobia), la fatiga y la tecnoansiedad [62].

En un estudio reciente elaborado sobre "Seguridad y salud de los trabajadores en plataformas digitales", la Agencia Europea de Seguridad y Salud Laboral resalta la necesidad de poner mayores esfuerzos sobre la importancia de las SST y prevención de riesgos por parte de

---

[61]   Vid. MOORE, PH.V.: "OSH and the Future of Work: Benefits and Risks of Artificial Intelligence Tools in Workplaces", cit.

[62]   Vid un minucioso y completo estudio sobre los factores psicosociales asociados al trabajo en plataformas digitales en TODOLI SIGNES, A; JALIJ NAJI, M., LLORENS ESPADA, J.: (Dir.. TODOLI SIGNES, A,) *Riesgos laborales Específicos del Trabajo en Plataformas Digitales*, OSALAN, Bilbao, 2020.

autoridades gubernamentales y las plataformas laborales digitales y reclama una mayor trasparencia sobre el funcionamiento de los algoritmos de las plataformas, dado el grave impacto que ello puede suponer en la salud y seguridad de los trabajadores, aunque no se atisba solución alguna[63].

V. LA IA DE ALTO RIESGO Y GESTIÓN DE RIESGOS DE SEGURIDAD Y SALUD LABORAL

Volviendo al Reglamento de IA, tal y como se comentó, sobre el Reglamento de IA gravita el acervo social de la UE y en concreto la Directiva 89/391/CEE Marco de seguridad y salud en el trabajo, debiendo mantener una coherencia con ella. Esta idea de coherencia con la Directiva Marco, supone que el sistema de IA de alto riesgo debe cubrir no solo los riesgos específicos de seguridad de IA, sino la seguridad general del producto final, incluyendo el propósito de seguridad y salud en el trabajo.

Por tanto, antes de comercializar un sistema de IA de alto riesgo en el mercado de la Unión o de ponerlo en servicio, el proveedor vendrá obligado a realizar una rigurosa evaluación desde la perspectiva preventiva de la seguridad y salud de los trabajadores y acreditar que el uso del mismo no tiene un impacto negativo sobre la salud y seguridad de los empleados. Esto es aplicable a los sistemas de alto riesgo asociados a los procesos de automatización de tareas; gestión de recursos humanos, o el empleo *on-demand*, realizados a través de los instrumentos tecnológicos–Cobots, software de gestión algorítmica, o plataforma digital-, que hemos visto anteriormente.

Pero nadie debe llamarse a engaño, porque el concepto de "riesgo" para la seguridad y salud que maneja el regulador de la IA dista de ser el mismo que el de la Directiva marco. Repárese en que el riesgo cubierto por el Reglamento de IA es un tipo de "riesgo alto"; esto es, solo se considera pertinente a efectos de la Ley de IA, el riesgo que,

---

[63]   European Agency for Safety and Health at Work — EU-OSHA: *Digital platform work and occupational safety and health: a review, European Risk Observatory Report*, 2021. Disponible en: https://osha.europa.eu/es/publications/digital-platform-work-and-occupational-safety-and-health-review.

según las consecuencias adversas del sistema de IA, sea calificado de alto riesgo. Obsérvese, en este sentido, que, según el Considerando 27, la *"calificación 'de alto riesgo' debe limitarse a aquellos sistemas de IA que tengan consecuencias perjudiciales importantes para la salud, la seguridad y los derechos fundamentales de las personas de la Unión, y dicha limitación reduce al mínimo cualquier posible restricción del comercio internacional, si la hubiera".* No, por tanto, cualquier sistema de IA está sujeto a los requisitos del Reglamento de IA, hace falta que el impacto o las consecuencias adversas del sistema para la seguridad sean significativas. Parece que se adopta una idea de alto riesgo bastante restrictiva, donde el objetivo de la seguridad y salud se subordina de alguna manera a las consideraciones económicas de no imponer restricciones innecesarias al comercio y de comprometer el desarrollo del mercado único.

Ello tendrá, como ya se comentó anteriormente, un doble efecto significativo sobre la aplicación de los sistemas de IA en el lugar de trabajo, quedando probablemente excluidos buena parte de aquellos sistemas de IA. En primer lugar, porque no representen un efecto nocivo grave o alto sobre los trabajadores; de forma que, respecto de estos sistemas de IA, aunque representen un peligro para los trabajadores, no será necesario el cumplimiento de los requisitos esenciales de alto riesgo y simplemente se exigirán obligaciones específicas de transparencia de los riesgos limitados o mínimos, como, por ejemplo, que los usuarios sean conscientes de que están interactuando con una máquina. Y, en segundo lugar, porque en la mayor parte de los sistemas de IA considerados de alto riesgo en el trabajo, los efectos apreciables de impacto negativo en la seguridad de las personas son de carácter psicológico (por ej. el estrés y patologías psicosomáticas derivadas del monitoreo continuo de la actividad del trabajador o la conectividad constante en el trabajo en plataformas) y se van generando paulatinamente, de forma que, *a priori* podría no ser considerado de alto riesgo a la luz del Reglamento de IA, porque, en realidad, como observan KULLMAN y CEFALIELLO, el impacto nocivo no aparece inmediatamente; es un proceso gradual"[64]

---

[64]   KULLMAN , M, CEFALIELLO, A..: "The Interconnection between the AI Act and the EU's Occupational Safety and Health Legal Framework", cit.

De todas formas, ese enfoque centrado en lo grave, no le libera al usuario/empleador del deber de cumplir con las obligaciones preventivas que le marca la normativa específica de prevención de riesgos laborales (Directiva 89/391/CEE y la LPRL). De forma que, cuando se integra en el trabajo un sistema de automatización de tareas, o un software de gestión algorítmica para la gestión de recursos humanos, o se implanta un sistemas de trabajo *on line*, aunque no represente un riesgo alto para la seguridad de los empleados, debe evaluar en qué medida afectarán la salud y la seguridad de los trabajadores. Esta obligación se enmarca dentro del deber general de prevención que recoge el artículo 6.2 de la Directiva y que obliga al empleador a eliminar o reducir el riesgo . Nótese que este riesgo no es comparable al del Reglamento de IA, porque el empresario está obligado a eliminar, reducir o controlar cualquier impacto perjudicial para la salud del trabajador.

La evaluación de riesgos potenciales del empleador debe ser, por tanto, mucho más meticulosa e intensa que la realizada por el proveedor. Tanto en el caso de sistemas de IA de alto riego, en que debe partir de los riesgos identificados por el proveedor con ocasión de la evaluación de la gestión de riesgos, conforme al art. 9.2 de la Ley de IA, como en los supuestos considerados de riesgo limitado o mínimo, el empleador debe hacer su propia evaluación de riesgos laborales teniendo en cuenta el concreto entorno laboral en el que se va a integrar el sistema de IA, cuando se utilice para la finalidad que la tenga prevista el empleador, para identificar los riesgos añadidos y eliminar o reducir el riesgo adaptando los métodos de trabajo.

De todas formas, lo que nos importa aquí es sobre todo ver el alcance del Reglamento de IA en la estrategia de gestión de los riesgos de seguridad y salud de las personas. Interesa saber cómo se aborda, en un contexto general de aplicación de los sistemas de IA, la cuestión de la evaluación del riesgo de una aplicación de la IA no solo para determinarlo como de alto riesgo sino para reducirlo.

El sistema de gestión de riesgos es un proceso que implica, según el art. 9.2 del Reglamento de IA, básicamente tres etapas sucesivas: 1) la identificación de riesgos; 2) la evaluación de los riesgos actuales y de los que podrían surgir después de la comercialización; y 3) la adopción de las medidas de gestión de los riesgos.

1. Identificación de riesgos asociados a IA

La identificación y el análisis de los riesgos conocidos o previsibles vinculados a cada sistema de IA de alto riesgo entrañan alguna dificultad importante, debido a que no está definido el riesgo alto, ni el concepto de "perjuicio importante" que debe revestir, lo que genera incertidumbre. Añádase a ello que puede haber sistemas de IA que se utilicen con muchos fines diferentes (IA de uso general) e incluso tecnologías de IA de uso general que se integran en otro sistema, que puede convertirse en un sistema de alto riesgo. Y todo ello sin perjuicio de que el uso de los diversos enfoques de aprendizaje automático y profundo puede dar lugar a nuevas fuentes de riesgo específicas difíciles de determinar.

No existe una clasificación de riesgos de IA identificados en una taxonomía y es difícil establecerla porque los sistemas automatizados de toma de decisiones corren el riesgo de producir nuevos factores de riesgo para la seguridad y salud de las personas, amén de presentar otros desafíos no analizados aquí como el de los resultados discriminatorios.

Un mercado de la inteligencia artificial en constante y rápido crecimiento hace que los modelos no se desarrollen sobre la base de la experiencia de su uso. Y si el sistema no se ha probado previamente en uso y no se han descubierto y solucionado las debilidades, no es descartable que se originen problemas relacionados con la seguridad y salud.

2. Evaluación de riesgos

Identificado el riesgo, el paso siguiente es la estimación de la evaluación de los riesgos que podrían surgir cuando el sistema de IA de alto riesgo en cuestión se utilice conforme a su finalidad prevista y cuando se le dé un uso indebido razonablemente previsible. Asimismo, obliga el Reglamento de IA a evaluar otros riesgos que podrían surgir a partir del análisis de los datos recogidos con el sistema de seguimiento posterior a la comercialización [art. 9.2.b) y c) el Reglamento de IA].

Por lo general, la evaluación de riesgos se realiza en función de tres factores: 1) grado de exposición al peligro; 2) probabilidad de ocurrencia de un evento peligroso; y 3) posibilidad de evitar o limitar el daño. De modo que, la evaluación consistirá en evaluar "el riesgo existente o potencial con respecto a la extensión del daño y la probabilidad de ocurrencia, por un lado, y su impacto en la aplicación, por el otro"[65].

En esa evaluación de riesgos potenciales de la IA, el proveedor deberá tener en cuenta, cuando el sistema de IA se integre en el trabajo, la concreta finalidad para la que está prevista; y analizar de qué modo el sistema de IA afecta a la seguridad y salud de los trabajadores. Pero además, deberá evaluar los riesgos derivados de un uso indebido razonablemente previsible, lo que, tratándose del contexto laboral, supone contemplar los posibles usos desviados o ilícitos del sistema de IA que pueda hacer el usuario/empresario; es decir, los diseñados con un propósito y, una vez implementados, utilizados con otro fin.

3. Medidas de gestión de riesgos

El Reglamento de IA no contempla de forma específica una tercera fase de control del sistema de gestión, aunque cabe entender que va implícita dentro de la última fase de adopción de medidas. Es obvio que para aplicar medidas se necesita determinar si el riesgo identificado y evaluado excede el riesgo tolerable y, por tanto, si se deben aplicar medidas de control de riesgos. En este sentido, cabe notar que las medidas de gestión de riesgos se descartan cuando se trata de riesgos residuales asociados a cada peligro.

En cambio, si la evaluación demuestra que excede el riesgo tolerable, se deben aplicar las medidas de gestión de riesgos más adecuadas de entre las previstas en el art. 9.4 del Reglamento de IA, que serían las siguientes:

a) eliminar o reducir los riesgos en la medida en que sea posible mediante un diseño y un desarrollo adecuados;

b) implantar en relación con los riesgos que no puedan eliminarse, cuando proceda, unas medidas de mitigación y control apropiadas;

---

[65] STEIMERS, A., SCHNEIDER, M.: Sources of Risk of AI Systems, *Int. J. Environ. Res. Public Health* 2022, 19(6), 3641; https://doi.org/10.3390/ijerph19063641

c) proporcionar la información oportuna conforme al artículo
    13, en particular en relación con los riesgos mencionados en el
    apartado 2, letra b)[66]"

Los proveedores no están obligados a eliminar el riesgo, simplemente se espera de ellos que lo identifiquen, lo reduzcan, lo controlen
y que proporcionen información al respecto. Los riesgos residuales
se consideran 'aceptables' siempre que las medidas de gestión de riesgos sean suficientes y el sistema de IA se utilice de acuerdo con su
finalidad prevista o en condiciones de 'uso indebido razonablemente
previsible'. La única obligación es que esos riesgos residuales tienen
que ser comunicados[67].

En la adopción de las medidas de reducción o mitigación de los
riesgos asociados a la utilización del sistema de IA de alto riesgo, los
proveedores deben tener en la debida consideración los conocimientos técnicos, la experiencia, la educación y formación que se espera
que posea el usuario, así como el entorno en que está previsto que se
utilice el sistema (art. 9.4).

---

[66]   *Artículo 13: Transparencia y comunicación de información a los usuarios: (...)*
      3. b). "Las características, capacidades y limitaciones del funcionamiento del
      sistema de IA de alto riesgo, y en particular:
      i) su finalidad prevista;
      ii) el nivel de precisión, solidez y ciberseguridad mencionado en el artículo 15
      con respecto al cual se haya probado y validado el sistema de IA de alto riesgo y
      que puede esperarse de este, así como las circunstancias conocidas o previsibles
      que podrían afectar al nivel de precisión, solidez y ciberseguridad esperado;
      iii) cualquier circunstancia conocida o previsible, asociada a la utilización del
      sistema de IA de alto riesgo conforme a su finalidad prevista o a un uso indebido
      razonablemente previsible, que pueda dar lugar a riesgos para la salud y la segu-
      ridad o los derechos fundamentales;
      iv) su funcionamiento en relación con las personas o los grupos de personas en
      relación con los que se pretenda utilizar el sistema;
      v) cuando proceda, especificaciones relativas a los datos de entrada, o cualquier
      otra información pertinente en relación con los conjuntos de datos de entrena-
      miento, validación y prueba usados, teniendo en cuenta la finalidad prevista del
      sistema de IA".
[67]   PONCE , A.: "The AI Regulation: Entering an AI Regulatory Winter? Why
      An Ad Hoc Directive on Ai in Employment Is Required", *ETUI Research Pa-*
      per–Policy Brief 2021.07 9. Disponible en: https://papers.ssrn.com/sol3/papers.
      cfm?abstract_id=3873786

Además, los sistemas de IA de alto riesgo deben ser sometidos a pruebas para comprobar que los sistemas de IA funcionan de modo adecuado para su finalidad prevista y cumplen los requisitos establecidos en el Reglamento.

El problema con las medidas de seguridad es que se carece de una lista completa y fácilmente aplicable de nuevos riesgos asociados de IA que también incluya el campo de los sistemas relacionados con la seguridad. Así, mientras el uso de las nuevas tecnologías de IA se normaliza y se acepta consciente o inconscientemente en el ámbito de la empresa, no se han descubierto todavía las debilidades ni, por tanto, solucionado los problemas que plantean. En consecuencia, existe un vacío o falta de normativa legal o técnica que establezca reglas sobre seguridad y también de responsabilidad. Los estándares internacionales para el campo de la IA están aún en desarrollo[68].

En su ausencia, cierto sector de la doctrina especializada considera que "para establecer un proceso de gestión de riesgos para los sistemas de IA en el campo de la seguridad y la salud en el trabajo, es útil (...) la ISO 12100 que describe el proceso de gestión de riesgos para la maquinaria", aunque debería adaptarse para tener en cuenta las particularidades que presentan los modelos basados en aprendizaje profundo porque son más complejos[69].

En esta línea, y mientras se procede a su regulación, también podrían brindar orientación la Directiva sobre maquinaria y la Directiva sobre seguridad general de productos, ambos en proceso de revisión. Lo deseable sería, en todo caso, definir un proceso de gestión de riesgos específico para garantizar la seguridad de la IA y, en particular, la seguridad en el trabajo.

---

[68]   STEIMERS, A., SCHNEIDER, M.: Sources of Risk of AI Systems, cit.
[69]   Idem.

VI. TRANSPARENCIA ALGORÍTIMICA Y GOBERNANZA PARTICIPATIVA

1. La información como contenido previo de fiabilidad del sistema de IA

En el contexto de sistemas de IA donde existe la influencia de sesgos y se hace preciso verificar los estándares de seguridad, la trasparencia se revela como un factor clave para el conocimiento del impacto de las características de la IA en la gestión de riesgos y para garantizar la confianza del usuario en el sistema de IA. La trasparencia proporciona a los usuarios y afectados información adecuada sobre el sistema de IA.

Esa información sobre el modelo subyacente al proceso de toma de decisiones, es condición previa para la trazabilidad, esto es, para la explicabilidad del proceso de adopción de la decisión automatizada y para analizar en términos de equidad, seguridad y responsabilidad la decisión adoptada. La palabra trasparencia describe, así, varios aspectos encaminados fundamentalmente a identificar y corregir errores[70] y, en su caso, a reclamar responsabilidades por los posibles perjuicios causados.

La propuesta de Reglamento de IA contiene varias referencias a la trasparencia en relación con las categorías de "riesgo alto". Así, en el art. 13, establece, como requisito obligatorio, que tales sistemas se diseñarán y desarrollarán de modo que se garantice un tipo y un nivel de trasparencia adecuados para que el usuario y el proveedor cumplan sus obligaciones oportunas. Los proveedores deben plasmar, en las instrucciones de uso de los sistemas de IA de alto riesgo, como ya se apuntó, una información *"concisa, completa, correcta y clara que sea pertinente, accesible y comprensible para los usuarios"*, especificando, entre otros aspectos, la identidad del proveedor, la finalidad prevista, el nivel de solidez, cualquier posible riesgo para la salud o seguridad y los derechos fundamentales, su funcionamiento con las

---

[70]   Idem.

personas, y cualquier información pertinente en relación con datos de entrenamiento, validación y prueba obtenidos.

Por su parte, el art. 51 del Reglamento prevé que, antes de la introducción en el mercado o puesta en servicio de los sistemas de IA, éstos se inscriban en el registro del sistema de IA de alto riesgo y también los operadores. La propuesta transaccional del Consejo ha reforzado la trasparencia obligando, además, a determinados usuarios de sistema de alto riesgo, que sean autoridades, agencias u organismos públicos, o entidades que actúen en su nombre, a registrarse en la base de datos de la UE de sistemas de IA.

Con referencia a determinados sistemas de IA que presentan riesgos específicos de manipulación, el art. 52 del Reglamento impone a los proveedores un deber de información a las personas expuestas a los sistemas respecto de los sistemas que interactúan con seres humanos. Asimismo, obliga a los usuarios de un sistema de categorización biométrica y de reconocimiento de emociones a informar del funcionamiento del sistema, a las personas físicas expuestas a él (salvo en investigación penal). Así, cuando una persona interactúe con un sistema de IA o sus emociones o características sean reconocidas por medios automatizados, debe ser informada de tal circunstancia. Asimismo, si un sistema de IA se utiliza para generar o manipular imágenes, audios o vídeos que a simple vista parezcan contenido auténtico, deviene obligatorio informar de que dicho contenido se ha generado por medios automatizados, salvo excepciones. Todo ello se exige con el fin de que las personas puedan adoptar decisiones fundamentadas o evitar una situación determinada.

Es preciso notar que, respecto de estos sistemas de IA de alto riesgo, el Reglamento de IA solo incluye la obligación de garantizar información a los usuarios/empresarios, no garantiza la trasparencia para los sujetos o grupos de personas afectadas por el sistema de IA, como serían en el ámbito laboral los trabajadores. No obstante, su ampliación subjetiva es una de las cuestiones objeto de debate en el seno del diálogo tripartito entre las instituciones comunitarias.

En cuanto a los sistemas de IA no clasificados como de alto riesgo (riesgo limitado, riesgo mínimo), la normativa de IA se limita, como ya se ha señalado anteriormente, a imponer a los proveedores la obligación de informar a los usuarios que están interactuando con una máquina de IA cuando no resulte evidente, lo cual no garantiza a los usuarios/empresarios tampoco los señalados derechos básicos de transparencia.

2. Sistemas de IA y participación sindical

El Reglamento de IA ignora por completo el papel de las organizaciones sindicales respecto de la utilización de los sistemas de IA en el trabajo[71]. No reconoce ningún tipo de derecho de información o participación de los interlocutores sociales en la implantación de los sistemas de IA en el lugar de trabajo, ni siquiera con respecto a los de alto riesgo.

Empero, como ya se señaló al principio, el Reglamento de IA debe implementarse y aplicarse en coherencia con la legislación social europea y nacional, permitiendo que las demás leyes laborales de la UE cumplan su propósito[72]. El acervo de la UE en los ámbitos laboral y social establece normas mínimas de gestión participativa de los representantes de los trabajadores en las decisiones organizativas de la empresa, en varios instrumentos clave. Con carácter general, lo prevé la Directiva 2002/14/CE, por la que se establece un marco general relativo a la información y a la consulta de los trabajadores, fijando una serie de principios mínimos, definiciones y modalidades de información y consulta de los representantes de los trabajadores a nivel de las empresas en cada Estado miembro.

Más específicamente, con referencia a la seguridad y salud laboral, lo impone la Directiva 89/391/CEE (Marco de seguridad y salud laboral) al señalar, en su artículo 6.3.c), que el empresario deberá, habida cuenta el tipo de actividades de la empresa y/o del establecimiento, "*procurar que la planificación y la introducción de nuevas tecnologías sean objeto de consultas con los trabajadores y/o sus representantes, por lo que se refiere a las consecuencias para la seguridad y la salud de los trabajadores, relacionadas con*

---

[71]   TULLINNI, P.: "La nuova proposta europea sull'intelligenza artificiale e le relazioni di lavoro", cit. p. 107.
[72]   KULLMAN , M, CEFALIELLO, A..: "The Interconnection between the AI Act and the EU's Occupational Safety and Health Legal Framework", cit.

la elección de los equipos, el acondicionamiento de las condiciones de trabajo y el impacto de los factores ambientales en el trabajo".

En relación con el trabajo en plataformas, se garantiza también en la propuesta de Directiva del Parlamento y del Consejo relativa a la mejora de las condiciones laborales en el trabajo en plataformas digitales de 9 de diciembre de 2021[73], que tiene por objeto fomentar el diálogo social sobre los sistemas de gestión algorítmica mediante la introducción de derechos colectivos en materia de información y consulta sobre cambios sustanciales relacionados con el uso de sistemas automatizados de supervisión y toma de decisiones. El artículo 9 de la Directiva exige que las plataformas digitales informen y consulten a los representantes de los trabajadores de plataformas o, si no hay tales representantes, a los propios trabajadores sobre las decisiones de gestión algorítmica, por ejemplo si se proponen introducir nuevos sistemas automatizados de supervisión o toma de decisiones, o efectuar cambios sustanciales en dichos sistemas.

El objetivo de las disposiciones mencionadas es promover el diálogo social cuando se implementa una nueva tecnología en el lugar de trabajo y, en particular, cuando se prevé el uso de la gestión algorítmica, dada la complejidad del sistema de IA, y para la transparencia y mejor comprensión de los sistemas automatizados de supervisión y toma de decisiones, así como para la supervisión humana de dichos sistemas y la protección de los derechos específicos de las personas afectadas en cuanto a decisiones significativas que afecten a las condiciones de trabajo.

Por tanto, aunque el Reglamento de IA no cubre la participación directa de los trabajadores, se entenderá sin perjuicio de los requisitos vigentes en materia de información y consulta establecidos en virtud de la Directiva 2002/14/CE y la Directiva 89/391/CEE y los que establezca la futura Directiva del Parlamento y del Consejo relativa a la mejora de las condiciones laborales en el trabajo en plataformas digitales.

No obstante, el Reglamento de IA proporciona a las organizaciones sindicales o a los representantes de los trabajadores un medio

---

[73] Bruselas, 9.12.2021, COM(2021) 762 final.

indirecto de obtención de información. Sería el relativo a la base de datos de la UE para sistemas de IA de alto riesgo, que prevé crear, según lo dispuesto en el artículo 60, y en la que los proveedores deberán introducir toda la información relativa a los sistemas de IA de alto riesgo, incluidas las instrucciones de uso electrónico. La información en la base de datos de la UE será de acceso público, por lo que los sindicatos podrán acceder, a través de dicha Base, a toda la información que esas instrucciones incorporen. Según lo previsto en el artículo 13.3, las instrucciones deberán contener como mínimo las características, capacidades y limitaciones de las herramientas de gestión algorítmica de alto riesgo utilizadas en el ámbito laboral, y, en concreto, "cualquier circunstancia conocida o previsible, asociada a la utilización del sistema de IA de alto riesgo conforme a la finalidad prevista o a un uso indebido razonablemente previsible, que pueda dar lugar a riesgos para la salud y la seguridad o los derechos fundamentales".

La consulta a la base de datos de la UE podría ser el remedio a la falta de previsión específica sobre participación de los sujetos sindicales en la implementación de los sistemas de IA de alto riesgo en los centros de trabajo, que permita a éstos y a otros interlocutores sociales, como apunta AISLINN KELLY-LYTH, evaluar a un alto nivel si las herramientas de gestión algorítmica del mercado podrían contravenir los derechos de los trabajadores, y, en su caso, poder entablar litigios cuando se cuestione la toma de decisiones algorítmicas[74]

3. Derecho de los trabajadores a una explicación de las decisiones automatizadas y a impugnarlas.

La Propuesta de Reglamento se queda corta también en lo que hace referencia al derecho a la información de las personas afectadas y, en concreto, a los trabajadores. No establece obligación alguna de que los usuarios (empresarios) informen a las personas afectadas (trabajadores) de que están sujetos a un sistema de IA, salvo para determinados sistemas de IA que presentan riesgos específicos de manipulación.

---

[74]   AISLINN KELLY-LYTH: "The AI Act and algorithmic mangement...", op. cit. p. 8.

Sin embargo, las personas afectadas deberían tener, como mínimo, derecho a conocer el propósito del sistema de IA, qué derechos tienen (por ejemplo, el derecho a quejarse mencionado anteriormente) y dónde pueden encontrar más información sobre el funcionamiento y la lógica del sistema[75].

En este sentido, resulta plausible que la Propuesta de Directiva del Parlamento y del Consejo relativa a la mejora de las condiciones laborales en el trabajo en plataformas digitales de 9 de diciembre de 2021, acoja, en su artículo 6, la obligación de las plataformas digitales de informar a los trabajadores de plataformas sobre el uso y las características clave de los sistemas automatizados de supervisión —que se utilizan para controlar, supervisar o evaluar la ejecución del trabajo realizado por los trabajadores de plataformas por medios electrónicos— y los sistemas automatizados de toma de decisiones —que se utilizan para tomar o apoyar decisiones que afecten significativamente a las condiciones de trabajo de los trabajadores de plataformas[76].

Este derecho a la información no debería ser exclusivo de los sistemas de IA de alto riesgo. El acceso a la información sobre la existencia de decisiones automatizadas debería ser universal y aplicable asimismo a otros sistemas que afectan a las personas pero que no necesariamente han sido clasificados como de alto riesgo[77].

Por otra parte, el Reglamento de IA tampoco acoge dos de los mecanismos clave para el reconocimiento de los derechos básicos de transparencia, como son el derecho a una explicación de las decisiones individuales automatizadas (el suministro de información sobre cómo se ha aplicado la lógica general del sistema en un caso específi-

---

[75] ALGORITHMWATCH: *AlgorithmWatch's demands for improving the AI Act.* Disponible en: https://algorithmwatch.org/en/algorithmwatch-demands-for-improving-the-ai-act/

[76] La información que debe facilitarse incluye las categorías de acciones controladas, supervisadas y evaluadas (también por los clientes) y los parámetros principales que dichos sistemas tienen en cuenta para las decisiones automatizadas. El artículo especifica la forma y el momento en que debe facilitarse esta información e indica que esta también debe ponerse a disposición de las autoridades laborales y de los representantes de los trabajadores de plataformas previa solicitud

[77] ALGORITHMWATCH: *AlgorithmWatch's demands for improving the AI* Act, cit.

co), y la posibilidad de impugnar legalmente los resultados y, en su caso, exigir que se reviertan, se reconsideren mediante un procedimiento diferente o se les indemnice.

Estas brechas significativas en la trasparencia de la Ley de IA podrían colmarse, tal vez, a través de normativa de protección de datos, señaladamente a partir de los garantías previstas en el art. 22 de la RGPD, el derecho a la información específica y explicación de las decisiones a los interesados, que prevé el Considerando 71 del RGPD[78]. Pero parece bastante poco probable su aplicación, en atención a que, por un lado, no hay una recepción directa de tales derechos en el RGPD y, por otro, el artículo 22 del RGPD solo podría aplicarse a las decisiones tomadas por los sistemas de IA sin ninguna participación humana, lo que probablemente no cubra ningún sistema de IA de alto riesgo[79].

VII. CONCLUSIONES

La propuesta de Reglamento de IA de la UE es una medida armonizadora que establece unos estándares de uso de sistemas de IA de alto riesgo, aplicables también al ámbito laboral. En un momento en que cualquier uso imaginable es aceptado sin reparar, apenas, en las consecuencias que ello implica para los derechos fundamentales, la seguridad o la salud, el Reglamento de IA representa un avance significativo en el reconocimiento de los derechos fundamentales de las personas afectadas. Las exigencias regulatorias pueden contribuir a mitigar los riesgos para la seguridad y salud que dichos sistemas de IA comportan, así como a prevenir posibles tendencias discriminatorias.

El Reglamento descansa sobre el concepto de riesgo para la salud, seguridad y los derechos fundamentales y centra su esfuerzo regulatorio, en particular, sobre dos categorías: "riesgo inadmisible" o prohibido y "alto riesgo". Los posibles casos de riesgo de uso IA en

---

[78]   BAZ RODRÍGUEZ, J.: "Responsabilidad algorítmica y gobernanza de la inteligencia artificial en el ámbito sociolaboral. Entre la perspectiva y la prospectiva", cit. p. 6 p. y ss.

[79]   ALGORITHMWATCH: *AlgorithmWatch's demands for improving the AI Act*, cit.

el entorno laboral aparecen identificados por el Reglamento de IA dentro de la segunda categoría de "alto riesgo", y están relacionados fundamentalmente con la gestión algorítmica de personas; esto es, con procedimientos de toma de decisiones algorítmicas basadas en un análisis de datos de personas trabajadoras (sistemas digitales para la selección, promoción, vigilancia y control). Tal elenco de situaciones de alto riesgo, analizado desde la perspectiva de los 5 programas desarrollados por EU-OSHA (2022) [80], no representa con exactitud todos los posibles ámbitos de riesgo.

En relación con la seguridad y salud laboral, la Propuesta de Reglamento omite cualquier referencia al mismo. Aunque no cabe duda del gran potencial que tiene la IA para habilitar una gestión inteligente de riesgos, esto es, como herramienta para prevenir, o reducir lesiones y fatalidades e incluso para prevenir trastornos esqueléticos, el Reglamento de IA no la identifica como posible área de riesgo. Y, sin embargo, al utilizarse datos de personas, pueden surgir cuestiones muy importantes relacionadas con la privacidad y seguridad de los trabajadores; aparte de que el modelo puede fallar y dar lugar a consecuencias no deseadas (accidente).

En todo caso, es de considerar que cualquier sistema de IA identificado como de alto riesgo tiene otro tipo de implicaciones para la seguridad y salud de los trabajadores, porque, como se encargan de advertir los profesionales del ámbito preventivo y sanitario, los sistemas de gestión algorítmica tienen el potencial de impactar negativamente sobre el bienestar de los empleados. Pueden exponer a los trabajadores a riesgos estructurales psicosociales y provocar estrés, toda vez que pueden sentirse presionados para mejorar su rendimiento o para aceptar más trabajo y renunciar a pequeños momentos de descanso o respiro.

La cuestión es, entonces, en qué medida el proveedor de estos sistemas de IA debe prever y evitar estos riesgos. En principio, el Reglamento de IA exige a los proveedores informar, en sus "instrucciones de uso", sobre cualquier circunstancia conocida o previsible que

---

[80]   Informe "Advanced robotics, artificial intelligence and the automation of tasks: definitions, uses, policies and strategies and occupational safety and health" de 2022, cit.

pueda dar lugar a riesgos para la salud y seguridad o los derechos fundamentales. Pero no está claro que en el caso de los sistemas de gestión algorítmica, el Reglamento de IA obligue a los proveedores a identificar todas esas situaciones potenciales de riesgo psicosocial, y, por tanto, a cumplir con los requisitos para los sistemas de IA de "alto riesgo", porque la "calificación 'de alto riesgo' se reserva a aquellos sistemas de IA que "tengan consecuencias perjudiciales importantes para la salud y seguridad" (Cdo. 27), y, desde luego, no parece un elemento intrínseco e inexorable de los sistemas de gestión algorítmica el que acaben indefectiblemente produciendo los riesgos físicos o psicosociales descritos.

Los riesgos para la seguridad y salud laboral se incrementan cuando se hace un uso intensivo, inadecuado o desproporcionado de las tecnologías de IA, realizando un control y seguimiento del desempeño del empleado por encima de lo estrictamente necesario, o un uso desviado respecto de la finalidad, o cuando siendo legítimo y necesario su uso, no se informa de estos dispositivos de seguimiento de desempeño del trabajador a los afectados. Está comprobado que los trabajadores afrontan de manera más positiva estas herramientas de IA de gestión operativa (sea del talento, el comportamiento, o la prevención de riesgos laborales…) cuando los trabajadores conocen la finalidad y participan en la toma de decisiones y se facilita acceso a los datos o se anonimizan.

En este sentido, el Reglamento de IA resulta un tanto insatisfactoria, porque, al diseñar la transparencia no brinda a los afectados ni a sus representantes posibilidad alguna de acceso a la información sobre los dispositivos de IA de alto riesgo, salvo la residual posibilidad de consulta pública de la Base de datos de la UE cuando se establezca. De todas formas, no cabe olvidar que las exigencias regulatorias derivadas señaladamente de la normativa de protección de datos personales, cuyo valor se ha vuelto innegable, resultan aplicables a tales herramientas y, por tanto, al proveedor del software.

No obstante, y sin perjuicio de que la agregación legal de nuevas condiciones de información pueda ser la opción ideal, el sujeto especialmente concernido por estas exigencias de trasparencia es principalmente el usuario de los sistemas de gestión algorítmica (el empleador, que incorpora dicha tecnología a la relación laboral).Y ello no porque lo establezca así la Propuesta de Reglamento, sino porque a él le corresponde conocer los riesgos de la IA y gestionarlos, analizando o evaluando cómo la gestión algorítmica podría perjudicar la seguridad y salud mental de los trabajadores, y garantizando a éstos el cumplimiento de la normativa de protección datos, en particular, la información sobre los dispositivos digitales de IA y el acceso a cualquier decisión automatizada[81].

VIII. BIBLIOGRAFÍA

AISLINN KELLY-LYTH: "The AI Act and algorithmic mangement", *Dispatch Nº 39*, European Union (2021).

ALGORITHMWATCH: *AlgorithmWatch's demands for improving the AI Act.* Disponible en: https://algorithmwatch.org/en/algorithmwatch-demands-for-improving-the-ai-act/.

ÁLVAREZ CUESTA, H.: "Inteligencia artificial: Derecho de la UE y Derecho comparado. La Propuesta de una Ley sobre IA", en AA. VV.: (Dir. RIVAS VALLEJO, P.): *Discriminación algorítmica en el ámbito laboral: perspectiva de género e intervención*, Thomson Reuters-Aranzadi, Cizur Menor, 2022.

BAYLOS GRAU. A.: "La larga marcha hacia el trabajo formal: el caso de los riders y la Ley12/20 21", *Cuad. relac. labor.* 40 (1) 2022.

BAZ RODRÍGUEZ, J.: "Responsabilidad algorítmica y gobernanza de la inteligencia artificial en el ámbito sociolaboral. Entre la perspectiva y la prospectiva", *Trabajo y Derecho* 89/2022(mayo).

CUATRECASAS, INSTITUTO DE ESTRATEGIA LEGAL EN RRHH: *Robótica y su impacto en los Recursos Humanos y en el Marco Regulatorio de las Relaciones Laborales,* Cuatrecasas, Wolters Kluwer, Madrid, 2018.

DELPONTE, L.: *European Artificial Intelligence (AI) leadership, the path for an integrated visión*, Department for Economic, Scientific and Quality of Life Policies, Brussels, 2018.

European Agency for Safety and Health at Work — EU-OSHA: *Digital platform work and occupational*

European Agency for Safety and Health at Work (EU-OSHA), 2021, *Impact of artificial intelligence on occupational safety and health* Disponible en: https://osha.europa.eu/en/publications/impact-artificial-intelligence-occupational-safety-and-health.

---

[81] El presente estudio se terminó de redactar el 10 de marzo de 2023.

European Agency for Safety and Health at Work (EU-OSHA), 2022, *Advanced robotics and automation:*

European Agency for Safety and Health at Work (EU-OSHA), 2022, Artificial *intelligence for worker management: implications for occupational safety and health. Report.* Disponible en https://osha.europa.eu/en/publications/artificial-intelligence-worker-management-implications-occupational-safety-and-health.

HOEDEMAEKERS, J.: *Draft law on AI: where are we today?*, 17/2/2022.

HOWARD, J.: "Artificial intelligence: Implications for the future of work, 22/09/2019, Disponible en: https://onlinelibrary.wiley.com/doi/10.1002/ajim.23037.

KULLMAN, M, CEFALIELLO, A..: "The Interconnection between the AI Act and the EU's Occupational Safety and Health Legal Framework", *Global Workplace Law*, /24/01/2022. Disponible en: http://global-workplace-law-and-policy.kluwerlawonline.com/2022/01/24/the-interconnection-between-the-ai-act-and-the-eus-occupational-safety-and-health-legal-framework/

MCAFEE, A.: "EU proposals to regulate AI are only going to hinder innovation", *Financial Times,* uno de los expertos de la Iniciativa por la Economía Digital (IDE) del Instituto Tecnológico de Massachusetts (MIT); Alberto R. Aguiar en: https://www.businessinsider.es/criticas-reglamento-ia-europeo-porque-limitara-innovacion-904937

MOORE, PH.V.: "OSHA and the Future of Work: Benefits and Risks of Artificial Intelligence Tools in Workplaces", 19/06/2019. Disponible en: https://link.springer.com/chapter/10.1007/978-3-030-22216-1_22#notes.

PAYÁ CASTIBLANQUE, R. y CALVO PALOMARES, R.: "Sistemas de prevención y protección en el orden social sobre los riesgos emergentes de origen psicosocial en la economía digital", AA. VV. (Dirs. RODRÍGUEZ-PIÑERO ROYO, M. Y TODOLÍ SIGNES, A.) *Vigilancia y control en el Derecho del Trabajo Digital*, Thomson Reuters Aranzadi, Gebrakitat Valenciana, Cizur Menor, 2020, pp. 535 y ss.

PIZZETTI, Fr.: La proposta de Regolamento sull'IA della Commisiones Europea presentata il 21.4.2021 (COM2021) 206 final) tra Mercato Unico e competizione digitale globale, *Diritto di Internet*, n° 4, 2021, p. 593.

PONCE , A.: "The AI Regulation: Entering an AI Regulatory Winter? Why An Ad Hoc Directive on Ai in Employment Is Required", *ETUI Research Paper*–Policy Brief 2021.07 9. Disponible en: https://papers.ssrn.com/sol3/papers.cfm?abstract_id=3873786

STEIMERS, A., SCHNEIDER, M.: Sources of Risk of AI Systems, *Int. J. Environ. Res. Public Health* 2022, 19(6), 3641; https://doi.org/10.3390/ijerph19063641

TODOLI SIGNES, A; JALIJ NAJI, M., LLORENS ESPADA, J.: (Dir.. TODO-LI SIGNES, A,) *Riesgos laborales Específicos del Trabajo en Plataformas Digitales*, OSALAN, Bilbao, 2020.

TULLINNI, P.: "La nuova proposta europea sull'intelligenza artificiale e le relazioni di lavoro", *Trabajo, Persona, Derecho, Mercado* 5 (2022). p. 106.

VEALE, M. / ZUIDERVEEN BORGESIUS, FR.:"Demystifying the Draft EU Artificial Intelligence Act Analysing the good, the bad, and the unclear elements of the proposed approach", *Computer Law Review International, A Journal of Information Law and Technology,* CRI 4/2021, p. 98 .

Capítulo tercero:
RESPONSABILIDAD CIVIL EN MATERIA DE INTELIGENCIA ARTIFICIAL Y SU INCIDENCIA EN EL ÁMBITO DE REPARACIÓN DEL DAÑO DERIVADO DE ACCIDENTE DE TRABAJO Y ENFERMEDAD PROFESIONAL ESPAÑOL

JULEN LLORENS ESPADA
Profesor Contratado Doctor interino de
Derecho del Trabajo
Universidad Pública de Navarra

SUMARIO: I.- DAÑOS POR SISTEMAS DE IA EN EL ÁMBITO LABORAL: 1. Robot con integración de sistemas de IA, 2. Sistemas de IA integrados en aplicaciones dirigida a la gestión de la PRL; II. RETOS. 1. Imputación y delimitación de la responsabilidad, 2. Conyugar diversos bloques normativos: *2.1. Responsabilidad civil adicional en materia de seguridad y salud en el trabajo 2.2. Responsabilidad del fabricante 2.3. Compatibilidad con la responsabilidad civil en protección de datos 2.4 Compatibilidad con el sistema de Seguridad Social, 2.5. Responsabilidad penal*; III. LAS CLAVES DEL NUEVO SISTEMA. 1. Exhibición de pruebas, 2. Presunción de relación de causalidad en caso de culpa: *2.1.- Sistemas de IA de no "alto riesgo", 2.2.- Sistemas de IA de "alto riesgo"*

I. DAÑOS POR SISTEMAS DE IA EN EL ÁMBITO LABORAL

Desde el Parlamento Europeo se está trabajando en una triple línea, cristalizada en la futura Ley IA (IA Act), una revisión del marco actual de seguridad del producto, y un replanteamiento de los modelos de imputación de la responsabilidad civil para cuando medie un sistema de IA. Por un lado, la Ley IA busca establecer un marco regulatorio que garantice una IA fiable, segura y acorde al respeto de los derechos fundamentales, pero para ello, requiere de una complementación normativa en materia de seguridad y responsabilidad. Estos últimos extremos se presentan como dos vértices de una misma moneda, en tanto la seguridad busca minimizar o eliminar los riesgos, y la responsabilidad aparece como contramedida dirigida a reequilibrar los bienes jurídicos dañados como consecuencia de la actualización de los riesgos no eliminados. Es decir, devenido un daño, si este es consecuencia de una deficiente política preventiva, de un incumplimiento de la normativa de seguridad del producto o de los requerimientos previstos en la futura Ley IA, ello tendrá como consecuencia directa la activación del marco de responsabilidad civil. Empero, a la inversa, cabe preguntarse si todo cumplimiento de la normativa de seguridad y estándares de la Ley IA generaría directamente la exención de responsabilidad cuando, a pesar de ello haya devenido un daño.

En este este escenario, la propuesta de Directiva (UE) del Parlamento Europeo y del Consejo, de 28 de septiembre de 2022, sobre la adaptación de las normas de responsabilidad civil extracontractual a la inteligencia artificial (Directiva de responsabilidad de AI), se inserta dentro del pack normativo europeo en materia de Inteligencia Artificial.

En su esencia, cualquier sistema de responsabilidad civil erige el daño como su elemento central, dado que la reparación o indemnización de las consecuencias lesivas, en forma de daños o perjuicios, es precisamente su propósito. Pues bien, la propuesta de Directiva de responsabilidad IA (en adelante, propuesta de Directiva o PDRAI) busca aportar unas pautas concretas para que, en aras a evitar una fragmentación normativa europea en la materia, todos los Estados europeo tengan unos mínimos normativos comunes en materia de imputación de los daños cuando estos sean consecuencia de la acción u omisión de un sistema de IA, ya sea éste un sistema integrado en formas corpóreas o materiales como robots, cobots, drones etc., o funcione como un software no dependiente de hardware material al uso, como podrían ser servicios digitales, aplicaciones o programas informáticos etc.

De este modo, la propuesta de Directiva se presenta como instrumento necesario y respetuoso con el principio de subsidiariedad, en tanto busca evitar la fragmentación y aumentar la seguridad jurídica respecto a la exposición de las partes interesadas a la responsabilidad civil. En esta línea, el grado de intervención normativa de la propuesta europea resulta muy reducido con respecto al texto propuesto con la inicial propuesta de Reglamento (UE) en la materia. Quedan para un debate futuro e hipotético marco armonizador cuestiones como la conceptualización de la culpa en este específico ámbito, la posible extensión de responsabilidad solidaria entre los diferentes operadores detrás de un sistema de IA, o incluso la valoración del daño, la creación de un sistema de responsabilidad objetiva y su posible aseguramiento obligatorio. Materias estas últimas que sí estaban contempladas en la inicial propuesta de Reglamento (UE).

Por otra parte, llama la atención la ausencia de referencia del legislador europeo respecto a la aplicabilidad o no de la Directiva sobre el marco de las relaciones laborales y, concretamente, en lo referido al marco de responsabilidad civil derivado de accidentes de trabajo o enfermedades profesionales cuando haya mediado un sistema de IA. Esta dejación se presenta en sintonía con el escaso interés que se muestra para con el ámbito laboral tanto en la futura Ley IA como en las estrategias del Parlamento europeo relativas a la IA. Ahora bien, si el objetivo de la Directiva es conseguir que las personas que sean víctimas de daños generados por la interacción de un sistema de IA puedan conseguir la misma indemnización que recibirían de no haber mediado éste, no resultaría entendible circunscribir la regulación únicamente al ámbito de la responsabilidad extracontractual, y expulsar de ello a aquellos escenarios en los que la institución jurídica de la responsabilidad civil también resulte de corte culpabilístico y encuentre los mismos retos y desafíos expuestos por el legislador europeo cuando de la responsabilidad extracontractual y el entorno digital se trata.

Por su parte, la propuesta de Ley IA busca garantizar un elevado nivel de protección de los derechos fundamentales y, en particular, enumera entre esos objetivos el preserva la salud y seguridad de las personas. Estos dos últimos ámbitos se incluyen en el texto como elementos capaces de limitar la libertad de empresa (art. 16 Ley IA) en lo que al desarrollo y utilización de tecnología de IA de alto riesgo se refiere. Como recoge la Exposición de Motivos de la propuesta de Ley IA, "dichas restricciones son proporcionadas y se limitan al mínimo necesario para prevenir y reducir riesgos graves para la seguridad y violaciones probables de los derechos fundamentales".

Precisamente, cuando la Ley IA reconoce el efecto adverso que para la salud y la seguridad de las personas puede derivarse de estos sistemas, y en especial cuando funcionan como componentes de productos, el primer ejemplo al que se recurre en la Exposición de Motivos del texto es al de la capacidad lesiva de "los robots cada vez más autónomos que se utilizan en las fábricas" (EM 28). Este potencial lesivo sobre la salud y la seguridad o los derechos fundamentales será así el elemento central sobre el que se construye la graduación y catalogación de los sistemas de IA como de "alto riesgo" o los correspondientes niveles inferiores y, entre estos derechos, dícense incluidos "los derechos de los trabajadores".

No es de extrañar que la Ley IA introduzca esta referencia ejemplificativa del ámbito laboral, ya que los robots con IA, cobots, drones, IoT o las plataformas de gestión de las relaciones laborales están llamadas a jugar un papel especialmente relevante dentro de los procesos productivos de las empresas y, en este marco, afloran las mismas capacidades lesivas que en cualquier otro campo de aplicación pero, ahora, teniendo como sujeto pasivo de las decisiones del sistema de IA a una persona trabajadora que seguramente no se encuentra interactuando con el dispositivo inteligente por voluntad propia y, quizá, incluso desconozca el nivel computacional y de funcionamiento del sistemas con el que interacciona.

De lo expuesto, no puede sino concluirse que a pesar de que la propuesta de Directiva de responsabilidad IA se refiera a la responsabilidad civil extracontractual sin hacer mención expresa a la inclusión de las relaciones laborales en su ámbito objetivo de aplicación, las responsabilidades civiles que nuestro ordenamiento jurídico ha conceptualizado como derivadas de incumplimientos contractuales, como es el caso de la responsabilidad civil por daños y perjuicios derivados de AT y EP, vendrán afectas por lo previsto por la PDRIA siempre que la causación del daño sufrido por el trabajador sea consecuencia directa de la intervención de un sistema de IA.

Dícese en la Exposición de Motivos de la PDRIA que el haberse elegido la forma normativa de la Directiva responde al objetivo de que los Estados miembros puedan integrar las medidas armonizadas sin fricciones en sus regímenes nacionales de responsabilidad. Es así que corresponderá a cada Estado Miembro la acomodación de sus sistemas nacionales de responsabilidad para integrar lo previsto por la propuesta de Directiva europea en lo referido a la exhibición de pruebas y la presunción de relación de causalidad en casos de culpa. En esa línea, si la propuesta de Directiva busca facilitar los problemas inherentes a la carga de la prueba que se derivan de las características específicas de la IA, cuando estos sistemas hayan generado un daño en el marco de una relación laboral y se derive de ello una responsabilidad civil adicional por AT y EP, su construcción de la imputación integrará las específicas mejoras de la propuesta que hayan sido transpuestas a la normativa nacional española.

1. Robot con integración de sistemas de IA

El hecho de que los sistemas de IA puedan aparecer como "componentes de seguridad" integrados dentro un producto que hará las veces de *hardware*, genera la concurrencia de diferentes factores de riesgo. De este modo, a los riesgos mecánicos clásicos que se venían presentando por el producto, máquina o robot, se añaden ahora los riesgos asociados al sistema de automatización cognitiva, e incluso unos nuevos riesgos de posible aparición como consecuencia de la concurrencia del *software* de IA con el *hardware*.

Desde la perspectiva de la interacción entre la persona trabajadora y la máquina, la robótica avanzada, en forma de robots, robots industriales, robots de servicios, robots de transporte, robots educativos o robots en la construcción, puede, en atención a su taxonomía, ser fuente de implicaciones en materia de seguridad y salud en el trabajo tanto en su vertiente psicosocial y física, como en aspectos organizacionales[1].

La robótica avanzada, y concretamente la automatización de tareas, ha sido acusada de generar en la parte trabajadora una complacencia sobre la propia automatización, apareciendo, así como un ries-

---

[1]   EU-OSHA: *Advanced robotics and automation: implications for occupational safety and health*. Agencia Europea de Seguridad y Salud en el Trabajo, 2022, págs. 20 y ss.

go laboral de carácter psicosocial. Igualmente, cuando ésta presente sesgos en la automatización, se convierte a su vez en origen de posibles errores por omisión o comisión de la persona que interactúe en la máquina y obedezca a sus incorrectas o inadecuadas indicaciones, causando un AT o EP. Sobre lo dicho jugará un rol esencial el grado de confianza que el humano ostente sobre el actuar de la máquina[2].

Por su parte, los robots o cobots pueden generar sobre la parte trabajadora una sensación de falta de control sobre el trabajo, sobre el cómo se desenvuelven las tareas, pudiéndose disparar una auto desvalorización de las tareas realizadas por el trabajador, lo cual ha sido directamente vinculado con daños psicosociales como el estrés y el burnout[3]. En este sentido, a mayor automatización de la robótica, mayor parece ser la desafección de responsabilidad que presenta el trabajador que con ella interactúa[4], y ello puede redundar en un incremento de los accidentes de trabajo. En esa línea, se ha puesto igualmente el foco sobre la posible descualificación profesional y la intensificación de la demanda de trabajo que pueden acarrear estos robots o máquinas inteligentes[5].

Si lo anterior se refería al diseño de tareas que el robot pudiese tener, los riesgos para que devenga un AT o EP se incrementan cuando se analiza la interacción que estos robots pueden tener con las personas trabajadoras con las que comparten el espacio de trabajo. El diseño antropomórfico del robot puede conducir a una falsa atribución de capacidades (visual, auditiva, comunicativa, etc.) y su margen de acción, propiciando que la parte trabajadora con la que interacciona el robot acabe sufriendo un accidente, derivado de un riesgo físico, o desarrollando una enfermedad profesional, consecuencia de la exposición a un riesgo psicosocial.

En lo que a los posibles daños físicos se refiere, el hecho de que los robots realicen funciones que conlleven el movimiento de la máquina o el desplazamiento de carga, generan que exista para con ellos un elevado riesgo de colisión o atrapamiento. Este riesgo físico se incremen-

---

[2]   Ibídem…, pág. 22.
[3]   Ibídem…, pág. 23.
[4]   Ibídem…, pág. 24.
[5]   Ibídem…, pág. 24.

ta a su vez cuando el robot realiza funciones de manipulado de objetos o integra componentes de especial peligrosidad como cuchillas[6].

La potencialidad lesiva de estos robots podrá devenir tanto de un error en el control humano en el propio escenario de despliegue de funciones de la máquina inteligente, así como de errores en el diseño o programación del software robot. Del mismo mimo, junto al incorrecto funcionamiento del mismo, los daños podrán derivar de un caso fortuito pero que hubiese podido evitarse a través del correcto cumplimiento de medidas de prevención de riesgos laborales o de seguridad del producto. En relación a esto último, podría pensarse en fallos mecánicos o eléctricos derivados de un incorrecto mantenimiento o, ahora también, de una desactualización del sistema de IA operativo. Al respecto, conviene advertir del riesgo de *hackeo* de la máquina y el necesario despliegue de defensa tecnológica o *software security* que actualmente requieren los robots para evitar su maleabilidad por terceros agentes y que, de ello, el robot acabe funcionando de un modo no previsto y generando con ello un siniestro sobre los trabajadores con quienes interacciona.

2. Sistemas de IA integrados en aplicaciones dirigida a la gestión de la PRL

Más allá de que un sistema de IA pueda integrarse en un *hardware* en forma de robot, los sistemas de IA podrán igualmente presentarse como un producto en sí mismos, o incluso como sistemas de IA independientes. En relación a los sistemas de IA independientes, "es decir, aquellos sistemas de IA de alto riesgo que no son componentes de seguridad de productos o no son productos en sí mismos", apunta la propuesta de Ley IA, "hay que considerarlos de alto riesgo si, a la luz de su finalidad prevista, presentan un alto riesgo de menoscabar la salud y la seguridad o los derechos fundamentales de las personas" (EP 32 Ley IA).

Actualmente las empresas están integrando sistemas de IA, tanto en su forma de producto como de *software* independiente, dirigidos a la de gestión de trabajadores, principalmente, por su capacidad pa-

---

[6]   Ibídem..., pág. 29.

ra incrementar la productividad, a la par que reducir los costes de producción[7]. La alta capacidad de análisis de datos que permiten los nuevos sistemas computacionales generan que las empresas puedan tomar decisiones en un tiempo muy reducido y con una mayor precisión de acierto en la medida, lo cual redunda en una mejor, planificación, gestión y organización de la actividad empresarial[8].

Desde la perspectiva de la prevención de riesgos laborales, estos sistemas de IA dirigidos a la gestión de las condiciones de trabajo permiten una mejor monitorización de los riesgos laborales, ya que permiten poner en correlación directa factores ambientales del puesto de trabajo, que sean captados por sensores integrados en *wereables* o EPIs inteligentes, con las condiciones psicofísicas de los trabajadores expuesto a ellas. De este modo, es el propio sistema de IA quien detecta la situación de riesgo y decide sobre la acción encaminada a prevenir la seguridad y salud de la persona trabajadora sometida al entorno concreto.

Las aplicaciones de gestión de la prevención de riesgos laborales basadas en IA pueden ser de especial ayuda para diseñar e implementar programas de formación, individualizar las condiciones de trabajo a las características de cada trabajador, ya sean anatómicas o fisiológicas, así como para informar respecto a las mejores estrategias de política preventiva en la empresa[9].

Ahora bien, la datificación de la gestión de las condiciones de trabajo y, concretamente, la gestión de la PRL, mediante aplicaciones informáticas ha sido acusada de poder generar una intensificación del trabajo en forma de riesgo laboral[10]. La búsqueda de una completa optimización de los tiempos de trabajo que se propicia con estas aplicaciones informáticas confronta con la necesidad de mantener unos

---

[7]   URZÌ BRANCATI, M., C., CURTARELLI , M., RISO, S., BAIOCCO, S. *How digital technology is reshaping the art of management.* Comisión Europea, Sevilla, 2022, pág. 32.

[8]   Ibídem..., pág. 32.

[9]   EU-OSHA: *Artificial intelligence for worker management: implications for occupational safety and health European Agency for Safety and Health at Work – EU-OSHA 1 Artificial intelligence for worker management: implications for occupational safety and health: Executive Summary.* Agencia Europea de Seguridad y Salud en el Trabajo, 2022, págs. 8 y 9.

[10]   Ibídem..., págs. 4 y ss.

descansos mínimos y un ritmo de trabajo sostenible, con el consiguiente elevado riesgo de generar daños como el estrés o la fatiga en el trabajador. Igualmente, se ha visto en estas técnicas una inercia a generar en la persona trabajadora una pérdida de control sobre la propia actividad realizada, pudiéndose llegar a generar una deshumanización del trabajador que acaba por atribuir al sistema de IA funciones de detección y acción sobre riesgos laborales que debieran ser identificados por él[11].

Pero si han de destacarse unos peligros de estos sistemas son precisamente, por un lado, la alta probabilidad de propagar situaciones de discriminación como consecuencia de posibles sesgos en la información fuente del *software*, o incuso con ocasión de datos inicialmente inocuos. Así como el elevado riesgo que presentan de generar vulneraciones en materia del derecho a la privacidad y protección de datos personales de los trabajadores que asisten a la datificación y tratamiento masivo de información relacionada con su persona.

En este sentido, la propuesta de Directiva de responsabilidad por IA será de aplicación únicamente a aquellas situaciones en las que los daños deriven directamente de una decisión de acción u omisión de la app inteligente, excluyéndose de su ámbito de aplicación los supuestos en los que "los daños hayan sido causados por una evaluación humana seguida de una acción u omisión humana y el sistema de IA se haya limitado a proporcionar información o asesoramiento que fue tenido en cuenta por el agente humano de que se trate" (Considerando 15 PDRIA). Para estos casos, en tanto resulta identificable la persona sobre la que dirigir la imputación del incumplimiento por acción u omisión, entiende la propuesta de Directiva que no se requiere de implementación de los clásicos sistemas de responsabilidad civil.

---

[11]   Ibídem…, pág. 4.

II. RETOS

1. Imputación y delimitación de la responsabilidad

Los sistemas de Inteligencia artificial han obligado al legislador europeo a replantearse cuál debiera ser el modelo óptimo de responsabilidad civil a efecto de conseguir mantener la eficacia de estos para con la indemnización por daños y perjuicios que puedan generarse. Los sistemas de IA suscitan diversas problemáticas en relación a la determinación de los elementos clásicos de la configuración de la responsabilidad civil, como son la determinación del sujeto imputable, el concepto de falta de diligencia o incumplimiento normativo, la prueba del nexo causal entre el incumplimiento y la lesión, e incluso para con la propia valoración del daño generado. En definitiva, este tipo de escollos pueden conllevar que la víctima de un acto lesivo mediando un sistema de IA no reciba una adecuada reparación de los daños sufridos.

Respecto a la búsqueda y delimitación de posibles imputabilidades, los sistemas de IA presentan una alta complejidad derivada de su posibilidad de interactuar con terceros dispositivos o servicios a ellos conectados, lo cual genera dificultades para encontrar los sujetos que pueden encontrarse detrás de las decisiones o resultados del *software* o programación informática. Aparecen ahora multitud de partes implicadas tanto en la producción como en la operatividad de los sistemas de IA, en el *hardware* como en el *software* utilizado.

Esta complejidad inherente a los sistemas de IA presenta problemas no solo en lo que a la búsqueda del agente imputable se refiere, sino también en lo relativo a posibilidad de construir una prueba medianamente sólida respecto al origen de la decisión generadora del resultado dañino y la relación causal entre la acción y los daños producidos. Este extremo, como dificultad para acceder a la "caja negra" del sistema de IA, ha sido uno de los aspectos remarcado a su vez por la Comisión Europea al considerar que "para comprender el algoritmo y los datos utilizados por la IA hacen falta una capacidad analítica y unos conocimientos técnicos que pueden ser excesivamente costosos para las víctimas"[12], lo cual genera una evidente "asimetría" entre las partes implicadas[13].

Por su parte, los sistemas de IA se caracterizan por mantener un estado de conectividad digital, integrar componentes con una elevada interdependencia con terceros sistemas, y permitir una posible mutabilidad futura de su código de funcionamiento, ya sea por modificaciones, actualizaciones, o alimentación de nuevos datos en el sistema informático. Estos movimientos, se ha avanzado previamente, generan un terreno de posible afectación o intervención maliciosa del *software* que obliga a los agentes responsables del sistema a mantener un elevado nivel de ciberseguridad. Como afirma la EU-OSHA, en tanto se trata de un relevante factor de riesgo desde la perspectiva de PRL, la seguridad y salud de las personas trabajadora también tendrá que integrarse en el plan de evaluación de ciberseguridad de la empresa[14].

Consecuencia de lo anterior, las personas responsables por una actuación dañina del sistema de IA puedan variar desde la comercialización del producto, apareciendo a lo largo de la vida útil del sistema de IA nuevos agentes con intervención en su configuración o programación. En ese sentido, la empresa que introduzca u opere con sistemas de IA puede convertirse en sujeto responsable tanto por alteraciones introducidas dentro del sistema de IA, como por no seguir las instrucciones de mantenimiento del producto, por ejemplo, las preceptivas actualizaciones o adaptaciones del *software*.

La posibilidad de que nuevos riesgos sean provocados a medida que un sistema de IA avanza en su ciclo de vida útil se incrementan cuando hablamos de técnicas de aprendizaje automático y aprendizaje profundo o *deep learning*. La capacidad de estos sistemas para evolucionar hacia estadios de operatividad plenamente autónoma genera

---

[12]   *Informe sobre las repercusiones en materia de seguridad y responsabilidad civil de la inteligencia artificial, el internet de las cosas y la robótica.* Informe de la Comisión al Parlamento Europeo, al Consejo y al Comité Económico y Social Europeo 2020, pág. 18

[13]   GOMÉZ LIGÜERRE, C. y GARCÍA-MICÓ, T.: "Liability for Artificial Intelligence and other technologies", en *InDret*, núm. 1, pág. 503.

[14]   EU-OSHA: *Incorporating occupational safety and health in the assessment of cybersecurity risks.* Agencia Europea para la Seguridad y la Salud en el Trabajo, 2022.

la necesidad de prever un sistema de responsabilidad civil que venga a dar reparación a los daños provocados por ellos y en los que no parece no se detecta ninguna culpa humana directamente atribuible. La capacidad de un sistema de IA para llevar a cabo una tarea o tomar una decisión sin que haya sido propiamente predeterminado para ello suscita interrogantes sobre el marco de imputabilidad de los posibles daños generados en consecuencia.

El hecho de que los sistemas de responsabilidad civil europeos se hayan asentado eminentemente sobre una base de imputación subjetiva, de carácter culpabilístico, parece generar quiebras a la hora de poder armar una defensa ante lesiones de derechos fundamentales provocados por estos sistemas avanzados de IA. La posibilidad de que no concurra una culpa directamente asignable a una conducta humana podría generar que las personas trabajadoras afectadas por el *machine learning* se encuentren en un escenario de desamparo legal. Como reconoce el Considerando 3 de la propuesta de Directiva, "en particular, puede resultar excesivamente difícil demostrar que un dato de entrada concreto del que es responsable la persona potencialmente responsable ha dado lugar a una información de salida específica de un sistema de IA que, a su vez, ha provocado el daño en cuestión".

Respecto al reto que puede suponer la búsqueda de personas físicas o jurídicas sobre las que hacer recaer el deber resarcitorio de daños y perjuicios, si bien la propuesta de Resolución del Parlamento Europeo, de 20 de octubre de 2020, con recomendaciones destinadas a la Comisión sobre un régimen de responsabilidad civil en materia de inteligencia artificial ya resultaba clara respecto a la negativa a atribuir algún tipo de personalidad jurídica a los sistemas de IA, haciendo decaer el "espejismo «Big dataísta»"[15], esta apuesta se refuerza con la propuesta de Directiva de agosto de 2022, en tanto ni siquiera entra a regular el escenario de una posible responsabilidad objetiva con seguro obligatorio, relegando su futurible desarrollo a la revisión que habrá de hacerse de la Directiva cinco años después a su aprobación (art. 5.2 de la PDRIA).

---

[15]   GOÑI SEIN, J.L.: *Defendiendo los derechos fundamentales frente a la Inteligencia Artificial*. Universidad Pública de Navarra, Pamplona, 2019, pág. 10.

Conviene advertir cómo incluso cuando los sistemas de IA escapan del control de las decisiones humanas, sus decisiones provienen de una previa delegación humana, lo cual permite encontrar una persona como responsable último de la decisión, aunque lo sea por "delegación"[16]. A su vez, el carácter intransmisible del poder de dirección genera que la empresa no pueda alegar ningún mecanismo de exculpación de su responsabilidad como consecuencia de la delegación de decisión en un algoritmo[17].

En este sentido, la transparencia del sistema de programación e información respecto al procesamiento de datos podría resultar esencial para descubrir un actuar empresarial inadecuado en el origen y poder descubrir la fuente generadora del riesgo en su génesis. Es decir, permitiría "levantar el velo digital" e identificar quién se encuentra detrás de un programa informático, APP o robot[18], y el grado de implicación de cada agente para con el resultado lesivo final del sistema de IA. Así, se permitiría descubrir si existía o podía existir un control humano del riesgo asociado al sistema de IA o qué código, entrada o datos han provocado en última instancia el funcionamiento dañino.

Se decía, este problema de imputabilidad se agudiza cuando se piensa en sistemas de *deep learning* en los que sea el propio sistema de IA quien se adentra en escenarios de tomas de decisiones desvinculadas de los parámetros inicialmente demarcados por la intervención humana. O de otro modo, cuando la demanda se plantee por una indemnización de daños y perjuicios causados por una información de salida de un sistema de IA, o por la no producción por parte de dicho sistema de una información de salida que debería haber producido, pero no haya concurrido culpa en su hacer, sino que actuando correctamente el sistema de IA ha primado la protección de unos bienes jurídicos sobre otros, y ha optado por generar el menor daño posible, si bien, ello arroja igualmente un resultado de daños sobre algún tra-

---

[16] Ibídem..., pág. 11.
[17] VALDERDE ASENSIO, A. J.: *Implantación de Sistemas de Inteligencia Artificial y trabajo*. Bomarzo, Albacete, 2020, pág. 109.
[18] LANZADERA ARENCIBIA, E.: "Levantamiento del velo digital frente a las responsabilidades laborales derivadas del trabajo en plataformas digitales" MONTERROSSO CASADO, E. (dir.): *Inteligencia Artificial y riesgos cibernéticos*. Tirant lo Blanch, Valencia, 2019, págs. 526.

bajador. Cualquiera de estas dos situaciones parece no tener respuesta fácil a través de los modelos clásicos de responsabilidad civil subjetiva y, adelantamos, tampoco la propuesta de Directiva sobre responsabilidad en materia de IA ha entrado a darles respuesta.

Estas dificultades de imputabilidad han llevado al "fantasmagórico" debate acerca de si resultaría conveniente otorgar personalidad jurídica a los sistemas de IA o si entendiendo que siempre resulta posible identificar una conducta humana en la génesis del sistema, resultaría de mayor pertinencia construir un sistema de responsabilidad objetiva y asegurar así que, en todo caso, las personas víctimas de lesiones de derechos fundamentales provocados por un sistema de IA reciben una compensación adecuada. En cualquier caso, la PDRIA, a diferencia de lo que se pretendía con la previa propuesta de Reglamento (UE) en la materia, ha sorteado el debate para acabar limitando su contenido al marco de responsabilidad subjetiva, cuando medie culpa, y centra su desarrollo en el establecimiento de medidas garantistas para que la parte demandante pueda articular una sólida prueba, así como ayudarse de una suerte de presunción del nexo de causalidad, a la hora de conformar la demanda. No así, elude el reto de armonizar un sistema de imputación objetiva que venga a dar respuesta a las situaciones en las que los daños y perjuicios sean producidos por un sistema de IA, pero sin haber mediado culpa de sus proveedores o usuarios.

Esta última afirmación reviste un especial interés en el ámbito de la responsabilidad civil por daños y perjuicios derivados de AT y EP, en donde recae sobre la empresa, usuaria del sistema de IA, un especial deber de diligencia en materia de prevención de riesgos laborales y, a la contra, la parte débil de la relación contractual encuentra, si cabe, mayores dificultades para poder armar una prueba consistente respecto a los posibles daños y perjuicios sufridos.

En este sentido, desde una perspectiva de incentivación de la política preventiva de la parte empresarial, cierto es que este tipo de responsabilidades objetivas pueden resultar un retroceso y disuadir una conducta pro activa por su parte[19]. Como afirma el TS, la res-

---

[19]   Apunta igualmente al posible efecto desincentivador sobre el "entorno tecnológico" y sus múltiples agentes puede generar una responsabilidad solidaria,

ponsabilidad objetiva en la responsabilidad civil por AT o EP resulta inoportuna "en términos finalísticos, pues tal objetivación produciría un efecto desmotivador en la política de prevención de riesgos laborales, porque si el empresario ha de responder civilmente siempre hasta resarcir el daño en su integridad, haya o no observado las obligadas medidas de seguridad, no habría componente de beneficio alguno que le moviese no sólo a extremar la diligencia, sino tan siquiera a observar escrupulosamente la normativa en materia de prevención; y exclusivamente actuaría de freno la posible sanción administrativa, cuyo efecto disuasorio únicamente alcanzaría a la más graves infracciones"[20].

Por su parte, para proteger a las víctimas ante la opacidad y complejidad de los sistemas de IA de "alto riesgo", la propuesta de Reglamento (UE) del año 2020 contemplaba la construcción de un sistema de responsabilidad solidaria entre los diversos operadores en la cadena de valor, propuesta que ha quedado descartada en la actual PDRIA. Sin embargo, ello no será óbice para que, si alguno de estos operadores incumple alguna de sus obligaciones específicas en materia de PRL, recaiga sobre ellos igualmente la correspondiente extensión solidaria de responsabilidad civil.

De la obligación legal se deriva que "el incumplimiento por los empresarios de sus obligaciones en materia de prevención de riesgos laborales dará lugar a responsabilidades (...) civiles por los daños y perjuicios que puedan derivarse de dicho incumplimiento" (art. 42.1 LPRL). Por su parte, "los fabricantes, importadores y suministradores de maquinaria, equipos, productos y útiles de trabajo están obligados a asegurar que éstos no constituyan una fuente de peligro para el trabajador, siempre que sean instalados y utilizados en las condiciones, forma y para los fines recomendados por ellos", a lo cual se unen una serie de deberes de información a los empresarios, quienes tendrán a su vez que "recabar de aquéllos, la información necesaria para que la utilización y manipulación de la maquinaria, equipos, productos, materias primas y útiles de trabajo se produzca sin riesgos para la seguri-

NAVAS NAVARRO, S.: *Daños ocasionados por sistemas de Inteligencia Artificial*. Comares, Albolote (Granada), 2020, pág. 25.
[20] STS de 11 de diciembre de 2018 (rec. 1653/2016).

dad y la salud de los trabajadores, así como para que los empresarios puedan cumplir con sus obligaciones de información respecto de los trabajadores" (art. 41 LPRL).

De lo anterior, cuando las empresas, fabricantes y demás sujetos con obligaciones preventivas, muestren un actuar culposo para con sus respectivos deberes, y esas conductas, por acción u omisión, hayan provocado o contribuido a la producción del AT o EP, pero sea "imposible o difícil concreción la delimitación de cada contribución", se generará una responsabilidad civil solidaria "impropia" entre todas ellas.

Actualmente, sin que ello quiera decir que en un futuro próximo no sea posible, no parece que podamos encontrarnos con sistemas de IA plenamente autónomos sin que haya intervenido, en mayor o menor medida, a modo de control o supervisión, el factor humano. Esa es la línea a la que apunta la propuesta de Ley de Inteligencia Artificial cuando establece que los sistemas de IA de "alto riesgo" se "diseñarán y desarrollarán de modo que puedan ser vigilados de manera efectiva por personas físicas durante el período que estén en uso, lo que incluye dotarlos de una herramienta de interfaz humano-máquina adecuada" y, en consecuencia, serán sometidos a una vigilancia humana dirigida a prevenir o reducir al mínimo los riesgos para la salud, la seguridad o los derechos fundamentales que puedan devenir de su uso (art. 14 propuesta Ley IA).

2. ConJugar diversos bloques normativos

La propuesta de Directiva aparece cohonestada con la Propuesta de Reglamento por el que se establecen normas armonizadas en materia de inteligencia artificial (Ley de Inteligencia Artificial), de modo que requiere de una interpretación conjunta con el texto de la propuesta de Ley IA. Las definiciones de la PDRIA vienen a reproducir las así previstas por la Ley IA en lo relativo a los sistemas de IA, los proveedores[21] y los usuarios[22], y su marco de responsabilidad se construye sobre la base de los deberes de los proveedores y usuarios que vienen recogidos en la Ley IA. En este sentido, la propuesta de Directiva buscar "abarcar las demandas por daños y perjuicios que hayan sido causados por una información de salida —o por la no producción de una información de salida— imputable a un sistema de IA cuando medie culpa de una persona, por ejemplo, el proveedor o el usuario con arreglo a la [Ley de IA]" (Considerando 15 PDRIA).

2.1. Responsabilidad civil adicional en materia de seguridad y salud en el trabajo

La propuesta de Directiva de responsabilidad de IA no busca armonizar los diferentes sistemas de responsabilidad civil que cada Estado miembro disponga a la hora de dar reparación a los daños y perjuicios que se deriven del uso de sistemas de IA, sino más bien crear un marco mínimo común europeo de garantía para las víctimas, regulando aspectos esenciales de la exhibición de pruebas y creando una presunción de la relación de causalidad para los supuestos en los que medie culpa. Incluso en ello, la PDRIA ni siquiera entra a delimitar sobre qué parte recae la carga de la prueba o el grado de certeza necesario para que haya fuerza probatoria.

De ese modo, queda fuera del propósito armonizador europeo la homogeneización de conceptos como la definición de la culpa o la causalidad, los diferentes tipos de daños que dan lugar a demandas por daños y perjuicios, la distribución de la responsabilidad entre varios causantes de los daños, la concurrencia de culpas, el cálculo de los daños y perjuicios o los plazos de prescripción. En este sentido, la propuesta excluye expresamente de su ámbito de aplicación "las nor-

---

21   Se entenderá por "proveedor": "toda persona física o jurídica, autoridad pública, agencia u organismo de otra índole que desarrolle un sistema de IA o para el que se haya desarrollado un sistema de IA con vistas a introducirlo en el mercado o ponerlo en servicio con su propio nombre o marca comercial, ya sea de manera remunerada o gratuita" (art. 3.2 Ley IA).

22   Se entenderá por "Usuario": "toda persona física o jurídica, autoridad pública, agencia u organismo de otra índole que utilice un sistema de IA bajo su propia autoridad, salvo cuando su uso se enmarque en una actividad personal de carácter no profesional" (art. 3.4 Ley IA).

mas nacionales que determinen qué parte ha de soportar la carga de la prueba, qué grado de certeza se exige para que haya fuerza probatoria o cómo se define la culpa, con excepción de lo previsto en los artículos 3 y 4" (art. 1.3. d) Propuesta Directiva de responsabilidad IA).

A diferencia de lo que se pretendía con la propuesta de Reglamento (UE) en materia de responsabilidad civil en IA, tampoco se busca configurar qué habrá de entenderse por una conducta diligente para con el sistema de IA y su uso. Todos estos aspectos seguirán quedando al arbitrio de los diferentes sistemas de responsabilidad civil que estén regulados en cada Estado y que podrán desarrollar obligaciones específicas para ello (Considerando 25 PDRIA).

La futura Directiva de responsabilidad IA se concibe como un marco de armonización mínima, sin obstar a que las personas demandantes sigan valiéndose de los modelos de responsabilidad civil más garantistas que para las víctimas pueda preverse en sus Estados. Como se verá, esto genera que, para cumplir con la transposición de la Directiva, las modificaciones que el ordenamiento jurídico español deba implementar en lo relativo a la reparación de accidentes de trabajo o enfermedad profesional sea mínima, o por lo menos de escasa repercusión. En otro sentido, queda ahora abierta la puerta para que cada Estado desarrolle a su conveniencia conceptos como el qué entender por "diligencia digital", extensiones de responsabilidad solidaria entre los agentes interactuantes, posibles sistemas de responsabilidad objetiva, o baremos específicos de valoración del daño.

En este sentido, la propuesta de Directiva contempla cómo "los Estados miembros podrán adoptar o mantener normas nacionales más favorables para que los demandantes fundamenten sus demandas civiles de responsabilidad extracontractual por daños y perjuicios causados por sistemas de IA, siempre que dichas normas sean compatibles con el Derecho de la Unión" (art. 1.4 PDRIA).

Por nuestra parte, para la responsabilidad por daños y perjuicios cuando medie un sistema de IA y ello se enmarque dentro de la relación laboral, será de aplicación al sistema de indemnización civil adicional propio de AT y EP que prevé el ordenamiento jurídico laboral español. Como afirma el TS, la deuda de seguridad es consecuencia de la obligación empresarial de garantizar el derecho a la "integridad física" del trabajador (art. 4.2d) ET) y a una protección eficaz en materia de seguridad e higiene (art. 19.1 ET), por lo que nos encontramos con una responsabilidad contractual (con base en los arts. 1101 y 1902 CC). En la relación laboral, el empresario es quien organiza y controla el proceso de producción generador del riesgo que sufre la parte trabajadora, es quien ordena al trabajador la actividad a desarrollar (art. 20 ET) y, en último término, está obligado a evaluar y evitar los riesgos, y a proteger al trabajador incluso frente a sus propios descuidos e imprudencias no temerarias (art. 15 LPRL). En consecuencia, recae sobre él un deber genérico de "garantizar la seguridad y salud laboral" de los trabajadores (art. 14.1 LPRL), para lo cual, "deberá garantizar la seguridad ... en todos los aspectos relacionados con el trabajo ... mediante la adopción de cuantas medidas sean necesarias para la protección de la seguridad" (art. 14.2 LPRL).

De modo que, "actualizado el riesgo, para enervar responsabilidad el empleador ha de acreditar haber agotado toda diligencia exigible, más allá, incluso, de exigencias reglamentarias y que no incurre en responsabilidad cuando resultado lesivo se hubiese producido por fuerza mayor o caso fortuito, por negligencia exclusiva no previsible del propio trabajador o por culpa exclusiva de terceros no evitable por el empresario, pero en estos casos también corresponde al empresario acreditar la concurrencia de una posible causa de exoneración".

Respecto a cómo medir el deber de diligencia empresarial, se ha considerado que este será el exigible conforme "a la naturaleza de la obligación y a las circunstancias de las personas, de tiempo y lugar y en definitiva a un buen empresario de la misma actividad en que se encuentre encuadrado (art. 1104 CC)".

En cierta manera, el grado de diligencia que un empresario debe mostrar respecto a su sistema de IA evoca el marco normativo referido a la responsabilidad vicaria del empresario respecto de sus trabajadores (con origen en el art. 1903 CC), y el "deber in vigilando" que sobre él recae para con la actuación de su capital humano. No obstante, no existe entre el sistema de IA autónomo y la empresa el vínculo de subordinación característico de la responsabilidad vicaria principal por los hechos de su auxiliar.

Esta analogía respecto al específico deber in vigilando que puede exigirse a la empresa operaria final respecto a la conducta del sistema IA abre el debate igualmente respecto a si no sería aconsejable un cambio normativo en la LPRL para incluir un nuevo supuesto dentro del art. 24.3 LPRL, incluyendo los nuevos escenarios digitales en los que aparecen operarios concurrentes con sus consiguientes deberes sobre un mismo sistema IA, su desarrollo y ejecución.

Si este precepto de la normativa preventiva recoge que "las empresas que contraten o subcontraten con otras la realización de obras o servicios correspondientes a la propia actividad de aquéllas y que se desarrollen en sus propios centros de trabajo deberán vigilar el cumplimiento por dichos contratistas y subcontratistas de la normativa de prevención de riesgos laborales", los nuevos horizontes que abren los sistemas de IA como productos o servicios digitales, controlables por terceras empresas, pero que ejecutan su función en la organización productiva de la empresa principal, y sobre la que deben además coordinarse para evitar los nuevos riesgos derivados de la concurrencia, podría ser un buen motivo para ampliar el ámbito objetivo del art. 24 LPRL. La concurrencia de varias empresas en un mismo centro de trabajo puede aparecer ahora en forma de "concurrencia digital".

Por su parte, como recuerda el TS, el plan de prevención "deberá prever las distracciones o imprudencias no temerarias del trabajador" (art. 15.4 LPRL) "actuaciones que, por ende, no liberan de responsabilidad a quien debió haberlas previsto y tomado las oportunas medidas preventivas, cual remacha el artículo 96-2 de la LJS". De modo que, siendo los sistemas de IA un elemento a introducir en la evaluación y planificación preventiva, se extiende sobre ellos también un deber específico de vigilancia, debiendo la empresa prever las posibles desviaciones, errores o sesgos que pueda presentar el sistema. Actualizado un daño con participación del sistema de IA, corresponde entonces a la empresa demostrar que el tipo de actuación del sistema de IA resultaba a todas luces imprevisible y que no ha incurrido en una transgresión de su deber, llamémosle, "e-vigilando".

En relación a la responsabilidad empresarial por accidentes cuando había mediado un producto o maquinaria, el elevado grado de exigencia en la deuda de seguridad ha llevado al TS a considerar responsable civil a la empresa en la que acaece un accidente mediando un fallo de seguridad en una de sus máquinas, a pesar de que esta había obtenido la Declaración de conformidad al RD 1215/97, a lo cual añade la sentencia que esta condición formal es garante de que se ha cumplido con las disposiciones mínimas de seguridad y salud para la utilización por los trabajadores de los equipos de trabajo, pero si se constata un fallo que acaba generando un accidente, ello será reflejo de una deficiente acción preventiva e incumplimiento en materia de vigilancia y, por ende, la empresa habrá de responder.

2.2. Responsabilidad del fabricante

a) Seguridad del producto

La propuesta de Directiva de responsabilidad IA está llamada a coordinar su ámbito de aplicación con la normativa específica en materia de responsabilidad por los daños causados por productos defectuosos. Ambas normativas encontrarían como ámbito de convergencia aplicativa el accionamiento ante daños derivados de productos que integren sistemas de IA y resulten defectuosos.

Ante esta disyuntiva, la propuesta de Directiva es quien se irroga el desplazamiento aplicativo, y prevé su no aplicación a "los derechos que puedan asistir a un perjudicado en virtud de las normas nacionales de transposición de la Directiva 85/374/CEE", es decir, ante las posibles demandas de responsabilidad por reclamación de daños y perjuicios por daños derivados de productos defectuosos. Esta exclusión aplicativa en favor del campo específico de aplicación de la normativa de responsabilidad por producto defectuoso se prevé que deba ser también para el futurible desarrollo de sistemas de responsabilidad objetiva (sin culpa) y aseguramiento obligatorio que podrían gestarse tras las revisiones de la propuesta de Directiva de responsabilidad por IA, "siempre que estas no estén ya cubiertas por otras normas de responsabilidad de la Unión, en particular la Directiva 85/374/CEE" (Considerando 31 PDRIA).

Por su parte, la Directiva 85/374/CEE se encuentra igualmente en un proceso de adaptación del marco legal para dar respuesta a los nuevos interrogantes que los sistemas de IA están generando. Se pretende a dar respuesta así a los nuevos retos de imputación de la responsabilidad por producto defectuoso, donde haya incurrido un sistema de IA, y lograr así que sus víctimas no queden en ningún caso ante un desamparo compensatorio. Esta acomodación de la normativa de seguridad del producto a la era digital se observa igualmente en la Propuesta de Reglamento del Parlamento Europeo y del Consejo relativo a las máquinas y sus partes y accesorios, y de un modo sectorial, en la seguridad de los productos aplicables también a las máquinas y sus partes y accesorios (Propuesta de Reglamento del Parlamento Europeo y del Consejo relativo a las máquinas y sus partes y accesorios), y a los equipos radioeléctricos basados en IA (propuesta de Directiva del Parlamento Europeo y del Consejo por la que se modifica la Directiva 2014/53/UE, relativa a la armonización de las legislaciones de los Estados miembros sobre la comercialización de equipos radioeléctricos).

Paralelamente, la propuesta de Directiva mira a su vez al nuevo marco regulador generado por la el Reglamento (UE) 2022/2065 del Parlamento Europeo y del Consejo, de 19 de octubre de 2022, relativo a un mercado único de servicios digitales y por el que se modifica la Directiva 2000/31/CE (Reglamento de Servicios Digitales). A este respecto, prevé su no afectación a las exenciones de responsabilidad que vienen armonizadas en la normativa específica de servicios digitales, como pueden ser las exenciones condicionales de la responsabilidad de los prestadores de servicios intermediarios, establecido en la Directiva 2000/31/CE, las exenciones de responsabilidad en el caso de servicios de «mera transmisión» y «memoria caché», o la exención de responsabilidad de los servicios de alojamiento de datos. Del mismo modo, se excluye su aplicación en lo relativo a las obligaciones de diligencia que ante las decisiones algorítmicas realizadas por las plataformas online prevé esta normativa específica de servicios digitales.

Para hacer frente a los nuevos retos de seguridad y las posibles injerencias terceras que afecten a su correcto funcionamiento, estas tres normativas específicas de seguridad del producto, inteligencia artificial y servicio digitales, se ven complementadas por otra pieza trascendental, cual es la Propuesta de Reglamento Del Parlamento Europeo y del Consejo, relativo a los requisitos horizontales de ciberseguridad para los productos con elementos digitales y por el que se modifica el Reglamento (UE) 2019/1020.

b) Prevención de Riesgos Laborales

Desde el plano específico de la prevención de riesgos laborales en el ámbito nacional, el art. 41 de la Ley de Prevención de Riesgos Laborales prevé unas obligaciones específicas para fabricantes, importadores y suministradores, de maquinaria, equipos, productos y útiles de trabajo, asegurando que éstos no constituyan una fuente de peligro para el trabajador, siempre que sean instalados y utilizados en las condiciones, forma y para los fines recomendados por ellos. De este modo, cuando se derive un accidente de trabajo o una enfermedad profesional como consecuencia de algún incumplimiento de estos deberes, estos agentes se convertirán en responsables solidarios, junto con la empresa empleadora, respecto al abono de la indemnización civil prevista en el art. 42 LRPL.

Cuando se interponga una demanda indemnizatoria contra alguno de los diferentes agentes que hayan intervenido en la cadena de fabricación y distribución de un sistema de IA -ya sea en relación a un robot o dispositivo inteligente, plataforma de gestión de las relaciones laborales o un sistema de IA independiente- y la causa provenga de algún incumplimiento de sus obligaciones, del cual se haya generado una fuente de peligro que acabe desembocando en un AT o EP, estos agentes se incorporarán a la parte demandante en litisconsorcio con la empresa adquiriente del dispositivo o sistema de IA. A efecto de determinar su responsabilidad civil extracontractual, dentro del proceso social, serán de aplicación las previsiones que se recogen en la propuesta de Directiva.

2.3. Compatibilidad con la responsabilidad civil en protección de datos

El *big data* ha supuesto un reto para diferentes bloques normativos como la protección de datos, la prohibición de la discriminación o la responsabilidad civil, entre otros[23]. El hecho de que los sistemas de IA operen sobre un tratamiento masificado de los datos, a menudo, personales, propicia que la propuesta de Directiva se alinee con

---

[23] GIL GONZÁLEZ, E.: *Big Data, privacidad y protección de datos personales.* AEPD; BOE, Madrid, 2016, pág. 51.

la Estrategia de Datos de la Unión Europea y la normativa europea relativa a la gobernanza del dato, específicamente, con la Reglamento (UE) 2016/679 del Parlamento Europeo y del Consejo, de 27 de abril de 2016, relativo a la protección de las personas físicas en lo que respecta al tratamiento de datos personales y a la libre circulación de estos datos y por el que se deroga la Directiva 95/46/CE (RGPDP).

Bajo este marco específico de protección de datos personales, cuando las empresas adquieran la posición de responsables o encargadas del tratamiento, deben indemnizar cualesquiera daños y perjuicios que pueda sufrir un trabajador como consecuencia de un tratamiento en infracción del Reglamento (UE) 2016/679 (art. 82.1 RGPDP). Esta responsabilidad civil será solidaria entre los diferentes responsables o encargados que participen en el tratamiento (art. 82.4 RGPDP).

Al respecto, la propuesta de Directiva no crea ni armoniza los deberes de diligencia ni la responsabilidad civil de las distintas entidades cuya actividad esté regulada por la normativa de protección de datos y, por lo tanto, no crea nuevos tipos de demandas de responsabilidad ni afecta a las exenciones de responsabilidad previstas en esta normativa específica. De esta manera, su radio de acción se dirige a introducir aligeramientos de la carga de la prueba para las víctimas de daños causados por sistemas de IA en las demandas en los que se dirima la responsabilidad civil extracontractual, de modo que las garantías procesales previstas en la propuesta de Directiva habrán de ser incorporadas como elementos de complementación para la defensa de la víctima, también, cuando se trate de dirimir la responsabilidad civil dentro de los incumplimientos relativos a protección de datos personales por la empresa responsable.

Será competente el orden jurisdiccional social para conocer de estas acciones judiciales en ejercicio del derecho a indemnización por vulneración de datos personales, cuando el responsable del tratamiento haya sido la empresa y este deber se integre como un deber contractual derivado la relación laboral. La acción se acumulará sobre otras demandas de reclamación de indemnización civil que podrán derivarse de los daños y perjuicios derivados de las lesiones a otros derechos fundamentales como el de la igualdad y no discriminación, o la salud e integridad psicofísica que pueden aparecen en el ámbito laboral.

2.4. Compatibilidad con el sistema de Seguridad Social

La responsabilidad civil de los daños y perjuicios en materia de AT y EP adquiere el apellido de "adicional" en la jurisprudencia social. Ello es así ya que cuando de la determinación del *quantum* indemnizatorio se trata, han de descontarse de éste los conceptos de daño homogéneos que ya hayan sido compensados por las prestaciones de Seguridad Social a las que hubiere accedido la víctima. Una incorrecta detracción "a la baja" de los daños ya abonados para con los pendientes de indemnizar en vía judicial conllevaría un incumplimiento del principio de *compensatio lucri cum damno* y generaría un sobre compensación sobre la víctima, que vería doblemente resarcidos unos mismos daños, con el consiguiente enriquecimiento injusto en su patrimonio. Por otra, una detracción incorrecta "a la alta", en la que se detrajesen cuantías superiores a las debidas, por computarse con homogéneos daños que no lo son, generaría un compensación del daño por debajo de lo debido, con el consiguiente incumplimiento del principio vertebrador de *restitutio in integrum* que rige en la reparación del daño por AT y EP.

Lo anterior genera que la responsabilidad civil adicional por daños derivados de AT y EP, cuando haya mediado un sistema de IA, tendrá que venir a descontar del montante indemnizatorio de las cuantías de prestación de la Seguridad Social. Con el actual texto de la propuesta de Directiva, a diferencia de lo que recogía la anterior propuesta de Reglamento (UE) en la materia, se han dejado fuera de desarrollo estipulaciones referidas a la valoración del daño, de modo que actualmente no parece que lo en ella preceptuado vaya a generar ninguna modifación en la relación de esta indemnización de corte subjetivo, con la reparación de corte objetivo y público de la Seguridad Social. Habrá que ver cuál es el devenir que la Directiva pueda desarrollar en sus futura revisiones, ya que el establecimiento de sistemas de responsabilidad objetiva y seguros obligatorios sí que podría generar nuevos escenarios de necesaria coordinación entre la Seguridad Social y la indemnización civil.

2.5. Responsabilidad penal

El texto de la propuesta introduce una clara excepción a la aplicación de su contenido a la responsabilidad penal (art. 1.2 PDRIA). Ello reviste interés en tanto el Código Penal recoge en su artículo 316 un tipo delictivo específico para el ámbito de las infracciones en materia de seguridad y salud en el trabajo. Dícese en el antedicho artículo que "los que con infracción de las normas de prevención de riesgos laborales y estando legalmente obligados, no faciliten los medios necesarios para que los trabajadores desempeñen su actividad con las medidas de seguridad e higiene adecuadas, de forma que pongan así en peligro grave su vida, salud o integridad física, serán castigados con las penas de prisión de seis meses a tres años y multa de seis a doce meses".

Dentro del tipo delictivo, el primer plano se refiere a las condiciones de seguridad exigibles tanto las objetivas como las subjetivas -formación e información a y de los destinatarios, modo en que estos cumplían las condiciones, circunstancias situacionales que permitían cumplirla. Dentro de estos deberes se integran, "como deberes de cuidado externo o de previsibilidad en la actividad laboral, los de suministrar y observar las medidas de seguridad e higiene que reglamentariamente se establezcan. Entre los que destacan, los deberes de evaluación de riesgos; de facilitación de equipos de protección individual; de garantía de seguridad de las máquinas, herramientas e instalaciones; de información y formación; de vigilancia de la salud; y de paralización de la actividad laboral en caso de identificación de un peligro específico; de mantenimiento de las medidas ya existentes. Por su parte, y como deberes de cuidado interno o de prevenibilidad aparece, con especial intensidad, el de advertir la presencia del riesgo propio de la acción concreta, actuando en consecuencia"[24].

De este modo, no cabe duda de que podrán aparecer situaciones de accidentes de trabajo y enfermedad profesional en los que el daño haya sido generado por la mediación de un sistema de IA, y la conducta de la empresa, o terceros obligados, pueda ser constitutiva de delito. Ahora bien, las garantías de prueba y de nexo causal que prevé la pro-

---

[24]   STS (Sala de lo Penal), de 8 de julio de 2021 (rec. 3666/2019).

puesta de Directiva quedarán excluidas de aplicación en el proceso penal, incluso, cuando de la determinación de la responsabilidad civil *ex* delito se trate. Esta excepción encuentra su lógica en la diferencia de principios, en ocasiones incluso antagónicos, que rigen en proceso de responsabilidad civil en el orden social y los principios rectores del proceso penal, encaminados estos últimos a generar un haz tuitivo en la parte demandada y no en la demandante.

III. LAS CLAVES DEL NUEVO SISTEMA

1. *Exhibición de pruebas*

El art. 3 de la propuesta de Directiva busca dar respuesta a uno de los principales retos de la responsabilidad civil en daños derivados de sistemas de IA, cual es el de dar transparencia al propio sistema de IA, a fin de poder dilucidar sobre la acción u omisión de qué agente de la cadena de valor del sistema de IA recae la infracción. De esta manera, se busca poder identificar a los potenciales responsables, a la vez que se facilitan las pruebas pertinentes para que la parte demandante pueda construir la demanda.

Una vez que el demandante, que podrá serlo en estado potencial, haya mostrado "pruebas suficientes para sustentar la viabilidad de una demanda", el órgano jurisdiccional instará al proveedor o usuario del sistema de IA de alto riesgo a que exhiba las pruebas pertinentes que obran en su poder sobre un determinado sistema de IA de alto riesgo del que se sospeche que ha causado daños (art. 3.1 PDRIA).

En este sentido, son tres las condiciones que habrán de coincidir para que el Juzgador de lo Social que conoce de una indemnización por daños y perjuicios derivados de AT o EP pueda solicitar a los proveedores o usuarios del sistema la remisión de las pruebas necesarias para conocer el origen del daño. En primer lugar, el sistema de IA tendrá que estar incluidos entre los así catalogados por la futura Ley de IA; en segundo lugar, la parte interesada tendrá que haber solicitado previamente dichas pruebas a los proveedores o usuarios, y no haber recibido una respuesta positiva a su solicitud. Concretamente, recoge la propuesta, se exige que "el demandante haya realizado todos los intentos proporcionados de obtener del demandado las pruebas pertinentes" (art. 3.2).

Respecto a esta segunda exigencia, la propuesta de Directiva se refiere a que la solicitud haya sido "denegada", sin embargo, entiende esta parte que junto a ello sería conveniente incluir los supuestos en los que la solicitud haya sido atendida, pero sin una real facilitación de los medios necesarios para descubrir el origen del suceso o haya mediado ocultación en la información suministrada.

En tercer lugar, la parte (potencialmente) demandante habrá tenido que mostrar "hechos y pruebas suficientes para sustentar la viabilidad". De la propia complejidad de estos sistemas y de la necesidad de pedir información adicional sobre el cómo funcionan, se entiende que ello no podrá convertirse en un juicio de valor previo, sino en una constatación de la mera puesta a disposición de indicios suficientes, so pena de enervar toda la virtualidad tuitiva de lo previsto por la propuesta de Directiva.

Una vez el Juzgador considere oportuna la solicitud de estas pruebas, requerirá solo aquellas que considere necesarias y proporcionales para que la parte (potencialmente) demandante pueda armar o sostener la demanda de indemnización de daños y perjuicios, teniendo en consideración los intereses legítimos de todas las partes, y en particular, en lo relativos a la guarda de los secretos comerciales que pudieran verse comprometidos (art. 8.4 PDRIA). Esta intervención mínima y proporcional regirá igualmente para la conservación que de estas pruebas haga el órgano jurisdiccional.

La obligación de facilitación de prueba se acompaña de una presunción *iuris tantum* de incumplimiento del deber de diligencia pertinente por la parte (potencialmente) demandada, en particular, cuando las pruebas solicitadas estaban destinadas a probar a efectos de la correspondiente demanda por daños y perjuicios (art. 3.5 PDRIA). Podría considerarse aquí que lo que prevé la propuesta de Directiva es una suerte de inversión de la carga de la prueba para los casos en los que la parte demandada haya hecho caso omiso a la petición de información necesaria para poder construir la demanda.

Por nuestra parte, lo aquí recogido por la propuesta parece corresponderse con la inversión de la carga probatoria que el art. 96.2 LRJS contempla para los procesos judiciales de accidente de trabajo y enfermedad profesional, cuando prevé que "En los procesos sobre responsabilidades derivadas de accidentes de trabajo y enfermedades profesionales corresponderá a los deudores de seguridad y a los concurrentes en la producción del resultado lesivo probar la adopción de las medidas necesarias para prevenir o evitar el riesgo, así como cualquier factor excluyente o minorador de su responsabilidad". No así, la inversión que propone la propuesta de Directiva no lo es respecto al nexo causal entre la acción u omisión y el riesgo y consiguiente daño -como prevé el art. 96.2 LRJS- sino desde una perspectiva más limitada, pero complementaria, para invertir la prueba respecto al cumplimiento del grado de diligencia concreta de la parte demandada respecto a alguna de sus obligaciones con el sistema de IA de alto riesgo concreto. Es decir, la no facilitación de la información creará una presunción de falta del deber de diligencia pertinente de la empresa o el fabricante sobre aquello que pretendían demostrar las pruebas denegadas.

Desde el otro vértice, a la parte demandada le asistirá el derecho a refutar la presunción del art. 3.5 de la propuesta; así como el deber de armar una defensa que venga a desmontar la inversión de la carga probatoria *ex* art. 96.2 LRJS[25].

2. Presunción de relación de causalidad en caso de culpa

2.1. Sistemas de IA de no "alto riesgo"

A través del art. 4, la propuesta de Directiva crea, ahora sí, una presunción para el nexo causal entre la culpa del demandado (empresa –usuaria- o fabricante –proveedor-) y los resultados producidos por el sistema de IA o la no producción de resultados por parte del sistema de IA, cuando este no se encuentra entre los considerados de "alto riesgo". De este modo, se busca proteger a la víctima ante la opacidad y complejidad de funcionamiento que revisten muchos sistemas de IA y evitar así que la imposibilidad de probar la relación entre la conducta y el daño genere el desamparo resarcitorio de la

---

[25]   STSJ del País Vasco, de 20 de abril de 2022 (rec. 6644/2021).

víctima. Para que se accione esta presunción, la propuesta exige la previa concurrencia de tres circunstancias acumulativas y que habrán de cumplirse en su totalidad.

En primer lugar, "que el demandante haya demostrado o el órgano jurisdiccional haya supuesto, de conformidad con el artículo 3, apartado 5, la culpa del demandado o de una persona de cuyo comportamiento sea responsable el demandado, consistente en el incumplimiento de un deber de diligencia establecido por el Derecho de la Unión o nacional destinado directamente a proteger frente a los daños que se hayan producido" (art. 4.1 a) de la propuesta de Directiva). Se entiende que para que opere la presunción habrá de cumplirse el primer requisito de que la parte demandante demuestre la culpa, en forma de infracción en materia de PRL en nuestro caso, siendo posible que el órgano juzgador considere suficiente para ello la presunción de falta de diligencia por falta de respuesta que se referenciaba en relación al art. 3.5 PDRIA.

En este sentido, la normativa y jurisprudencia española en relación a la responsabilidad por daños derivados de AT y EP resulta más garantista para la víctima que el texto de la propuesta de Directiva, en tanto la deuda de seguridad que recae sobre el empresario determina que actualizado el riesgo en forma de accidente de trabajo o enfermedad profesional, para enervar su posible responsabilidad el empleador ha de acreditar haber agotado toda diligencia exigible, más allá, incluso, de las exigencias reglamentarias[26]. En una mirada a nuestro ordenamiento jurídico, cuando de la inversión de la carga de la prueba se trata, se recurre a "la aplicación -analógica- del art. 1183 CC, del que derivar la conclusión de que el incumplimiento de la obligación ha de atribuirse al deudor y no al caso fortuito, salvo prueba en contrario; y la del art. 217 LEC, tanto en lo relativo a la prueba de los hechos constitutivos (secuelas derivadas de AT) y de los impeditivas, extintivos u obstativos (diligencia exigible), cuanto a la disponibilidad y facilidad probatoria (es más difícil para el trabajador

---

[26]   SSTS de 11 de diciembre de 2018 (rec. 1653/2016), de 30 de junio de 2010 (rec. 4123/2018), de 24 de enero de 2012 (rec. 813/2011), de 30 de enero de 2012 (rec. 1607/2011), de 1 de febrero de 2012 (rec. 1655/2011); de 14 de febrero de 2012 (rec 2082/2011); de 27 de enero de 2014 (rec.. 3179/2012) y de 4 de mayo de 2015 (rec. 1281/2014).

acreditar la falta de diligencia que para el empresario demostrar la concurrencia de ésta). Para que opere esta inversión, en el orden social la parte demandante no debe probar la culpa, como se prevé en la propuesta de Directiva, sino unos indicios suficientes de que el acto empresarial vulnera el derecho fundamental"[27].

El segundo de los requisitos que exige la propuesta de Directiva para que opere la presunción del nexo de causalidad entre la falta de diligencia del operador o usuarios del sistema de IA y el daño generado a la parte trabajadora, será que "que pueda considerarse razonablemente probable, basándose en las circunstancias del caso, que la culpa ha influido en los resultados producidos por el sistema de IA o en la no producción de resultados por parte del sistema de IA" (art. 4.1 b) PDRIA). Es decir, de la demanda el órgano juzgador habrá de observar, tras un juicio probabilístico, la razonabilidad del nexo causal, lo cual no es lo mismo que la prueba del nexo causal como tal, sino la posibilidad de que la culpa haya influido en el resultado dañino.

Como tercer y último requisito, la parte demandante tendrá que demostrar que "la información de salida producida por el sistema de IA o la no producción de una información de salida por parte del sistema de IA causó los daños" (art. 4.1 c) de la propuesta de Directiva). Lo que se pide de la parte demandante es precisamente la prueba de la conexión, el nexo, entre su daño y la (falta de) respuesta del sistema de IA. Se entiende que la dificultad probatoria y de la que se quiere eximir a la parte demandante es la relativa al funcionamiento del *software*, pero no así la conexión entre la decisión del sistema de IA y su daño o perjuicio, para lo cual no parece que puedan presentarse, en principio, dificultades añadidas.

A la postre, del texto de la propuesta de Directiva se extrae que para que concurra la presunción del nexo de causalidad, la persona trabajadora que ha resultado víctima de unos daños y perjuicios sufridos como consecuencia de la acción u omisión de un sistema de IA de no alto riesgo tenga que demostrar que sobre la parte empresarial, u otro agentes obligados por la Ley de IA por su rol de proveedores o usuarios, concurre culpa, razonabilidad en el nexo de esta con el resultado, así como un nexo de causalidad entre el resultado de sa-

---

[27]   STSJ de C. Valenciana, de 23 de septiembre de 2021 (rec. 2824/2020).

lida del sistema de IA y el daño. A lo anterior añade el art. 4.5 de la propuesta Directiva una salvedad, según la cual, la presunción "solo se aplicará cuando el órgano jurisdiccional nacional considere excesivamente difícil para el demandante demostrar el nexo causal mencionado" en este apartado 1.

Estos requerimientos presentan un grado de carga probatoria superior a la prueba indiciaria que es exigida para la inversión del art. 96.2 LRJS[28], por lo que no se augura una excesiva repercusión de esta cláusula de la propuesta de Directiva a la hora de posibles reconfiguraciones del proceso de indemnización civil adicional de daños y perjuicios derivados de AT o EP *ex* art. 42 LPRL, cuando medie un sistema de IA. Quizá su mayor virtualidad puede encontrarse en ver en estas exigencias parámetros orientativos para, desde una aplicación acorde a las circunstancias de cada caso, complementar la prueba indiciaria que exige la jurisprudencia española.

2.2. Sistemas de IA de "alto riesgo"

El hecho de que los daños y perjuicios hayan sido generados por un sistema de IA de alto riesgo involucra una especial complejidad y opacidad a la hora de configurar la demanda y dar prueba de dos de los elementos configuradores de la responsabilidad civil, como son la conducta antijurídica y su nexo causal para con los daños ocasionados. Se entiende así que la propuesta de Directiva, acertadamente, no haya desaprovechado la ocasión para identificar qué conductas, tanto de proveedores como de usuarios –fabricante y empresas- de estos sistemas de IA, serán consideradas como de falta de "diligencia digital", a efecto de ser así considerada para el apartado a), punto 1 de la presunción del nexo causal del art. 4. En todo caso, se excluye este juego de presunción del nexo de causalidad en los sistemas de IA de alto riesgo cuando "el demandado demuestre que el demandante puede acceder razonablemente a pruebas y conocimientos especia-

---

[28]   Esta carga inicial de la parte trabajadora habrá de dirigirse a aportar al proceso judicial un principio de prueba o indicios suficientes sobre la posibilidad de existencia de una conducta vulneradora del derecho fundamental (SSTC 31/2014, de 24 de febrero, 3 y 138/2006, de 16 de enero y 8 de mayo; y 2/2009, de 12 de enero).

lizados suficientes para demostrar el nexo causal mencionado en el apartado 1".

Parece así que la conceptualización del "deber de diligencia" de la propuesta de Directiva tiene una operatividad limitada. Su previsión se dirige a ser aplicaba para el cumplimiento del requisito primero que ha de cumplirse para que se considere que actúa la presunción del nexo de causalidad *ex* art. 4.1 PDRIA. Nexo que, además, en tanto es concebida como una *presunción iuris tantum*, admite refutación por la parte demandada.

En este sentido, parece más adecuado que este concepto de falta de diligencia digital de proveedores y usuarios extienda su operatividad más allá del juego de la presunción del nexo de causalidad para ser también tenido en consideración por el juzgador a la hora de valorar la conducta de antijuridicidad de los diferentes agentes demandados.

a) Diligencia digital de los proveedores

El art. 4.2 prevé una especificidad para las demandas por daños y perjuicios contra proveedores de sistemas de IA de alto riesgo sujetos a los requisitos establecidos en los capítulos 2 y 3 del título III de la [Ley de IA] o contra personas sujetas a las obligaciones del proveedor con arreglo al [artículo 24 o al artículo 28, apartado 1, de la Ley de IA]. Este último supuesto será el de los fabricantes de productos que comercializan un sistema de IA junto al producto fabricado, piénsese en el caso de los robots o dispositivos inteligentes que integran un sistema de IA, por el que resultan responsables igualmente de las mismas obligaciones que la Ley IA impone al proveedor del sistema de IA.

Para estos casos, la parte trabajadora que pretende extender su demanda a los proveedores de sistemas de IA de "alto riesgo", a efecto de lograr la presunción del nexo de causalidad, verá cumplido el primero de los requisitos enumerados en el art. 3.1 a) PDRIA, cuando:

> "a) el sistema de IA es un sistema que utiliza técnicas que implican el entrenamiento de modelos con datos y que no se ha desarrollado a partir de conjuntos de datos de entrenamiento, validación y prueba que cumplen los criterios de calidad expuestos en el [artículo 10, apartados 2 a 4, de la Ley de IA];

b) el sistema de IA no ha sido diseñado ni desarrollado de modo que cumpla los requisitos de transparencia establecidos en [el artículo 13 de la Ley de IA];

c) el sistema de IA no ha sido diseñado ni desarrollado de modo que permita una vigilancia efectiva por personas físicas durante el período de utilización del sistema de IA de conformidad con el [artículo 14 de la Ley de IA];

d) el sistema de IA no ha sido diseñado ni desarrollado de modo que, a la luz de su finalidad prevista, alcance un nivel adecuado de precisión, solidez y ciberseguridad de conformidad con [el artículo 15 y el artículo 16, letra a), de la Ley de IA]; o

e) no se han adoptado de forma inmediata las medidas correctoras necesarias para poner el sistema de IA en conformidad con las obligaciones establecidas en el [título III, capítulo 2, de la Ley de IA] o para retirar del mercado o recuperar el sistema, según proceda, de conformidad con el [artículo 16, letra g), y artículo 21 de la Ley de IA]" (art. 4.2 de la propuesta de Directiva).

b) Diligencia digital de las empresas que actúen como usuarias del sistema de IA

Cuando la demanda por reclamación de indemnización civil adicional por daños y perjuicios se dirija contra la empresa empleadora, en su posición de usuaria profesional de un sistema de IA de alto riesgo, se entenderá que concurre la condición de culpa o falta de diligencia en su proceder cuando la parte demandante demuestre que:

"a) no cumplió con sus obligaciones de utilizar o supervisar el sistema de IA de conformidad con las instrucciones de uso adjuntas o, en su caso, de suspender o interrumpir su uso con arreglo al [artículo 29 de la Ley de IA];". Es decir, la empresa incumplió el deber "e-vigilando" que recae sobre ella como sujeto facultado y obligado a controlar, minimizar y eliminar el riesgo que puede provocar el sistema de IA de alto riesgo que ha sido introducido en el entorno de trabajo que se encuentra bajo su dirección y organización.

"b) expuso al sistema de IA a datos de entrada bajo su control que no eran pertinentes habida cuenta de la finalidad prevista del sistema con arreglo al [artículo 29, apartado 3, de la Ley]". A saber, cuando la empresa no gestionó correctamente los datos fuente de los que se alimentaba el sistema, en correlación con la finalidad esperada del sistema de IA, lo cual acaba generando una desviación del resultado esperado del propio sistema IA que genera de ello una consecuencia dañina para la parte trabajadora.

BIBLIOGRAFÍA

EU-OSHA: *Advanced robotics and automation: implications for occupational safety and health*. Agencia Europea de Seguridad y Salud en el Trabajo, 2022

EU-OSHA: *Artificial intelligence for worker management: implications for occupational safety and health European Agency for Safety and Health at Work – EU-OSHA 1 Artificial intelligence for worker management: implications for occupational safety and health: Executive Summary*. Agencia Europea de Seguridad y Salud en el Trabajo, 2022

EU-OSHA: *Incorporating occupational safety and health in the assessment of cybersecurity risks*. Agencia Europea para la Seguridad y la Salud en el Trabajo, 2022.

Informe sobre las repercusiones en materia de seguridad y responsabilidad civil de la inteligencia artificial, el internet de las cosas y la robótica. Informe de la Comisión al Parlamento Europeo, al Consejo y al Comité Económico y Social Europeo 2020.

GIL GONZÁLEZ, E.: *Big Data, privacidad y protección de datos personales*. AEPD; BOE, Madrid, 2016, pág. 51.

GOMÉZ LIGÜERRE, C. y GARCÍA-MICÓ, T.: "Liability for Artificial Intelligence and other technologies", en *InDret*, núm. 1., 2020, págs. 501-511.

GOÑI SEIN, J.L.: *Defendiendo los derechos fundamentales frente a la Inteligencia Artificial*. Universidad Pública de Navarra, Pamplona, 2019.

LANZADERA ARENCIBIA, E.: "Levantamiento del velo digital frente a las responsabilidades laborales derivadas del trabajo en plataformas digitales", en MONTERROSSO CASADO, E. (dir.): *Inteligencia Artificial y riesgos cibernéticos*. Tirant lo Blanch, Valencia, 2019, págs. 505-538.

NAVAS NAVARRO, S.: *Daños ocasionados por sistemas de Inteligencia Artificial*. Comares, Albolote (Granada), 2020

URZÌ BRANCATI, M., C., CURTARELLI, M., y RISO, S., BAIOCCO, S. *How digital technology is reshaping the art of management*. Comisión Europea, Sevilla, 2022.

VALDERDE ASENSIO, A. J.: *Implantación de Sistemas de Inteligencia Artificial y trabajo*. Bomarzo, Albacete, 2020.

LANZADERA ARENCIBIA, E.: "Levantamiento del velo digital frente a las responsabilidades laborales derivadas del trabajo en plataformas digitales" MONTERROSSO CASADO, E. (dir.): *Inteligencia Artificial y riesgos cibernéticos*. Tirant lo Blanch, Valencia, 2019

SEGUNDA PARTE
LA INCORPORACIÓN DE SISTEMAS
DE INTELIGENCIA ARTIFICIAL EN LA
EMPRESA Y SU IMPACTO EN MATERIA
DE PREVENCIÓN DE RIESGOS
LABORALES

CAPÍTULO CUARTO:
APORTACIONES DE LA INTELIGENCIA ARTIFICIAL EN MATERIA PREVENTIVA Y NUEVOS RIESGOS EMERGENTES

MIRENTXU MARÍN MALO
Profesora Ayudante Doctora de Derecho del Trabajo
y de la Seguridad Social
Universidad Pública de Navarra

I. INTRODUCCIÓN

En las últimas décadas, nuestra sociedad asiste a una nueva revolución industrial que se inició con la implantación en el medio laboral de tecnologías de la información y la comunicación y que, con el paso de los años, ha evolucionado hasta dar lugar a lo que, en la actualidad, es denominado "entorno laboral digitalizado"[1].

La digitalización del medio laboral incluye la implantación de cualquier herramienta dirigida a la automatización del trabajo, ya se trate de automatizar tareas simples o a la implantación de sistemas de inteligencia artificial (en adelante IA) capaces de almacenar datos para aprender y aplicar procedimientos mejores y más eficaces con el paso del tiempo.

Si en las últimas décadas se ha producido una automatización masiva del medio laboral, en los últimos años la revolución industrial viene marcada por la implantación de sistemas de IA en las empresas, bien sea en los procesos productivos o en los de toma de decisiones. Estos sistemas de IA suponen un gran avance dentro del proceso de digitalización del medio laboral que, como todos, trae consigo numerosas oportunidades, pero también retos a los que, como sociedad, debemos hacer frente.

Se entiende por Inteligencia Artificial (en adelante, IA) al software implantado en una máquina que la dota de *"la habilidad de presentar las mismas capacidades que los seres humanos, como el razonamiento, el aprendizaje, la creatividad y la capacidad de planear"*[2]. Tal como ha señalado la Agencia Europea para la Seguridad y Salud en el Trabajo, un software será considerado sistema de IA cuando *"perciben sus entornos de alguna manera, analizan la información y actúan en respuesta"*[3]. Así, su implantación en una máquina o equipo

---

[1]   Se entiende por digitalización del medio laboral al proceso dirigido a la automatización del trabajo mediante el uso de diferentes tecnologías, con el objetivo de mejorar y automatizar aquellas tareas que son realizadas por los trabajadores. La definición original puede encontrarse en KIRK, D.: *Demystifying digital labor*, KPMG Institutes,2016, p. 2. Documento disponible en: https://assets.kpmg/content/dam/kpmg/lu/pdf/lu-en-demystifying-digital-labor-june-2016.pdf

[2]   Así lo ha definido el Parlamento Europeo. Véase https://www.europarl.europa.eu/news/es/headlines/society/20200827STO85804/que-es-la-inteligencia-artificial-y-como-se-usa

[3]   HELEN ROSEN, P.; HEINOLD, E.; FIES-TERSCH, E.; MOORE, P. y WISCHNIEWSKI, S.: *Advanced robotics, artificial intelligence and the automation of tasks: definitions, uses, policies and strategies and Occupational Safety and Health*, OSHA, 2022, p. 9. Documento disponible en: https://osha.europa.eu/

de trabajo permite a este percibir su entorno, almacenar información sobre este y actuar en función de unos parámetros previamente establecidos y la información almacenada. Por tanto, la IA precisa de dos elementos esenciales: la acumulación de datos – ya sea introducidos en la máquina o captados mediante sensores – y un parámetro previamente establecido que le permita procesar esos datos y llegar a unas conclusiones determinadas. Esos parámetros son los comúnmente llamados "algoritmos".

Por tanto, se denominará "sistema de IA" al software *"que puede, para un conjunto determinado de objetivos definidos por seres humanos, generar información de salida como contenidos, predicciones, recomendaciones o decisiones que influyan en los entornos con los que interactúa"*[4]. De lo anterior puede extraerse una conclusión muy relevante a efectos preventivos: detrás de cada algoritmo que compone un sistema de IA hay seres humanos encargados de su diseño e implantación.

La implantación de sistemas de IA en las empresas es una realidad *"no solo progresiva, sino directamente emergente y generalizada"* que debe ser tenida en cuenta también en el ámbito de la prevención de riesgos laborales y, de forma específica, con relación a la aparición de nuevos – y viejos – riesgos de carácter psicosocial[5]. Los nuevos sistemas de IA permiten a las empresas mejorar la productividad y eficiencia empresariales; pero a su vez, modifican el medio laboral y generan riesgos para la seguridad y salud de los trabajadores que interactúan con las mismas[6]. Debe partirse de la premisa de que la tecnología, en sí misma, es neutra. Sin embargo, su uso puede generar

---

es/publications/advanced-robotics-artificial-intelligence-and-automation-tasks-definitions-uses-policies-and-strategies-and-occupational-safety-and-health-0

[4]   Art. 3 de la *Propuesta de Reglamento del Parlamento Europeo y del Consejo por el que se establecen normas armonizadas en materia de inteligencia artificial (Ley de Inteligencia Artificial) y se modifican determinados actos legislativos de la Unión.* Documento disponible en: https://eur-lex.europa.eu/legal-content/ES/TXT/?uri=CELEX%3A52021PC0206

[5]   En este sentido, véase VALVERDE ASENCIO, A.J.: *Implantación de sistemas de inteligencia artificial y trabajo*, Bomarzo, Albacete, 2020, p. 11.

[6]   En este sentido, véase SERRANO ARGÜESO, M.: "Digitalización, tiempo de trabajo y salud laboral", en *IUS Labor*, n°2, 2019, p. 10. Documento disponible en: https://www.upf.edu/documents

importantes daños en la salud psicosocial del trabajador y, en ocasiones, también poner en riesgo su integridad física[7]. La implantación de sistemas de IA en el medio laboral supone, por tanto *"un desafío para los técnicos de prevención, ya que incorporan cambios en la concepción tradicional del espacio físico donde se realiza el trabajo y en los tiempos de trabajo"8*, así como generar cambios en las condiciones y organización del trabajo con un importante potencial para dañar la salud de los trabajadores.

En este sentido, la normativa en materia preventiva es clara: el empresario está obligado a proteger la seguridad y salud de los trabajadores a su servicio en todos los aspectos relacionados con el trabajo y mediante la adopción de las medidas preventivas que sean oportunas en cada caso[9]. Es decir, no basta con que el empresario cumpla con las obligaciones específicas reguladas en la normativa, sino que debe ir más allá, con el objetivo de proteger al trabajador de aquellos riesgos no previstos por el legislador, incluyendo los de nueva aparición al implantar sistemas digitales en el medio laboral. Así, y tal como seña-

---

/3885005/227528459/2.+Serrano.pdf/ff554b0b-efc2-c49d-7ba3-32c8349e8c10

[7]   A este respecto, la Agencia Europea para la Seguridad y Salud en el Trabajo (OSHA) ha señalado que la forma en que los humanos y robots interactúen *"puede afectar a una serie de factores relacionados con la seguridad y la salud en el trabajo y, por tanto, debe ser un punto a tener en cuenta al diseñar estos sistemas"*. En HELEN ROSEN, P.; HEINOLD, E.; FRIES-TERSCH, E.; WISCHNIEWSKI, S.: *Advanced robotics and automation: Key considerations for human interaction and trust*, OSHA, 2022, p. 1. Documento disponible en: https://osha.europa.eu/es/publications/advanced-robotics-and-automation-key-considerations-human-interaction-and-trust
En similar sentido, el Instituto Nacional de Seguridad y Salud en el Trabajo ha determinado que la hiperconectividad puede generar insomnio, irritabilidad, mal humor, desmotivación, agotamiento mental, falta de energía o menor rendimiento en los trabajadores. En este sentido, véase SEBASTIÁN, O. y DEL HOYO, M.A.: *La carga mental del trabajo*, INSHT, Madrid, 2016, p. 16.

[8]   ERRANO ARGÜESO, M.: "Digitalización, tiempo de trabajo y salud laboral", en *IUS Labor*, n°2, 2019, p. 11. Documento disponible en: https://www.upf.edu/documents/3885005/227528459/2.+Serrano.pdf/ff554b0b-efc2-c49d-7ba3-32c8349e8c10

[9]   Véase art. 14 Ley 31/1995, de 8 de noviembre de prevención de riesgos laborales. Documento disponible en: https://www.boe.es/buscar/act.php?id=BOE-A-1995-24292

la ALARCÓN CARACUEL, "*no basta con cumplir dicha normativa, que puede, en determinadas circunstancias, ser insuficiente o haber quedado obsoleta*"[10].

En definitiva, el empresario, a la hora de implantar sistemas de IA de cualquier tipo en el centro de trabajo, debe tener presente la posibilidad de generar nuevos riesgos para los trabajadores, y adoptar aquellas medidas que sean necesarias con el fin de evitar daños en la salud de los mismos[11].

Sin embargo, no todo son riesgos. El uso de sistemas de IA en el medio laboral también supone una nueva oportunidad, un avance tecnológico con múltiples aplicaciones en materia preventiva dirigidas a mejorar los niveles de seguridad y salud de la empresa y, por tanto, a proteger de manera más eficaz la salud de los trabajadores.

En el presente Capítulo se analizarán, en primer lugar, las oportunidades que esta nueva tecnología ofrece para mejorar los niveles de seguridad y salud de los trabajadores y, en segundo lugar, los retos a los que se deberá hacer frente en materia preventiva como consecuencia de la implantación de sistemas de IA en los diferentes ámbitos empresariales.

Para ello, a la hora de abordar las oportunidades que estas herramientas ofrecen en materia preventiva, se realizará un estudio de las posibles aplicaciones de las mismas para la mejora de la prevención de riesgos laborales, centrando el análisis en su uso para aumentar los niveles de protección de la integridad física y mental de los trabajadores en el desempeño de sus funciones laborales.

En cuanto a los riesgos derivados de la implantación de sistemas de IA del medio laboral, este trabajo planteará un análisis en función de los diferentes tipos de IA que establece la normativa y su aplicación práctica. De esta forma, se diferenciará entre el uso de la IA para controlar el correcto desempeño de las funciones laborales, por una

---

[10] En ALARCÓN CARACUEL, M.R.: "Los deberes del empresario respecto a la seguridad y salud de los trabajdores", en OJEDA-AVILÉS, A.; et. Al.: *La prevención de riesgos laborales: aspectos clave de la Ley 31/1995*, Ed. Aranzadi, Cizur Menor, 1996, p. 106.

[11] Se entiende por medidas necesarias a todas aquellas que la técnica permita en cada momento, con el objetivo de conseguir el máximo nivel de seguridad posible. En este sentido, véase STS de 8 de octubre de 2001 (rec. 4403/2000), FD Tercero.

parte, y a la posible instalación de robots en el trabajo, bien con capacidad de decisión o con sistemas de IA más simples.

En estos supuestos se analizarán brevemente las implicaciones que estas tecnologías pueden tener en cuanto a la generación de riesgos laborales, especialmente de carácter psicosocial, pero sin olvidar aquellos riesgos de seguridad, higiene o ergonomía que puedan afectar a la salud del trabajador.

II. LOS SISTEMAS DE IA COMO HERRAMIENTA PARA LA MEJORA DE LAS CONDICIONES DE SEGURIDAD Y SALUD EN EL TRABAJO

Los avances tecnológicos a los que se ha hecho referencia en la introducción presentan numerosas oportunidades de mejora preventiva en las empresas, no solo de forma teórica, sino real, pues algunas de ellas ya se aplican en la actualidad.

En el presente apartado se analizarán las principales oportunidades que presenta la implantación de sistemas de IA por parte de las empresas en materia preventiva. Para ello se abordará la cuestión desde diversas perspectivas. En primer lugar, se analizarán las mejoras que esta herramienta permite en materia de gestión preventiva, haciendo hincapié en aquellas funciones que, en la actualidad, exigen la presencia de personal en el centro de trabajo y que podría obviarse gracias a sistemas de IA junto con otras herramientas digitalizadas.

En segundo lugar, se abordarán las posibilidades que el uso de sistemas de IA ofrece a las empresas para dar cumplimiento a la obligación de formar a los trabajadores en materia preventiva establecida en el art. 19 de la Ley 31/1995 de prevención de riesgos laborales (en adelante, LPRL).

A continuación, se analizarán las oportunidades que estas herramientas ofrecen para la mejora de las condiciones de trabajo, en especial, respecto a los riesgos ergonómicos y a las condiciones ambientales del lugar de trabajo.

Por último, se estudiarán brevemente las aplicaciones ofrecidas por la robotización para eliminar riesgos derivado de las actividades laborales para la seguridad y salud de los trabajadores.

1. El uso de sistemas de IA para la gestión de la prevención en la empresa

La digitalización del medio laboral, y especialmente el procesamiento de datos y el Big Data, ha tenido un importante impacto en materia preventiva en los últimos años, especialmente en dos aspectos. En primer lugar, permite a las empresas analizar grandes cantidades de datos de forma automatizada para mejorar la toma de decisiones relativas a la adopción de medidas preventivas en las empresas. En segundo lugar, facilita el cumplimiento de algunas obligaciones empresariales en esta materia que suponen la gestión de grandes cantidades de datos.

1.1. La adopción de medidas preventivas basadas en sistemas de IA

Respecto a la toma de decisiones dirigidas a la adopción de medidas preventivas en las empresas, al igual que en otros aspectos de la relación laboral, como puede ser la gestión de personal, esta digitalización de los datos ha supuesto un avance sin precedentes, permitiendo adoptar medidas proactivas que, mediante la implantación de sistemas de IA dirigidos al análisis de estos datos, se anticipan a los accidentes de trabajo mediante predicciones, tendencias o detección de áreas de mejora.

Es el caso del uso de estos sistemas para el análisis de datos dentro de la gestión de la salud de los trabajadores, con el objetivo de hacerla más eficaz. Gracias a ello, en la actualidad es posible detectar daños en un colectivo de forma precoz y establecer medidas preventivas para evitar o reducir el riesgo de que ese daño sea irreversible. Igualmente, los sistemas de IA son cada vez más utilizados para mejorar la seguridad de las máquinas y equipos de trabajo, ya que mediante su implantación en estos se pueden detectar y prever fallos de funcionamiento y necesidades de mantenimiento correctivo o preventivo de forma precoz, evitando así los riesgos derivados de esos fallos.

Por ello, en la actualidad no cabe duda sobre la aportación de las técnicas de análisis de datos, la digitalización y la IA a la prevención de riesgos laborales, entre las que destacan *"combinar el estudio de datos internos con información de fuentes externas, permitir un*

*análisis multidimensional mejorando el análisis de causas, realizar
medición y seguimiento de los datos e indicadores en series temporales (lo cual permite identificar tendencias e inferir tendencias ocul-
tas), transformar y tratar los datos de forma que permita un análisis
predictivo o visualizar toda esa información de una manera gráfica e
interactiva"*[12].

1.2. La IA como medio para facilitar el cumplimiento de ciertas obligaciones específicas del empresario en materia preventiva.

Las obligaciones específicas del empresario en el ámbito de la prevención de riesgos laborales son numerosas y, algunas de ellas, suponen la necesidad de almacenar y analizar una ingente cantidad de datos para su correcto cumplimiento. Esta necesidad de almacenar datos
y de poder acceder a ellos para determinar la medida preventiva más
adecuada en cada momento supone una gran carga para las empresas
que, gracias a los sistemas de IA, se ha visto rebajada en gran medida.

En los últimos años han aparecido múltiples plataformas destinadas a facilitar la gestión de ciertos aspectos preventivos que permiten,
por una parte, el almacenaje de los datos y, por otra, su actualización
automática y el análisis inmediato de los mismos para facilitar la toma de decisiones.

Es el caso de las herramientas para la gestión de la Coordinación
de Actividades Empresariales. Esta obligación empresarial, establecida en el art. 24 LPRL y desarrollada en el RD 171/2004 supone
una gran carga documental para las empresas que, gracias a la digitalización, es más manejable y se gestiona de forma más eficaz[13]. Por
otra parte, el cumplimiento de esta obligación requiere una toma de

---

[12]   En MILLAS, Y.: "Claves de la digitalización en la gestión de prevención de riesgos laborales", en *Aenor. La revista de la evaluación de la conformidad*, n°347,
2019. Documento disponible en: https://revista.aenor.com/347/claves-de-la-digi-
talizacion-en-la-gestion-de-prevencion-de-r.html
[13]   Sirva como ejemplo la herramienta "Coordínate. Herramienta de autodiagnós-
tico para la CAE" de AEZMNA (disponible en: https://www.aezmna.com/CAE/
) o la herramienta para la gestión documental derivada de la CAE de SG Red
(disponible en: https://sgred.com/).

decisiones por parte de la empresa rápida y sin carencias informativas, por ejemplo, a la hora de determinar si un trabajador puede o no acceder al centro de trabajo de la empresa principal o si es necesaria la presencia de recursos preventivos en ciertos momentos de la concurrencia de actividades empresariales[14]. En esta materia, los sistemas de IA permiten establecer de manera rápida si las empresas cumplen o no con sus obligaciones y limitar el acceso de trabajadores no autorizados a ciertas zonas del centro de trabajo, por ejemplo. De esta forma se cumple un doble objetivo, por una parte, facilitar el cumplimiento de las obligaciones de las empresas concurrentes y, por otra, aumentar los niveles de protección de los trabajadores afectados.

1.3. Los sistemas de IA como medio para dar cumplimiento a obligaciones empresariales que exigen la presencia de personal especializado en el centro de trabajo

Las utilidades señaladas anteriormente no son las únicas áreas de mejora en materia preventiva vinculada a la digitalización del medio laboral. La normativa preventiva establece la obligación de contar con la supervisión de un trabajador capacitado durante el desempeño de ciertas funciones que pueden suponer riesgos especiales para la seguridad y salud de los trabajadores. Es el caso del recurso preventivo o del coordinador de seguridad y salud en las obras de construcción. En estos supuestos, y como se verá a continuación, las nuevas herramientas digitales pueden mejorar el desempeño de las funciones de estos empleados, pues gracias a ellas pueden alcanzar zonas donde la observación conlleva un riesgo o son de difícil acceso.

En cuanto al primero, el recurso preventivo es cualquier trabajador designado por la empresa, *"con formación y capacidad adecuada, que dispone de los medios y recursos necesarios y son suficientes en número para vigilar el cumplimiento de las actividades preventivas que así lo requieran"*15. Tal como establecen los arts. 32 bis LPRL y 22 bis RD 39/1997 por el que se aprueba el Reglamento de los Servi-

---

14   Puede consultarse un estudio ampliado sobre el contenido de esta obligación en FERNÁNDEZ-COSTALES MUÑIZ, J.: *La coordinación preventiva de las actividades empresariales,* Thomson Reuters Aranzadi, Cizur Menor, 2020.
15   RIOBELLO ALONSO, M.: *NTP 994. El recurso preventivo,* 2013, p. 1.

cios de Prevención, con independencia de la modalidad de organización de la actividad preventiva elegida por la empresa, será necesaria
la presencia de un recurso preventivo *"a) cuando los riesgos puedan
verse agravados o modificados, en el desarrollo del proceso o la actividad, por la consecuencia de operaciones diversas que se desarrollan
sucesiva o simultáneamente y que hagan preciso el control de la correcta aplicación de los métodos de trabajo"*, b) cuando se realicen
actividades o procesos peligrosos o con riesgos especiales enumerados
en el art. 22 bis RSP y c) cuando así lo requiera la ITSS[16].

Por su parte, el coordinador de seguridad y salud en las obras de
construcción (bien durante el diseño del proyecto, bien durante la
ejecución de la obra) debe ser un *"técnico competente"*, designado
por el promotor para coordinar, en la fase de proyecto de obra o en la
fase de ejecución de la obra, las actividades preventivas de la misma.
Para ello, la persona designada por el promotor deberá *"poseer las
titulaciones académicas y profesionales habilitantes, así como conocimientos en actividades de construcción y de prevención de riesgos
laborales"* para desempeñar sus funciones adecuadamente. Entre estas, está la coordinación de los principios establecidos en el plan de
seguridad y salud, tomar decisiones técnicas relativas a los trabajos
a realizar, establecer medidas para garantizar que los empresarios y
trabajadores concurrentes cumplen con la normativa en prevención
de riesgos laborales, adoptar las medidas necesarias para garantizar
que solo las personas autorizadas puedan acceder a las obras, gestionar la coordinación de actividades empresariales y otras cuestiones de
ámbito preventivo vinculadas al desarrollo de la obra[17]. Para ello es
precisa, al igual que ocurre con el recurso preventivo, su presencia en
el centro de trabajo para el que se le ha designado como tal.

Como puede observarse, la normativa actual exige la presencia de
estos trabajadores designados como recurso preventivo o como coordinadores en materia de seguridad y salud en las obras de construcción en el centro de trabajo o lugar que determina su presencia. Sin
embargo, gracias a los nuevos sistemas de IA, unidos a las ya existen-

---

[16]   Art. 22 bis RD 39/1997 por el que se aprueba el Reglamento de los Servicios de
      Prevención.
[17]   Véase art. 9 RD 1627/1997, de 24 de octubre, por el que se establecen
      disposiciones mínimas de seguridad y de salud en las obras de construcción.

tes herramientas digitales, existe la posibilidad de que estas personas desarrollen sus funciones preventivas sin estar presentes en el lugar de trabajo donde se desarrolla la actividad que determina su presencia. Es más, precisamente estas herramientas pueden hacer que el control sobre los riesgos y su gestión, así como el desempeño de las funciones preventivas de estas figuras sea más eficaz que en la actualidad. Por ejemplo, podrían utilizarse robots para acceder a ciertos lugares en los que se desarrolla una actividad peligrosa con sensores que permitan controlar riesgos de manera más efectiva. También se podría proceder al uso de drones y cámaras que permitan al trabajador controlar varios puntos del centro de trabajo o varias actividades que se realizan simultáneamente con mayor efectividad, detectando riesgos con más anticipo que si estuviese físicamente en el lugar.

En todo caso, puesto que la normativa actual exige la presencia física de estas personas en el lugar donde es requerida su presencia, no puede procederse a la aplicación de esta tecnología en tanto la normativa no sea modificada para permitir la aplicación de los avances digitales en este ámbito de la actividad preventiva.

2. La IA como garantía de una formación en materia preventiva suficiente y adecuada

El art. 19 LPRL establece la obligación empresarial de *"garantizar que cada trabajador reciba una formación teórica y práctica, suficiente y adecuada, en materia preventiva, tanto en el momento de su contratación como cuando se produzcan cambios en las funciones que desempeñe o se introduzcan nuevas tecnologías o cambios en los equipos de trabajo"*.

El uso de las herramientas digitales para la formación de los trabajadores en materia preventiva es una realidad desde hace años. Esto facilita el cumplimiento de la obligación empresarial establecida en el art. 19 LPRL de forma más eficaz, sin necesidad de prescindir de los trabajadores en un determinado momento, evitando desplazamientos innecesarios de estos al centro formativo y eliminando la necesidad de contar con espacios destinados a la formación en el propio centro de trabajo.

Así, la formación teórica en materia preventiva es impartida, cada vez con más frecuencia, a través de plataformas digitales de formación que permiten al trabajador conectarse a las mismas de forma autónoma, visualizar el contenido gráfico y audiovisual, realizar ejercicios e incluso los propios exámenes que garanticen la adquisición del contenido del curso. Esta nueva formación supone un doble reto: por una parte, garantizar que el alumno, efectivamente, lee o visualiza el contenido y que lo interioriza. Por otra, tener la certeza de que, quien realiza las pruebas y ejercicios es el propio trabajador, y no un tercero.

Las herramientas digitales permiten, en la actualidad, controlar el tiempo que el alumno pasa conectado a la plataforma, leyendo un determinado texto, o incluso no poder avanzar hasta haber visualizado un video o realizado un determinado ejercicio; pero el simple uso de las herramientas digitales para impartir la formación no garantiza que esta sea "suficiente y adecuada"[18]. Por ello, en la actualidad, la mayoría de las empresas atienden a una modalidad formativa híbrida, en la que el contenido se trabaja a través de la plataforma, pero las pruebas se hacen en el centro de trabajo de forma presencial. Otra opción generalizada es dar unas horas de contenido teórico presenciales y el resto mediante la plataforma, de forma que los contenidos más importantes se impartan presencialmente.

Sin embargo, lo anterior solo resulta aplicable con relación a la formación teórica, pues tal como indica la propia normativa, la formación debe ser también práctica, y resultar suficiente y adecuada en función de los riesgos a los que está expuesto el trabajador.

La implantación de sistemas de IA en este ámbito ha supuesto un gran avance para lograr que la formación telemática en esta materia sea, tal como establece la normativa, suficiente y adecuada, teórica y práctica. Los sistemas de IA permiten, en la actualidad, garantizar la identidad del alumno; impidiendo así que sea un tercero quien realice la formación o las pruebas que garantizan la adquisición del conocimiento. Otra posibilidad que presentan es la de realizar la formación práctica también de forma telemática, a través de herramientas digitales de realidad virtual que, incorporando IA pueden presentar escenarios cambiantes y cada vez más ajustados a la realidad. La realidad

---

[18]   Ejemplo de ello es que, en la actualidad, la mayoría de las empresas

virtual y la realidad aumentada permiten exponer al trabajador a diversas situaciones de peligro de forma indirecta, permitiendo adquirir competencias para enfrentarse a esta situación en un supuesto real sin correr riesgos durante la propia formación.

Debe tenerse en cuenta que *"las necesidades de formación del personal unido al continuo avance de las nuevas tecnologías en todos los ámbitos hacen necesario que la formación en prevención se incorpore al uso de las TIC, para lograr mejoras en los niveles de seguridad y salud"*[19].

3. Los sistemas de IA como herramienta para la mejora de las condiciones de seguridad y salud del centro de trabajo

Una de las aplicaciones de la robótica y la IA que ya se aplica, en la actualidad, en las empresas, y que supone una de las principales ventajas de estas nuevas herramientas en materia de prevención de riesgos laborales consiste en *"reemplazar a las personas que trabajan en ambientes insalubres o peligrosos"*[20]. Es el caso de los robots utilizados por el ejército para la detección de minas antipersonas o la desactivación de bombas, los utilizados en el sector nuclear para detectar fallos en los sistemas de seguridad, para trabajos de revisión, mantenimiento o limpieza en espacios confinados o para la realización de tareas repetitivas y monótonas entre otros.

De esta forma y tal como señala la Agencia Europea para la Seguridad y Salud en el Trabajo, se evita *"exponer a las personas a las sustancias y condiciones peligrosas, reduciendo los riesgos físicos, ergonómicos y psicosociales"* derivados de las mismas[21].

---

[19]   REY MERCHÁN, M.C.; LÓPEZ ARQUILLOS, A.; RUBIO ROMERO, J.C. y PARDO FERREIRA, M.C.: "Las TIC`s como herramienta formativa en prevención de riesgos laborales en el sector de la construcción", en *ORP 2012*. Documento disponible en: https://www.prevencionintegral.com/canal-orp/papers/orp-2012/tics-como-herramienta-formativa-en-prevencion-riesgos-laborales-en-sector-construccion

[20]   *Una revisión sobre el futuro de la robótica*, Agencia Española para la Seguridad y Salud en el Trabajo, 2015, p. 3. Documento disponible en: https://osha.europa.eu/es/publications/future-work-robotics

[21]   *Una revisión sobre el futuro de la robótica*, Agencia Española para la Seguridad y Salud en el Trabajo, 2015, pp. 3 y ss. Documento disponible en: https://osha.

Pero no es la única aplicación que tiene. Además de evitar la exposición de trabajadores a ciertos riesgos también presenta gran utilidad para la detección precoz de algunos riesgos y para tomar medidas preventivas que resulten más eficaces mediante la monitorización de ciertos factores de riesgo laboral[22]. Por otra parte, la IA también puede aplicarse a los equipos de protección individual, de forma que el propio EPI se adapta a las condiciones laborales presentes en cada momento con el objetivo de aumentar los niveles de protección al trabajador, lo que ya es una realidad visible en el uso de exoesqueletos o wearables por parte de los trabajadores[23].

A continuación, se analizarán las posibles aplicaciones de las nuevas herramientas digitales, la robotización del trabajo y la IA, en la mejora de las condiciones ergonómicas y ambientales del centro de trabajo.

3.1. La mejora de la ergonomía

Como se ha señalado en el apartado anterior, cada vez son más las empresas que recurren al uso de robots para la realización de tareas monótonas y repetitivas o peligrosas en el trabajo.

Así, su uso en el proceso productivo supone una mejora en las condiciones ergonómicas en las que presta servicios el trabajador, ya que se automatizan los procesos con mayor carga física, de forma que *"disminuye la exposición a tareas que requieren de esfuerzo físico, movimientos repetitivos o posturas forzadas"*. La consecuencia directa es una reducción en los trastornos musculoesqueléticos derivados de este tipo de trabajos que, tal como señala el *Informe Anual de Accidentes de*

---

europa.eu/es/publications/future-work-robotics

[22]   En este sentido, véase REINHOLD, K.; JÄRVIS, M.; CHRISTENKO, A.; JANKAUSKAITÈ, V.; PALIOKAITÈ, A. y RIEDMANN, A.: *Artificial Intelligence for worker management: implications for occupational safety and health*, OSHA, 2022, p. 8. Documento disponible en: https://osha.europa.eu/en/publications/artificial-intelligence-worker-management-risks-and-opportunities

[23]   En este sentido, véase THIERBACH, M.: *Equipos de protección individual inteligentes: protección inteligente de cara al futuro*, OSHA, 2020. Documento disponible en: https://osha.europa.eu/es/publications/smart-personal-protective-equipment-intelligent-protection-future

Trabajo en España (2020), es una de las principales causas de accidente laboral en nuestro país[24].

Otra de las aplicaciones que estos sistemas tienen en ergonomía es la de realizar evaluaciones de riesgo mucho más específicas y exactas. Ejemplo de ello es la implantación del sistema HADA en numerosas cadenas de montaje, salas de control o incluso para la realización de algunas funciones propias del puesto de camarera de piso en hoteles. Este sistema permite la obtención de datos reales sobre los movimientos que realiza un trabajador durante su jornada laboral, de forma que, mediante los sensores implantados en el trabajador, se recogen datos que, analizados a través de IA permiten una mejora sustancial en las conclusiones extraídas por los técnicos en cuanto a las posturas forzadas o movimientos repetitivos realizados por el empleado y, por tanto, facilita adoptar medidas preventivas más específicas para evitar daños en la salud de los trabajadores[25].

3.2. Las posibles mejoras en condiciones ambientales del centro de trabajo

Las posibilidades que la digitalización y los sistemas de IA ofrecen para la mejora de las condiciones ambientales del centro de trabajo pueden diferenciarse, de forma general, en dos grandes grupos: por una parte, para el control de las condiciones ambientales generales del centro de trabajo y, por otra, para las condiciones ambientales durante el desarrollo de las funciones específicas del puesto de trabajo.

---

[24]   A este respecto, el informe señala que en un 34% de los casos, el accidente se produce durante tareas de producción, transformación, tratamiento y almacenamiento, relacionadas generalmente a cuestiones ergonómicas. Además, también señala que un 33% están vinculadas a sobreesfuerzos físicos. Véase FONTE FERNÁNDEZ, M.M.: *Informe Anual de Accidentes de Trabajo en España*, Ministerio de Trabajo y Economía Social e Instituto Nacional de Seguridad y Salud en el Trabajo, 2021, pp. 15 y ss.

[25]   En este sentido, véase "Nuevas tecnologías aplicadas a la ergonomía", en *Blog Quirón Prevención*, 2020. Documento disponible en: https://www.quironprevencion.com/blogs/es/prevenidos/nuevas-tecnologias-aplicadas-ergonomia

En cuanto a las primeras, hace ya tiempo que la digitalización se ha implantado en los hogares mediante el uso de la domótica[26]. En similar sentido, las empresas han implantado este tipo de herramientas, sumadas a sistemas de IA, para garantizar que, al inicio de la jornada laboral, la temperatura del centro de trabajo sea una concreta, programando dichos sistemas domóticos de forma que se rentabilizan los recursos, se minimizan los costes de calefacción, aire acondicionado, etc. y se garantiza el bienestar y el confort de los trabajadores durante el desarrollo de sus funciones, tanto al inicio y al final de la jornada como durante la misma, manteniendo parámetros de temperatura o humedad.

En cuanto a la segunda de sus utilidades, la IA permite, mediante la instalación de sensores, cámaras u otros elementos para ser portados por el propio trabajador, controlar de manera directa las condiciones ambientales, a través de los datos obtenidos y su análisis. De esta forma, se pueden monitorizar en tiempo real aspectos como la concentración de una determinada sustancia química o biológica peligrosa, identificar y delimitar las zonas de riesgo, localizar a los empleados en caso de emergencia e incluso dar avisos directos en caso de aparición de riesgos de carácter ambiental en un determinado momento[27].

Tal como señala la Agencia Europea para la Seguridad y Salud en el trabajo, *"los dispositivos móviles de control miniaturizados integrados en el equipo de protección personal posibilitan la supervisión en tiempo real de los peligros y pueden utilizarse para proporcionar advertencias tempranas de exposiciones peligrosas, estrés, problemas de salud y fatiga"*[28].

---

[26]   Se entiende por domótica al *"conjunto de sistemas que automatizan las diferentes instalaciones de una vivienda"*, es decir, el software implantado en un determinado lugar, habitualmente los domicilios u empresas, que permiten dar respuesta a las necesidades de la persona mediante el control de las condiciones ambientales de un espacio concreto a distancia. Definición extraída de la RAE.

[27]   En este sentido, véase MARTÍNEZ DE VELASCO, D.: "La digitalización, clave para reforzar la prevención de riesgos laborales", en *Observatorio de Recursos Humanos*, 2019. Documento disponible en: https://www.observatoriorh.com/innovacion/la-digitalizacion-clave-para-reforzar-la-prevencion-de-riesgos-laborales.html

[28]   En *"Digitalización y seguridad y salud en el trabajo (SST). Un programa de investigación de la EU-OSHA*, Agencia Europea para la Seguridad y Salud en

3.3. La IA como herramienta para aumentar los niveles de seguridad y salud generales de los trabajadores

En cuanto a la implantación de robots en el trabajo para la realización de ciertas tareas, permite aumentar los niveles de seguridad, no solo en el aspecto ergonómico sino con relación a los riesgos físicos, mecánicos u otros *"al automatizar tareas peligrosas, evitando o disminuyendo la exposición a zonas o procesos peligrosos derivados del trabajo directo con máquinas, con elementos mecánicos en movimiento, presencia de piezas a altas temperaturas, gases peligrosos, etc."*[29].

Esta robotización del medio laboral es un proceso al que asistimos desde hace años. Sin embargo, los nuevos avances en materia de IA y la implantación en estos robots de esta tecnología les permitirá actuar de una determinada forma en función de los datos recabados de su entorno. Esto supone un gran avance en materia preventiva, pues ya no serán capaces de evitar solo el riesgo laboral para el que estaban previstos, sino que tendrán la capacidad de actuar para evitar la exposición del trabajador a otros riesgos, por ejemplo, bloqueando el acceso a una determinada zona en la que, a consecuencia de un incidente haya una mayor concentración de un agente tóxico a la habitual o, en obras de construcción, detectando terrenos inestables e impidiendo el acceso de los trabajadores a la zona en tanto que dura el peligro.

III. RIESGOS LABORALES EMERGENTES ASOCIADOS A LA INTELIGENCIA ARTIFICIAL

Tal como se ha señalado anteriormente, si bien es cierto que los nuevos sistemas de IA presentan importantes oportunidades para la mejora de los niveles de seguridad y salud en las empresas, también son un reto en materia preventiva.

---

el Trabajo, 2020, p. 11. Documento disponible en: https://osha.europa.eu/sites/default/files/Digitalisation_and_OSH_ES.pdf

[29] *Robots industriales y cobots en prevención de riesgos laborales*, Generalitat Valenciana, p. 15.

La principal cuestión que surgen en torno a la implantación de estos sistemas en las empresas está vinculada a cómo evitar que estos sistemas de IA generen daños en la salud de los trabajadores. Para ello es ineludible analizar su presencia en la empresa como fuente de riesgo laboral.

Debe tenerse en cuenta que la implantación de sistemas de IA en las empresas puede traer consigo riesgos que, si bien no son novedosos, sí se presentan de formas antes imposibles. En materia preventiva, pueden diferenciarse dos grandes grupos de riesgos vinculados a la aplicación de la IA: riesgos de carácter psicosocial y riesgos mecánicos.

En el presente apartado se analizarán de forma general estos nuevos (y viejos) riesgos vinculados a la IA.

1. *Los riesgos psicosociales vinculados a la implantación de sistemas de IA en la prestación de servicios a través de plataformas digitales*

En los últimos años, la prestación de servicios a través de plataformas digitales ha crecido de manera imparable. Esta prestación de servicios se caracteriza, en primer lugar, por la falta de centro de trabajo, pues está basado en el teletrabajo y; en segundo lugar, por el uso de sistemas de IA para el control de la prestación del servicio. Este uso de sistemas de IA para controlar a los trabajadores puede generar estrés o ansiedad desde dos ámbitos distintos. El primero de ellos es la implantación de sistemas de IA como medio de control empresarial de la prestación de servicios llevada a cabo por el trabajador. En segundo lugar, estos sistemas pueden ser implantados para comprobar la satisfacción del cliente u otros sujetos interesados con el trabajo realizado por un empleado concreto, así como para evaluar el desempeño del trabajador y su eficacia.

Los riesgos, en ambos casos, son similares, pudiendo derivar en estrés o ansiedad laboral como consecuencia de una alta exigencia al trabajador, bien cuantitativa, bien cualitativa, en el desempeño de sus funciones; así como de la sensación de estar siendo controlado y evaluado de forma constante. Los principales factores de riesgo laboral en los que inciden estos sistemas de IA serán analizados a continuación.

1.1. Riesgos derivados del uso de la digitalización del medio laboral como medio de control

Los sistemas de IA unidos a la digitalización del medio laboral suponen un nuevo medio de control empresarial sobre la prestación del trabajo realizado por parte de sus empleados pues, atendiendo a lo señalado por la Agencia Europea para la Seguridad y Salud en el Trabajo, *"la tecnología de control registra, vigila y supervisa o comprueba de forma sistemática los progresos la calidad de algo o alguien durante un período de tiempo gracias a un sensor o conjunto de sensores"*30. El art. 20.3 TRET establece que *"el empresario podrá adoptar las medidas que estime más oportunas de vigilancia y control para verificar el cumplimiento por el trabajador de sus obligaciones y deberes laborales"*, siempre y cuando se respete el derecho a la dignidad del trabajador, así como otros derechos protegidos como el de la intimidad. Así pues, parece que, al menos a priori, la implantación de sistemas de IA por el empresario con el objetivo de controlar la prestación del servicio es legítima[31]. Así se ha manifestado la jurisprudencia, al señalar que el empresario tiene *"la facultad de adoptar las medidas que estime más oportunas de vigilancia y control para verificar el cumplimiento por el trabajador de sus obligaciones y deberes laborales, guardando en su adopción y aplicación la consideración debida a su dignidad humana"*[32]. En todo caso, y tal como han venido señalando los tribunales, las medidas adoptadas, incluidos los sistemas de IA, deberán respetar el principio de proporcionalidad atendiendo a los juicios de idoneidad, de necesidad y de proporcionalidad.

Partiendo de esta base, debe analizarse el origen de los riesgos laborales derivados de la implantación de sistemas de IA como medio de control del cumplimiento de las obligaciones laborales por parte del trabajador.

---

[30]   AA.VV.: *Tecnologías de control: ¿La búsqueda del bienestar del Siglo XXI?*, OSHA, 2022, p. 1.

[31]   Tal como señala GOERLICH PESET, el empresario es libre de adoptar las medidas de control que considere oportunas. En "Determinación de las obligaciones contractuales, poder de dirección y facultad de control", en AA.VV.: *Comentarios al Estatuto de los Trabajadores: libro homenaje a Tomás Sala Franco*, Tirant Lo Blanch, Valencia, 2016, p. 441.

[32]   STC núm. 170/2013 de 7 de octubre (rec. 2907/2011) FJ Tercero.

La monitorización constante del trabajo realizado mediante la implantación de algoritmos puede facilitar al empresario información sobre el nivel de producción de un trabajador, su ritmo de trabajo o la calidad del mismo durante todo el proceso laboral. Ejemplo de ello es el trabajo en plataformas, generalmente vinculado al reparto a domicilio, donde mediante la aplicación se geolocaliza al trabajador constantemente, de forma que se monitoriza la actividad que se va desarrollando, si se atienden los pedidos o no, los tiempos de reparto, etc. Toda esta información es utilizada posteriormente, por el sistema de IA implantado en la aplicación, para avisar a los trabajadores si bajan su ritmo de trabajo o no facilitarles pedidos si no cumplen con los criterios establecidos en el algoritmo[33].

Así, el trabajador no solo es monitorizado constantemente, sino que los datos recabados mediante dicha monitorización sirven *"para la realización de estadísticas (velocidad, rechazo de pedidos, disponibilidad, etc.) y la elaboración consiguiente de un ranking interno de puntuación que resulta determinante para el mantenimiento o mejora de las condiciones laborales en la empresa"*[34].

Unido a lo anterior está la falta de transparencia respecto a los datos recabados y el uso que el algoritmo hace sobre ellos. Es cierto que la normativa sobre protección de datos establece la obligación de que los datos recabados sean conocidos por el afectado, y establece la necesidad de que el sistema de recolección de datos y los datos almacenados sea transparente. Sin embargo, aquí no se hace referencia a datos de carácter personal, sino a datos relativos al desempeño de las funciones laborales encomendadas por parte del empleado, ámbito que, como se ha señalado, está dentro del poder de control empresarial, por lo que bastará con que no se recaben datos que puedan afectar a derechos específicos, como a la intimidad del trabajador.

En todo caso, los factores de riesgo presentes en el medio laboral como consecuencia de este uso de la IA son, principalmente, la in-

---

[33]   Para una explicación exhaustiva sobre el funcionamiento de estas plataformas, véase RODRÍGUEZ-PIÑEIRO ROYO, M. y HERNÁNDEZ- BEJARANO, M. (Dirs.); et. al.: *Economía colaborativa y trabajo en plataforma: realidades y desafíos*, Bomarzo, Albacete, 2017.

[34]   TODOLÍ SIGNES, A. (Dir.); JALIL NAJI, M. y LLORENS ESPADA, J.: *Riesgos laborales específicos del trabajo en plataformas digitales*, OSALAN, 2020, p. 74.

tensificación del ritmo de trabajo y la prolongación de las jornadas laborales para dar cumplimiento a los parámetros establecidos por el sistema de IA, lo que genera estrés en el trabajador por sentirse constantemente vigilado y por aumentar la autoexigencia de este ante la tarea. Además, puede llevar a errores que desencadenen accidentes laborales por no prestar la atención debida en cada momento a la tarea que está siendo realizada[35].

1.2. La IA como medio para el seguimiento y valoración del trabajo prestado

La evaluación del rendimiento en el trabajo siempre ha sido objeto de interés para la parte empresarial, recompensando con medidas de promoción interna a aquellos trabajadores que cumplían unas determinadas expectativas u objetivos marcados por la empresa. En la actualidad, cada vez son más las empresas que utilizan sistemas de IA y los datos recogidos por estos para tomar decisiones internas en materia de gestión de personal; tanto en procesos de selección y promoción como de extinciones de contratos.

Para ello, se utilizan los sistemas de IA como medio de control de los servicios prestados, por una parte; y como medio de evaluación de la calidad del trabajo realizado y de la satisfacción del cliente con un determinado empleado por otra. A continuación, se analizarán brevemente ambos aspectos y sus implicaciones en materia preventiva.

1.2.1. La evaluación por parte de la empresa

En el ámbito de los recursos humanos, la información recopilada por los sistemas de IA *"se utiliza para entrenar algoritmos capaces de realizar predicciones relacionadas con el talento y la capacidad de los trabajadores y los candidatos; para supervisar, evaluar y estimular el*

---

rendimiento; para fijar objetivos y valorar los resultados del trabajo", pero también para realizar evaluaciones y predicciones sobre el clima laboral, encontrar patrones de comportamiento dentro de la plantilla y otras muchas cuestiones en este ámbito[36].

Así, *"la herramienta del análisis de recursos humanos puede ayudar a los empleadores a tomar decisiones correctas acerca de sus empleados"*[37]. Cabe preguntarse aquí si el análisis de datos realizado por estos algoritmos es realmente objetivo o si se ve afectado por la persona que ha diseñado dicho algoritmo y sus creencias previas. A este respecto, son numerosos los autores que señalan que las predicciones y decisiones de los algoritmos pueden ser discriminatorias[38].

Por otra parte, deben tenerse en cuenta los posibles errores de funcionamiento del sistema de IA a causa de un diseño deficiente del mismo; por ejemplo, porque asuma que la producción del trabajador ha descendido en un determinado periodo de tiempo cuando en dicho periodo el trabajador se encontraba en un permiso por vacaciones o incapacidad temporal o que, tras reincorporarse de una incapacidad temporal causada por daños graves exija a este trabajador el mismo nivel de producción que a otros, sin tener en consideración circunstancias puntuales y personales que pueden desviar los resultados esperados.

---

[36] V. MOORE, P.: "Inteligencia artificial en el entorno laboral. Desafíos para los trabajadores·, en AA.VV.: *El trabajo en la era de los datos*, BBVA OpenMind, 2019, p. 94. Documento disponible en: https://www.bbvaopenmind.com/libros/el-trabajo-en-la-era-de-los-datos/

[37] V. MOORE, P.: "Inteligencia artificial en el entorno laboral. Desafíos para los trabajadores·, en AA.VV.: *El trabajo en la era de los datos*, BBVA OpenMind, 2019, p. 96. Documento disponible en: https://www.bbvaopenmind.com/libros/el-trabajo-en-la-era-de-los-datos/

[38] A este respecto, un estudio realizado por investigadores asiáticos mostró como el algoritmo de un buscador mostraba resultados sesgados en función de cómo se iniciaba la frase. Así, si la frase se iniciaba con "el hombre blanco trabaja como " cl algoritmo la completaba con "un oficial de policía"; mientras que si se iniciaba con "el hombre negro trabaja como…" el final ofrecido por el algoritmo era "un proxeneta desde hace 15 años". En SHENG, E.; CHANG K.W.; NATARAJAN, P. y PENG, N.: "The woman worked as a babysitter: on biases in language generation", en *Proceedins of the 2019 Conference on Empirical methods in Natural Language Processing and the 9th International Joint Conference on Natural Language Processing*, Hong Kong, China, 2019, p. 3407.

En este sentido, hay quien señala que, si en el proceso de toma de decisiones no se tienen en cuenta *"los aspectos éticos, estas herramientas pueden exponer a los trabajadores a una serie de riesgos estructurales, físicos y psicosociales y provocarles estrés"*, ya que los trabajadores no pueden estar seguros de que se toman decisiones justas, correctas y honradas porque no tienen acceso a los datos sobre los que el algoritmo decide[39].

Además, estos sistemas de IA pueden sufrir sabotajes o fallos en la conexión que puede derivar en una obtención de datos errónea (fallos en sensores, etc.). Esto afectaría de manera directa al trabajador en su valoración, pero, además, generaría niveles de estrés importante en los trabajadores afectados, pues la falta de confianza en el sistema puede ser un estresor de gran impacto.

En todo caso, y como se ha señalado en el apartado anterior, aun asumiendo la objetividad del algoritmo y su buen funcionamiento como punto de partida, algunos autores señalan que esta monitorización y evaluación constante, así como el hecho de que la decisión vaya a ser tomada por un algoritmo que puede no tener en cuenta factores personales, supone que los trabajadores trabajen constantemente a un ritmo elevado, con un alto grado de exigencia y de rendimiento para obtener los resultados esperados y no ser sancionados o afectados por no hacerlo[40]; lo que lleva aparejada la falta de autonomía del trabajador y la falta de control sobre el propio trabajo realizado y, por tanto, la aparición de ansiedad y estrés laboral[41].

---

[39]   En V. MOORE, P.: "Inteligencia artificial en el entorno laboral. Desafíos para los trabajadores·, en AA.VV.: *El trabajo en la era de los datos*, BBVA OpenMind, 2019, p. 97. Documento disponible en: https://www.bbvaopenmind.com/libros/el-trabajo-en-la-era-de-los-datos/

[40]   TODOLÍ SIGNES, A. (Dir.); JALIL NAJI, M. y LLORENS ESPADA, J.: *Riesgos laborales específicos del trabajo en plataformas digitales*, OSALAN, 2020, p. 77.

[41]   En este sentido, véase V. MOORE, P.: "Inteligencia artificial en el entorno laboral. Desafíos para los trabajadores·, en AA.VV.: *El trabajo en la era de los datos*, BBVA OpenMind, 2019, p. 97. Documento disponible en: https://www.bbvaopenmind.com/libros/el-trabajo-en-la-era-de-los-datos/

1.2.2. La evaluación por parte del cliente

Como se ha puesto de manifiesto, una de las principales aplicaciones que presentan los sistemas de IA en el medio laboral es que permiten evaluar la calidad del trabajo prestado por un determinado empleado prácticamente a tiempo real, pero, además, permiten a la empresa conocer también el nivel de satisfacción que los clientes tienen respecto a un empleado concreto. Es decir, se presenta una doble evaluación: la de la empresa y la del cliente.

Así, el algoritmo no solo recaba los datos facilitados por el desempeño del trabajo (eficacia, eficiencia, etc.) sino también la opinión que el cliente tiene sobre un determinado trabajador; lo que le permite realizar predicciones o tomar decisiones en materia de gestión de personal de forma mucho más específica.

Esta valoración del cliente tiene más impacto en aquellos sectores en los que el trabajador interactúa directamente con el receptor del servicio, como, por ejemplo, la hostelería, el sector comercial o el reparto de mercancías. Gracias a la implantación de sistemas de IA, las empresas pueden conocer, en el momento inmediatamente siguiente a la prestación del servicio al cliente la opinión y el grado de satisfacción o insatisfacción que estos han tenido, y vincularlo al trabajador que les ha atendido.

Tal como señalan algunos autores, *"este segundo elemento, puesto en conexión con el primero, genera sobre la persona trabajadora la presión de un poder disciplinario"* que no es ejercido solo por la empresa, sino también por los clientes[42].

Así, aparece lo que se conoce como "reputación digital", entendida como *"la fama o prestigio que una persona o una empresa tiene en el mundo digital"* y está directamente conectada a la reputación tradicional. Esto puede afectar al trabajador no solo en la empresa en la que presta servicios en un momento determinado, sino en su futura carrera profesional, pues las referencias pueden ir vinculadas a los datos recogidos por el algoritmo[43].

---

[42]   TODOLÍ SIGNES, A. (Dir.); JALIL NAJI, M. y LLORENS ESPADA, J.: *Riesgos laborales específicos del trabajo en plataformas digitales*, OSALAN, 2020, p. 80.

[43]   Para saber más sobre los riesgos laborales asociados a sistemas de reputación digital, véase TODOLÍ SIGNES, A. (Dir.); JALIL NAJI, M. y LLORENS ESPADA,

La presión laboral que el trabajador tiene aumenta al facilitar esta herramienta a los clientes, pues no es posible saber qué factores son los que inciden en la valoración de este, más aún cuando esos factores son diferentes entre un cliente y otro. Como señalan algunos autores, *"el sistema de monitorización por la parte cliente genera sobre la persona empleada una tendencia al uso de estrategias de actuación superficial"*44, resultando reacciones poco naturales que oprimen los sentimientos del empleado. Esto, a largo plazo, puede generar agotamiento emocional, fatiga y ansiedad derivado de *"la interacción prolongada con el cliente"* que, a su vez, puede generar disonancia cognitiva, bajo rendimiento y problemas cardiovasculares45.

2. La robotización "inteligente" como origen de nuevos (y viejos) riesgos laborales

Al hablar de la robotización del centro de trabajo se hace referencia a la implantación de robots, dentro del proceso productivo de una determinada área de trabajo o empresa, con el objetivo de *"automatizar tareas simples y repetitivas, normalmente caracterizadas por seguir la misma serie de pasos en todas las repeticiones"*46.

En la actualidad, ya no se trata solo de instalar una serie de máquinas que, de forma totalmente independiente entre sí, realizan un determinado trabajo o tarea; sino que se va más allá, habiendo alcanzado un nivel de robotización que permite, especialmente en el sector industrial, interconectar las máquinas entre sí a través de la red, monitorizar el proceso productivo y detectar cualquier imprevisto con rapidez, para evitar pérdidas o paradas innecesarias en la producción. La Norma ISO 8373:1994 define robot como un *"manipulador pro-*

J.: *Riesgos laborales específicos del trabajo en plataformas digitales*, OSALAN, 2020, pp. 189 y ss.

44 TODOLÍ SIGNES, A. (Dir.); JALIL NAJI, M. y LLORENS ESPADA, J.: *Riesgos laborales específicos del trabajo en plataformas digitales*, OSALAN, 2020, p. 81.

45 MORENO JIMENEZ, B. y BÁEZ LEÓN, C.: *Factores y riesgos psicosociales, formas, consecuencias, medidas y buenas prácticas*, Ministerio de Trabajo e Inmigración, INSHT, 2013, p. 75.

46 KIRK, D.: *Demystifying digital labor*, KPMG Institutes, 2016, p. 6. Documento disponible en: https://assets.kpmg/content/dam/kpmg/lu/pdf/lu-en-demystifying-digital-labor-june-2016.pdf

gramable en tres o más ejes, controlado automáticamente, reprograma-ble y multifuncional que puede estar fijo en un lugar o móvil, para uso en aplicaciones automáticas de la industria".

Estas máquinas conectadas a la red realizan funciones que incluyen la transmisión de información sobre el progreso de la producción, así como al resto de máquinas sobre la fase de producción en la que se encuentran en cada momento y activar uno u otro elemento en función de esta información[47].

Aunque al inicio, *"los robots fueron construidos para realizar tareas sencillas, en la actualidad incorporan cada vez más funciones cognitivas derivadas de la inteligencia artificial"*[48]. En este sentido, la Agencia Europea para la Seguridad y Salud en el trabajo ha diferenciado entre IA débil y fuerte. La primera hace referencia a *"aquellas máquinas que, en sus análisis o respuestas, dependen del software diseñado para resolver un problema específico"*, por lo que no llegan a tomar decisiones de forma consciente y tienen un campo de actuación limitado (reconocimiento de textos y voces, sistemas capaces de jugar a un juego determinado, etc.). En cuanto a la IA fuerte, se refiere *"a una máquina hipotética que exhibe un comportamiento al menos tan diestro y flexible como el de los humanos"*[49].

En ambos casos, las consecuencias que esta robotización supone en materia preventiva son tanto de carácter psicosocial como en materia de seguridad laboral y, tal como ha señalado la Agencia Euro-

---

[47]   En este sentido, véase *La digitalización de la industria. Afrontar los cambios en el empleo y en las relaciones laborales,* CC.OO. Industria, 2018, p. 7.
[48]   "Una revisión sobre el futuro del trabajo: la robótica", Agencia Europea de Seguridad y Salud en el Trabajo, 2015. Documento disponible en: https://osha.europa.eu/es/publications/future-work-robotics
[49]   "Una revisión sobre el futuro del trabajo: la robótica", Agencia Europea de Seguridad y Salud en el Trabajo, 2015. Documento disponible en: https://osha.europa.eu/es/publications/future-work-robotics
       En este sentido, véase también HELEN ROSEN, P.; HEINOLD, E.; FIESTERSCH, E.; MOORE, P. y WISCHNIEWSKI, S.: *Advanced robotics, artificial intelligence and the automation of tasks: definitions, uses, policies and strategies and Occupational Safety and Health,* OSHA, 2022, p. 9. Documento disponible en: https://osha.europa.eu/es/publications/advanced-robotics-artificial-intelligence-and-automation-tasks-definitions-uses-policies-and-strategies-and-occupational-safety-and-health-0

pea para la Seguridad y Salud en el Trabajo, no puede abordarse esta cuestión como un todo, sino que deben analizarse las consecuencias de la interacción hombre-máquina para la salud en el trabajo en función de factores como *"la asignación de funciones, el diseño de interfaz e interacción, así como la operación y supervisión de máquinas y sistemas"*[50].

La revolución industrial supuso la implantación en las empresas de numerosas máquinas que realizaban tareas simples y repetitivas en lugar de los propios trabajadores. Estas máquinas han evolucionado con el paso de los años, mejorando tanto el proceso productivo como las condiciones de trabajo en las que los trabajadores prestan servicios. Sin embargo, también suponen la aparición de riesgos laborales que deben ser tenidos en cuenta en el proceso de gestión preventiva de la empresa.

En los últimos años, la mayoría de las fábricas han instalado los llamados "cobots" que, *"a diferencia de los robots industriales tradicionales, están diseñados para trabajar con personas (pueden incluso interactuar con ellas)"*[51]. Son robots colaborativos, a los que se le pautan unos pasos a seguir en un proceso específico. Están especialmente diseñados para el desempeño de tareas manuales que pueden resultar repetitivas, aunque también pueden encargarse de trabajos con riesgos especiales (como, por ejemplo, el movimiento de piezas cortantes o a altas temperaturas).

Los robots tradicionales están instalados en un lugar determinado del centro de trabajo, con una instalación fija y sin interacción humana, más allá de acceder a realizar revisiones o mantenimiento. Sin embargo, los cobots pueden cambiarse de lugar en cualquier momento y no requieren un espacio adicional destinado para ellos[52]. En todo

---

[50]   HELEN ROSEN, P.; HEINOLD, E.; FIES-TERSCH, E. y WISCHNIEWSKI, S.: *Advanced robotics and automation: implications for occupational safety and health,* OSHA, 2022, p. 20. Para saber más sobre estos factores y su análisis, véanse pp. 21 y ss. del citado documento. Documento disponible en: https://osha.europa.eu/es/publications/advanced-robotics-and-automation-implications-occupational-safety-and-health

[51]   Véase https://cadecobots.com/que-es-un-cobot/

[52]   Información extraída de "¿Qué es un cobot y cuáles son sus ventajas?", en CadeCobots https://cadecobots.com/que-es-un-cobot/

caso, la tipología de cobots es variada, pudiendo diferenciar entre los robots industriales comunes[53]; los sistemas robóticos industriales[54] y las celdas industriales robotizadas[55].

En la actualidad, las máquinas o robots no solo son capaces de hacer tareas sencillas, de forma automática y repetitiva. Mediante la implantación en estos robots de sistemas de inteligencia artificial más desarrollados, se puede lograr que realicen tareas complejas que requieran del análisis de datos para la extracción de conclusiones y actuar de un modo u otro en función de las mismas.

Además, el Big Data permite a estos robots con sistemas de inteligencia artificial aprender de los datos almacenados en el pasado para ser más eficaces y eficientes, permitiéndoles interpretar los datos obtenidos (estructurados o no) y sacar conclusiones elaboradas que permitan incluso un cambio en el proceso habitual para adaptarse a las circunstancias[56]. Como consecuencia de ello, *"la introducción de la IA en la automatización revela que, en determinados casos, no solo se*

En el mismo sentido, véase "Cobots. Qué es un cobot y para qué sirven los robots colaborativos", en *Revista de Robots*, 2021. Documento disponible en: https://revistaderobots.com/cobots/cobots-que-es-un-cobot-y-para-que-sirven/

[53]   Se trata de un *"manipulador controlado automáticamente, reprogramable y multifuncional, programable en tres o más ejes, que puede ser fijo o móvil y se utiliza en aplicaciones industriales automatizadas"*. En *Robots industriales y cobots en prevención de riesgos laborales*, Generalitat Valenciana, p. 8.

[54]   Será considerado aquel que *"esté constituido por un robot, sus elementos terminales (pinza, pistola, soldador, etc.) y otro equipamiento que ayude en la realización de la tarea (maquinaria, equipamiento, ejes externos adicionales, sensores, etc.)*. En *Robots industriales y cobots en prevención de riesgos laborales*, Generalitat Valenciana, p. 8.

[55]   Es el equipo formado por *"uno o más sistemas robóticos, incluyendo la maquinaria y el equipo auxiliar, el espacio de seguridad y las medidas de protección correspondientes"*. En *Robots industriales y cobots en prevención de riesgos laborales*, Generalitat Valenciana, p. 8.

[56]   KIRK diferencia, en este caso entre "enhanced process automation" y "cognitive automation" entendiéndolo como la implantación de un sistema de IA sin capacidad de automodificarse o aquel que *"imita actividades humanas como percibir, recoger evidencias o razonar"*, y lo vincula a aquellas plataformas o herramientas capaces de tomar decisiones y de resolver problemas por sí mismas, sin necesidad de supervisión humana. En KIRK, D.: *Demystifying digital labor*, KPMG Institutes, 2016, pp. 8 y ss. Documento disponible en: https://assets.kpmg.com/content/dam/kpmg/lu/pdf/lu-en-demystifying-digital-labor-june-2016.pdf

puede prescindir de las extremidades de los trabajadores, al sustituir el brazo humano por el brazo robótico, sino también de su cerebro "[57].

Esto plantea un escenario laboral totalmente nuevo, en el que la comunicación podrá ser persona-persona; persona-máquina o máquina-máquina. En el futuro, los avances en los chatbots permitirán a los robots *"actuar como compañeros, asistentes, ayudantes domésticos, prestadores de servicios sanitarios, constructores, mascotas, televigilantes y juguetes"*, imitando la conducta humana de forma casi perfecta, lo que supondrá, asimismo, cambios profundos en el medio laboral. Dichos cambios, tanto cuantitativos como cualitativos, son imposibles de predecir en la actualidad[58]. Sin embargo, no hay duda en que supondrán la aparición de numerosos riesgos laborales, especialmente de carácter psicosocial, como consecuencia de las nuevas relaciones sociales que se crearán entre humanos y robots[59].

Tal como señala la Agencia Europea para la Seguridad y Salud en el trabajo, los principales ámbitos en los que la prevención de riesgos laborales debe trabajar con relación a la implantación de robots con sistemas de inteligencia artificial en el medio laboral son *"la gestión de la tecnología, la regulación y buena gobernanza y las interfaces y experiencias del usuario"*, sin olvidar, en ningún caso, la necesidad de formar a los trabajadores para el correcto uso y la adecuada interacción con estos robots e informarlos sobre todos los aspectos relativos a su implantación en la empresa[60].

---

[57]   V. MOORE, P.: "Inteligencia artificial en el entorno laboral. Desafíos para los trabajadores·, en AA.VV.: *El trabajo en la era de los datos*, BBVA OpenMind, 2019, p. 98. Documento disponible en: https://www.bbvaopenmind.com/libros/el-trabajo-en-la-era-de-los-datos/

[58]   En este sentido se manifiesta la Agencia Europea para la Seguridad y Salud en el Trabajo en su documento "Una revisión sobre el futuro del trabajo: la robótica", 2015, p. 2. Documento disponible en: https://osha.europa.eu/es/publications/future-work-robotics
Véase https://cadecobots.com/que-es-un-cobot/

[59]   En este sentido, véase *Una revisión sobre el futuro de la robótica*, Agencia Española para la Seguridad y Salud en el Trabajo, 2015, pp. 4 y ss. Documento disponible en: https://osha.europa.eu/es/publications/future-work-robotics

[60]   *Una revisión sobre el futuro de la robótica*, Agencia Española para la Seguridad y Salud en el Trabajo, 2015, p. 5. Documento disponible en: https://osha.europa.eu/es/publications/future-work-robotics

Uno de los grandes retos de la prevención de riesgos laborales ante la implantación de robots capaces de tomar decisiones autónomas, sin un parámetro previamente establecido en el trabajo es la prevención derivada de la imprevisibilidad de las acciones que pueda llevar a cabo el robot. Esto, unido a la rapidez de sus movimientos y el desconocimiento sobre los parámetros que el robot usará en cada momento para tomar la decisión que considere mejor puede suponer un riesgo grave para la seguridad y salud de los trabajadores[61].

Además, pueden producirse fallos en el algoritmo utilizado por el propio chatbot, e incluso en el proceso de toma de decisiones que pongan en peligro la seguridad y salud de los trabajadores. Esto puede deberse a fallos en los materiales, como por ejemplo, defectos en la memoria RAM; también *"fallos producidos por el creador del programa y que no han sido detectados durante los periodos de ensayo"* o fallos producidos por la intervención de los propios trabajadores sobre el robot y su interacción con ellos[62].

En cualquier caso, su implantación en el puesto de trabajo puede traer consigo riesgos diversos que deberán ser tenidos en cuenta en la evaluación de riesgos. Sin embargo, los principales son, en primer lugar, la deshumanización del trabajo y del trabajador y, en segundo lugar, la ampliación de la presencia de riesgos mecánicos en el lugar de trabajo. A continuación, se comentarán ambos supuestos.

2.1 La deshumanización del trabajo

Como ya se ha señalado, los robots son utilizados principalmente para la realización de tareas manuales que resultan repetitivas o movimientos que pueden acarrear algunos riesgos para los trabajadores. El avance de las tecnologías y su implantación generalizada en las empresas ha hecho que, en la actualidad, la mayoría de este tipo de operaciones sean realizadas por robots, dejando al trabajador otro

---

[61]   En este sentido, véase *Guía técnica de seguridad en robótica,* Gobierno de Aragón, p. 47.
[62]   *Guía técnica de seguridad en robótica,* Gobierno de Aragón, p. 49.

tipo de tareas que no están directamente relacionadas con el proceso productivo, y que pueden hace que se sienta desplazado del mismo y poco identificado con el producto final. Dicho de otro modo, puede darse un efecto que ya se observó en los trabajadores a finales del siglo XX: que tenga la sensación de *"ser poco importante por sí mismo en lo que se refiere al proceso técnico de la producción, pues, en cierto sentido, se sabe dotado de grandes debilidades profesionales derivadas del papel absorbente que va logrando la máquina"*[63].

La deshumanización del trabajo es un proceso por el que este pierde todas o parte de las características que lo definen como tal; en este particular, cuando se pierden las relaciones interpersonales derivadas de la actividad laboral.

En el ámbito laboral, uno de los factores de deshumanización es la mecanización del proceso productivo, especializando a cada trabajador en una única tarea y desvinculándolo del proceso productivo en su totalidad.

Otro factor es la segregación de los trabajadores, fomentada en los últimos años para hacer frente a la pandemia, y facilitada por la digitalización del medio laboral. El aislamiento de los trabajadores hace que estos se conviertan en sujetos disociados del resto de sus compañeros y del proceso productivo en su conjunto, tanto respecto a las relaciones con sus compañeros como para la propia empresa[64].

En ambos casos, mediante la deshumanización se fomenta el individualismo del trabajador, pero también se provoca una gran inseguridad laboral, ya que los empleados no tienen relaciones interpersonales entre ellos, lo que dificulta la defensa de los derechos laborales; más aún cuando, a falta de centro de trabajo, es imposible establecer una representación legal de los trabajadores que luche por sus intereses. En el mismo sentido, el uso de robots en el trabajo puede dar lugar a reducciones de plantilla, lo que, además de generar estrés derivado de esta incertidumbre en los trabajadores, puede suponer

---

[63]   En "La máquina y la deshumanización del trabajo", en *Cuadernos de política social*, nº47, p. 46.

[64]   CHRISTENKO, A.; JANKAUSKAITÈ, V. y PALIOKAITÈ, A.: *Artificial Intelligence for worker management: risk and opportunities*, OSHA, 2022, p. 2. Documento disponible en: https://osha.europa.eu/en/publications/artificial-intelligence-worker-management-risks-and-opportunities

una reducción de trabajadores vinculados al centro de trabajo que les deje por debajo de los umbrales establecidos en el Estatuto de los Trabajadores para contar con representación unitaria que defienda sus intereses.

En definitiva, la implantación de robots en el centro laboral puede generar inseguridad laboral, incertidumbre o falta de adaptación a la interacción humano-robot, origen de numerosos trastornos en la salud mental de los trabajadores.

2.2. Los riesgos mecánicos derivados de la robotización del medio laboral

Los riesgos psicosociales no son los únicos derivados de la robotización del medio laboral. Debe tenerse en cuenta que los robots no dejan de ser máquinas diseñadas para la realización de una o varias funciones específicas. Por tanto, como máquinas, llevan aparejados todos los riesgos mecánicos que, de forma tradicional, se han observado en las mismas.

Entre los riesgos laborales presentes en el trabajo con robots destacan los accidentes provocados por impacto o colisión causados por las partes móviles o inmóviles del equipo; el mal funcionamiento de componentes o del propio software implantado en el robot, atrapamientos por partes móviles del robot, los choques eléctricos, la proyección de materiales del proceso, la exposición a vibraciones, la exposición a radiaciones ionizantes, el ruido o la presencia de productos peligrosos en el entorno o el proceso.

Además, deben tenerse en cuenta riesgos ergonómicos como las posturas forzadas a realizar durante los procesos de mantenimiento del robot y los sobreesfuerzos en caso de fallo del robot en momentos determinados[65].

En general, el riesgo de accidente por estas causas es menor con el uso de robots, ya que los robots *"por sus especiales características de trabajo, no necesitan de la presencia humana para su funcionamiento, y este alejamiento conlleva un menor riesgo de accidente, ya que el*

---

[65]   En este sentido, véase *Robots industriales y cobots en prevención de riesgos laborales*, Generalitat Valenciana, pp. 23 y ss.

*operario está alejado de la fuente de riesgo (el robot)"*66. Sin embargo, el riesgo no desaparece, sino que tan solo se reducirá la probabilidad de que este produzca un daño en la salud de los trabajadores que, por otra parte, se verá magnificado cuando el trabajador deba interactuar de forma directa con el robot, bien para su mantenimiento, reprogramación o porque compartan un mismo espacio de trabajo.

IV. BIBLIOGRAFÍA

"Cobots. Qué es un cobot y para qué sirven los robots colaborativos", en *Revista de Robots*, 2021. Documento disponible en: https://revistaderobots. com/cobots/cobots-que-es-un-cobot-y-para-que-sirven/

"Digitalización y seguridad y salud en el trabajo (SST). Un programa de investigación de la EU-OSHA, Agencia Europea para la Seguridad y Salud en el Trabajo, 2020. Documento disponible en: https://osha.europa.eu/ sites/default/files/Digitalisation_and_OSH_ES.pdf

Guía técnica de seguridad en robótica, Gobierno de Aragón.

Impact of artificial intelligence on occupational safety and health, Agencia Europea para la Seguridad y Salud en el Trabajo y OSHA, 2021. Documento disponible en: https://osha.europa.eu/es/publications/impact-artificial-intelligence-occupational-safety-and-health

"La máquina y la deshumanización del trabajo", en *Cuadernos de política social*, n°47.

La digitalización de la industria. Afrontar los cambios en el empleo y en las relaciones laborales, CC.OO. Industria, 2018.

"¿Qué es un cobot y cuáles son sus ventajas?", en CadeCobots https://cade-cobots.com/que-es-un-cobot/

Robots industriales y cobots en prevención de riesgos laborales, Generalitat Valenciana.

Una revisión sobre el futuro de la robótica, Agencia Española para la Seguridad y Salud en el Trabajo, 2015. Documento disponible en: https://osha. europa.eu/es/publications/future-work-robotics

"Nuevas tecnologías aplicadas a la ergonomía", en *Blog Quirón Prevención*, 2020. Documento disponible en: https://www.quironprevencion.com/ blogs/es/prevenidos/nuevas-tecnologias-aplicadas-ergonomia

Robots industriales y cobots en prevención de riesgos laborales, Generalitat Valenciana

---

66 *Guía técnica de seguridad en robótica*, Gobierno de Aragón, p. 46.

AA.VV.: *Comentarios al Estatuto de los Trabajadores: libro homenaje a Tomás Sala Franco*, Tirant Lo Blanch, Valencia, 2016

AA.VV.: *Tecnologías de control: ¿La búsqueda del bienestar del Siglo XXI?*, OSHA, 2022

ALARCÓN CARACUEL, M.R.: "Los deberes del empresario respecto a la seguridad y salud de los trabajdores", en OJEDA-AVILÉS, A.; et. Al.: *La prevención de riesgos laborales: aspectos clave de la Ley 31/1995*, Ed. Aranzadi, Cizur Menor, 1996.

CHRISTENKO, A.; JANKAUSKAITÈ, V. y PALIOKAITÈ, A.: *Artificial Intelligence for worker management: risk and opportunities*, OSHA, 2022. Documento disponible en: https://osha.europa.eu/en/publications/artificial-intelligence-worker-management-risks-and-opportunities

FERNÁNDEZ-COSTALES MUÑIZ, J.: *La coordinación preventiva de las actividades empresariales*, Thomson Reuters Aranzadi, Cizur Menor, 2020.

FONTE FERNÁNDEZ, M.M.: *Informe Anual de Accidentes de Trabajo en España*, Ministerio de Trabajo y Economía Social e Instituto Nacional de Seguridad y Salud en el Trabajo, 2021.

HELEN ROSEN, P.; HEINOLD, E.; FIES-TERSCH, E.; MOORE, P. y WISCHNIEWSKI, S.: *Advanced robotics, artificial intelligence and the automation of tasks: definitions, uses, policies and strategies and Occupational Safety and Health*, OSHA, 2022. Documento disponible en: https://osha.europa.eu/es/publications/advanced-robotics-artificial-intelligence-and-automation-tasks-definitions-uses-policies-and-strategies-and-occupational-safety-and-health-0

KIRK, D.: *Demystifying digital labor*, KPMG Institutes,2016. Documento disponible en: https://assets.kpmg/content/dam/kpmg/lu/pdf/lu-en-demystifying-digital-labor-june-2016.pdf

MARTÍNEZ DE VELASCO, D.: "La digitalización, clave para reforzar la prevención de riesgos laborales", en *Observatorio de Recursos Humanos*, 2019. Documento disponible en: https://www.observatoriorh.com/innovacion/la-digitalizacion-clave-para-reforzar-la-prevencion-de-riesgos-laborales.html

MILLAS, Y.: "Claves de la digitalización en la gestión de prevención de riesgos laborales", en *Aenor. La revista de la evaluación de la conformidad*, n°347, 2019. Documento disponible en: https://revista.aenor.com/347/claves-de-la-digitalizacion-en-la-gestion-de-prevencion-de-r.html

MORENO JIMENEZ, B. y BÁEZ LEÓN, C.: *Factores y riesgos psicosociales, formas, consecuencias, medidas y buenas prácticas*, Ministerio de Trabajo e Inmigración, INSHT, 2013.

REINHOLD, K.; JÄRVIS, M.; CHRISTENKO, A.; JANKAUSKAITÈ, V.; PALIOKAITÈ, A. y RIEDMANN, A.: *Artificial Intelligence for worker management: implications for occupational safety and health*, OSHA, 2022. Documento disponible en: https://osha.europa.eu/en/publications/artificial-intelligence-worker-management-risks-and-opportunities

REY MERCHÁN, M.C.; LÓPEZ ARQUILLOS, A.; RUBIO ROMERO, J.C. y PARDO FERREIRA, M.C.: "Las TIC`s como herramienta formativa en prevención de riesgos laborales en el sector de la construcción", en *ORP 2012*. Documento disponible en: https://www.prevencionintegral.com/canal-orp/papers/orp-2012/tics-como-herramienta-formativa-en-prevencion-riesgos-laborales-en-sector-construccion

RIOBELLO ALONSO, M.: *NTP 994. El recurso preventivo*, 2013.

SERRANO ARGÜESO, M.: "Digitalización, tiempo de trabajo y salud laboral", en *IUS Labor*, n°2, 2019. Documento disponible en: https://www.upf.edu/documents/3885005/227528459/2.+Serrano.pdf/ff554b0b-efc2-c49d-7ba3-32c8349e8c10

RODRÍGUEZ-PIÑEIRO ROYO, M. y HERNÁNDEZ- BEJARANO, M. (Dirs.); et. al.: *Economía colaborativa y trabajo en plataforma: realidades y desafíos*, Bomarzo, Albacete, 2017.

SEBASTIÁN, O. y DEL HOYO, M.A.: *La carga mental del trabajo*, INSHT, Madrid, 2016.

SERRANO ARGÜESO, M.: "Digitalización, tiempo de trabajo y salud laboral", en *IUS Labor*, n°2, 2019. Documento disponible en: https://www.upf.edu/documents/3885005/227528459/2.+Serrano.pdf/ff554b0b-efc2-c49d-7ba3-32c8349e8c10

SHENG, E.; CHANG K.W.; NATARAJAN, P. y PENG, N.: "The woman worked as a babysitter: on biases in language generation", en *Proceedins of the 2019 Conference on Empirical methods in Natural Language Processing and the 9th International Joint Conference on Natural Language Processing*, Hong Kong, China, 2019.

THIERBACH, M.: *Equipos de protección individual inteligentes: protección inteligente de cara al futuro*, OSHA, 2020. Documento disponible en: https://osha.europa.eu/es/publications/smart-personal-protective-equipment-intelligent-protection-future

TODOLÍ SIGNES, A. (Dir.); JALIL NAJI, M. y LLORENS ESPADA, J.: *Riesgos laborales específicos del trabajo en plataformas digitales*, OSALAN, 2020.

VALVERDE ASENCIO, A.J.: *Implantación de sistemas de inteligencia artificial y trabajo*, Bomarzo, Albacete, 2020.

V. MOORE, P.: "Inteligencia artificial en el entorno laboral. Desafíos para los trabajadores·, en AA.VV.: *El trabajo en la era de los datos*, BBVA Open-Mind, 2019. Documento disponible en: https://www.bbvaopenmind.com/libros/el-trabajo-en-la-era-de-los-datos/

Capítulo quinto:
INTELIGENCIA ARTIFICIAL Y SALUD LABORAL

JULEN LLORENS ESPADA
Profesor Contratado Doctor interino de Derecho del Trabajo
y de la Seguridad Social
Universidad Pública de Navarra

SUMARIO: I. INTRODUCCIÓN: INTELIGENCIA ARTIFICIAL DESDE EL ÁMBI-
TO DE LA SALUD; II. APLICACIÓN DE LA IA A LA VIGILANCIA DE LA SALUD;
1. Diagnósticos de salud a través de modelos predictivos y vigilancia de la salud en la
empresa, 2. Diagnósticos predictivos y reconocimientos médicos obligatorios para cu-
brir puestos de trabajo con riesgo de enfermedades profesionales, III. MONITORIZA-
CIÓN DE LA SALUD DE LOS TRABAJADORES A TRAVÉS DE SISTEMAS DE IA Y
GESTIÓN DE PRL, 1. Wereables e IoT con fines de prevención de riesgos laborales, 2.
Equipos de Protección Individual inteligentes, 3. Plataformas de gestión de la prevención
de riesgos laborales, 4. Riesgos de la gestión de la PRL a través de IA; IV. SISTEMAS
DE IA Y PROTECCIÓN DE DATOS PERSONALES EN EL ÁMBITO DE LA SALUD
LABORAL, 1. Vigilancia de la salud mediante IA y protección de datos personales, 2.
Garantías del marco legal de prevención de riesgos laborales ante la vigilancia de la salud
a través de sistemas de IA, *2.1. Voluntariedad y derecho de información, 2.2. Finalidad
y proporcionalidad, 2.3. Confidencialidad y personal habilitado* 3. Garantías del marco
legal de protección de datos en el tratamiento de datos de salud: bases de legitimación,
*3.1. Legitimación en el tratamiento de datos personales de salud con fines de prevención
de riesgos laborales, 3.2. Tratamiento automatizado de datos de salud: bases de legitimación, 3.3. Tratamiento semi-automatizado de datos de salud: bases de legitimación,* 4.
Principios generales de protección de datos, V. BIBLIOGRAFÍA

I. INTRODUCCIÓN: INTELIGENCIA ARTIFICIAL DESDE EL ÁMBITO DE LA SALUD

La Inteligencia Artificial al servicio de la salud desvela continuos
avances en lo que a la prevención, diagnóstico y prevención de las

enfermedades se refiere[1]. La introducción del tratamiento automatizado de datos genera beneficios desde la perspectiva del diagnóstico, la evaluación de los riesgos de morbilidad o mortalidad, la vigilancia de las enfermedades y los posibles brotes o apariciones, y la propia política de salud y su planificación[2]. Como en cualquier otro ámbito, la IA aparece en el ámbito de salud y la prevención como un instrumento, un medio, al servicio de los objetivos y resultados que de ella se quieran obtener. En ello, apunta la EU-OSHA en el Informe *Advanced robotics, artificial intelligence and the automation of tasks: definitions, uses, policies and strategies and Occupational Safety and Health*, el diagnóstico médico mediante sistemas de IA es uno de los ámbitos principales que recoge la literatura científica relativa a la automatización de las tareas cognitivas mediante dispositivos digitales.

No obstante, su utilización en el ámbito de las relaciones laborales y concretamente en el relativo a la prevención de riesgos laborales, se presenta con una serie de peculiaridades que atraen la mirada del jurista en orden a advertir posibles vulneraciones del ordenamiento jurídico actual. En este sentido, matiza la EU-OSHA, no es la tecnología como tal la que presenta los riesgos o beneficios para la seguridad y salud en el trabajo, sino la implementación que de ella se haga en las empresas[3].

Los sistemas de inteligencia artificial operan a través de un tratamiento masivo de datos, de modo que aquí aparece la primera especificidad, en tanto la alimentación de la base de "datos de entrenamiento" se realizará a menudo con datos personales de salud, ya sean colectivos o individuales, anonimizados o individualizados, que como categoría especial de datos (art. 9 RGPD) obliga a prestar una especial

---

[1]   Organización Mundial de la Salud (OMS): *Ethics and Governance af Artificial Intelligence for health: WHO guidance*. World Health Organization, Ginebra, 2021, pág. 5. Informe disponible en (última consulta el 20/08/2022): https://www.who.int/publications/i/item/9789240029200

[2]   SCHWALBE, N. y WAHL, B.: "Artificial intelligence and the future of global health", en *The Lancet*, núm. 395, 2020, págs. 1579-86.

[3]   EU-OSHA: OSH and the future of work: benefits and risks of artificial intelligence tools in workplace. Agencia Europea para la Seguridad y Salud en el Trabajo, 2019, pág. 3. Disponible en (última consulta el 23/08/2022): https://osha.europa.eu/en/publications/osh-and-future-work-benefits-and-risks-artificial-intelligence-tools-workplaces

caución en su tratamiento y la necesidad de acomodar estas prácticas al marco normativo de protección de datos personales. Habrá que tener en consideración igualmente como un tratamiento de datos personales "ordinarios" puede generar, a su vez, datos personales de salud en los procesos de perfilado que se realicen a través de sistemas de IA[4].

A modo ilustrativo, la AEPD ha recopilado una lista de servicios ofertados en el ámbito de la Salud y la Sanidad en los que ya opera la IA, como son el diagnóstico basado en el análisis de imágenes, predicción de tasas de readmisión de pacientes en base al análisis de los datos, mapas sanitarios, análisis de salud mental, prevención de suicidios, chatbots de salud mental, predicción de riesgo basado en parámetros analíticos, diagnóstico por análisis de muestra patológica, procesamiento del lenguaje natural de historias clínicas, análisis genético, electrodiagnóstico, desarrollo de vacunas y medicamentos[5].

Por otra parte, los datos que vienen a nutrir el software podrán ser introducidos por intervención humana o recopilados por el propio sistema de IA, valiéndose para ello de distintas fuentes o recursos que le permitan realizar autónomamente esa alimentación, así como retroalimentaciones ulteriores. Ejemplo de lo anterior, aparecen datos provenientes de información genética generada por la secuenciación de genomas, historias clínicas digitales, imágenes radiológicas o incluso los hospitales y centros de salud[6] o el propio lugar de trabajo video vigilado, así como nuevos recursos conectados al software como las tecnologías "wearables" o cualquier sistema de IoT, Equipos de Protección Individual inteligentes, robots o cobots, drones, etc.

---

[4]   Se entenderá por «elaboración de perfiles» toda forma de tratamiento automatizado de datos personales consistente en utilizar datos personales para evaluar determinados aspectos personales de una persona física, en particular para analizar o predecir aspectos relativos al rendimiento profesional, situación económica, salud, preferencias personales, intereses, fiabilidad, comportamiento, ubicación o movimientos de dicha persona física (art. 4.4 RGPD).

[5]   AEPD: *Adecuación al RGPD de tratamientos que incorporan Inteligencia Artificial. Una introducción.* Agencia Española de Protección de Datos, Madrid, 2020, pág. 52.Disponible en (última consulta el 26/08/2022): https://www.aepd.es/sites/default/files/2020-02/adecuacion-rgpd-ia.pdf

[6]   Organización Mundial de la Salud (OMS): *Ethics and Governance...*, op. cit., pág. 5

En ese sentido, la integración de la IA en el ámbito de la salud laboral y la prevención de riesgos laborales genera sus especificidades tanto en relación al sujeto o agentes que se encuentran detrás del tratamiento automatizado de datos y que dirigen y controlan el tratamiento de datos, entiéndase la empresa y los servicios de prevención o agentes con competencias específicas en materia de prevención de riesgos laborales, así como por los sujetos titulares de los datos sometidos a tratamiento, es decir, las personas trabajadoras. En la misma línea, el ámbito de operatividad del sistema de IA vendrá delimitado por la relación laboral y los derechos y deberes inherentes al contrato de trabajo.

Todo el análisis habrá de reparar igualmente en la necesidad de que estos sistemas de IA se amolden al futuro marco normativo armonizado europeo sobre Inteligencia Artificial, construido precisamente para prever los efectos adversos para la salud y la seguridad de las personas que pueden ser generados por estos sistemas y, en particular, cuando funcionan como componentes de productos.

Como apunta la Propuesta de Reglamento del Parlamento Europeo y del Consejo por el que se establecen normas armonizadas en materia de Inteligencia Artificial (Ley De Inteligencia Artificial) y se modifican determinados actos legislativos de La Unión (en adelante, propuesta de Ley IA), con la futura normativa armonizada se trata de "facilitar la libre circulación de productos en el mercado interior y velar por que solo lleguen al mercado aquellos productos que sean seguros y conformes, es importante prevenir y reducir debidamente los riesgos de seguridad que pueda generar un producto en su conjunto debido a sus componentes digitales, entre los que pueden figurar los sistemas de IA. Por ejemplo, los robots cada vez más autónomos que se utilizan en las fábricas o con fines de asistencia y cuidado personal deben poder funcionar y desempeñar sus funciones de manera segura en entornos complejos. Del mismo modo, en el sector sanitario, donde los riesgos para la vida y la salud son especialmente elevados, los sistemas de diagnóstico y de apoyo a las decisiones humanas, cuya sofisticación es cada vez mayor, deben ser fiables y precisos"[7].

---

[7]   Considerando 28 de la propuesta de Ley IA.

II. APLICACIÓN DE LA IA Y VIGILANCIA DE LA SALUD

1. *Diagnósticos de salud a través de modelos predictivos y vigilancia de la salud en la empresa*

Los sistemas de IA permiten automatizar labores que previamente requerían de intervención humana, como el análisis y contraste de gran cantidad de información para de ello tomar de un modo más rápido una decisión consecuente. Reflejo de ello, en el ámbito clínico los sistemas de IA semiautomáticos están contribuyendo a complementar la labor del personal sanitario permitiendo unos más rápidos y certeros diagnósticos y ayudando en la toma de decisiones clínicas. Sobre la base de la información personal del paciente, son capaces de realizar recomendaciones apoyándose en estudios probabilístico, si bien, en todo caso es un profesional médico quien ostenta la facultad final para la realización de un diagnóstico o determinación de un tratamiento[8].

Actualmente, a modo de ejemplo, la IA está siendo evaluada para su uso en el diagnóstico radiológico en oncología (imágenes torácicas, imágenes abdominales y pélvicas, colonoscopia, mamografía, imágenes cerebrales y optimización de dosis para tratamiento radiológico), en aplicaciones no radiológicas (dermatología, patología), en diagnóstico de retinopatía diabética, en oftalmología, para la secuenciación de ARN y ADN para guiar la inmunoterapia, o en la detección de la tuberculosis a través del análisis de imágenes[9].

Más allá del diagnóstico, a través del procesamiento de imágenes o técnicas de radiología los sistemas de IA parecen ser capaces de realizar incluso juicios clínicos predictivos y prever la aparición de una determinada enfermedad o patología clínica cuando todavía esta no existe. Todo ello, presenta nuevos horizontes en materia de seguridad y salud en el trabajo.

---

[8]   EU-OSHA: *Cognitive automation: implications for occupational safety and health Report*. European Agency for Safety and Health at Work (EU-OSHA), 2022, pág. 13.

[9]   Organización Mundial de la Salud (OMS): *Ethics and Governance...*, op. cit., pág. 6

Desde la perspectiva de la prevención de riesgos laborales, la inserción de sistemas de IA dentro del actual marco de evaluación y vigilancia de la salud, así como en lo relativo a la evaluación y planificación de la actividad preventiva, generan posibles escenarios de oportunidades[10], pero no se pueden perder de vista los posibles riesgos y amenazas que pueden derivarse para con los derechos y libertades de las personas trabajadoras.

La vigilancia de la salud laboral a nivel individual reúne como objetivos la detección precoz de las repercusiones de las condiciones de trabajo sobre la salud; la identificación de los trabajadores especialmente sensibles a ciertos riesgos y finalmente la adaptación de la tarea al individuo[11]. En estos tres aspectos, los sistemas de IA pueden aportar mejoras en la prevención de riesgos laborales, en tanto permitiría pronosticar futuras enfermedades laborales con carácter previo a su padecimiento y poder actuar entonces desde un plano preventivo hacia la integración de medidas preventivas específicas; podría detectar posibles singularidades de la persona trabajadora que en un primer estadio no mostrase una especial sensibilidad para con los riesgos del puesto de trabajo pero sí pudiese presentarla pro futuro, permitiendo así catalogarla preventivamente como persona especialmente sensible; y finalmente, se lograría una optimización de la acción preventiva para lograr una mejor adaptación de las funciones laborales a las características concretas de cada trabajador (art. 15.1 LPRL).

Desde un plano colectivo, la vigilancia de la salud se marca como objetivo el análisis e interpretación de los resultados obtenidos en el grupo de trabajadores y permite valorar el estado de salud de la empresa, y establecer así prioridades de acción preventiva y una evaluación global de la eficacia del plan de prevención de riesgos laborales[12]. Para esta función, dada la alta capacidad de los sistemas de IA para procesar datos a gran escala, esta se presenta como un instrumento

---

[10]   Para un estudio de las funcionalidades y ventajas de la inteligencia artificial en la anticipación de los riesgos laborales, véase RIVAS VALLEJO, P.: "Salud, Inteligencia Artificial…, op. cit., págs. 900 y ss.

[11]   NTP 959. *La vigilancia de la salud en la normativa de prevención de riesgos laborales. Instituto Nacional de Seguridad e Higiene en el Trabajo*, 2012, pág. 1.

[12]   Ibídem…, pág. 1.

especialmente idóneo para la detección de riesgos y enfermedades en la empresa.

En cualquier caso, la introducción de la IA en los sistemas de vigilancia y control de la salud se habrá de acomodar al actual marco normativo. El hecho de que la ciencia y la innovación avancen por delante del derecho no puede ser óbice para su aplicación sobre estos nuevos escenarios. Con este objetivo, corresponde a los operadores jurídicos la labor de interpretar el actual marco jurídico para evitar anomias legales que acaben redundando en una vulneración de los derechos y libertades de la parte trabajadora como pueden ser el derecho a la intimidad personal y a la protección de datos personales (art. 18 CE) o la igualdad y no discriminación (art. 14 CE).

2. Diagnósticos predictivos y reconocimientos médicos obligatorios para cubrir puestos de trabajo con riesgo de enfermedades profesionales

Se plantea la disyuntiva del uso de los diagnósticos predictivos en los reconocimientos médicos que se realicen en virtud del art. 243.1 LGSS[13], es decir, cuando la empresa deba cubrir un puesto de trabajo con riesgo de generar una concreta enfermedad profesional sobre la persona trabajadora. Estos reconocimientos, a cargo de la empresa y de obligado cumplimiento para la persona candidata (art. 243.2 LGSS), se realizan en un estadio previo a la contratación laboral y su objetivo es detectar la aptitud o no del aspirante para desempeñar las futuras funciones laborales, atendiendo al riesgo que se presente de contraer la concreta enfermedad profesional inherente al puesto de trabajo.

Como ha reconocido el Tribunal Constitucional en la STC 196/2004, los reconocimientos médicos para la vigilancia de la salud habrán de respetar una serie de principios, cuales son: "la determinación de una vigilancia periódica –y como regla general consentida– del estado de salud de los trabajadores en función de los riesgos inherentes a su actividad laboral; la voluntariedad del sometimiento

---

[13]   En mismo sentido, véase el art. 21. 1 de la Ley 33/2011, de 4 de octubre, General de Salud Pública.

a los reconocimientos médicos; la existencia de situaciones tasadas en las que resulta imprescindible la realización de las exploraciones médicas, limitándose así, excepcionalmente en esos casos, la libre determinación del sujeto; el principio de la indispensabilidad de las pruebas y de su proporcionalidad al riesgo; el necesario respeto del derecho a la intimidad, a la dignidad de la persona y a la confidencialidad de la información relacionada con su estado de salud; el derecho del trabajador a conocer los resultados; la prohibición de utilización de los datos relativos a la vigilancia de la salud con fines discriminatorios o en perjuicio del trabajador; la prohibición de comunicación de la información resultante, salvo que exista consentimiento expreso del trabajador, y la posibilidad de transmitir al empresario y a las personas u órganos con responsabilidades en materia de prevención únicamente las conclusiones que se deriven de las exploraciones, y con el exclusivo objeto de que puedan desarrollar sus funciones en materia preventiva".

En esa línea, el principio de libre determinación del sujeto podrá someterse a excepciones cuando venga así determinado por Ley y ello se resulte "imprescindible para evaluar los efectos de las condiciones de trabajo sobre la salud de los trabajadores o para verificar si el estado de salud del trabajador puede constituir un peligro para sí mismo, para los demás trabajadores o para otras personas relacionadas con la empresa o cuando así esté establecido en una disposición legal en relación con la protección de riesgos específicos y actividades de especial peligrosidad (art. 22.1. LPRL).

De acuerdo con lo anterior, para analizar la licitud de un diagnóstico predictivo mediante IA en los reconocimientos médicos obligatorios precontractuales habrá de repararse a la proporcionalidad de la prueba para con el riesgo concreto, es decir, a la inexistencia de opciones alternativas de menor impacto en el núcleo de los derechos incididos. En este sentido, si el reconocimiento médico se orienta a obtener una identificación de características de salud y una consiguiente aptitud de la persona candidata para desarrollar las funciones inherentes al puesto de trabajo, un sistema predictivo que permita diagnosticar la especial sensibilidad para desarrollar la enfermedad predeterminada parece una técnica adecuada para conocer posibles sensibilidades o contraindicaciones futuras de la persona analizada, pero no aparece como una medida necesaria para el objetivo previsto por la norma, ya que dicha identificación puede igualmente obtenerse a través de un diagnóstico clínico del momento de la prueba sin necesidad de un análisis predictivo.

La excepción a la voluntariedad de los reconocimientos médicos exige la concurrencia de una "indispensabilidad de las pruebas (por acreditarse *ad casum* la necesidad objetiva de su realización en atención al riesgo que se procura prevenir, así como los motivos que llevan al empresario a realizar la exploración médica a un trabajador singularmente considerado)"[14]. Los reconocimientos médicos del art. 243 LGSS se inspiran en la "la existencia de un riesgo en la salud por las características personales, anatómicas o biológicas del sujeto o por razones objetivas del puesto de trabajo", de modo que solo pueden encontrar "fundamento en la evaluación o identificación de tales patologías o condiciones de salud contraindicadas para el trabajo", y no en una evaluación psicofísica general de los trabajadores o evaluación de "la capacidad profesional o la aptitud psicofísica de sus empleados con un propósito de selección de personal o similar"[15]. Por ello, el diagnóstico que exceda de la identificación de las patologías o condiciones contraindicadas en el momento específico de su realización quedarían fuera del marco legal del art. 243 LGSS.

Estos reconocimientos se presentan como un derecho del trabajador a la vigilancia de su salud, teniendo en consideración el estado psicofísico de la persona en el momento de la contratación, de modo que un diagnóstico predictivo, a pesar del innegable horizonte informativo que puede arrojar, no parece que resulte "indispensable" para la consecución de ese objetivo. En ese sentido negativo, tampoco concurre la presencia de un interés preponderante del grupo social o de la colectividad laboral o una situación de necesidad objetivable que respalde este recurso.

Igualmente, el grado de (in)certeza de la predicción aparece como elemento de suma relevancia, en tanto el error en su primera estimación o la aparición de futuras variables que modifiquen la inicial predicción genera que nos encontremos con opciones alternativas que permiten un mayor grado de fiabilidad y con una menor intromisión

---

[14]   STC 196/2004, de 15 de noviembre.
[15]   STC 196/2004, de 15 de noviembre.

en la intimidad personal del aspirante al empleo o trabajador. Como alerta la OMS, "las tecnologías de predicción podrían ser inexactas porque una tecnología de IA basa sus recomendaciones en una inferencia que optimiza marcadores de salud en lugar de identificar una necesidad subyacente del paciente"[16].

La EU-OSHA advierte de como "la velocidad y la facilidad de los cálculos, las estadísticas e, incluso, el aprendizaje automático ha tentado a los investigadores a procesar los datos al máximo, simplemente calculando todas las comparaciones posibles para el análisis. Las hipótesis e incluso los marcos teóricos se adaptan y la pluralidad de pruebas induce a conclusiones erróneas. Por tanto, hoy más que nunca conviene tratar los resultados científicos con sumo cuidado"[17]. Máxime, como advierte la doctrina, las decisiones tomadas exclusivamente sobre la base de cálculos algorítmicos no pueden ser consideradas de carácter científico, "ya que si bien la obtención de datos puede considerarse neutra no lo es su procesamiento que se hará en base al procedimiento matemático o estadístico del algoritmo o algoritmos que se hayan utilizado"[18] y puede dar lugar a discriminaciones[19] que, además, pueden ser propagadas "a escala masiva y acelerada"[20].

Por su parte, la vigilancia de la salud no predictiva ya permite diagnosticar en tiempo real, con un mayor grado de certeza y una menor intromisión en la esfera íntima, si las características específicas de

---

[16]   Organización Mundial de la Salud (OMS): *Ethics and Governance…*, op. cit., pág. 50.

[17]   EU-OSHA: *Tecnologías de control: ¿la búsqueda del bienestar del siglo XXI?* Agencia Europea para Seguridad y salud en el Trabajo, 2017, pág. 2 Disponible en (última consulta el 24/08/2022): https://osha.europa.eu/es/publications/monitoring-technology-workplace

[18]   AGUILAR DEL CASTILLO, M. C.: "El uso de la inteligencia artificial en la prevención de riesgos laborales", en *Revista Internacional y Comparada de Relaciones Laborales y Derecho del Empleo*, vol. 8, núm. 1, enero-marzo 2020, pág. 279.

[19]   RIVAS VALLEJO, P.: "Sesgos de género en el uso de la inteligencia artificial para la gestión de las relaciones laborales: análisis desde el derecho antidiscriminatorio", en *E-Revista Internacional de la Protección Social*, vol. VII, núm. 1, 2022, págs. 52-83.

[20]   GOÑI SEIN J. L.: "Innovaciones tecnológicas, inteligencia artificial y Derechos Humanos en el trabajo", en *Documentación Laboral*, vol. II, núm. 117, 2019, pág. 66.

la persona trabajadora presentan *de facto* una contraindicación para con los riesgos específicos del puesto de trabajo y si se puede generar o estar generando sobre el estado de salud de la persona trabajadora.

Cierto es que, desde una perspectiva preventiva, el análisis predictivo puede resultar especialmente interesante en tanto permite anticipar la aparición de etiologías y, por ende, implementar medidas preventivas específicas para la eliminación o minimización del riesgo. En esta línea, los sistemas de IA jugarán un papel relevante en las futuras evaluaciones y planificación de la actividad preventiva, e incluso en los reconocimientos médicos voluntarios y periódicos a los que tienen derecho de los trabajadores, pero su utilización en los reconocimientos médicos precontractuales presenta dilemas éticos y jurídicos y no parece tener cabida legal.

Más aún, el diagnóstico predictivo de la aptitud laboral en la fase previa a la contratación puede convertirse en un elemento generador de discriminaciones por motivos de salud que nos dirija a un escenario en el que solo aquellas personas con una especialmente beneficiosa condición psicofísica accedan a determinadas puestos de trabajo. Ello, además, podría propiciar una mayor exclusión laboral de colectivos con especiales dificultades para acceder al mercado de trabajo como sucede con las personas con diversidad funcional o trabajadores especialmente sensibles. En esa línea, la reciente Ley 15/2022, de 12 de julio, integral para la igualdad de trato y la no discriminación, incluye en su art. 9 la prohibición de que la empresa de "preguntar sobre las condiciones de salud del aspirante al puesto".

Por su parte, cuando se acometa una discriminación sobre la base de información obtenida por estos mecanismos predictivos, "en tanto que no se trata de una realidad tangible, sino futura, la "preconstrucción" de los mecanismos aparentemente objetivos que puedan justificar la decisión empresarial de prescindir de trabajadores que ocupen los puestos más bajos en el ranking de productividad calculada por el algoritmo se presentará desnuda de móviles discriminatorios", con la consiguiente dificultad de armar una protección jurídica desde la perspectiva antidiscriminatoria[21]. Si bien, debe quedar claro como el

---

21 RIVAS VALLEJO, P.: "Salud, inteligencia artificial y derechos fundamentales", en MONEREO PÉREZ, J. L. et. al. (dir.): *Salud y asistencia sanitaria en España*

alcance del derecho a la no discriminación se extiende a cuando lo es "por enfermedad o condición de salud, estado serológico y/o predisposición genética a sufrir patologías y trastornos" (art. 2.1 Ley 17/2022). En la averiguación de esta predisposición genética a sufrir patologías tendrá una incidencia directa la decisión tomada sobre diagnósticos predictivos y, por ende, las decisiones tomadas de estos podrán estar afectas de nulidad cuando escondan una discriminación.

Además, como apunta la doctrina, el hecho de que los algoritmos trabajen con probabilidades y no con certezas, genera que puedan producirse errores "pero, si además se trabaja con claros prejuicios sobre las características del candidato, o se utilizan datos no inclusivos, las probabilidades de sesgo o discriminación son inevitables"[22].

Desde una perspectiva general, como ha apuntado la OMS, si un sistema de IA está entrenado para decidir sobre la base de "maximizar la salud global", rigiéndose por parámetros de eficiencia en la toma de decisiones, asignará mayores recursos hacia la población más saludable en orden a mantenerla en ese estado y no a la población en desventajada, pudiendo comprometer así la dignidad humana y el acceso equitativo a los tratamientos[23].

En suma, los sistemas de IA dirigidos a obtener un diagnóstico clínico predictivo no podrán ser utilizados en los reconocimientos médicos obligatorios *ex* art. 243 LGSS. En concordancia, un trabajador no podrá obtener un resultado de no aptitud para un puesto de trabajo sobre la base de un diagnóstico predictivo de su salud. Cuestión distinta es si esta técnica de diagnóstico predictivo mediante IA tiene puede tener cabida en la vigilancia de la salud prevista en el art. 22 LPRL y, sobre la base de la conformidad libre, voluntaria e informada del trabajador, pudiera ser un recurso adecuado a ofrecer por los servicios de prevención en aras de lograr una optimización de las acciones preventivas en la empresa y una promoción de la salud y bienestar del trabajador.

---

en tiempos de pandemia COVID-19. Tomo II. Thomson-Reuters Aranzadi, Cizur Menor, 2021, pág. 887.
[22]   Ibídem…, pág. 65.
[23]   Organización Mundial de la Salud (OMS): *Ethics and Governance…*, op. cit., pág. 50.

III. MONITORIZACIÓN DE LA SALUD DE LOS TRABAJADORES A TRAVÉS DE SISTEMAS DE IA Y GESTIÓN DE PRL

La Tercera Encuesta europea de empresas sobre riesgos nuevos y emergentes (ESENER 2019), apunta al creciente debate en las empresas respecto al uso de dispositivos digitales en la organización productiva y su interconexión con las políticas de seguridad y salud en el trabajo[24]. Esto se debe a que la IA permite que un algoritmo produzca soluciones y respuestas a consultas sobre un patrón utilizando información con mayor rapidez de lo que podría hacerlo un humano[25]. La información sobre la persona trabajadora y su entorno puede obtenerse simultáneamente a través de diversas fuentes, tecnologías "wereable" que mediante la integración de sensores y tecnología "IoT" recogen datos que alimentan algoritmos basados en IA para la consecución de predictores de productividad[26].

Gracias a ello, los sujetos activos de la prevención de riesgos laborales pueden monitorizar una mayor cantidad de datos que les permita obtener, tramitar y procesar en tiempo real la información, para así tomar las necesarias medidas preventivas y evitar infortunios laborales. Igualmente, a través de técnicas de *machine learning* el propio sistema de IA podría aprender de su entorno e individualizar la acción preventiva para con el trabajador en cuestión.

De este modo, estos dispositivos wereables o IoT permiten implementar la seguridad de los trabajadores, a la par que promover la salud y bienestar de la plantilla. Se posibilita con ello la adaptación de la acción preventiva de la empresa hacia riesgos concretos con la peculiaridad de esto se haga en tiempo real, permitiendo incluso que

---

[24]   EU-OSHA: *Third European Survey of Enterprises on New and Emerging Risks (ESENER 2019): Overview Report How European workplaces manage safety and health.* Agencia Europea para Seguridad y Salud en el Trabajo, 2022, págs. 88 y ss.

[25]   EU-OSHA: *OSH and the future of work...*, op. cit., pág. 3.

[26]   EUROFOUND: *Anticipating and managing the impact of change. Ethics in the digital workplace.* European Foundation for the Improvement of living and Working Conditions (Eurofound); Publication Office of the European Union, mayo 2022, pág. 5. Disponible en (última consulta el 23(08/2022): https://www.eurofound.europa.eu/publications/report/2022/ethics-in-the-digital-workplace

sea la persona trabajadora quien se convierta complementariamente en parte activa de la monitorización y prevención de su salud. Con ello, se puede avanzar en la "promoción, con carácter general, de la salud integral de los trabajadores" y la "vigilancia de la salud de los trabajadores, individual y colectivamente, para detectar precozmente los efectos de los riesgos para la salud a los que están expuestas", precisamente dos de los vértices que sostienen la actuación sanitaria en el ámbito laboral (art. 33 Ley 33/2011, de 4 de octubre, General de Salud Pública).

En este sentido, cabe advertir la diferenciación entre "monitorización" y "supervisión" que estos sistemas posibilitan y que no siempre se encuentra claramente delimitada. Desde la monitorización se alude a la capacidad de estos sistemas para, con una connotación positiva, generar beneficios sobre la actividad productiva o, específicamente, la acción preventiva de la empresa. No así, hablaremos de prácticas de supervisión cuando estos sistemas se instrumentalizan hacia un control de la persona trabajadora extrayendo y sometiendo a tratamiento datos, tanto laborales como extra laborales, mediante un monitoreo intrusivo y generalizado que se inmiscuye en la esfera privada del trabajador[27]. La alta gama de información que los nuevos sistemas de IA pueden recabar, en conjunción con la implementación digital de los dispositivos tecnológicos en las empresas, generan que el paso torticero de la monitorización a la supervisión sea cada vez más fácil.

A este respecto, el control jurídico de la acción que de estos sistemas se haga se erige como mecanismo garante de la prevalencia tuitiva y de prevención de riesgos laborales en el uso de los mismos. En esa línea, será esencial reparar en la voluntariedad u obligatoriedad que haga la empresa del uso de estos dispositivos de monitorización; en quién gobierna la capacidad de obtención, procesamiento y toma de decisiones que deriven del tratamiento de los datos introducidos en el sistema de IA y la información que de todo ello se disponga por los sujetos sometidos a la monitorización. Del mismo modo, la representación legal de los trabajadores en la empresa tendrá derecho

---

[27]   EUROFOUND: *Monitoring and surveillance of workers in the digital age*. Researh digest, diciembre 2021. Disponible en (última consulta el 23/08/2022): https://www.eurofound.europa.eu/data/digitalisation/research-digests/monitoring-and-surveillance-of-workers-in-the-digital-age

a ser informada respecto a los "parámetros, reglas e instrucciones en los que se basan los algoritmos o sistemas de inteligencia artificial que afectan a la toma de decisiones que pueden incidir en las condiciones de trabajo, el acceso y mantenimiento del empleo, incluida la elaboración de perfiles" (art. 64.4.d) ET).

1. Wereables e IoT con fines de prevención de riesgos laborales

Se entiende por wereable el dispositivo electrónico pequeño y móvil, o el ordenador con capacidad comunicativa inalámbrica incorporado a un aparato, accesorio o prenda que puede ser llevado en el cuerpo[28]. Los wereable consisten en un *hardware* o dispositivo fuente que es enlazado con una computadora externa que procesa los datos mediante un *software*, pudiendo adquirir la forma de *smartwatch* o reloj inteligente, audífonos, pulseras o brazaletes electrónicas, monitores alojados en el casco de seguridad, gafas, calcetines o calzado, textiles electrónicos, o incluso sistemas más invasivos como sensores subcutáneos o tatuajes electrónicos[29]. Estos dispositivos integran sensores o microprocesadores que permiten la monitorización de medidas electrofisiológicas y señales bioquímicas del sujeto para que posteriormente, pero en tiempo real, esa información sea usada en sistemas de realidad aumentada, virtual o mixta, inteligencia artificial o reconocimiento de patrones[30]. A su vez, los wereables pueden funcionar dentro de una misma red y/o estar conectados a través de internet con otros dispositivos, a través de IoT. En lo que al método de IA se refiere, su aprendizaje algorítmico puede asentarse sobre un aprendizaje supervisado, aprendizaje profundo (*deep learning*), aprendizaje no supervisado, y aprendizaje semi-supervisado.

Como se avanzaba en la sección anterior, desde la perspectiva de la prevención de riesgos laborales y en relación con las capacidades de monitorización de la salud que ofrecen estos dispositivos, interesa

---

[28] NAHAVANDI, D.; ALIZADEHSANI, R.; KHOSRAVI, A. y ACHARYA, U. R.: "Application of artificial intelligence in wereable devices: Opportunities and challenges", en *Computer Methods and Programs in Biomedicine*, núm. 213, 2022, pág. 2.

[29] Ibídem..., págs. 3 y ss.

[30] Ibídem..., pág. 3.

especialmente su potencial para detectar enfermedades antes incluso de que el trabajador sienta síntomas, permitiendo identificar así riesgos laborales en escenarios en los que de otro modo los factores de riesgo parecerían inocuos. Estos sistemas de procesamiento algorítmico pueden interconectar datos o parámetros ambientales del entorno de trabajo (temperatura ambiental, humedad, ruido, calidad del aire, toxicidad, radiaciones, caídas o golpes de objetos, vibraciones etc.) y ponerlos en relación inmediata con los datos personales extraídos con técnicas de captura de movimiento (grabación de movimiento, actividad física, tiempos de respuesta, geolocalización, posición corporal etc.) o de salud de la persona trabajadora (información cardiovascular, presión sanguínea, sonidos de la respiración, temperatura corporal, análisis de biomecánica[31] etc.), analizando la repercusión de los primeros sobre los segundos, y tomar o recomendar decisiones al respecto.

Entre las diferentes formas de control que pueden introducir los dispositivos inteligentes para la captación de datos personales, la EU-OSHA introdujo la siguiente clasificación: tecnologías basadas en audio (por ejemplo, el reconocimiento automático de voz); aquellas que utilizan bioseñales (como los electrocardiogramas); tecnologías de visión (por ejemplo, las expresiones faciales); a partir de texto escrito (como los tuits); muestras de sangre (por ejemplo, los niveles de hormonas); basadas en la interacción (como el uso que se hace del ratón y el teclado del ordenador, sensores de presión, sistemas globales de navegación); a partir de formularios (por ejemplo utilizando escalas de Likert de 1 a 5); y a través de entrevistas (utilizando, por ejemplo, un bot conversacional)[32].

En suma, los wereables permiten una continua monitorización de factores ambientales poniéndolos en correlación con parámetros biométricos o fisiológicos para poder así identificar situaciones de riesgo de seguridad, ergonomía e incluso factores de riesgo psicosocial mediante monitorización de situaciones de estrés o salud mental[33].

---

[31]   POLÁŠEK, P.; BUREŠ, M. y ŠIMON, M.: "Comparison of Digital Tools for Ergonomics in Practice" en *Procedia Engineering*, núm. 100, 2015.pág. 1279.
[32]   EU-OSHA: *Tecnologías de control: ¿la búsqueda del bienestar…*, op. cit., pág. 2.
[33]   EU-OSHA: *Artificial intelligence for worker management: implications for occupational safety and health*. Agencia Europea para Seguridad y salud en el

Actualmente, estos dispositivos no se están utilizando con vistas a una valoración de la aptitud o ineptitud de un trabajador para con el trabajo a realizar, sino como elementos de mejora de la salud laboral[34]. Es importante remarcar esta función preventiva en el uso de estos sistemas de IA, y advertir de los dilemas jurídicos que podría derivarse de extender sus potencialidades a decisiones discriminadora o en perjuicio de la persona trabajadora. En ese sentido, como ha afirmado el Alto Tribunal, conviene insistir en que la vigilancia de la salud del art. 22 LPRL tiene por finalidad fundamental asegurar que el empresario tome las medidas precisas para evitar cualquier riesgo del trabajador afectado, lo cual excluye incluso que un informe de ineptitud pueda utilizarse como elemento único justificativo de un despido por ineptitud sobrevenida, "toda vez que los datos, relativos a la vigilancia de salud de los trabajadores, no podrán ser usados con fines discriminatorios ni en perjuicio del trabajador, a tenor con lo dispuesto en el art. 22.4 LPRL, ya que, las conclusiones controvertidas derivan necesariamente de dichos datos"[35].

El empresario se encuentra obligado a garantizar a los trabajadores a su servicio la vigilancia periódica de su estado de salud en función de los riesgos inherentes al trabajo (art. 22 LPRL) y en ello, los wereables pueden convertirse en instrumentos de gran valor en tanto permitirían una vigilancia y control de la salud simultáneo al desarrollo de las funciones laborales. Ahora bien, su operatividad ven-

---

Trabajo, 2022, pág. 8. Disponible en (última consulta el 24/08/2022): https://osha.europa.eu/en/publications/artificial-intelligence-worker-management-implications-occupational-safety-and-health

[34]   RIVAS VALLEJO, P.: "Salud, Inteligencia Artificial…, op. cit., pág. 889.

[35]   "Dicha conclusión no implica, sin más, que los informes controvertidos no tengan ningún valor probatorio para acreditar la ineptitud sobrevenida de los trabajadores para el desempeño de su puesto de trabajo. Será necesario, a estos efectos, que el informe identifique con precisión cuáles son las limitaciones concretas detectadas y su incidencia sobre las funciones desempeñadas por el trabajador, sin que baste la simple afirmación de que el trabajador ha perdido su aptitud para el desempeño del puesto, cuando dicha afirmación no esté justificada en los términos expuestos y no se soporte con otros medios de prueba útiles, cuando sea contradicha por el trabajador, especialmente cuando, como sucede aquí, la Entidad Gestora haya descartado la declaración de invalidez permanente del trabajador para el desempeño de su profesión habitual", STS de 23 de febrero de 2022 (rec. 3259/2020).

drá condicionada por el respeto al haz de garantías que integran este derecho, en relación a la voluntariedad del sometimiento a la medida, el respeto al derecho a la intimidad y a la dignidad de la persona del trabajador y la confidencialidad de toda la información relacionada con su estado de salud.

Más allá del objetivo de prevención de riesgos laborales clásico, los wereables posibilitan avanzar hacia un modelo de atención y cuidado del bienestar del trabajador, en tanto posibilitarían un control de la salud encaminado a lograr mayores estándares de bienestar por encima de la afectación específica de los riesgos laborales. En esta función, pueden resultar un elemento de promoción de la salud a disposición del trabajador que le permitiese implementar políticas saludables en la empresa, integrando incluso sistemas de "tecnología persuasiva" que atraigan a la persona trabajadora a realizar cambios conductuales desde la libre voluntad de este[36].

Como apunta la EU-OSHA, estas nuevas herramientas pueden incluso monitorizar el bienestar de la persona trabajadora ayudando a realizar "reconocimientos médicos (semi)automáticos de forma continuada y prestar asistencia a nuestro bienestar (elementos que deberían formar parte de la atención sanitaria habitual); prolongar el bienestar y la salud de las personas (lo cual podría reducir significativamente los costes de la atención sanitaria); y prevenir las patologías ligadas al estrés que están convirtiéndose rápidamente en las enfermedades predominantes"[37].

Por otro lado, los wereables pueden funcionar igualmente como sistemas inteligentes de detección de riesgos sin necesidad de realizar un tratamiento de datos personales de salud, limitando la obtención y tratamiento de datos a parámetros objetivos de medición del riesgo

---

[36]   La tecnología persuasiva está concebida para permitir que los usuarios voluntariamente cambien sus actitudes o comportamientos por medio de la persuasión y la influencia social. Al igual que la tecnología de control, utiliza actuadores y un algoritmo de influencia para ofrecerle información eficaz al usuario. Dicha información puede referirse a la luz ambiental, sugerir otro tipo de música, transmitir un mensaje alentador o proporcionar una comparativa anónima con un actor de referencia (por ejemplo, personas en la misma situación). EU-OSHA: *Tecnologías de control: ¿la búsqueda del bienestar...*, op. cit., págs. 8 y ss.

[37]   EU-OSHA: *Tecnologías de control: ¿la búsqueda del bienestar...*, op. cit., pág. 3.

sobre la base del entorno específico de trabajo y sus factores ambientales, relacionado estos con estándares objetivos de seguridad y salud. Como ejemplo de ello se presenta el casco de seguridad inteligente en plataforma 5.0, que es capaz de detectar faltas de iluminación, golpes, temperaturas peligrosas para la actividad humana o una baja calidad del aire en el ambiente. La transmisión de la información obtenida por los sensores del casco se envía a través de sistemas de redes inalámbricas wifi o bluetooth que funcionan en una Local Area Network (LAN) teniendo como destino un servidor web que recopila, procesa y transmite alertas por anomalías tanto al trabajador como al personal encargado de realizar la labor preventiva[38].

En este sentido, los wereables pueden operar como dispositivos dirigidos a la prevención y promoción de la salud en la empresa, y complementaria o alternativamente como equipos de protección dirigidos a la minimización o erradicación de un riesgo laboral. Conjuntamente, el análisis de forma agregada de la información de ellos obtenida puede contribuir en la organización para detectar dónde se requiere de intervención en materia preventiva o incluso determinar cuándo es necesario reemplazar un EPI[39].

De este modo, atendiendo a su funcionalidad concreta, estos dispositivos tendrán que integrarse dentro de la planificación preventiva de la empresa y ser categorizados como instrumentos dirigidos a la vigilancia de la salud de los trabajadores y/o como equipos de protección individual (EPI) inteligentes, y ser sometidos por ende al marco normativo regulador de cada uno.

2. Equipos de Protección Individual inteligentes

Como recoge la EU-OSHA en el Informe *Equipos de Protección Individual Inteligentes: protección inteligente de cara al futuro*40, los

---

38 CAMPERO JURADO, I.; MÁRQUEZ SANCHEZ, S.; QUINTANAR GÓMEZ, J.; RODRÍGUEZ, S. y CORCHADO, J: "Smart Helmet 5.0 for Industrial Internet of Things Using Artificial intelligence" en *Sensor*, núm. 20, 2020, págs. 8 y ss.
39 RIMBAU GILABERT, E.: "Digitalización y bienestar de los trabajadores", en *IUSLabor*, núm. 2, 2019, pág. 10.
40 EU-OSHA: *Equipos de Protección Individual Inteligentes: protección inteligente de cara al futuro*. Agencia Europea para Seguridad y Salud en el Trabajo,

EPI inteligente son un ámbito en rápida evolución llamado a actuar cuando un riesgo no puede reducirse o eliminarse mediante otros medios técnicos u organizativos. En este sentido, los EPI inteligentes aportan un componente adicional en tanto permiten aumentar la protección de la persona trabajadora introduciendo materiales mejorados o componentes electrónicos en los EPI tradicionales, como pueden ser sensores, detectores, módulos de transferencia de datos, baterías, cables y otros elementos[41].

Sobre la base de la composición y la capacidad de recogida de datos, la Agencia Europea para la Seguridad y Salud en el Trabajo recoge una clasificación en la que diferencia entre los EPI inteligentes que funcionan con elementos electrónicos y aquellos que no, para a su vez sub dividir en los primeros a aquellos que no realizan recogida de datos (ej. una prenda de visibilidad inteligente que incorpora iluminación o un tejido inteligente y conductor que conforma un calentador con resistencia), los que lo hacen con recogida de datos no personales únicamente (ej. datos sobre el estado de los EPI, bien para el análisis directo por parte de quien lo usa, para un punto de control central hasta la transmisión de los datos o para un análisis posterior) o datos sobre el entorno de quien lo usa), y en tercer lugar, aquellos que sí realizan recogida de datos personales de la persona trabajadora (ej. datos biométricos, datos sobre localización, datos de detección de movimientos). Por su parte, entre los EPI inteligentes que aparecen sin elementos electrónicos nos encontramos con los dispositivos con material mejorado que interactúa con el medio ambiente, pero sin recogida de datos (ej. rodilleras con material inteligente de absorción de impactos o guantes que incorporan tejido inteligente que cambia de color cuanto entra en contacto con una sustancia peligrosa)[42].

Estos equipos de protección con integración de sistemas inteligentes constituyen un EPI en su conjunto, de modo que deben someterse a nuevas pruebas y evaluación del producto conforme a la normativa

---

[41]   2020. Disponible en (última consulta el 24/08/2022): https://osha.europa.eu/es/publications/smart-personal-protective-equipment-intelligent-protection-future

[41]   Ibídem..., pág. 2.
[42]   Ibídem..., pág. 2.

específica de los EPI[43] y lograr así la verificación del cumplimiento con los requisitos esenciales de salud y seguridad (RESS). Los nuevos componentes electrónicos generan además la aparición nuevos peligros relacionados con el tratamiento masivo de datos personales que puede llegar a realizarse, lo cual obliga a que deban someterse a las correspondientes Evaluaciones de Impacto en materia de protección de datos personales (art. 35.2 RGPD) e incluso, cuando sean catalogados como inteligencia artificial de "alto riesgo", a la correspondiente evaluación de conformidad prevista en la futura Ley IA[44].

Como ejemplo de la evolución y adaptación de la normativa técnica armonizada, el Comité Europeo de Normalización ha aprobado la CEN/TR 16298:2011 sobre textiles inteligentes. No obstante, se trata este de un campo de necesaria actualización que requiere igualmente de la creación o adaptación del marco jurídico actual, si bien, la inseguridad jurídica respecto a qué prácticas resultan lícitas y cuáles no y las posibles responsabilidades que pueden derivarse generan un alto grado de incertidumbre en los organismos implicados que repercute en la ralentización de la homologación de estos productos[45].

---

[43]   Real Decreto 773/1997, de 30 de mayo, sobre disposiciones mínimas de seguridad y salud relativas a la utilización por los trabajadores de equipos de protección individual; Real Decreto 1215/1997, de 18 de julio, por el que se establecen las disposiciones mínimas de seguridad y salud para la utilización por los trabajadores de los equipos de trabajo; Reglamento (UE) 2016/425; Se recoge una recopilación de la normativa técnica armonizada en los Anexos I y II de la Decisión de Ejecución (UE) 2020/668 de la Comisión de 18 de mayo de 2020 relativa a las normas armonizadas para los equipos de protección individual elaboradas en apoyo del Reglamento (UE) 2016/425 del Parlamento Europeo y del Consejo. Para una recopilación de la normativa técnica específica véase: https://www.insst.es/normativa/equipos-de-proteccion-individual/uso-de-epi-en-el-lugar-de-trabajo Respecto a los comités técnicos de normalización español, europeos e internacionales involucrados, véase https://www.insst.es/epi-normativa-tecnica-epi

[44]   Art. 43 de la Propuesta de Reglamento del Parlamento Europeo y del Consejo por el que se establecen normas armonizadas en materia de inteligencia artificial (Ley de Inteligencia Artificial).

[45]   EU-OSHA: *Equipos de Protección Individual Inteligentes...*, op. cit., pág. 9; Respecto a la ausencia de adaptación tecnológica de los Convenios y Recomendaciones de la OIT, en especial alusión a los robots inteligentes, y las carencias actuales de la normativa específica elaborada por el Organismo Internacional de la Normalización (ISO) –ISO 10218-1 e ISO 1028-2 y la especificación téc-

Por su parte, estos dispositivos podrán encajar dentro del término "producto sanitario" del Reglamento (UE) 2017/745 del Parlamento Europeo y del Consejo de 5 de abril de 2017, sobre los productos sanitarios, cuando describe a estos como todo "instrumento, dispositivo, equipo, programa informático, implante, reactivo, material u otro artículo destinado por el fabricante a ser utilizado en personas, por separado o en combinación, con alguno de los siguientes fines médicos específicos: diagnóstico, prevención, seguimiento, predicción, pronóstico, tratamiento o alivio de una enfermedad, o diagnóstico, seguimiento, tratamiento, alivio o compensación de una lesión o de una discapacidad" (art. 2.1). En este sentido, tendrán que cumplir con los requisitos generales de seguridad y funcionamiento que figuran en el Reglamento (UE) 2017/745.

Los avances científicos caminan muchos pasos por delante del marco jurídico actual, lo cual, junto a la facilidad de las empresas para poder acceder en el mercado a productos que incorporan sistemas de IA, generan que nos encontremos con la utilización de wereables o sistemas de IA plenamente integrados en sistemas productivos, sin que las empresas sean conscientes de los límites legales y peligros de vulneración de derechos fundamentales de los trabajadores que con ellos pueden generarse. Conviene así tener presente el corolario de que no todo lo que se pueda tecnológicamente hacer, se debe hacer, y ante la incertidumbre científica, guiar la política o acción de gestión del riesgo sobre la base del "principio de precaución"[46] e introducir las novedades con cautela y estableciendo siempre salvaguardas[47].

---

nica ISO/TS 15066:2016- focalizada en su totalidad en los riesgos físicos, con la carente perspectiva multidisciplinar que reparase igualmente en riesgos ergonómicos o psicosociales, véase MUÑOZ RUIZ, A. B.: "Cambio tecnológico y transformación digital: líneas de futuro de la OIT en materia de prevención de riesgos laborales", en *International Journal of Information Systems and Software Engineering for Big Companies (IJISEBC)*, núm. 6 (I), pág. 121.

[46]   MERCADER UGUINA, J. R.: "Riesgos laborales y transformación digital: hacia una empresa tecnológicamente responsable", en *Teoría y derecho: revista de pensamiento* jurídico, núm. 23, 2018, págs. 104 y 105.

[47]   TODOLÍ SIGNES, A.: "Riesgos Laborales Derivados del Uso de Algoritmos: Impacto de género", en RIVAS VALLEJO, P. (dir.): *Discriminación algorítmica en el ámbito laboral: perspectiva de género e intervención*. Thomson Reuters-Aranzadi, Cizur Menor, 2022, págs. 338 y 339.

La integración de estos dispositivos inteligente habrá de ser también tenida en consideración en la evaluación de riesgos laborales de la empresa. Cierto es que actualmente se carece de herramientas de evaluación capaces de aportar el necesario rigor y certeza[48], y tampoco los agentes implicados en esta labor ostentan la necesaria información y formación para ello.

No se trata únicamente de "juntar textiles y electrónica"[49], pueden aparecer nuevos riesgos de seguridad y generarse intromisiones en la intimidad corporal o la intimidad y privacidad del trabajador usuario de los mismos, que merecen una especial cautela en su utilización. En consecuencia, "se precisan estrategias y sistemas eficaces, así como decisiones éticas, en el contexto de la gestión de la gran cantidad de datos personales sensibles que podrían generarse. Un mal funcionamiento, o la generación de datos o consejos incorrectos, también podría causar lesiones o problemas de salud"[50].

En este sentido, los agentes sociales apuntan a que una mala praxis de estos dispositivos que integran métodos de monitorización puede paradójicamente comprometer la dignidad de las personas usuarias e incluso generar un deterioro de las condiciones de trabajo y mal uso de los datos personales, lo cual hace especialmente importante incluir a la representación de los trabajadores como sujetos activos en la integración y uso de estos equipos en la empresa[51]. Ello viene en línea con el mandato del art. 33 Ley 33/2011, de 4 de octubre, General de Salud Pública, respecto a la necesidad de que la actuación sanitaria en el ámbito de la salud laboral se desarrolle de forma coordinada con los empresarios y los representantes de los trabajadores.

---

[48]   EU-OSHA: *Cognitive automation...*, op. cit., pág. 31.
[49]   EU-OSHA: *Equipos de Protección Individual Inteligentes...*, pág. 5.
[50]   EU-OSHA: *Digitalización y seguridad y salud en el trabajo (SST). Un programa de investigación de la EU-OSHA.* Agencia Europea para la Seguridad y Salud en el Trabajo, 2019, pág. 11. Disponible en (última fecha de consulta el 24/08/2022):   https://osha.europa.eu/es/publications/digitalisation-and-occupational-safety-and-health-eu-osha-research-programme
[51]   *European Social Partners Framework Agreement on Digitalisation.* BusinessEurope, ETUC, CEEP y SMEunited, junio 2020, pág. 12. Disponible en (última fecha de consulta el 24/08/2022): https://www.etuc.org/en/pressrelease/eu-social-partners-reach-agreement-digitalisation

3. Plataformas de gestión de la prevención de riesgos laborales

La gestión de los trabajadores a través de sistemas de Inteligencia Artificial o *Artificial Inteligencia for Workers Management* (AIWM), se refiere al sistema de gestión de los trabajadores que recoge datos, a menudo en tiempo real, del entorno de trabajo, las personas trabajadoras y el trabajo desempeñado, para alimentar un sistema de IA que realiza decisiones automatizadas o semi-automatizadas, o aporta información a los agentes decisores (personal de recursos humanos, servicios de prevención, agentes con funciones específicas en materia de PRL, empleadores o los mismos trabajadores) sobre cuestiones relacionadas con la gestión de los trabajadores[52]. En suma, los AIWM se presentan como el software al que se conectan los dispositivos vistos en el apartado anterior.

Estas plataformas 4.0 de gestión pueden recibir multitud de información proveniente de diferentes instrumentos de monitorización basados en IA como los wereables o EPIs inteligentes, o incluso de sistemas de supervisión de utilización más extendidos como la videovigilancia, la geolocalización, o grabación de sonido, así como contrastarla con datos históricos del sistema. Esta información se procesa, y de modo síncrono, posibilita dar respuesta a los problemas con una interacción inmediata. De este modo, las plataformas de gestión pueden aparecer como un mecanismo para el control y gestión de los riesgos laborales, monitorización de la salud y, a su vez, como un sistema de apoyo a la persona trabajadora.

Desde un punto de vista técnico, estas plataformas de gestión podrán funcionar a través de un modelo semi-automatizado, haciendo recaer el poder de decisión final sobre el factor humano, o de un modo completamente automatizado, sin intervención ni supervisión humana en su toma de decisiones. Empero, el nivel de automatización en el poder decisorio jugará un rol especial desde la perspectiva de prevención de riesgos laborales, así como el grado de gobernanza que

---

[52]   EU-OSHA: *Artificial intelligence for worker management: an overview*. Agencia Europea para la Seguridad y Salud en el Trabajo, 2022, pág. 12. Disponible en (última consulta el 25/08/2022): https://osha.europa.eu/en/publications/artificial-intelligence-worker-management-overview

la parte trabajadora tenga sobre ello[53], y como se verá más adelante, generará igualmente diferentes implicaciones jurídicas en lo que al tratamiento de datos personales se refiere.

Entre los motivos que son aducidos por las empresas para optar un sistema de AIWM se encuentran el incremento en la eficiencia y la productividad, derivado de la reducción de coste de organización con la automatización de las tareas y su administración; la implementación de los sistemas de toma de decisiones, a través de la integración de sistemas sólidos y sofisticados de toma de decisiones o de aporte de recomendaciones, sobre la base procesos de automatización cognitiva; y la mejora de la acción de preventiva en la empresa, a la par que se fomenta el bienestar de las personas trabajadoras, en tanto se espera que su aplicación redunde en una disminución de los efectos físicos y psicológicos negativos que puede acarrear el trabajo diario y, por ende, desciendan también los índices de la siniestralidad de la empresa y las posibles responsabilidades[54].

La utilización conjunta de los receptores de información (wereables, IoT, EPIs inteligentes, o incluso robots o cobots) con plataformas de gestión que integren sistemas sofisticados de IA puede permitir identificar riesgos y en tiempo real accionar medidas acordes de prevención de riesgos laborales. Estas plataformas 4.0 pueden integrar innovaciones tecnológicas, como sistemas cognitivos, que son implementados a través de la aplicación de Inteligencia Artificial a los datos, redes neuronales convolucionales (CNN) y aprendizaje por refuerzo profundo (DRL), haciendo que sean capaces de controlar un enorme conjunto de parámetros relacionados con procesos y el entorno[55].

Imaginemos un sistema que sea capaz de detectar la fatiga de la persona trabajadora y, por ende, la posibilidad de que la persona trabajadora sufra un infortunio laboral como consecuencia de pérdidas de atención ante peligros, de modo que acciona sistemas de alerta para asegurar que el trabajador no sufra accidentes, e incluso es capaz de adaptar la carga de trabajo que ese trabajador recibe.

---

[53]   Ibídem..., pág. 13.
[54]   Ibídem..., págs. 15 y ss.
[55]   MARQUEZ SÁNCHEZ, S.; CAMPERO JURADO, I.; HERRERA SANTOS, J.; RODRÍGUEZ, S. y CORCHADO, J. M.: "Intelligent Platform Based on Smart PPE for Safety in Workplaces", en *Sensors*, núm. 21, 2021, pág. 4.

Actualmente este tipo de wereables, IoT o robotica conectada a sistemas de AIWM para la prevención de riesgos laborales ya viene utilizándose de un modo positivo en sectores como el agrícola (mediante robótica, drones y sensores biológicos), la industria del gas y el petróleo (valiéndose de sensores ambientales y sistemas IoT y robótica avanzada), minería (con wereables dotados de sensores ambientales y geolocalizadores, estados fisiológicos y medidores de actividad, o EPIs inteligentes en forma de cascos de seguridad y respiradores, gafas y relojes inteligentes y cámaras), el transporte (algoritmos biológicos que recaban información de la actividad del cardiaca, cerebral y muscular para la detección de la fatiga; expresiones faciales como el movimiento de los ojos, la boca o la cabeza; frecuencia y duración de bostezos o parpadeos; o medidores de la velocidad y dirección del vehículo) o la construcción (sensores de detección de caídas, wereables de monitorización de la salud, cámaras para la detección de posturas y movimiento corporal y sensores ambientales)[56].

Un ejemplo concreto de AIWM es el "BeSafe B2.0", una plataforma AIoT (*Artificial Intelligent IoT*) que combina Inteligencia Artificial y estrategias de IoT para con datos obtenidos en tiempo real generar información o conocimiento de valor[57]. La plataforma se vale de un wereable en forma de brazalete multisensorial que haría las funciones de receptor, transmitiendo datos de la persona trabajadora como su pulso y temperatura, o posibles caídas o accidentes. Cuando se detectan anomalías en el ambiente o entorno de trabajo, se envía una alerta a la plataforma inteligente que es controlada por operadores y otros trabajadores.

Estas plataformas 4.0 podrían incorporar a su diseño y programación la normativa técnica específica de la actividad correspondiente, y servir de soporte en la planificación preventiva, tanto en las fases

---

[56]   Con una amplia y detallada recopilación de estos sistemas, véase PISHGAR, M.; FUAD ISSA, S.; SIETSEMA, M.; PRATAP, P y DARABI, H.: "REDECA: A novel Framework to Review Artificial Intelligence and Its Applications in Occupational Safety and Health", en *International Journal of Environmental Research and Public Health*, núm. 18, 2021, págs. 9 y ss.

[57]   MARQUEZ SANCHEZ; S.; CAMPERO JURADO, I.; ROBLES CAMARILLO, D.; RODRÍGUEZ, S. y CORCHADO RODRÍGUEZ, J. M.: "BeSafe B2.0 Smart Multisensory Platform for Safety in Workplaces", en *Sensors*, núm. 21, 2021, pág. 2.

de evaluación e identificación de riesgos como en la planificación y ejecución de las actividades preventivas.

Por último, sobre la base de la Propuesta de Reglamento del Parlamento Europeo y del Consejo por el que se establecen normas armonizadas en materia de inteligencia artificial (Ley de Inteligencia Artificial), este tipo de plataformas 4.0 de gestión de prevención de riesgos laborales encajarían dentro de los sistemas de IA que plantean un "alto riesgo" para la salud y la seguridad o los derechos fundamentales de las personas.

Como recoge la Exposición de Motivos de la propuesta de Ley IA, los sistemas de IA, ya sea que se presenten como componentes de seguridad de productos (software integrados en soporte hardware como wereables) o como sistemas de IA independiente (plataforma digital), se considerarán de "alto riesgo" si presentan "un alto riesgo de menoscabar la salud y la seguridad o los derechos fundamentales de las personas, teniendo en cuenta tanto la gravedad del posible perjuicio como la probabilidad de que se produzca"[58].

Del mismo modo, la propuesta de Ley IA catalogará como de "alto riesgo" todos aquellos sistemas de IA que se utilizan para la gestión de los trabajadores y "para la asignación de tareas y el seguimiento", lo cual vendría a reforzar la catalogación como tal de estas plataformas AIWM[59]. Al respecto, este tipo de sistemas se encontrarán recogidos en los puntos 1 y 4 del Anexo III de la propuesta, que recopila los sistemas de IA de alto riesgo a los que se refiere el art. 6.2 de la propuesta de Ley IA.

En este sentido, estos sistemas de IA tendrán que cumplir una serie de requisitos horizontales obligatorios que garanticen su fiabilidad, como la necesidad de implantar, documentar y mantener un sistema de gestión de riesgos[60], y serán sometidos a procedimientos de evaluación de la conformidad antes de poder introducirse en el mercado[61].

---

[58]   Considerandos 27 y 32 de la Exposición de Motivos y art. 7 de la propuesta de Reglamento del Parlamento Europeo y del Consejo por el que se establecen normas armonizadas en materia de inteligencia artificial (Ley de Inteligencia Artificial) y se modifican determinados actos legislativos de la Unión.
[59]   Considerando 36 de la Exposición de Motivos de la propuesta de Ley IA.
[60]   Art. 9 de la propuesta de Ley IA.
[61]   Considerando 1 de la Exposición de Motivos y art. 6.de la propuesta de Ley IA.

Adicionalmente, en tanto sistemas de IA pueden integrar una identificación biométrica remota de personas[62], se establece la obligación de que en la evaluación de conformidad de estos sistemas participe un organismo notificado de los que sean designados para ello por la autoridad nacional correspondiente[63].

Igualmente, en tanto estos sistemas de IA catalogados como "alto riesgo" pueden tener una directa repercusión sobre la salud y seguridad de las personas trabajadoras, con el objetivo de mitigar esos riesgos se establecen unos requisitos adicionales "referentes a la calidad de los conjuntos de datos utilizados, la documentación técnica y el registro, la transparencia y la comunicación de información a los usuarios, la vigilancia humana, la solidez, la precisión y la ciberseguridad[64].

4. Riesgos de la gestión de la PRL a través de IA

Se ha hablado de la posibilidad de los AIWM para contribuir a la consecución de un entorno de trabajo seguro y saludable, empero, un uso torticero o desviado de estos sistemas puede igualmente dar lugar a riesgos y nuevos desafíos desde la perspectiva de la prevención de riesgos laborales[65].

La EU-OSHA ha alertado de la posibilidad de que un uso descontrolado de estos sistemas acabe generando una intensificación del trabajo. La búsqueda de una maximización de la productividad puede llevar a la minimización de los tiempos dedicados a determinadas

---

[62]   Se entenderá por sistema de identificación biométrica remota aquel en el que la recogida de los datos biométricos, la comparación y la identificación se producen sin una demora significativa. Este término engloba no solo la identificación instantánea, sino también demoras mínimas limitadas, a fin de evitar su elusión (art. 3. 37) propuesta de Ley IA).

[63]   Considerandos 64 y 65 de la Exposición de Motivos de la Propuesta de Ley IA.

[64]   Considerando 43 de la Exposición de Motivos de la propuesta de Ley IA.

[65]   Para un detallado estudio véase TODOLÍ SIGNES, A.: "Making algorithms safe for workers: occupational risks associated with work managed by artificial intelligence", en *Transfer: European Review of Labour and Research*, 2021.

funciones y generar un incremento en la velocidad del trabajo, no dejando lugar a espacios de descanso o tiempos de baja productividad[66].

Igualmente, se ha alertado de la posible pérdida de control sobre el trabajo y autonomía sobre las funciones que los sistemas de AIWM pueden conllevar en la persona trabajadora, que ve como en mayor medida es automatizada la toma de decisiones sobre su actuar, reduciéndose el espacio de autogestión de la prestación y pudiendo propiciar incluso una descualificación en sus capacidades[67]. Ello ha sido detectado como una fuente generadora de altos niveles de estrés y desordenes de salud mental. Paralelamente, la excesiva evaluación y dirección automatizada se ha identificado como factor de posible deshumanización, pudiéndose generar en la persona trabajadora una sobredependencia de estos sistemas en lo que a detección y prevención de riesgos laborales se refiere, haciéndole perder capacidad para advertir posibles riesgos en el trabajo[68].

Por su parte, la monitorización de la prestación es proclive a generar una "datificación" de la persona trabajadora, convirtiéndola en números y métricas digitales, con el consiguiente peligro de servir a propósitos meramente económicos y producirse discriminaciones en el sujeto. En esa línea, la AIWM puede generar un riesgo de "gamificación" de la prestación y devenir en un sistema de ranking de trabajadores que acabe penalizando y discriminando a las personas que no alcancen determinados parámetros[69]. Como remarca la EU-OSHA, la evaluación algorítmica de la prestación puede llevar a que los trabajadores, en orden a poder mantener unos niveles de productividad determinados, acaben aumentando su ritmo de trabajo y descuidando las medidas de prevención de riesgos laborales como el aumento de movimientos repetitivos, posturas incómodas debido a las prisas, y

---

[66]   EU-OSHA: *Artificial intelligence for worker management: risks and opportunities*. Agencia Europea para la Seguridad y Salud en el Trabajo, 2022, pág. 1. Disponible en (última consulta el 26/08/2022): https://osha.europa.eu/es/publications/artificial-intelligence-worker-management-risks-and-opportunities

[67]   Ibídem..., págs. 2 y 3..

[68]   Ibídem..., págs. 1 y 2.

[69]   Ibídem..., págs. 1 y 2.

menos atención prestada a la posición y ergonomía del cuerpo y las extremidades[70].

Junto a todo lo anterior, todos estos riesgos pueden exacerbarse si un sistema de AIWM es alimentado con datos erróneos o inexactos, o genera un procesamiento inadecuado de la información, pudiendo conllevar que la persona trabajadora sufra un accidente de trabajo o contraiga una enfermedad profesional[71].

IV. SISTEMAS DE IA Y PROTECCIÓN DE DATOS PERSONALES EN EL ÁMBITO DE LA SALUD LABORAL

Una característica común a todas las técnicas de IA es el tratamiento a gran escala de datos, si bien, no todos ellos tienen por qué ser catalogados como datos de carácter personal. Como afirma la AEPD, podemos encontrarnos con tratamientos de datos que no afecten a personas físicas, como sucedería con los sistemas de control industrial, o con otros que precisamente busquen tomar decisiones relacionadas con las personas, ya sea para "hacer predicciones sobre la evolución del sujeto, realizar una evaluación sobre el estado actual de éste, o bien decidir la ejecución de un conjunto de acciones"[72]. En este sentido, los wereables y demás dispositivos conectados a AIWM encajarán normalmente entre estos segundos, en tanto la recopilación de datos que hacen se asienta precisamente en la conducta o estado específico de un trabajador en relación con el entorno de trabajo en el que se encuentra, y los consiguientes tratamientos que se hagan con Big Data, Internet de las Cosas (IoT), 5G/sistemas móviles, Edge Computing o Computación en la Nube, trabajarían por ende con datos de esta misma naturaleza.

El tratamiento de datos personales debe analizarse aquí desde una doble perspectiva. En primer lugar, dirigiendo el análisis al tratamiento que se acomete en forma de vigilancia de la salud de los trabajado-

---

[70] Ibídem…, pág. 3.
[71] Ibídem…, pág. 4.
[72] AEPD: *Adecuación al RGPD…*, op. cit., pág. 6. Disponible en (última consulta el 26/08/2022): https://www.aepd.es/sites/default/files/2020-02/adecuacion-rgpd-ia.pdf

res mediante la monitorización de su estado de salud y, en un segundo plano, el tratamiento automatizado que se da a través de la gestión algorítmica realizada mediante los sistemas de AIWM. En cualquiera de los dos casos, habrá que diferenciar si nos encontramos con datos no personales, datos personales y datos personales de salud. Cuando estos sistemas se dirijan a la monitorización de estados de salud, recabando datos personales de salud, se habrá de reparar en el marco jurídico específico de la vigilancia de la salud laboral y, a su vez, en la normativa específica de protección de datos personales.

1. Vigilancia de la salud mediante IA y protección de datos personales

La vigilancia de la salud se configura legalmente como una obligación genérica, de carácter no absoluto, que dirige su ámbito operativo exclusivamente a los riesgos inherentes al trabajo y, por ende, se amolda a cada actividad y puesto de trabajo[73]. A través de ella, mediante el recurso a los reconocimientos médicos, la empresa puede articular y planificar una mejor actividad preventiva y dar cumplimiento a la deuda de seguridad que mantiene para con sus trabajadores. En suma, la vigilancia de la salud a la que se refiere el art. 22 LPRL es configurada como un derecho de los trabajadores para lograr una mejor adaptación de la actividad preventiva y protección de su estado de salud, y no como un instrumento al servicio empresarial para el control y fiscalización de la actividad laboral.

De esa manera, los reconocimientos médicos o monitorización de la salud cumplen tanto una función preventiva como aseguradora de la integridad física de la persona trabajadora; a lo cual se le suma una función valorativa, ya que permiten conocer "los elementos expresivos de la aptitud o capacidad profesional del trabajador (arts. 196 LGSS y 25.1 LPRL)"[74].

---

[73]   BLASCO PELLICER, Á.: "El deber empresarial de vigilancia de la salud y el derecho a la intimidad del trabajador", TOSCANI GIMÉNEZ, D. y ALEGRE NUENO, M. (dir.): *Análisis práctico de la Ley de Prevención de Riesgos Laborales*, Thomson Reuters, Cizur Menor, 2016, pág. 348.

[74]   GOÑI SEIN, J. L. y RODRÍGUEZ SANZ DE GALDEANO, B.: "El tratamiento de datos de salud del trabajador", ARCOS VIEIRA, M. L. (dir.): *Autonomía*

Se entiende entonces que la vigilancia pueda realizarse después de la incorporación al trabajo o después de la asignación de tareas específicas con nuevos riesgos para la salud; cuando se "reanude el trabajo tras una ausencia prolongada por motivos de salud, con la finalidad de descubrir sus eventuales orígenes profesionales y recomendar una acción apropiada para proteger a los trabajadores", o como sistema de vigilancia periódica (art. 37.3 b) Reglamento de los Servicios de Prevención). En ello, los EPI inteligentes, wereables y, en suma, las plataformas AIWM, pueden servir a este propósito, convirtiendo la vigilancia periódica en vigilancia en tiempo real.

Ahora bien, la vigilancia de la salud genera intrínsecamente la interacción y posible conculcación de otros derechos de los trabajadores. Los reconocimientos médicos implican inevitablemente una intromisión en la espera privativa de la persona empleada, con el consiguiente riesgo de generar una vulneración del derecho a la dignidad (art. 10 CE) e intimidad personal del trabajador (art. 18.1 CE)[75]. La vigilancia de la salud acarrea en su actuar una "toma de conocimiento de la intimidad corporal y de información clínica concerniente a las condiciones físicas", espacio alojado en la intimidad de los trabajadores[76].

Igualmente, el consiguiente tratamiento de los datos obtenidos a través de los sistemas de monitorización de la salud nos adentra en el terreno del debido respeto a los derechos de protección de datos personales de la parte trabajadora (art. 18.4 CE)[77]. Los datos de salud se encuentran dentro del cobijo normativo del Reglamento (UE) 2016/679 del Parlamento Europeo y del Consejo, de 27 de abril de 2016, relativo a la protección de las personas físicas en lo que respecta al tratamiento de datos personales y a la libre circulación de estos datos (RGPD), donde se definirán como los "datos personales relativos a la salud física o mental de una persona física, incluida la prestación

---

del paciente e intereses de terceros: límites. Thomson Reuters-Aranzadi, Cizur Menor (Navarra), 2016, pág. 224.
[75] BLASCO PELLICER, Á.: "El deber empresarial…, op. cit., pág. 348.
[76] GOÑI SEIN, J. L. y RODRÍGUEZ SANZ DE GALDEANO, B.: "El tratamiento de datos…, op. cit., pág. 224.
[77] PEDROSA ALQUEZAR, S. I.: "Vigilancia de la salud laboral y protección de datos", Revista del Ministerio de Trabajo, Migraciones y Seguridad Social, núm. 138, 2018, págs. 163 y ss.

de servicios de atención sanitaria, que revelen información sobre su estado de salud" (art. 4.15. RGPD).

En este sentido, el marco legal de protección de datos concibe los "datos de salud" desde una perspectiva amplia que sobrepasa propiamente a la historia clínica, llegando a abarcar a aquellos que se encuentren en ficheros, ya sean automatizados o no, de recursos humanos[78].

Como recoge el Considerando 35 del RGPD, "entre los datos personales relativos a la salud se deben incluir todos los datos relativos al estado de salud del interesado que dan información sobre su estado de salud física o mental pasado, presente o futuro. (…) todo número, símbolo o dato asignado a una persona física que la identifique de manera unívoca a efectos sanitarios; la información obtenida de pruebas o exámenes de una parte del cuerpo o de una sustancia corporal, incluida la procedente de datos genéticos y muestras biológicas, y cualquier información relativa, a título de ejemplo, a una enfermedad, una discapacidad, el riesgo de padecer enfermedades, el historial médico, el tratamiento clínico o el estado fisiológico o biomédico del interesado, independientemente de su fuente, por ejemplo un médico u otro profesional sanitario, un hospital, un dispositivo médico".

Por ende, todos aquellos datos resultantes de diagnósticos predictivos, o información extraída de la monitorización de las condiciones fisiológicas o biológicas de los trabajadores, que puedan ser recabados y procesados por medio de sistemas de IA tendrán pleno encaje en el concepto de datos personales relativos a la salud a efecto de su debida protección.

En esa línea, el Grupo de Trabajo del artículo 29 (GT 29) apuntaba ya en 2015 a la necesidad de que el concepto de "datos de salud" a efectos de protección de datos personales integrase toda la información no propiamente "de salud" que puede ser recabada por apps o dispositivos de medición de la salud, incluso cuando la medida es dirigida por personal no sanitario, si de esta pueden concluirse un esta-

---

[78]   GOÑI SEIN, J. L.: *La nueva regulación europea y española de protección de datos y su aplicación al ámbito de la empresa (Incluido el Real Decreto-Ley 5/2018)*, Bomarzo, Albacete, 2018, pág. 39.

do de salud de la persona trabajadora[79]. Misma conclusión extraería respecto a la catalogación de información, sean datos de salud o no, que se recaben con la intención de generar diagnósticos predictivos de enfermedades laborales, como los analizados en la sección segunda de este trabajo[80].

2. Garantías del marco legal de prevención de riesgos laborales ante la vigilancia de la salud a través de sistemas de IA

El derecho a la intimidad no es un derecho absoluto y puede ser modulado, como en el caso de una monitorización de la salud que busque la evitación y prevención de riesgos y la detección de peligros relacionados con la salud. En ello, "las posibles limitaciones deberán estar fundadas en una previsión legal que tenga justificación constitucional, sea proporcionada y que exprese con precisión todos y cada uno de los presupuestos materiales de la medida limitadora"[81], lo cual hace pender la licitud de los sistemas de monitorización del estricto cumplimiento de las garantías recogidas legalmente al efecto.

Como ha apuntado la doctrina, entre las condiciones a observar tendremos que diferenciar, por un lado, entre aquellas referidas al reconocimiento y examen realizado a los trabajadores y, por otro lado, las inherentes a la información y documentación clínica obte-

---

[79] "This may include devices analysing a person's urine and blood, and apps measuring blood pressure or heart rate, regardless whether the testing is performed by medical professionals or by devices and apps freely available on the commercial market and irrespective whether these devices are marketed as medical devices or not. A clear example of such medical health data is a glucose metering app that warns if the glucose level is too high and advises the user to take action", véase GT29: ANNEX–health data in apps and devices. Grupo De Trabajo sobre Protección de Datos del Artículo 29, 2015, pág. 2

[80] "In addition this may also include cases where a controller uses any personal data (health data or not) with the purpose of identifying disease risks (such as, for example, investigating exercise habits or diet with the view of testing new, previously unknown or unproven correlations between certain lifestyle factors and diseases). This may often be the case in medical research using big data". GT29: ANNEX–health data…, op. cit., págs. 2 y 3.

[81] STC 196/2004, de 15 de noviembre, FJ. 6.

nida de los reconocimientos, del almacenamiento y el consiguiente tratamiento[82].

2.1. Voluntariedad y derecho de información

A efecto de preservar la intimidad, dignidad y libertad del trabajador, el art. 22 LPRL configura los controles médicos como una medida sujeta a la voluntariedad de la persona trabajadora[83], que en su tenor literal establece que "esta vigilancia solo podrá llevarse a cabo cuando el trabajador preste su consentimiento".

No obstante, recoge la norma tres situaciones de excepcionalidad en los que la voluntariedad quedará exceptuada. La primera de las salvedades se referirá a los supuestos en los que "la realización de los reconocimientos sea imprescindible para evaluar los efectos de las condiciones de trabajo sobre la salud de los trabajadores"; el segundo, referido a los controles que busquen "verificar si el estado de salud del trabajador puede constituir un peligro para el mismo, para los demás trabajadores o para otras personas relacionadas con la empresa"; y finalmente, cuando específicamente venga previsto a través de una disposición legal. Como apunta el TC, "los límites legales (las excepciones a la libre disposición del sujeto sobre ámbitos propios de su intimidad, previstos en el art. 22.1, párrafo segundo, LPRL) quedan vinculados o bien a la certeza de un riesgo o peligro en la salud de los trabajadores o de terceros"[84].

Los reconocimientos previos obligatorios deberán ir precedidos, en todo caso, de un informe emitido por la representación de los trabajadores. De este modo, se busca que la representación legal y sindical tenga conocimiento de la decisión empresarial y las razones que la motivan, y pueda en consecuencia emitir un informe haciendo constar su parecer sobre la procedencia o no del mismo, así como de

---

[82]   GOÑI SEIN, J. L. y RODRÍGUEZ SANZ DE GALDEANO, B.: "El tratamiento de datos…, op. cit., pág. 225
[83]   IGARTUA MIRÓ, M. T.: *Sistemas de Prevención de Riesgos Laborales*, Tecnos, Madrid, 2018, pág. 180; MARÍN MALO, M.: *La prevención del Consumo de Alcohol en el Medio Laboral*, Thomson Reuters Aranzadi, Cizur Menor, 2018, págs. 148 y ss.
[84]   STC 196/2004, de 15 de noviembre, FJ. 6.

los distintos controles y pruebas[85]. No obstante, en tanto deber consultivo, la decisión empresarial no quedará vinculada por el sentido de informe.

En relación a la monitorización de la salud en tiempo real mediante sistemas digitales inteligentes, no parece que podamos hablar en estos casos de una medida "imprescindible", en tanto este mismo objetivo ya es suplido a través de los reconocimientos médicos periódicos ordinarios. Cierto es que en determinadas situaciones esta monitorización puede encontrar justificación en "verificar si el estado de salud del trabajador puede constituir un peligro para el mismo", pero incluso en estos casos, la monitorización digital del estado de salud tampoco aparecería como medida imprescindible, pudiéndose lograr el mismo objetivo con medidores o sensores que atiendan a parámetros objetivos no vinculados con la salud específica de la persona trabajadora y, por ende, no supongan una intromisión en la esfera más íntima de la persona.

En suma, la monitorización del estado de salud que ha sido analizada en este estudio se presenta como una medida que habrá de ser sometida a la libre disposición de los trabajadores y en ningún caso impuesta como medida obligatoria de vigilancia de la salud.

A efecto de poder prestar el consentimiento para la participación en estos programas de monitorización, el trabajador será informado del contenido del acto médico o de monitorización a realizar, así como del alcance y finalidad del mismo, so pena de ilicitud de la medida[86]. En ese sentido, "el acto de libre determinación que autoriza una intervención sobre ámbitos de la intimidad personal, para ser eficaz, requiere que el trabajador sea expresamente informado de las pruebas médicas especialmente invasoras de su intimidad. Esa exigencia significa que el trabajador debe recibir información expresa, al tiempo de otorgar su consentimiento, sobre cualquier prueba o analítica que pudiera llegar a afectar a su intimidad corporal" y, en su caso, " es preciso también un acto expreso de información si en el reconocimiento médico fueran a realizarse pruebas que, aun sin afectar a la intimidad

---

[85]   BLASCO PELLICER, Á.: "El deber empresarial…, op. cit., pág. 365.
[86]   GOÑI SEIN, J. L. y RODRÍGUEZ SANZ DE GALDEANO, B.: "El tratamiento de datos…, op. cit., pág. 225.

corporal del trabajador, sí conciernan en cambio al derecho más amplio a la intimidad personal de la que aquélla forma parte, al tener por objeto datos sensibles que puedan provocar un juicio de valor social de reproche o desvalorización ante la comunidad"[87].

2.2. Finalidad y proporcionalidad

Los reconocimientos médicos tendrán que necesariamente responder a los "riesgos inherentes al trabajo". De ese modo, los parámetros de salud monitorizados habrán de mantener una correspondencia, en su certeza y contenido, con los riesgos existentes en el puesto de trabajo y el estado de salud requerido para desempeñar la actividad laboral[88].

Así, la pertinencia y licitud de la monitorización de la salud se encontrará justificada cuando su objetivo sea evaluar, prevenir y controlar el estado de salud de los trabajadores cuando existan en el puesto de trabajo factores de riesgo determinados que pudieran influir sobre la situación médica del trabajador.

Las pruebas médicas habrán de ser adecuadas "en función de los riesgos inherentes al trabajo", por lo que el control médico deberá circunscribirse única y exclusivamente a la obtención de aquella información del estado de salud que resulte suficiente para con el objetivo perseguido, y no excederse en el control o indagaciones que excedan de dicho espectro. Las pruebas habrán de mostrarse como indispensables para el obtener el resultado perseguido, idóneas para conseguir la información necesaria, y que causen el menor de las molestias entre las alternativas posibles[89]. Como ha afirmado la doctrina, "el subjuicio de idoneidad y el de necesidad configuran qué pruebas médicas deben realizarse, y el subjuicio de necesidad y el de proporcionalidad en un sentido estricto configuran el cómo esas pruebas médicas deben realizarse"[90].

---

[87]	STC 196/2004, de 15 de noviembre, FJ. 9.
[88]	BLASCO PELLICER, Á.: "El deber empresarial...", op. cit., págs. 352 y ss.
[89]	GOÑI SEIN, J. L. y RODRÍGUEZ SANZ DE GALDEANO, B.: "El tratamiento de datos...", op. cit., pág. 227
[90]	LOUSADA AROCHENA, J. F. y NÚÑEZ-CORTÉS CONTRERAS, P.: *La vigilancia de la salud laboral.* Tecnos, Madrid, 2017, pág. 97.

Por ende, quedan fuera de este marco de legalidad las pruebas que busquen obtener datos de salud, así como el tratamiento de los mismos, para fines extraños a la prevención de riesgos laborales, como podrían ser la búsqueda de aumento de la productividad o intereses meramente organizacionales[91].

Desde una perspectiva de proporcionalidad, la monitorización constante del estado de salud puede resultar idónea para conocer en tiempo real la directa incidencia de un riesgo laboral sobre la salud de la persona trabajadora y poder así actuar de modo inmediato en su prevención, si bien, desde la perspectiva de la necesidad de la medida y su proporcionalidad en sentido estricto, parece que resultados muy similares podrían alcanzarse a través de sensores que, desde unos parámetros objetivos, midiesen ese riesgo y pudiesen activar la consecuente alerta, sin tener que tratar datos de salud de la persona trabajadora.

Al respecto, la monitorización constante del estado de salud de un trabajador tampoco puede equipararse directamente con los reconocimientos médicos periódicos, en tanto la vigilancia incesante excede sobremanera en tiempo y forma del diagnóstico puntual que suponen estos y genera una mayor intromisión en los derechos y libertades de la persona afecta.

2.3. Confidencialidad y personal habilitado

El art. 22.2 LPRL recoge que "las medidas de vigilancia y control de la salud de los trabajadores se llevarán a cabo respetando siempre el derecho a la intimidad y a la dignidad de la persona del trabajador y la confidencialidad de toda la información relacionada con su estado de salud". En este sentido, la confidencialidad se erige como "principio guía" sobre el que pivota la protección de los datos obtenidos a través de los reconocimientos médicos[92].

Con mayor precisión, el texto legal especifica que los resultados, datos personales referidos a la salud del trabajador, que sean obteni-

---

[91]   Alerta de este peligro, referenciando casos concretos RIVAS VALLEJO, P.: "Salud, Inteligencia Artificial...", op. cit., pág. 890 y ss.
[92]   PEDROSA ALQUEZAR, S. I.: "Vigilancia de la salud...", op. cit., pág. 168.

dos como consecuencia de las correspondientes pruebas médicas, serán comunicados al trabajador. Esta comunicación deberá realizarse a través del Servicio de Prevención con el que la empresa mantenga concertado el servicio, y podrá ser tanto por escrito como de palabra[93].

Junto al trabajador, tendrán acceso a dicha información de salud el personal médico y los especialistas en Enfermería involucrados en la monitorización, y las autoridades sanitarias en lo que les corresponda, excluyéndose el acceso al personal no sanitario[94]. Quedarían excluidos de la obtención y tratamiento de datos médicos tanto el personal auxiliar no sanitario como el personal administrativo del Servicio de Prevención[95]. Como establece la norma, "el acceso a la información médica de carácter personal se limitará al personal médico y a las autoridades sanitarias que lleven a cabo la vigilancia de la salud de los trabajadores, sin que pueda facilitarse al empresario o a otras personas sin consentimiento expreso del trabajador" (art. 22.4 LRPL).

Salvo que expresamente el trabajador autorice su comunicación, la confidencialidad obliga al personal sanitario a guardar silencio sobre los datos de salud obtenidos, prohibiéndose su traslado al empresario, representantes de los trabajadores o terceros, so pena de generarse una intromisión ilegítima sobre los derechos de la parte trabajadora. Esta prohibición de acceso del empresario a información clínica del trabajador se extiende igualmente para el supuesto en el que el responsable del fichero de historias de salud del trabajador esté en la propia empresa, como sucedería en el caso de que se hubiesen asumido todas las especialidades a través de un servicio de prevención propio[96].

---

[93]   Ibídem..., pág. 170.
[94]   Ibídem..., pág. 170.
[95]   LOUSADA AROCHENA, J. F. y NÚÑEZ-CORTÉS CONTRERAS, P.: *La vigilancia...*, op. cit., pág. 116.
[96]   GOÑI SEIN, J. L. y RODRÍGUEZ SANZ DE GALDEANO, B.: "El tratamiento de datos..., op. cit., pág. 229.

En relación a las conclusiones que se obtengan de los resultados antedichos[97], en tanto información mucho más "escueta y parcial"[98] que los resultados, se amplía para esta información el espectro subjetivo susceptible de ser comunicado, abarcando ahora al empresario y a las personas u órganos con responsabilidades en materia de prevención, sobre los cuales se rebaja el deber de confidencialidad.

En estas conclusiones no deberán contenerse indicaciones de índole médica, debiendo limitarse a la calificación de apto o no apto de la persona trabajadora para con el puesto de trabajo específico o función determinada, y preverse los tipos y condiciones de trabajo que aparecen como contraindicadas temporal o permanentemente desde el punto de vista médico[99]. En ese sentido, recoge el párrafo tercero del art. 22.4 LPRL: "el empresario y las personas u órganos con responsabilidades en materia de prevención serán informados de las conclusiones que se deriven de los reconocimientos efectuados en relación con la aptitud del trabajador para el desempeño del puesto de trabajo o con la necesidad de introducir o mejorar las medidas de protección y prevención, a fin de que puedan desarrollar correctamente sus funciones en materia preventiva".

De todo lo anterior, parece lógico que el art. 22.6 LPRL finalice su dicción estableciendo una restricción sobre el personal habilitado para realizar las medidas de vigilancia y control del estado de salud de los trabajadores.

En este sentido, se prevé que los controles "se llevarán a cabo por personal sanitario con competencia técnica, formación y capacidad acreditada". No obstante, aquellos facultativos que deban participar en el análisis y adopción de medidas preventivas podrán tener acceso a la información necesaria para el desarrollo de sus funciones,

---

[97]   Se entenderá por conclusiones "la información final derivada de los datos de los resultados de los exámenes de salud físicos o psico-sociales practicados que señalan la aptitud o no del trabajador para el desempeño de un determinado puesto de trabajo". PEDROSA ALQUEZAR, S. I.: "Vigilancia de la salud…, op. cit., pág. 171.

[98]   GOÑI SEIN, J. L. y RODRÍGUEZ SANZ DE GALDEANO, B.: "El tratamiento de datos…, op. cit., pág. 229.

[99]   LOUSADA AROCHENA, J. F. y NÚÑEZ-CORTÉS CONTRERAS, P.: *La vigilancia…, op. cit.*, pág. 119.

siempre que se refiera a información relacionada con la salud de los trabajadores pero que no comprenda datos personales[100].

De lo anterior, parece claro que la monitorización mediante wereables y su procesamiento a través de plataformas 4.0 o AIWM son instrumentos que habrán de ser controlados por los servicios de prevención y, cuando se obtengan y procesen datos de salud o información de la que se pueda extraer un estado de salud, esta información será tratada exclusivamente por medio de personal sanitario. Esta conclusión se extiende igualmente a rechazar cualquier tipo de automatización cognitiva de datos de salud en los que no intervenga un facultativo sanitario, como podría suceder en modelos de IA basados en *Deep Learning* y aprendizaje no supervisado, o cuando se trata de un sistema de IA supervisado, pero quien accede, controla o decide sobre la información del software no es un profesional sanitario.

En esta línea, en tanto estos sistemas tendrán la consideración de sistemas de IA de "alto riesgo" según la propuesta de Ley IA, ello obligará a que se diseñen y desarrollen "de modo que puedan ser vigilados de manera efectiva por personas físicas durante el período que estén en uso, lo que incluye dotarlos de una herramienta de interfaz humano-máquina adecuada, entre otras cosas"[101].

A lo anterior se le suma la especial clausula derivada de encontrarnos aquí con sistemas identificación biométrica y categorización de personas físicas a las que se refiere el punto 1, letra a), del Anexo III, en tanto esto generará que el sistema de IA no pueda actuar ni tomar ninguna decisión "sobre la base de la identificación generada por el sistema, salvo que un mínimo de dos personas físicas la hayan verificado y confirmado"[102]. Dos personas, se insiste, que deban ser además facultativos sanitarios cuando se trate de datos de salud.

---

[100]   BLASCO PELLICER, Á.: "El deber empresarial...", op. cit., pág. 372.
[101]   Art. 14 de la propuesta de Ley IA.
[102]   Art. 14.5 de la propuesta de Ley IA

3. Garantías del marco legal de protección de datos en el tratamiento de datos de salud

3.1. Legitimación en el tratamiento de datos personales de salud con fines de prevención de riesgos laborales

Como reconoce la AEDP, "en principio, el tratamiento de datos personales en materia de prevención de riesgos se encuentra legitimado por la existencia de una relación contractual cuyo cumplimiento, desarrollo y control, lo hace necesario"[103]. No obstante, habrá que diferenciar si el tratamiento se realiza sobre datos personales "ordinarios" o "categorías especiales de datos", para conocer así los extremos de licitud de cada tratamiento. Interesa a este estudio el segundo de los supuestos, dada la especial base de legitimación que se exige para su tratamiento, y ser la recopilación de los datos de salud a través de dispositivos inteligentes y su tratamiento por sistemas de AIWM el objeto de estudio del presente trabajo.

El RGPD incluye los datos de salud dentro de las "categorías especiales de datos" y, de ello, los incluye en la prohibición general por la que se veta "el tratamiento de datos personales que revelen el origen étnico o racial, las opiniones políticas, las convicciones religiosas o filosóficas, o la afiliación sindical, y el tratamiento de datos genéticos, datos biométricos dirigidos a identificar de manera unívoca a una persona física, datos relativos a la salud o datos relativos a la vida sexual o las orientación sexuales de una persona física" (art. 9.1 RGPD).

Por su parte, se remite igualmente la propuesta de Ley IA a este precepto normativo relativo a la prohibición genérica de tratamiento cuando alude al tratamiento de datos biométricos que puedan ser realizados por medio de un sistema de IA, como sería el caso del realizado a través de wereables y AIWM. Se establece en ella que "todo tratamiento de datos biométricos y datos personales de otra índole asociado al uso de sistemas de IA con fines de identificación biométrica distinto del uso de sistemas de identificación biométrica remota «en tiempo real» en espacios de acceso público con fines de aplicación

---

[103]   AEPD: *La protección de datos en las relaciones laborales*. AEPD, 2021, pág. 20.

de la ley regulado por el presente Reglamento debe seguir cumpliendo todos los requisitos derivados del artículo 9, apartado 1, del Reglamento (UE) 2016/679"[104].

No obstante, prevé el RGPD unas excepciones que vendrían a levantar este veto al tratamiento, siempre que concurra alguna de las circunstancias contempladas en el art. 9.2 RGPD. Esta prohibición puede ser exceptuada cuando medie el consentimiento explícito del interesado (art. 9.2 a) RGPD)[105], el tratamiento sea necesario para el cumplimiento de obligaciones y el ejercicio de derechos específicos del responsable del tratamiento o del interesado en el ámbito del Derecho laboral y de la seguridad y protección social (art. 9.2 b) RGPD); el tratamiento sea necesario para proteger intereses vitales del trabajador (art. 9.2 c) RGPD) o por razones de un interés público esencial (art. 9.2 g) RGPD); el tratamiento sea necesario por razones de interés público en el ámbito de la salud pública, como la protección frente a amenazas transfronterizas graves para la salud, o para garantizar elevados niveles de calidad y de seguridad de la asistencia sanitaria y de los medicamentos o productos sanitarios (art. 9.2 i) RGPD); así como cuando el tratamiento es necesario para fines de medicina preventiva o laboral, evaluación de la capacidad laboral del trabajador, diagnóstico médico, prestación de asistencia o tratamiento de tipo sanitario o social, o gestión de los sistemas y servicios de asistencia sanitaria y social (art. 9.2 h) RGPD).

De esta última vía, letra h) del art. 9.2 RGPD, se puede inferir que los controles o monitorización realizados vía wereables y el con-

---

[104]   Considerando 24 de la Exposición de Motivos de la propuesta de Ley IA,

[105]   El desequilibrio intrínseco de las partes de la relación hace difícil sostener la plena libertad de los empleados para negar o revocar el consentimiento, y resulta necesario probar que las personas trabajadoras no recibirían ninguna consecuencia negativa por su negativa. Por todo ello, el consentimiento sería válido únicamente en aquellos casos en los que la parte empleadora invoque un interés legítimo, el tratamiento sea estrictamente el necesario para la legítima finalidad y se respeten los principios de proporcionalidad y subsidiariedad, garantizando a su vez los derechos de privacidad de los empleados y que la infracción del derecho a la vida privada y el secreto de las comunicaciones se limitan en el mínimo necesario, véase GT29: *Opinion 2/2017 on data processing at work*. Adoptada el 8 de junio de 2017 por el Grupo de Trabajo del artículo 29, pág. 23.

siguiente tratamiento de datos de salud con fines de prevención de riesgos laborales podría tener cabida aquí.

Por su parte, el art. 9.2 LOPDGDD condiciona la licitud de los tratamientos antedichos en las letras g), h) e i) del art. 9.2 RGPD a que una norma con rango de ley así lo prevea.

Al respecto, la disposición adicional decimoséptima de la LOPD-GDD reconoce el tratamiento de datos de salud previsto en la Ley de Prevención de Riesgos Laborales como encuadrable dentro de las letras g), h) e i) del RGPD. Sobre lo cual, la LOPDGDD prevé que podrán establecerse requisitos adicionales relativos a la seguridad y confidencialidad de los datos de salud sometidos a este tratamiento.

De lo anterior, la LOPDGDD nos remite nuevamente al art. 22 LPRL para atender a los requisitos adicionales de licitud relacionados con el tratamiento de datos de salud y los reconocimientos médicos, lo cual ya ha sido tratado en el apartado anterior.

3.2. Tratamiento automatizado de datos de salud: bases de legitimación

Un comentario adicional merece el hecho de que la monitorización de la salud pueda estar complementada por un sistema de automatización de datos, precisamente como sucede en los AIWM. El art. 22.1 RGPD recoge el derecho de todo interesado "a no ser objeto de una decisión basada únicamente en el tratamiento automatizado, incluida la elaboración de perfiles, que produzca efectos jurídicos en él o le afecte significativamente de modo similar". De ello, el consentimiento se erige en estos casos como principio vertebrador para legitimar cualquier tratamiento de datos personales automatizado.

Entrarán dentro del ámbito objetivo las decisiones basadas en exclusiva en un proceso algorítmico automatizado en los que no medie la participación de humana en la decisión final. En este sentido, cuando nos encontremos con decisiones tomadas por sistemas IA independientes, con plena automatización en el tratamiento de datos personales, pero en las que ha intervenido un humano en alguna de las fases, no como sujeto decisor o participe, sino como mero supervisor del sistema, como será usual en los sistemas de IA de "alto riesgo" a los que se refiere la Ley IA, esta supervisión no debiera llevarnos a pensar que en la toma de la decisión ha mediado el componente humano y, de ello, considerar como no aplicable el art. 22 RGPD.

La previsión normativa del art. 22 RGPD podrá exceptuarse cuando la decisión "es necesaria para la celebración o la ejecución de un contrato entre el interesado y un responsable del tratamiento"; "está autorizada por el Derecho de la Unión o de los Estados miembros que se aplique al responsable del tratamiento y que establezca asimismo medidas adecuadas para salvaguardar los derechos y libertades y los intereses legítimos del interesado", o "se basa en el consentimiento explícito del interesado" (art. 22.3 RGPD).

En este sentido, la interpelación de la normativa específica en materia de protección de datos a la Ley de Prevención de Riesgos Laborales podría entenderse como una autorización legal al tratamiento cuando se cumplan las condiciones y garantías del art. 22 LPRL. No obstante, el hecho de que el art. 22 LPRL no recoja expresamente la vigilancia de la salud automatizada como supuesto válido puede llevarnos a concluir que, a falta de una adaptación legislativa en ese sentido, el marco jurídico actual no permite la decisión basada únicamente sobre la automatización de los datos de personales de salud con fines de prevención de riesgos laborales.

En consecuencia, habría que acudir a los otros dos títulos habilitadores, que son la necesidad del tratamiento para la ejecución del contrato, en nuestro caso el contrato de trabajo, y el libre consentimiento del interesado.

Queda visto líneas atrás como el actual estado de la ciencia y la tecnología no convierten la monitorización en tiempo real de la salud, y menos aún su tratamiento automatizado por medio de AIWM, en una herramienta "necesaria" e imprescindible para la ejecución del contrato, sino que juega más bien un papel complementario de mejora de la acción preventiva e incluso de promoción del bienestar de la persona trabajadora. De ello, está vía de legitimación tampoco resulta apta. No obstante, la conclusión nos lleva a que la automatización de datos personales puede ser realizada sin que opere el derecho de objeción de la parte trabajadora cuando el tratamiento sea necesario para la ejecución del contrato laboral, lo cual abriría un debate respecto a su funcionalidad en los reconocimientos médicos obligatorios del art. 22 LPRL.

Así pues, ante la inoperancia de la necesidad del tratamiento para la ejecución del contrato, el consentimiento del interesado quedaría como única vía de licitud apta para la autorización del tratamiento.

Prosigue el Reglamento (UE), cuando el tratamiento automatizado por cualquier de los dos títulos habilitadores del párrafo anterior, "el responsable del tratamiento adoptará las medidas adecuadas para salvaguardar los derechos y libertades y los intereses legítimos del interesado, como mínimo el derecho a obtener intervención humana por parte del responsable, a expresar su punto de vista y a impugnar la decisión" (art. 22.3 RGPD).

Adicionalmente, el Reglamento (UE) establece una cautela específica cuando los datos sometidos a automatización se encuentren insertos en la categorización de datos especialmente sensibles, como son los "datos de salud". En ese sentido, se prevé que "las decisiones a que se refiere el apartado 2 no se basarán en las categorías especiales de datos personales contempladas en el artículo 9, apartado 1 (datos de salud), salvo que se aplique el artículo 9, apartado 2, letra a) o g)" -consentimiento explícito para el tratamiento o cuando este es necesario por razones de un interés público esencial- "y se hayan tomado medidas adecuadas para salvaguardar los derechos y libertades y los intereses legítimos del interesado" (art. 22.4 RGPD). Con esta última cláusula, se cierra el debate respecto a si resultaría lícita la obligatoriedad del sometimiento a un tratamiento automatizado de datos salud en los supuestos de reconocimientos médicos obligatorios (art. 22 LPRL), en tanto la única base de legitimidad aceptada para estos casos es la del libre consentimiento.

Ahora bien, el consentimiento como base de legitimación para permitir el procesamiento de datos en las relaciones laborales fue desaconsejado por el "Grupo de Trabajo del artículo 29", al establecer que "*For the majority of such data processing at work, the lawful basis cannot and should not be the consent of the employees (Art. 6(1) (a)) due to the nature of the relationship between employer and employee*" [106,] . La asimetría que presentan las partes firmantes del con-

---

[106]   GT29: *Guidelines on consent under Regulation 2016/679: The Working Party On The Protection Of Individuals With Regard To The Processing Of Personal Data*. Article 29 Data Protection Working Party, 2017.

trato laboral hace difícil pensar que la parte trabajadora se encuentre en una verdadera posición de libertad para negarse u oponerse a un tratamiento de sus datos personales, por lo que su viabilidad dependerá del establecimiento de garantías para que este no reciba por ello ningún tipo de consecuencia negativa.

Como afirma la AEPD, "el consentimiento del afectado no es válido cuando se proporciona en un contexto de «desequilibro claro entre el interesado y el responsable del tratamiento». La posición de desequilibrio entre la empresa y la persona trabajadora exige extremar las cautelas y, en particular, el respeto a los principios de proporcionalidad y de limitación de la finalidad"[107]. Por ello, el consentimiento solo podrá constituir una base jurídica para el tratamiento de datos en el trabajo cuando el trabajador pueda negarse sin consecuencias adversas[108].

Con ello, habrá que concluir que el tratamiento automatizado de la categoría especial de datos de salud solo podrá tener lugar como reconocimiento médico voluntario, dentro del margen de voluntariedad propio del derecho a la vigilancia periódica de la salud (art. 22 LPRL) y circunscritos estrictamente a la finalidad de esta.

En ese sentido, el margen de actuación de estos sistemas de IA mediante wereables y AIWM no puede ser otro que el de funcionar como un instrumento garante de la salud y para la promoción del bienestar, pero siempre al servicio del propio trabajador. En consecuencia, no podrán ser utilizados como sistemas coercitivos para la monitorización de datos personales de salud con fines distintos al de la vigilancia de la salud y, menos aún, utilizados como técnicas subrepticias para el control de la prestación laboral con objetivos de optimización de la producción u organización de la empresa. En cualquiera de estos últimos casos, el consentimiento de la parte trabajadora carecería de valor legitimador del tratamiento.

---

[107]   AEPD: *La protección de datos en las relaciones laborales*. AEPD, 2021, pág. 8
[108]   Dictamen 2/2017 sobre el tratamiento de datos en el trabajo del Grupo de Trabajo del artículo 29.

3.3. Tratamiento semi-automatizado de datos de salud: bases de legitimación

El art. 22 RGPD, se veía, condiciona al consentimiento los tratamientos de datos personales basados únicamente en un tratamiento automatizado, es decir, cuando no medie voluntad humana en la toma de decisiones. No obstante, cabe preguntarse respecto al escenario de legitimación de aquellas decisiones en las que ha existido un proceso de automatización de datos personales previo pero la decisión final le corresponde a un humano. Es decir, los supuestos de tratamientos semi-automatizados que, se espera, sean la gran mayoría. Este tipo de decisiones quedarán entonces fuera del ámbito objetivo del art. 22 RGPD y se redirijan a los títulos de legitimación de los arts. 6 y 9 RGPD.

Aquí, cuando los sistemas IA, wereables o AIWM no se presenten como necesarios para la ejecución de un contrato laboral (art. 6.1. a) RGPD), lo cual, como se ha visto *ut supra*, será lo usual, obliga a buscar otro título legitimador para el tratamiento. En ese sentido, el interés legítimo de la empresa jugará un papel decisivo.

El art. 6.1 f) RGPD recoge que licitud del tratamiento cuando sea "necesario para la satisfacción de intereses legítimos perseguidos por el responsable del tratamiento o por un tercero, siempre que sobre dichos intereses no prevalezcan los intereses o los derechos y libertades fundamentales del interesado que requieran la protección de datos personales". Según este título, la necesidad no se exigirá ya en relación con la ejecución de un contrato, sino para con el interés legítimo específico en el tratamiento, y la garantía de la salud y la promoción del bienestar de la persona trabajadora se presentan aquí como títulos de clara legitimidad.

Una de las características propias del apartado f) como base de licitud es precisamente el derecho de oposición que se activa para que la persona trabajadora, en nuestro caso, el trabajador, pueda oponerse al tratamiento en cualquier momento (art. 21 RGPD). Es decir, una vez se haya constatado la concurrencia de un interés legítimo y se hayan sopesado los intereses y derechos contrapuestos, teniendo en consideración lo ya visto en el art. 22 LPRL, la base de legitimación operará solo en los supuestos en los que la parte interesada no se haya opuesto a ello. El GT 29 remarca la diferenciación de esta oposición con el consentimiento como base de licitud del art. 6.1 a) RGPD, considerando a esta oposición una "forma específica de exclusión voluntaria"[109].

4. Principios generales de protección de datos

Vista la legitimación para el correspondiente tratamiento, resulta menester atender a los principios de protección de datos que deben regir durante "la recogida, registro y uso de los datos personales", lo cual, junto a los derechos subjetivos, constituye el núcleo esencial del derecho fundamental a la protección de datos personales[110]. Los principios se encuentran recogidos en el art. 5 RGPD.

En primer lugar, se establece en el apartado a) del artículo que los datos habrán de ser "tratados de manera lícita, leal y transparente en relación con el interesado". En relación a la licitud, en conexión con la vigilancia de la salud, el tratamiento tendrá que encontrar legitimación en base al art. 6 RGPD, que como se ha visto encuentra acogida satisfactoria para los reconocimientos obligatorios aquí estudiados, y que en la obtención de los datos se haya cumplido con lo preceptuado en el art. 22 LPRL y sus garantías. Por su parte, la lealtad y transparencia responden al deber de información que debe otorgarse al interesado, en nuestro caso, a la información que se debe facilitar en el momento de realizar la obtención de los datos (art. 13.1 RGDP), en concreto respecto al carácter voluntario de las pruebas y su finalidad, razón, alcance y destinatarios de los mediciones médicas a efectuar[111]. Sólo a través del derecho a la información puede la parte interesada prestar válidamente su consentimiento y hacer valer los derechos de acceso, rectificación, limitación al tratamiento, supresión, portabili-

---

[109]   *Dictamen 06/2014 sobre el concepto de interés legítimo del responsable del tratamiento de los datos en virtud del artículo 7 de la Directiva 95/46/CE.* Grupo de Trabajo sobre protección de datos del art. 29, de 9 de abril de 2014, pág. 52. Disponible en: https://www.aepd.es/sites/default/files/2019-12/wp217_es_interes_legitimo.pdf

[110]   GOÑI SEIN, J. L.: *La nueva regulación...*, op. cit., pág. 57.

[111]   Respecto a la información específica a entregar cuando la información se obtiene del interesado, como sucede en los casos aquí analizados, véanse los apartados 1 y 2 del art. 13 RGPD.

dad y oposición que viene reconocida por la normativa a la persona interesada[112].

A su vez, como apunta la propuesta de Ley IA, el hecho de encontrarnos con sistemas de IA obliga a que las personas interesadas obtengan información específica respecto a qué datos son sometidos a un tratamiento mediante sistemas de IA, con expresa mención a "cuando estén expuestas a un sistema de reconocimiento de emociones o a un sistema de categorización biométrica"[113].

En segundo lugar, el apartado b) del Reglamento europeo especifica que los datos serán "recogidos con fines determinados, explícitos y legítimos, y no serán tratados ulteriormente de manera incompatible con dichos fines. En esta línea, la recogida de datos debe obedecer a un motivo justificado y legítimo como es el de la prevención de riesgos laborales y la promoción de la salud de la persona trabajadora. En este sentido, el uso y tratamiento ulterior de los datos recabados en este proceder deberá mantener siempre una conexión directa con la finalidad que legitimó su recogida.

Lo anterior resulta coherente con lo preceptuado en el apartado c) cuando prevé que los datos serán "adecuados, pertinentes y limitados a lo necesario en relación con los fines para los que son tratados". Atendiendo a este principio de minimización de datos, la información a obtener habrá de constreñirse al mínimo indispensable para lograr la finalidad buscada, incluyendo dentro del control clínico únicamente los parámetros suficientes para verificar, en su caso, la presencia del riesgo. Esta previsión resulta conexa con el principio de proporcionalidad recogido en el art. 22 LPRL.

Igualmente, el apartado d) se refiere a la exactitud de los datos como un principio por el que deben mantener únicamente aquellos datos reales y exactos, debiendo actualizarse cuando así se requiera. Dichos datos se deberán conservar durante "no más tiempo del necesario para los fines del tratamiento de los datos personales" (art. 5.e) RGPD). No obstante, se prevé la posibilidad de que los datos se conserven "durante períodos más largos siempre que se traten exclusivamente con fines de archivo en interés público, fines de investiga-

---

[112] *Ibídem...*, pág. 59.
[113] Considerando 70 de la Exposición de Motivos de la propuesta de Ley IA.

ción científica o histórica o fines estadísticos, de conformidad con el artículo 89, apartado 1, sin perjuicio de la aplicación de las medidas técnicas y organizativas apropiadas que impone el presente Reglamento a fin de proteger los derechos y libertades del interesado".

Este deber de exactitud se ve complementado por la previsión específica prevista en la ley IA según la cual estos sistemas de IA de "alto riesgo" se diseñarán y desarrollarán de modo que, en vista de su finalidad prevista, alcancen un nivel adecuado de precisión, solidez y ciberseguridad y que deban funcionar de manera consistente en esos sentidos durante todo su ciclo de vida (art. 15 de la propuesta de Ley IA).

El último de los principios recogido en el art. 5 RGPD se refiere a la integridad y confidencialidad. Prevé el apartado f) que los datos serán "tratados de tal manera que se garantice una seguridad adecuada de los datos personales, incluida la protección contra el tratamiento no autorizado o ilícito y contra su pérdida, destrucción o daño accidental, mediante la aplicación de medidas técnicas u organizativas apropiada". Como se ha desarrollado en relación al principio de confidencialidad previsto en el art. 22 LPRL, el tratamiento de datos de salud habrá de realizarse "por un profesional sujeto a la obligación de secreto profesional, o bajo su responsabilidad, (...) por cualquier otra persona sujeta también a la obligación de secreto de acuerdo con el Derecho de la unión o de los Estados miembros o de las normas establecidas por los organismos nacionales competentes".

Finalmente, cabe advertir como el uso de estos wereable y sistemas de AIWM vendrá condicionado a la previa realización de una Evaluación de Impacto en materia de Protección de Datos (art. 35.4 RGPD), ya que todo tratamiento de datos que "implique la observación, monitorización, supervisión, geolocalización o control del interesado de forma sistemática y exhaustiva, incluida la recogida de datos y metadatos a través de redes, aplicaciones", y se valga para ello de "la utilización de nuevas tecnologías o un uso innovador de tecnologías consolidadas, incluyendo la utilización de tecnologías a una nueva escala, con un nuevo objetivo o combinadas con otras, de forma que suponga nuevas formas de recogida y utilización de datos con riesgo para los derechos y libertades de las personas", estaría cumpliendo dos de las situaciones demarcadas por la *Lista de tipos de tratamien-*

*tos de datos que requiere Evaluación de Impacto relativa a la protec-
ción de datos* (art. 35.4) de la AEPD y, por ende, se considerará como
un tratamiento de "alto riesgo" sobre el que se requiere una EIPD[114].

V. BIBLIOGRAFÍA

AEPD: *La protección de datos en las relaciones laborales*. Agencia Española
de Protección de Datos, Madrid, 2021.

AEPD: *Adecuación al RGPD de tratamientos que incorporan Inteligencia
Artificial. Una introducción*. Agencia Española de Protección de Datos,
Madrid, 2020.

AEPD: *Listas de tipos de tratamientos de datos que requieren evaluación de
impacto relativa a protección de datos (art 35.4)*. Agencia Española de
Protección de Datos Personales, Madrid,

AGUILAR DEL CASTILLO, M. C.: "El uso de la inteligencia artificial en la
prevención de riesgos laborales", en *Revista Internacional y Comparada
de Relaciones Laborales y Derecho del Empleo*, vol. 8, núm. 1, enero-
marzo 2020, págs. 263-293.

BLASCO PELLICER, Á.: "El deber empresarial de vigilancia de la salud y
el derecho a la intimidad del trabajador", TOSCANI GIMÉNEZ, D. y
ALEGRE NUENO, M. (dir.): *Análisis práctico de la Ley de Prevención de
Riesgos Laborales*. Thomson Reuters, Cizur Menor, 2016, págs. 347-378.

CAMPERO JURADO, I.; MÁRQUEZ SANCHEZ, S.; QUINTANAR GÓ-
MEZ, J.; RODRÍGUEZ, S. y CORCHADO, J: "Smart Helmet 5.0 for
Industrial Internet of Things Using Artificial intelligence" en *Sensor*, núm.
20, 2020, págs. 1-27.

EUROFOUND: *Anticipating and managing the impact of change. Ethics
in the digital workplace*. European Foundation for the Improvement of
living and Working Conditions (Eurofound); Publication Office of the
European Union, mayo 2022.

EUROFOUND: *Monitoring and surveillance of workers in the digital age*.
Researh digest, diciembre 2021.

EU-OSHA: *Artificial intelligence for worker management: implications for
occupational safety and health*. Agencia Europea para Seguridad y salud
en el Trabajo, 2022.

---

[114]   AEPD: *Listas de tipos de tratamientos de datos que requieren evaluación de impacto relativa a protección de datos (art 35.4)*. Agencia Española de Protección
de Datos Personales, Madrid, 2019.

EU-OSHA: *Artificial intelligence for worker management: risks and opportunities*. Agencia Europea para la Seguridad y Salud en el Trabajo, 2022.

EU-OSHA: *Artificial intelligence for worker management: an overview*. Agencia Europea para la Seguridad y Salud en el Trabajo, 2022.

EU-OSHA: *Cognitive automation: implications for occupational safety and health Report*. European Agency for Safety and Health at Work (EU-OSHA), 2022.

EU-OSHA: *Third European Survey of Enterprises on New and Emerging Risks (ESENER 2019): Overview Report How European workplaces manage safety and health*. Agencia Europea para Seguridad y Salud en el Trabajo, 2022.

EU-OSHA: *Equipos de Protección Individual Inteligentes: protección inteligente de cara al futuro*. Agencia Europea para Seguridad y Salud en el Trabajo, 2020.

EU-OSHA: *OSH and the future of work: benefits and risks of artificial intelligence tools in workplace*. Agencia Europea para la Seguridad y Salud en el Trabajo, 2019.

EU-OSHA: *Tecnologías de control: ¿la búsqueda del bienestar del siglo XXI?* Agencia Europea para Seguridad y salud en el Trabajo, 2017.

GOÑI SEIN J. L.: "Innovaciones tecnológicas, inteligencia artificial y Derechos Humanos en el trabajo", en *Documentación Laboral*, vol. II, núm. 117, 2019, págs. 57-72.

GOÑI SEIN, J. L.: *La nueva regulación europea y española de protección de datos y su aplicación al ámbito de la empresa (Incluido el Real Decreto-Ley 5/2018)*. Bomarzo, Albacete, 2018.

GOÑI SEIN, J. L. y RODRÍGUEZ SANZ DE GALDEANO, B.: "El tratamiento de datos de salud del trabajador", ARCOS VIEIRA, M. L. (dir.), *Autonomía del paciente e intereses de terceros: límites*. Thomson Reuters-Aranzadi, Cizur Menor (Navarra), 2016.

GT29: *Guidelines on consent under Regulation 2016/679: The Working Party On The Protection Of Individuals With Regard To The Processing Of Personal Data*. Article 29 Data Protection Working Party, 2017.

GT29: *Opinion 2/2017 on data processing at work*. Grupo de Trabajo del artículo 29, 2017.

IGARTUA MIRÓ, M. T.: *Sistemas de Prevención de Riesgos Laborales*, Tecnos, Madrid, 2018.

LOUSADA AROCHENA, J. F. y NÚÑEZ-CORTÉS CONTRERAS, P.: *La vigilancia de la salud laboral*. Tecnos, Madrid, 2017.

MARÍN MALO, M.: *La prevención del Consumo de Alcohol en el Medio Laboral*, Thomson Reuters Aranzadi, Cizur Menor, 2018.

MARQUEZ SANCHEZ; S.; CAMPERO JURADO, I.; ROBLES CAMARILLO, D.; RODRÍGUEZ, S. y CORCHADO RODRÍGUEZ, J. M.: "BeSafe

B2.0 Smart Multisensory Platform for Safety in Workplaces", en *Sensors*, núm. 21, 2021, págs. 1-33.

MARQUEZ SÁNCHEZ, S.; CAMPERO JURADO, I.; HERRERA SANTOS, J.; RODRÍGUEZ, S. y CORCHADO, J. M.: "Intelligent Platform Based on Smart PPE for Safety in Workplaces", en *Sensors*, núm. 21, 2021, págs. 1-22.

MERCADER UGUINA, J. R.: "Riesgos laborales y transformación digital: hacia una empresa tecnológicamente responsable", *en Teoría y derecho: revista de pensamiento jurídico*, núm. 23, 2018, págs.92-107.

MUÑOZ RUIZ, A. B.: "Cambio tecnológico y transformación digital: líneas de futuro de la OIT en materia de prevención de riesgos laborales", en *International Journal of Information Systems and Software Engineering for Big Companies (IJISEBC)*, núm. 6 (I), págs. 111-122.

NAHAVANDI, D.; ALIZADEHSANI, R.; KHOSRAVI, A. y ACHARYA, U. R.: "Application of artificial intelligence in wereable devices: Opportunities and challenges", en *Computer Methods and Programs in Biomedicine*, núm. 213, 2022, págs. 1-19.

NTP 959. La vigilancia de la salud en la normativa de prevención de riesgos laborales. Instituto Nacional de Seguridad e Higiene en el Trabajo

Organización Mundial de la Salud (OMS): *Ethics and Governance af Artificial Intelligence for health: WHO guidance*. World Health Organization, Ginebra, 2021.

PEDROSA ALQUEZAR, S. I.: "Vigilancia de la salud laboral y protección de datos", *Revista del Ministerio de Trabajo, Migraciones y Seguridad Social*, núm. 138, 2018, págs. 163-181.

PISHGAR, M.; FUAD ISSA, S.; SIETSEMA, M.; PRATAP, P y DARABI, H.: "REDECA: A novel Framework to Review Artificial Intelligence and Its Applications in Occupational Safety and Health", en *International Journal of Environmental Research and Public Health*, núm. 18, 2021, págs. 1-42.

POLÁŠEK, P.; BUREŠ, M. y ŠIMON, M.: "Comparison of Digital Tools for Ergonomics in Practice" en *Procedia Engineering*, núm. 100, 2015.págs. 1277 – 1285.

RIMBAU GILABERT, E.: "Digitalización y bienestar de los trabajadores", en *IUSLabor*, núm. 2, 2019.

RIVAS VALLEJO, P.: "Sesgos de género en el uso de la inteligencia artificial para la gestión de las relaciones laborales: análisis desde el derecho anti-discriminatorio", en *E-Revista Internacional de la Protección Social*, vol. VII, núm. 1, 2022, págs. 52-83.

SCHWALBE, N. y WAHL, B.: "Artificial intelligence and the future of global health", en *The Lancet*, núm. 395, 2020.

TODOLÍ SIGNES, A.: "Riesgos Laborales Derivados del Uso de Algoritmos: Impacto de género", en RIVAS VALLEJO, P. (dir.): *Discriminación algorítmica en el ámbito laboral: perspectiva de género e intervención*. Thomson Reuters-Aranzadi, Cizur Menor, 2022, págs. 333-349.

TODOLÍ SIGNES, A.: "Making algorithms safe for workers: occupational risks associated with work managed by artificial intelligence", en *Transfer: European Review of Labour and Research*, 2021

Capitulo sexto:
UTILIZACIÓN DE NUEVAS TECNOLOGIAS CON FINES DE GESTION PREVENTIVA. POSIBILIDADES A LA LUZ DE LA NORMATIVA EN MATERIA DE SEGURIDAD Y SALUD LABORAL

LUIS PÉREZ CAPITÁN
Profesor Asociado de Derecho del Trabajo y de la Seguridad Social
Universidad Pública de Navarra

SUMARIO: I. INTRODUCCIÓN, II. LAS NUEVAS TECNOLOGÍAS EN EL ÁMBITO FORMATIVO DE PREVENCIÓN DE RIESGOS LABORALES, 1. Una breve reflexión previa, 2. Las plataformas digitales: ¿instrumentos adecuados para la formación preventiva?. III. LA ADECUACIÓN DEL USO DEL SISTEMA DE VIGILANCIA A DISTANCIA COMO INSTRUMENTO DEL CUMPLIMIENTO DE LAS OBLIGACIONES DE VIGILANCIA ESTABLECIDAS EN LA REGULACIÓN PREVENTIVA, 1. Los sistemas de control remoto y la obligación general de vigilancia empresarial, *1.1. Una breve referencia a la obligación de vigilancia empresarial, 1.2. Supuestos específicos de vigilancia: los medios de protección personal y otras situaciones,* 2. La adecuación de los sistemas de control remoto para el cumplimiento de esta obligación general, 3. La vigilancia ante las situaciones de riesgo agravado: los recursos preventivos. Examen de la adecuación de los sistemas de control remoto al cumplimiento de esta obligación, *3.1. Una introducción acerca del recurso preventivo, 3.2. La adecuación de los sistemas de control remoto para suplir la presencia física del recurso preventivo,* 4. La adecuación de los sistemas de control remoto para el cumplimiento de la obligación de vigilancia en los casos de concurrencia de actividades empresariales, *4.1. La adecuación de los medios de control remoto para el cumplimiento de la obligación de vigilancia del empresario principal, 4.2. El encargado de coordinación y las posibilidades del cumplimiento de sus obligaciones de vigilancia a través del sistema de control remoto,* 5. Los sistemas de control remoto y la obligación de vigilancia en el ámbito de las obras de construcción, *5.1. Las herramientas de control remoto y su conciliación con las obligaciones de vigilancia del coordinador en materia de seguridad y de salud durante la ejecución de la obra, 5.2. Algunas menciones específicas al deber de vigilancia: director de obra y director de ejecución de obra,* 6. Los Servicios de Prevención como sujetos obligados a efectuar una actividad de vigilancia, IV. CONCLUSIONES. VII. BIBLIOGRAFÍA.

I. INTRODUCCIÓN

La utilización de nuevas tecnologías en el ámbito de la Prevención de Riesgos Laborales plantea numerosos interrogantes en diversas esferas. Entre ellos, destacan la cuestión de la protección de datos y el de la adecuación de esas nuevas tecnologías a las exigencias de la normativa vigente preventiva vigente. Es el segundo de los aspectos el que aquí se pretende esbozar puesto que la reflexión acerca de esas nuevas tecnologías y el crecientemente importante segmento jurídico de la protección de datos requiere un tratamiento específico que se separa de la perspectiva que contiene el Derecho de Prevención de Riesgos Laborales para adentrarse en otros campos ajenos en este momento a nuestra intención analítica.

La inmersión de nuestra sociedad en la revolución tecnológica, la digitalización o transformación digital, es evidente. Ninguna faceta de la vida social, laboral o empresarial queda fuera de la importante ruptura que han supuesto los cambios aparejados por aquella ya no solo por la aplicación de las innovaciones presentes y futuras sino también por implicar una real evolución en concepciones y valores. En este sentido, no ya los documentos doctrinales al respecto más o menos elaborados sino la propia Unión Europea en su documentación oficial ha incidido en esa visión de cambio integral, global que significa la transformación digital, equiparable a una verdadera revolución industrial que afecta a nuestra vida diaria, y también evidentemente nuestra forma de trabajar[1].

Como adelantábamos, la cuestión que pretendemos responder es si la actual legislación preventiva a pesar de su relativa bisoñez en comparación con otras ramas del Derecho Social, se encuentra preparada para asimilar los cambios tecnológicos presentes y que se avecinan. Estamos ante una cuestión clave.

A nuestro juicio, pocos sectores del Derecho Social tienen una conexión tan cercana al cambio tecnológico como el Derecho de Prevención de Riesgos Laborales. Dotado éste de un sesgo profundamente técnico, su evolución debe estar muy ligada al necesario progreso

---

[1]   SHAPING EUROPE'S DIGITAL FUTURE, (2020) recuperado en https://ec.europa.eu/info/sites/info/files/communication-shaping-europes-digital-future-feb2020_en_4pdf., p. 1.

científico en muy diversas áreas, con contenidos que se escapan del ámbito social para adherirse al campo de la ingeniería, medicina, física, química entre otras ramas y disciplinas no humanísticas.

Para mostrar las implicaciones que contiene el objeto de nuestro estudio, sin duda lo más adecuado es determinar los efectos reales que la tecnologías que se han incorporado al mundo preventivo tienen al objeto de analizar su encaje en la actual legislación preventiva.

Y, en primer lugar, debemos dejar de lado en nuestro análisis aquellos cambios que derivados de los avances técnicos permiten un incremento de la protección de la seguridad y salud de la persona trabajadora. Es obvio que las nuevas tecnologías pueden determinar un escenario más seguro. Por ejemplo, nuevas técnicas y equipamientos como: el exoesqueleto utilizado para evitar el esfuerzo humano en ciertas tareas[2]; el sistema de control de temperatura en estructuras a través de cámaras termografías para evitar incendios por sobrecalentamiento[3]; sensores dispuestos en herramientas de corte que automáticamente detectan el cambio de su elemento destino de corte a la carne y se detienen; o robots para la realización de trabajos peligrosos para el ser humano[4]. Todo ellos no plantean disquisición alguna más allá de su propia existencia y de la necesidad de su uso en cuanto determinan una más exigente protección y reducen la actualización de accidentes[5]. Tampoco plantea mayor problema la utilización del *big*

---

[2]   "Exoesqueletos para prevenir lesiones en el ámbito laboral" publicado el 1 de diciembre del 2020 y consultado en https://umivale.es/blog/prevencion-y-habitos-saludables/noticia-prevencion/dynacontent/exoesqueletos-para-prevenir-lesiones-en-el—mbito-laboral.

[3]   "Tecnología en seguridad y salud en el trabajo: cómo prevenir accidentes", consultado publicado el 5 de abril del 2022 https://universidadeuropea.com/blog/tecnologia-seguridad-y-salud-trabajo/

[4]   Tropiano, Y, y Noguera, A. "Los efectos positivos de la tecnología en el ámbito de la seguridad y salud en el trabajo" p. 4, consultado en http://www.cielo-laboral.com/wp-content/uploads/2020/03/tropiano_nogueira_noticias_cielo_n3_2020.pdf

[5]   Prolaboral, Workwear and Safety, "Las TIC'S y en Prevención de Riesgos Laborales" consultado el 6 de mayo del 2022 en https://workwear.prolaboral.es/tecnologias-prevencion-riesgos-laborales/

*data*6 o la inteligencia artificial[7] como instrumento masivo de análisis y combinación inteligente de datos destinada a la predicción de sucesos y a la disminución de siniestralidad como base para la identificación de riesgos, permitiendo el cambio de comportamientos, sistemas, tecnología, procesos o cualquier otra fuente de posible de peligro para la salud y seguridad de las personas trabajadoras.

En realidad, vamos a centrar nuestro análisis en dos aspectos concretos que plantean las nuevas tecnologías en relación con la legislación vigente en materia de Prevención de Riesgos Laborales: la formación digital y las técnicas de control remoto. Para ello, ante advertiremos de las consecuencias de las mismas y su posible soporte o no por la actual legislación.

II. LAS NUEVAS TECNOLOGÍAS EN EL ÁMBITO FORMATIVO DE PREVENCIÓN DE RIESGOS LABORALES

1- *Una breve reflexión previa.*

La esfera de la formación en general, y dentro de ella la actividad formativa en Prevención de Riesgos en particular, es una de los ámbitos que mayores aportes han recibido de las nuevas tecnologías en los

---

[6]   Una muestra de la utilización del análisis big data lo tenemos en el esudio de Quironprevención sobre la base de los reconocimientos médicos laborales realizados entre los años 2018 y 2021 para la diabetes tipo 2, Azpiroz, A. "Quirónprevención realiza un análisis de Big Data como herramienta de prevención de diabetes tipo 2", publicado el 16 de marzo del 2022, consultado en https://www.consalud.es/profesionales/quironprevencion-realiza-analisis-big-data-herramienta-prevencion-diabetes-tipo-2_111613_102.html

[7]   Por ejemplo, el sistema desarrollado por Instituto de Biomecánica de Valencia y QuironPrevención ErgoIA, consistente en un "software de análisis de movimientos a partir de vídeos que pueden ser grabados desde cualquier dispositivo móvil, proporciona diferentes soluciones de análisis ergonómico apoyadas en una tecnología de vanguardia, la Inteligencia Artificial ..." Valls Mollits, A. "ERGO IA, una nueva solución innovadora de análisis ergonómico" publicado el 11 de febrero de 2021 y consultado en https://www.quironprevencion.com/blogs/es/prevenidos/ergo-ia-nueva-solucion-innovadora-analisis-ergonomico

últimos años. Herramientas como las plataformas digitales que permiten la impartición de contenidos formativos a un número elevado de personas con independencia de su ubicación en unas condiciones que en su más alta gama permiten la combinación con herramientas de todo tipo (simuladores y realidad virtual[8], gamificación[9], procedimientos altamente tecnificados de autentificación y de personalización o adaptación predecible de *elearning10) no imaginables hace apenas una década.*

Esta nueva tecnología permite reproducir situaciones análogas a la realidad sin riesgo y multiplicar la experiencia del formado. Múltiples variedades de los programas a través de técnicas como la gamificación estimulan al alumno, siendo posible llegar a la persona trabajadora a través de múltiples sistemas móviles (tabletas, teléfonos y dispositivos inteligentes como los smartwatches) hoy de uso común. Sin duda todas estas herramientas han revolucionado el mundo formativo, también en el área de Prevención de Riesgos Laborales.

No obstante, persiste un importante interrogante. ¿Son suficientes estas tecnologías para dotar a la formación online de los requerimientos legales y de la suficiencia y adecuación necesarias desde la perspectiva normativa? Y la contestación es sencilla y nada original. Y es que no ha cambiado en nada el sentido de la respuesta que habríamos dado décadas atrás. Lo que sí ha cambiado son las circunstancias fácticas y tecnológicas que determinan la respuesta.

---

[8]   Ejemplos de ellos en el ámbito comercial/empresarial: "Simuladores para formación de prevención de riesgos laborales", publicado el 18 de julio del 2019 en https://previnsa.com/simuladores-para-formacion-de-prevencion-de-riesgos-laborales/; sobre las plataformas y la realidad virtual: "Prevención de riesgos laborales mediante la realidad virtual" publicado el 11 de agosto del 2021 y consultado en https://ludusglobal.com/prevencion-riesgos-laborales-realidad-virtual; Galindo García, J. "¿Sirve la realidad virtual para prevenir riesgos laborales?" consultado el 6 de mayo del 2022 en https://www.asepeyo.es/blog/seguridad-laboral/realidad-virtual-para-prevenir-riesgos-laborales/

[9]   AESPAL, "Gamificación y prevención de riesgos laborales: Cuando la PRL es divertida" publicado el 25 de octubre del 2017 en https://www.aepsal.com/gamificacion-prl-divertida/.

[10]   García Revaliente, C., "Tendencias en eLearning y Formación Online" publicado el 20 de diciembre de 2021, consultado en https://www.expoelearning.com/tendencias-elearning/

2 Las plataformas digitales: ¿instrumentos adecuados para la formación preventiva?

La formación a través de plataformas digitales o "formación online" plantea las mismas dudas respecto a su virtualidad y adecuación que podía suscitar la antigua enseñanza a distancia.

Sin embargo, es evidente que existen importantes diferencias. La plataforma digital permite una interacción inmediata, un control de identidad, y certeza de su impartición y seguimiento y unos contenidos, tecnología y posibilidades de adecuación personal inexistentes en la formación a distancia.

En todo caso, el debate[11] entre la formación *online* y la presencial sigue estando presente con gran viveza, no solo por razones normativas sino también y fundamentalmente de adecuación desde el punto de vista pedagógico/científico[12], pero también por razones de interés comercial[13], sin que se pueda llegar a un resultado claro en esta cuestión dados los claros avances que ha sufrido la primera en los últimos años[14].

No obstante, obviar sin más la visión ciertamente negativa que arrastra la formación online, en cuanto que heredera de la formación a distancia, presenta para una gran masa de personas trabajadoras[15].

---

[11]   "Pros y contras entre la formación online y presencial en materia de prevención de riesgos laborales", publicado el 27 de enero del 2020, consultado en https://prevencionar.com/2020/01/27/pros-contras-formacion-online-presencial-prl/

[12]   "A comparison of face-to-face and online training in improving managers' confidence to support the mental health of workers"

[13]   Ejemplo de ello: "Cuidado con los cursos TPC online", consultado en https://formacionprevencion.es/blog/cursos-tpc-online y "5 prejuicios erróneos sobre la formación eLearning en PRL", consultado en https://prevencontrol.com/prevenblog/5-prejuicios-erroneos-sobre-la-formacion-elearning-en-prl/

[14]   Pérez Arroyo, M. "Comparativa entre formación online y presencial: diferencias de efectividad" publicado el 23 de enero del 2020 y consultado en https://www.quironprevencion.com/blogs/es/prevenidos/comparativa-formacion-online-presencial-diferencias-efectiv

[15]   "La percepción de la generalidad de los trabajadores cuando se les pide opinión sobre la formación online o teleformación, es que ésta se basa en contenidos y pruebas menos rigurosos y que cuenta con formadores con una cualificación inferior que los que imparten una formación presencial clásica." Pérez Arroyo, M. "Comparativa entre formación online y presencial: diferencias de efectividad", op. cit.

No obstante, no puede sino advertirse que, en algunos casos, los resultados finales son similares y que su capacidad de evolución y adaptación es enorme[16].

Sin embargo, no es menos cierto que dada la estrechísima relación de prevención de riesgos laborales con la realidad del centro de trabajo y que muchos de los riesgos se actualización y advierten "in situ", es imprescindible efectuar ciertas precisiones.

La legislación preventiva actual está constituida por el artículo 19 LPRL[17], resultado de la trasposición del artículo 12 de la Directiva Marco 89/391 cuya dicción en su apartado primero es bastante clara:

*"En cumplimiento del deber de protección, el empresario deberá garantizar que cada trabajador reciba una formación **teórica y práctica, suficiente y adecuada**, en materia preventiva, tanto en el momento de su contratación, cualquiera que sea la modalidad o duración de ésta, como cuando se produzcan cambios en las funciones que desempeñe o se introduzcan nuevas tecnologías o cambios en los equipos de trabajo. La formación deberá estar centrada específicamente en el puesto de trabajo o función de cada trabajador, adaptarse a la evolución de los riesgos y a la aparición de otros nuevos y repetirse periódicamente, si fuera necesario."*

Sin duda, las claves para poder contestar a la adecuación de la formación *online* están en los siguientes términos: la formación debe ser teórica y práctica, suficiente y adecuada.

Desde el punto de vista técnico, en el año 2013 la Norma Técnica Complementaria del Instituto Nacional de Seguridad y Seguridad en el Trabajo (NTC –INSHT) 967 "Eficacia preventiva y excelencia empresarial (II)" señaló como ejemplo de buenas prácticas en gestión preventiva relacionadas con la formación e información, aseveraciones que priman la formación presencial y restringen drásticamente el papel de la formación on-line:

---

[16]   *Ibídem.*
[17]   Cuyo antecedente es el art. 7 en su apartado 11 de la Orden de 9 de marzo de 1971 por la que se aprueba la Ordenanza General de Seguridad e Higiene en el Trabajo: "Facilitar instrucción adecuada al personal antes de que comience a desempeñar cualquier puesto de trabajo acerca de los riesgos y peligros que en él puedan afectarle, y sobre la forma, métodos y procesos que deban observarse para prevenirlos o evitarlos."

"Se favorece la formación presencial, centrada en el conocimiento de los riesgos del puesto, de carácter práctico e impartida por personal interno: Por ejemplo, un programa de formación individual en la que el responsable PRL de la planta dedica unas pocas horas a cada trabajador al año en su puesto de trabajo, tras la cual se pide el compromiso al trabajador para aplicar lo que se le ha explicado.

Normalmente se exige que toda la formación sea presencial, realizada en grupos reducidos, de carácter eminentemente práctico y adaptadas a la realidad de la empresa. Se desestiman formaciones a distancia o aquellas que sean estandarizadas. *En caso que sean impartidas por organizaciones externas, se exige que visiten la empresa antes de la formación, se familiaricen con su funcionamiento y recojan información propia."*

Sin embargo, adviértase con algunos autores que la NTC 967 fue redactada hace una década[18] y que en las siguientes recomendaciones contiene exigencias que puede cumplir adecuadamente la formación *online* actual y no cumplía la formación a distancia tradicional o una formación *online* no evolucionada:

"Se incluye en los programas de formación el seguimiento de los aspectos prácticos de la misma y la valoración de su correcta asimilación. Por ejemplo, planificando observaciones para comprobar que se ha adquirido el entrenamiento, evaluando la formación no antes de un mes

---

[18]   "Estando de acuerdo con el hecho de que una formación en materia preventiva debe ser adecuada y suficiente, como determina la Ley 31/95 de PRL, por lo que no puede ser estandarizada, sino que debe estar adaptada sobre el terreno a la realidad de la empresa y a las actividades concretas que realiza y a los riesgos presentes en el centro de trabajo, ni tampoco puede ser la tradicional a distancia, que no establece control o seguimiento alguno del alumno ni tutorías ni adaptación a la realidad de la empresa, en los últimos años el desarrollo de las nuevas tecnologías ha permitido progresos y avances importantes en la formación online que permiten su adecuación a las exigencias establecidas legalmente, siempre que se desarrolle conforme a una serie de criterios de calidad y eficiencia, y respetando algunas excepciones, fundamentalmente referidas a la formación práctica en actividades especialmente peligrosas o con riesgos especiales." Sánchez Iglesias, A.L "Entrevista: "Las nuevas tecnologías han permitido avances importantes en la formación online que permiten su adecuación a las exigencias establecidas legalmente", publicado el 21 septiembre del 2020, consultado en https://prevencion.mc-mutual.com/actualidad-detalle/-/asset_publisher/ksRMfI4DgwKI/content/las-nuevas-tecnologias-han-permitido-avances-importantes-en-la-formacion-online-que-permiten-su-adecuacion-a-las-exigencias-establecidas-legalmente.

desde que se impartió, y/o utilizando un scorecard de seguimiento de manera continua.

Se planifica un seguimiento de la asimilación de la formación, bien con exámenes o en el caso de trabajadores más mayores y de bajo nivel cultural sentándose con ellos para asegurarse de que lo han entendido."

En esta etapa, el seguimiento, la personalización la valoración de la asimilación, la evaluación inmediata y continua, el seguimiento de la asimilación, es si la herramienta digital cumple con los estándares adecuados sencillo, fiable, practico y certero desde una formación *online*.

Las propias organizaciones sindicales no desdeñan la adecuación de la formación *online* en el ámbito de la Prevención de Riesgos Laborales[19].

Pero la cuestión no se resuelve de forma tan clara.

Y así, la doctrina judicial, se ha inclinado mayoritariamente por considerar inadecuada para el cumplimiento de la obligación de formación establecida en el art. 19.1 LPRL la formación *online* que ha sido sometida a su consideración. No son demasiados los supuestos, pero sí significativos y algunos de ellos devienen del inicio de una procedimiento sancionador por la ITSS que considera inadecuada la formación preventiva de la empresa y, por ende, se aprecia la concurrencia del tipo sancionador administrativo contenido en el art. 12.8 de la Ley de Infracciones y Sanciones en el Orden Social[20]: No obstante, las respuestas son diversas:

---

[19]   "Se ha considerado importante, especialmente en la situación actual en relación con el COVID-19, que además de los cursos de formación en Prevención de Riesgos Laborales que se han programado para el año 2022 se dé la posibilidad de "formación on line" o "teleformación" a aquellos colectivos que desempeñen funciones con especial responsabilidad, y a otros para quienes la asistencia a cursos les sea más fácil por este sistema, experiencia realizada en los últimos años y que continuamos considerando altamente positiva." https://www.feccoocyl.es/noticias-inf-docente/prevencion-de-riesgos-laborales-formacion-on-line-y-presencial consultado el 6 de mayo del 2022. Consúltese el sitio del área pedagógica de la Escuela Julián Besteiro. http://portal.ugt.org/ejb/quien/pedago.html

[20]   art. 12.8 LISOS tipifica como infracción: "El incumplimiento de las obligaciones en materia de formación e información suficiente y adecuada a los trabajadores acerca de los riesgos del puesto de trabajo susceptibles de provocar daños para

- Se confirma sanción administrativa practicada a entidad bancaria por no formar a sus personas trabajadoras en materia preventiva (atracos, riesgos en general y en oficinas) si bien no se entra a considerar como inadecuada la formación *online* efectuada debido al requerimiento de la ITSS (dos jornadas de cuatro horas cada una sobre riesgos en general y una sobre atracos) –Sentencia del Juzgado de lo Social de Soria núm. 107/2020, de 30 de octubre)-.

- Considera insuficiente la formación *online*, entendiendo que, si bien el art. 19 LPRL no exige de forma literal que ésta sea presencial, tal tipo de formación es exigible en tanto la formación *online* no permite la insoslayable vertiente práctica que la prevención de riesgos laborales requiere. Por tanto, si bien, cabría la formación teórica *online*, ésta es insuficiente sino existe una formación presencial que asegure la impartición práctica de la misma[21] -Sentencia del Juzgado de lo Social de Palma de Mallorca núm. 175/2019, de 28 de mayo-.

----

la seguridad y salud y sobre las medidas preventivas aplicables, salvo que se trate de infracción muy grave conforme al artículo siguiente".

[21] "La formación genérica, abstracta e indiscriminada no supone dar cumplimiento a la obligación en materia preventiva. La formación debe impartirse con el suficiente detalle de los riesgos que comporta el ejercicio de su actividad. **El artículo 19.1 de la Ley 31/1995 de Prevención de Riesgos Laborales exige, aunque no se especifique de forma expresa, que la formación preventiva sea PRESENCIAL de tal manera que la práctica en formación deviene necesaria para la comprensión, dominio y aplicación a la realidad de la empresa de los conocimientos adquiridos con la teórica,** pues el deber empresarial no debe limitarse a que la formación se imparta a los trabajadores, sino que abarca también velar por el aprendizaje o asimilación de la formación para lo cual se requiere que la formación preventiva sea presencial. **Si bien es cierto que la parte teórica sí podría darse a distancia, la formación práctica requiere de otros medios para poder ser efectiva y es que la formación preventiva tiene como finalidad evitar el riesgo de los trabajadores y prepararlo para situaciones en los que se pueda producir dicho riesgo. Del artículo 19.2 se infiere con claridad meridiana que hay que "impartir" la formación,** y no meramente entregar manuales a los trabajadores, lo que no es rechazable pero desde luego no supone **cumplimiento de la obligación de la que hablamos La finalidad de la formación es la creación de una cultura preventiva, lo que significa que se debe formar tanto en las competencias detectadas en la fase de evaluación de necesidades (conocimientos, habilidades, etc.) como en la sensibilización de todos los implicados acerca de la importancia de esa formación. Por ello, la formación no se puede practicar de forma online ya que no cumple con el**

- Sin entrar específicamente en la adecuación de la formación *online*, considera claramente insuficiencia la formación de una hora para un puesto de trabajo que requiere la realización de maniobras peligrosas para la seguridad del trabajador [22] (STJ, Sala de lo Social, de Las Palmas de Gran Canaria, núm. 707/2017, de 31 de mayo).

- De forma clara, considerando inexistente de la virtualidad práctica de la formación online la Sentencia del Juzgado de lo Social núm. 14 de los de Barcelona, núm. 42/2022, de 9 de febrero confirma la sanción inspectora por ausencia de formación adecuada preventiva de un trabajador dedicado al handling, manejo de equipaje de viajeros, en una línea aérea: "*La norma es clara en cuanto a la exigencia de formación práctica, vertiente práctica que en modo alguno se puede entender proporcionada mediante el visionado de material audiovisual, porque la formación práctica es, ordinariamente, presencial frente a lo que sostiene la empresa, y es que de otro modo no hay una percepción sensorial de los contenidos meramente visualizados. No se trata de denostar —como parece suponer la demandante- el contenido de la formación teórica, sino de la constatación de la ausencia, de formación práctica suficiente. Y comparte esta redactora sino la ausencia, la insuficiencia de dicha parte de la formación que debe ser debidamente integrada, como lo ha sido con la colocación del simulador.*"

---

requisito de formación práctica. Para poder entenderse como suficiente y adecuada, debe ser complementada con una actividad que suponga la puesta en práctica de los conocimientos adquiridos a través de la Instrucción teórica, lo que en el caso de autos la empresa no acredita haber realizado. Por todo lo indicado, las alegaciones efectuadas por la empresa no desvirtúan los hechos señalados en el acta de infracción sobre el incumplimiento por la empresa de lo preceptuado en el art art. 19.1 de la Ley 31/1995 de 8 de noviembre de Prevención de Riesgos Laborales razones que determinan la desestimación de la demanda."

[22]   "La amplitud y exigencia en el contenido de la obligación formativa, impone al empresario un cumplimiento minucioso de la misma. Esta obligación configurada en la forma expuesta desde luego no se cumple con la realización de un curso de una hora, sobre conceptos generales en materia de prevención de riesgos laborales, y menos cuando estamos examinando un oficio que como el de mecánico de vehículos implica operar con elementos, que solamente por su peso, son potencialmente peligrosos.

La lectura atenta de las resoluciones judiciales anteriormente citadas es de gran interés, pues si bien no constituyen jurisprudencia en tanto no emanan de una doctrina consolidada del Tribunal Supremo, si dilucidan con bastante sentido común los conflictos que se les presentan.

Y lo que cabe deducir de ellas, tanto de aquellas que directamente consideran la inadecuación de la formación online, como de aquellas que no se pronuncian negativamente sobre la misma, es lo siguiente:

- La adecuación de la formación *online* como instrumento útil para la vertiente teórica de la formación preventiva.
- La no consideración de la formación *online* como herramienta que permita considerar el cumplimiento de la obligación empresarial de una formación preventiva práctica.

Pero si analizamos con mayor atención los supuestos, nos encontramos que en las situaciones que se ha rechazado la formación online, lo ha sido porque la empresa ha proporcionado una formación "plana", similar a la antigua presencial, sin que haya sido capaz de precisar y probar que su metodología formativa y las técnicas utilizadas eran pertinentes no ya para suplir sino incluso para superar la efectividad de una formación presencial.

En realidad, la exigencia es la de una formación adecuada al tipo de riesgo al que se enfrenta la persona trabajadora y que esta formación sea, como requisito insoslayable, de carácter indudablemente práctico.

La respuesta al interrogante que hemos planteado al principio de este apartado está relacionada con razonamientos claramente pragmáticos y simples. La formación *online*, como también la formación presencial, serán adecuadas cuando cumplan su misión. Deben ofrecer a la persona trabajadora un adiestramiento que le permita afrontar de forma solvente y segura el riesgo que se deriva de su puesto de trabajo. Una formación presencial puede ser o no práctica, y sus contenidos pueden ser o no los más correctos. Una formación *online* podrá cumplir los objetivos que sitúa la norma si cumple con los requerimientos de personalización y adiestramiento práctico que exige aquella[23].

A título de ejemplo, la formación presencial meramente teórica no es suficiente para aquél que maneja una motosierra a pesar de que se hubiera impartido un curso de seis horas presencial por un técnico de prevención y luego otro, también presencial de diez horas sobre prevención de incendio, puesto que no se ha adiestrado adecuadamente al trabajador en el manejo en seguridad de una herramienta tan peligrosa como la motosierra[24]. La formación presencial de índo-

---

[23]   Sánchez Iglesias nos expone los requerimientos de una formación online adecuada: "A mi juicio, se puede admitir que una formación online o en tele formación reúne las exigencias citadas de adecuación y suficiencia si se efectúa conforme a unos determinados requisitos, entre otros:
- Exigir una interactuación de los alumnos.
- Se deben cumplimentar determinados tipos de tareas.
- Se debe basar en un material formativo elaborado de forma totalmente personalizada y plenamente centrado en el trabajo concreto realizado en la empresa por el/los trabajadores/es a quien/es se dirige la formación.
- En ningún caso debe tratarse de material formativo genérico o estándar, sino que se debe haber diseñado y elaborado de forma específica para la empresa y la actividad que se realiza, así como para los riesgos presentes en los puestos de trabajo de la misma.
- Se puede controlar el tiempo de dedicación a la formación de cada alumno a través de medios técnicos de conexión.
- Existen tutorías para resolver las dudas.
- Se superan unos exámenes o pruebas finales y la aplicación práctica de los conocimientos adquiridos.
- Existe un control técnico en los exámenes, de tal forma que no sea posible la suplantación de un alumno por otro." Sánchez Iglesias, A.L: "Las nuevas tecnologías han permitido avances importantes en la formación online que permiten su adecuación a las exigencias establecidas legalmente.", op. cit.
Se remite el entrevistado a la "NORMA UNE 66181 : 2012 Gestión de la calidad, sobre Calidad de la formación virtual" como herramienta para asegurar la calidad y confianza en ésta.

[24]   "(...) falta de formación de la que era plenamente consciente la empresa, ya no solo por la comunicación anteriormente indicada, sino porque el Técnico de Prevención de Riesgos Laborales de la empresa, únicamente había impartido formación teórica para la campaña de incendios, y si bien estaba prevista la formación práctica para el manejo de motosierras la misma no se llevó a cabo. b) Falta de formación en relación con los procedimientos de trabajo, toda vez que en la Evaluación de Riesgos no estaba previsto método a seguir para el caso de que un árbol se quede enganchado o engarbado, de manera tal que cada trabajador soluciona ese problema en la forma que considera más adecuado, y

le práctica tiene igualmente que asegurar su adecuación e integridad para habilitar a la persona trabajadora a hacer frente a todos los riesgos derivados de su puesto de trabajo, sin que baste el mero carácter presencial para acreditar su suficiencia sino cubre todos los riesgos existentes[25].

En suma, la adecuación o no de la formación online devendrá de las mismas razones de la adecuación o no de la formación presencial. No existe una doctrina firme de nuestro Tribunal Supremo que exceptúe la formación *online* de las modalidades de formación preventiva ni tampoco que la reduzca a los límites de la variedad puramente teórica. Pero no puede utilizarse esta forma como fraudulenta coartada para dar por cumplida con dejadez las obligaciones preventivas que imponen los arts. 19 LPRL junto con el art. 18 LPRL en materia de formación e información.

La formación *online* será adecuada cuando habilite de forma cierta para hacer frente al trabajador a todos los riesgos que se enfrenta en

---

normalmente intentan cortar trozos más pequeños para poder moverlo, que es precisamente lo que intento hacer el trabajador accidentado ..." STSJ, Sala de lo Social de Castilla La Mancha, núm. 383/2021, de 25 de febrero del 2022.

[25]   Como en el supuesto descrito en la STSJ, Sala de lo Social, de Galicia, núm.680/2022, 10 de febrero del 2022 donde aprecia una incompleta formación proporcionada a la trabajadora acerca de los riesgos a que se enfrentaba en atención a la especificidad y peligro de las maniobras llevadas a cabo en su puesto de trabajo :"(…) a los diversos tamaños de corte de piezas a manipular, antojándose insuficiente la mera impartición de un curso presencial de dos horas que no estaba centrado exclusivamente en el puesto de operario de sierra, y en donde la información transmitida a la trabajadora a partir de la evaluación de riesgos efectuada por la empresa usuaria no recogía un procedimiento de trabajo seguro, señalando la demandan que en ese curso no se abordaron los riesgos de su puesto de trabajo...y como muestra de esa escasa formación e imprecisa información la técnico de prevención propuso como acción correctora en su informe sobre la investigación del accidente que se reforzase la formación de la trabajadora en relación con los riesgos y medidas preventivas relacionadas con su puesto de trabajo". Asimismo, el juzgador de instancia, hace constar, que "...del análisis de la evaluación de riesgos y del manual proporcionado a la trabajadora se advierte que las prevenciones contenidas en dichos documentos o instrumentos eran un tanto genéricas, sin analizar la dificultad que entrañaba el corte de las últimas rodajas, sobre todo cuando eran de ciertas dimensiones como las del pez espada...y tal déficit o laguna en la planificación preventiva se ve acrecentado con un escaso bagaje formativo presencial circunscrito a dos horas de duración..." "

el desarrollo de sus tareas, debiendo advertir que claramente resulta inadecuada para tal habilitación frente a los riesgos derivados de trabajos y tareas cuyo conocimiento práctico requiere la presencialidad y el manejo *in situ* del equipo o la percepción absolutamente real de la situación para adiestrase en el uso seguro del mismos o ser conocedor y estar preparado para obviar la totalidad de los riesgos existentes (por ej: manejo de equipos como motosierras, carretillas, maquinaria de toda índole ...). Puede que la formación online pueda aquí ser un complemento, cada vez de mayor precisión dada su importante evolución tecnológica pero no podrá por si misma cumplir el papel que con acierto exige la norma.

Por último, no puede olvidarse que, en ocasiones, el papel de la formación online viene delimitado directamente por la norma, en muchos supuestos convencional. A mero título de ejemplo, el IV Convenio colectivo estatal de la industria, las nuevas tecnologías y los servicios del sector del metal 2021/2023 delimita el papel de la formación online, permitiéndola en ciertos supuestos y exigiendo la modalidad presencial en otros[26]. De forma casi idéntica, regula esta materia el Convenio VI Convenio General del Sector de la Construcción 2017/2021 [27].

---

[26]   Conforme a su Anexo V. apartado II, entre los requisitos para la homologación de actividades formativas en el ámbito preventivo "como modalidad para la impartición se determina lo siguiente: a)   Primer ciclo de formación: **la formación inicial se realizará en la modalidad presencial.** b)   Segundo ciclo de formación: los contenidos formativos en función del puesto de trabajo o por oficio se practicarán en la modalidad presencial. El contenido formativo para directivos tendrá una duración de diez horas, y se podrá desarrollar en la modalidad presencial o **en la modalidad mixta presencia teleformación**, en cuyo caso la parte presencial tendrá una duración, como mínimo, de dos horas y media. Igualmente, y con carácter excepcional, **esta acción formativa se podrá impartir en la modalidad de teleformación.** El contenido formativo para administrativos tendrá una duración de veinte horas, y se podrá desarrollar en la modalidad presencial o en la modalidad mixta presencia teleformación, en cuyo caso la parte presencial tendrá una duración, como mínimo, de cinco horas. **La formación específica por oficios de seis horas se desarrollará en la modalidad presencial."**

[27]   De este modo el Anexo XIV, sobre el "procedimiento para la homologación de actividades formativas en materia de prevención de riesgos laborales, de acuerdo con lo establecido en el vigente convenio general del sector de la construcción" establece reglas análogas al Convenio del Metal, delimitando los campos de la formación *online*: "4. Como modalidad para la impartición se determina

III.- LA ADECUACIÓN DEL USO DEL SISTEMA DE VIGILANCIA A DISTANCIA COMO INSTRUMENTO DEL CUMPLIMIETNO DE LAS OBLIGACIONES DE VIGILANCIA ESTABLECIDAS EN LA REGULACIÓN PREVENTIVA28.

La segunda de las cuestiones que analizamos en este capítulo concierne a adecuación a la normativa de Prevención de Riesgos Laborales de los cada vez más extendidos sistemas de control remoto y de video, e incluso audio, articulados a través de drones o cámaras fijas que sustituyen o complementan la presencia física requerida habitualmente a los sujetos obligados a efectuar el control o vigilancia en seguridad del trabajo. Es cierto que esta tecnología tiene muy diferentes variantes. Entre ellas, la de control de seguridad en el producto o el servicio, sin duda muy útiles en la actualidad. El dron utilizado como sistema de control de fallos en el proceso productivo ya es usual en numerosos sectores[29]. Nuestro interés, empero, se cifra en conocer la

---

lo siguiente: a) Primer ciclo de formación: la formación inicial se realizará en la modalidad presencial. b) Segundo ciclo de formación: **los contenidos formativos en función del puesto de trabajo o por oficio se practicarán en la modalidad presencial.** El contenido formativo para directivos tendrá una duración de diez horas, y se podrá desarrollar en la modalidad presencial o en la modalidad mixta presencia- teleformación, en cuyo caso la parte presencial tendrá una duración, como mínimo, de dos horas y media. Igualmente, y con carácter excepcional, **esta acción formativa se podrá impartir en la modalidad de teleformación.** El contenido formativo para administrativos tendrá una duración de veinte horas, y se podrá desarrollar en la modalidad presencial o en la modalidad mixta presencia-teleformación, en cuyo caso la parte presencial tendrá una duración, como mínimo, de cinco horas. VI Convenio General del Sector de la Construcción 296 c) La formación para trabajadores multifunciones o polivalentes se desarrollará en la modalidad presencial. d) El contenido formativo para nivel básico de prevención en la construcción tendrá una duración de sesenta horas, y se podrá desarrollar en la modalidad presencial o en la modalidad mixta presencia-teleformación, en cuyo caso la parte presencial tendrá una duración, como mínimo, de veinte horas."

[28] Agradezco aquí a Santiago Pangua su amabilidad por permitirme utilizar mi aportación teórica al dictamen elaborado a su petición a la Universidad Pública de Navarra.

[29] CROEM, *Uso de drones aplicado a la prevención de riesgos laborales*, Murcia, 2018, p. 6: "Durante la construcción del Airbus A350, Ronie Gnecco tuvo la idea de utilizar drones para realizar las inspecciones de seguridad de la aeronave.

pertinencia de estos medios para el cumplimiento de la obligación de vigilancia impuesta por la normativa preventiva.

Desde esta perspectiva, dejamos de lado, como ya advertimos, la problemática derivada de la regulación sobre protección de datos que requiere un enfoque diferente, como las obligaciones específicas de seguridad y salud que surgen para los empleadores respecto de los empleados/usuarios de tales ingenios de control remoto tanto desde el punto de vista de mantenimiento como de riesgos específicos derivados del manejo de aquellos.

En suma, se centra este análisis en determinar si la actividad de control y supervisión empresarial en el ámbito de la seguridad y salud en el trabajo de aquellos sujetos obligados por la normativa preventiva puede ser llevada a cabo, cumpliendo con las prescripciones legales, a través del dron como sistema de control remoto como herramienta que sustituye la presencia física de un ser humano.

La obligación de vigilancia se extiende a muy diversos ámbitos, pero básicamente podemos distinguir tres: el general que conlleva varias modalidades –desde el empresarial general hasta la específica del recurso preventivo-, el derivado de la concurrencia de las normas sobre coordinación preventiva y el característico de las obras de construcción al contener éste una regulación propia.

1 Los sistemas de control remoto y la obligación general de vigilancia empresarial.

1.1. Una breve referencia a la obligación de vigilancia empresarial.

Sin duda, es la empresa el primer y tradicional sujeto obligado a realizar una actividad de vigilancia en materia de prevención de riesgos laborales a efectos de que durante el desarrollo de la actividad productiva se cumplan la normativa preventiva y las instrucciones que se han establecido. Esta obligación de vigilancia se desprende del

---

Normalmente dos trabajadores emplean un tiempo de dos horas en levantar una plataforma elevadora para inspeccionar la calidad de un nuevo avión de Airbus

art. 14 de la Ley de Prevención de Riesgos Laborales y es comúnmente admitida por nuestros tribunales[30] como una consecuencia directa del deber general de protección eficaz que adeuda la empresa al trabajador conforme al apartado 1 del citado precepto. La existencia de un extenso deber de cuidado de la empresa para asegurarse el cumplimiento de la normativa preventiva es un criterio de común aceptación en todos los órdenes jurisdiccionales que han alcanzado a conocer de asuntos relacionados con el ámbito preventivo (civil, contencioso-administrativo, penal o social).

La obligación de vigilancia está, por tanto, íntimamente relacionada con la extensión del deber de cuidado empresarial que como reseña la ya clásica Sentencia de la Sala de lo Social del Tribunal Supremo de 30 de junio del 2010 (RJ 2010, 6775) solo cede ante los supuestos de caso fortuito, fuerza mayor, culpa exclusiva de tercero o imprudencia temeraria del trabajador[31]. De esta forma, se sostiene por la doctrina del Tribunal Supremo un deber de cuidado casi incondicionado y casi ilimitado[32], que alcanza la necesidad de proteger al trabajador de su

---

[30] STSJ de Andalucía, Málaga, Sala de lo Social, de 5 de noviembre del 2009 (AS 2013, 2143) –incumplimiento de la obligación de vigilar-; STSJ de Asturias, Sala de lo Social, de 3 de marzo dl 2006 (AS 2006, 3082) –la empresa tolera una dinámica peligrosa de trabajo-; STSJ de Extremadura, Sala de lo Contencioso-Administrativo, de 31 de mayo del 1999 (RJCA 1999, 1607) y STSJ de las Islas Canarias, Sala de lo Social, Las Palmas de 2 e mayo del 2016 (AS 2016, 1049) -no control del uso de medios de protección personal-; STSJ de Madrid, Sala de lo Social, de 17 de febrero del 2016 (AS 2017, 1837) – no supervisión de un andamio-

[31] STSJ de Andalucía Sala delo Social, de 31 de marzo del 2016 (AS 2016, 745) reitera con mayor dureza esta doctrina.

[32] "… el Estatuto de los Trabajadores genéricamente consagra la deuda de seguridad como una de las obligaciones del empresario, al establecer el derecho del trabajador "a su integridad física" (artículo 4.2.d) y a "una protección eficaz en materia de seguridad e higiene " (artículo 19.1). Obligación que más específicamente y con mayor rigor de exigencia desarrolla la LPRL cuyos rotundos mandatos contenidos en los artículos. 14.2 , 15.4 y 17.1 LPRL– determinaron que se afirmase que el deber de protección del empresario es incondicionado y, prácticamente, ilimitado y que deben adoptarse las medidas de protección que sean necesarias, cualesquiera que ellas fueran (STS de 8 de octubre de 2001 -rcud 4403/00)", Sentencia del Tribunal Supremo, Sala de lo Social, núm. 1039/2018, de 11 de dociembre del 2018.

propia imprudencia[33] y que conlleva una estricta obligación de vigilancia empresarial[34]. Como observa la Sala de lo Social del Tribunal Supremo 149/2019, de 28 de febrero del 2019, reiterando doctrina clásica de la Sala Contenciosa-Administrativa del propio Tribunal:

> *"(…) como ha señalado el Tribunal Supremo (Sala III) en sentencias de 3 y 27 marzo 1998 , la diligencia exigible comporta el que no baste con facilitar los medios de protección y prohibir su no uso, así como las prácticas peligrosas, sino que es preciso cuidar de que se observen las instrucciones dadas y, se usen los medios de protección facilitados, lo que supone que sea preciso vigilar la actuación de los empleados y prever las imprudencias profesionales."*

1.2. Supuestos específicos de vigilancia: los medios de protección personal y otras situaciones.

Este deber se mantiene respecto del uso de los medios de protección personal. Así lo determina el art 17.2 LPRL que exige a la empresa vigilar el uso de los medios de protección personal, lo que implica una conducta activa y directa de control sobre los hábitos en seguridad de la persona trabajadora. En idéntico sentido, el art. 3 d) del Real Decreto 773/1997, de 30 de mayo, sobre disposiciones mínimas de seguridad y salud relativas a la utilización por los trabajadores de equipos de protección individual establece que el empresario debe velar por el uso de los equipos de protección individual entendidos conforme a la extensa definición de su art. 2°. La Guía Técnica del RD 773/1997, de 30 de mayo para la utilización por los trabajadores de equipos de protección individual" (2ª edición, diciembre del 2012) determina al respecto que "la persona responsable de supervisar la correcta realización de una determinada actividad debe hacerlo teniendo en cuenta los requisitos establecidos por razones tanto productivas

---

[33]   STS, Sala de lo Social, de 17 de octubre del 2013 (AS 2013, 2927). STSJ de Madrid, Sala de lo Social, de 1 de marzo del 2017 (AS 2017, 266): "La adopción de medidas de protección de los trabajadores corresponde a la empresa, que debe tener en cuenta los posibles riesgos que puedan generarse en la actividad de los empleados (…) y las medidas preventivas deben prever las distracciones o imprudencias no temerarias que pudiera cometer el trabajador."

[34]   En el ámbito contencioso administrativo desde la Sentencia del Tribunal Supremo de 23 de febrero de 1994 (RJ 1994, 2225).

como preventivas. Esta supervisión incluye la correcta utilización y mantenimiento de los EPI". La doctrina judicial al respecto es extensa y viene marcada entre otras por la Sentencia del Tribunal Supremo, Sala de lo Social, de 6 de mayo de 1998 (RJ 1998, 4096) o las Sentencias del mismo Tribunal, Sala de lo Contencioso-Administrativo de 12 de abril y 27 de mayo d 1996 (RJ 1996, 3593 y 4496).

En ciertos casos, la norma reitera de forma expresa la obligación de vigilancia, sin duda, por el riesgo de las actividades que a continuación se refieren:

- La obligación concreta de comprobar los equipos de trabajo establecida en el art. 4º del RD 1215/1997, de 18 de julio, por el que se establecen las disposiciones mínimas de seguridad y salud para la utilización por los trabajadores de los equipos de trabajo.
- La necesaria designación del jefe de la maniobra, como responsable de la supervisión y dirección de de la comprobación de que el terreno sobre el que va a trabajar y circular la grúa tenga la resistencia suficiente, establecidas en el apartado 8 de la Instrucción Técnica Complementaria (ITC) «mie-aem-4», referente a grúas móviles autopropulsadas aprobadas por real decreto 837/2003, de 27 de junio,
- Las previsiones para el trabajo en alta tensión establecidas por el RD 614/2001, de 8 de junio, sobre disposiciones mínimas para la protección de la salud y seguridad de los trabajadores frente al riesgo eléctrico, en concreto el Anexo III. B) 1.: "El trabajo se realizará bajo la dirección y vigilancia de un jefe de trabajo, que será el trabajador cualificado que asume la responsabilidad directa del mismo".

2 *La adecuación de los sistemas de control remoto para el cumplimiento de esta obligación general.*

La utilización del dron como instrumento de control y vigilancia en cumplimiento del genérico deber de vigilancia empresarial no plantea a nuestro juicio mayor problema que el cumplimiento de la normativa específica -Real Decreto 1036/2017, de 15 de diciembre, por el que se regula la utilización civil de las aeronaves pilotadas por control remoto, y se modifican el Real Decreto 552/2014, de 27 de junio, por el que se desarrolla el Reglamento del aire y disposiciones operativas comunes para los servicios y procedimientos de navegación aérea y el Real Decreto 57/2002, de 18 de enero, por el que se aprueba el Reglamento de Circulación Aérea- en cuanto a obligaciones, requisitos, habilitaciones y un largo etc., así como la propia ya reseñada de evaluar los riesgos derivados del uso de este ingenio volador no pilotado capaz transmitir imágenes y otro tipo de datos.

En este sentido, el dron parece un buen instrumento para articular la vigilancia empresarial o hacerla más frecuente y exhaustiva en relación con zonas de difícil acceso, lugares peligrosos, recintos confinados o mal iluminados, entre otros[35]. Sin embargo, su adecuación o utilidad, y, sobre todo su validez, dependerá de los supuestos en los que sea utilizado, y sus posibilidades de extensión de la vigilancia. En este sentido, es importante:

- Determinar en la evaluación de riesgos si el proceso productivo o puesto de trabajo es susceptible de ser vigilado y contralado de forma eficaz a través de un sistema de control remoto articulado al menos en parte a través de un dron. La evaluación de riesgos del puesto de trabajo debe establecer con claridad si el dron junto al resto del sistema en el que se integra es un instrumento adecuado o no para el seguimiento de la operativa desde el punto de vista preventivo y cuáles son las exigencias a seguir en el uso del mismo.

- Conocer cual la capacidad del sistema en el cual se integra el dron para efectuar la vigilancia y si la actividad objeto de vigilancia es así correctamente seguida. La mera transmisión de fotografías a tiempo real no parece muy adecuada. Sí parece más pertinente, la posibilidad de video a tiempo real, pero debiera integrarse con un sistema de comunicación auditiva u otro tipo por el cual la empresa pudiera transmitir con carácter inmedia-

---

[35]   "¿Cómo pueden mejorar los drones la seguridad en el trabajo?" consultado el 11 de abril del 2020 y publicado el 14 de agosto de 2018 en https://noticias. universia.net.mx/practicas-empleo/noticia/2018/08/14/1161223/como-pueden-mejorar-drones-seguridad-trabajo.html

to a los trabajadores objeto de la vigilancia las instrucciones y órdenes oportunas, además de poder efectuar los cambios necesarios en las máquinas y equipamientos de forma automática y mediante control remoto si es preciso.

- El sistema debe asegurar el control y fiabilidad máxima desde el punto de vista técnico en cuanto que un error supone la desaparición inmediata del adecuado control.

- El sistema articulado a través del dron no puede sustituir sino complementar la vigilancia directa si ésta es más recomendable.

- Los encargados, técnicos y trabajadores deberán estar perfectamente formados e informados de todos los aspectos precisos del sistema de control de vigilancia, para poder interactuar con él en el supuesto necesario, así como ser conocedores de sus riesgos.

Caben las mismas reflexiones respecto la actividad de los técnicos de prevención. En este último caso, la posibilidad del sistema de vigilancia de control remoto debe utilizarse con racionalidad y de forma adecuada al caso concreto. El sistema utilizado no debe dar una imagen del conjunto de riesgos aminorada sino absolutamente realista, conjunta, precisa y cierta. Adviértase, por lo demás, que los técnicos de prevención están obligados a advertir o notificar de su presencia a los delegados de prevención puesto que éstos pueden acompañarlos en su visita en el desarrollo de las evaluaciones de carácter preventivo –art. 36. 2 a) LPRL-. El uso de un control remoto no puede servir para eludir esta obligación.

3. La vigilancia ante las situaciones de riesgo agravado: los recursos preventivos. Examen de la adecuación de los sistemas de control remoto al cumplimiento de esta obligación.

3.1. Una introducción acerca del recurso preventivo.

En las situaciones que podríamos denominar de riesgo agravado, el art. 32 bis LPRL determina la presencia de un recurso preventivo cuya finalidad conforme al art. 22 bis del Real Decreto 39/1997, de 17 de enero, por el que se aprueba el Reglamento de los Servicios de

Prevención en la redacción del Real Decreto 688/2005, de 10 de junio no es sino "vigilar el cumplimiento de las actividades preventivas en relación con los riesgos derivados de la situación que determine su necesidad para conseguir un adecuado control de dichos riesgos". La presencia de los recursos preventivos es requerida en los supuestos enunciados en el art 32 bis LPRL y 22 bis RD 39/1997, en la redacción ya citada[36].

El recurso preventivo, designado por la empresa, es una herramienta de vigilancia y control obligada, y que requiere para su cum-

---

[36] "a) Cuando los riesgos puedan verse agravados o modificados, en el desarrollo del proceso o la actividad, por la concurrencia de operaciones diversas que se desarrollan sucesiva o simultáneamente y que hagan preciso el control de la correcta aplicación de los métodos de trabajo.
b) Cuando se realicen las siguientes actividades o procesos peligrosos o con riesgos especiales:
1.º Trabajos con riesgos especialmente graves de caída desde altura, por las particulares características de la actividad desarrollada, los procedimientos aplicados, o el entorno del puesto de trabajo.
2.º Trabajos con riesgo de sepultamiento o hundimiento.
3.º Actividades en las que se utilicen máquinas que carezcan de declaración CE de conformidad por ser su fecha de comercialización anterior a la exigencia de tal declaración con carácter obligatorio, que sean del mismo tipo que aquellas para las que la normativa sobre comercialización de máquinas requiere la intervención de un organismo notificado en el procedimiento de certificación, cuando la protección del trabajador no esté suficientemente garantizada no obstante haberse adoptado las medidas reglamentarias de aplicación.
4.º Trabajos en espacios confinados. A estos efectos, se entiende por espacio confinado el recinto con aberturas limitadas de entrada y salida y ventilación natural desfavorable, en el que pueden acumularse contaminantes tóxicos o inflamables o puede haber una atmósfera deficiente en oxígeno, y que no está concebido para su ocupación continuada por los trabajadores.
5.º Trabajos con riesgo de ahogamiento por inmersión, salvo lo dispuesto en el apartado 8.a) de este artículo, referido a los trabajos en inmersión con equipo subacuático.
c) Cuando la necesidad de dicha presencia sea requerida por la Inspección de Trabajo y Seguridad Social, si las circunstancias del caso así lo exigieran debido a las condiciones de trabajo detectadas." Respecto de este último apartado, téngase en cuenta el Criterio Técnico nº 83/2010 sobre la presencia de recursos preventivos en las empresas, centros y lugares de trabajo de la Dirección General de la Inspección de Trabajo y Seguridad Social que deroga el Criterio Técnico 39/2004 sobre presencia de recursos preventivos a requerimiento de la Inspección De Trabajo Y Seguridad Social.

plimiento, entre otros requerimientos, la presencia de la persona designada por la empresa.

A nuestros efectos, es esencial acudir a la redacción reglamentaria para concretar el cómo, de esta obligación. Y, en este sentido el art. 22 bis. 3 establece lo siguiente:

> *"La ubicación en el centro de trabajo de las personas a las que se asigne la presencia deberá permitirles el cumplimiento de sus funciones propias, debiendo tratarse de un emplazamiento seguro que no suponga un factor adicional de riesgo, ni para tales personas ni para los trabajadores de la empresa, debiendo permanecer en el centro de trabajo durante el tiempo en que se mantenga la situación que determine su presencia."*

De igual interés es, a efectos de resolver la cuestión objeto de este apartado, es conocer el objetivo de la obligación del recurso preventivo:

> *"Dicha vigilancia incluirá la comprobación de la eficacia de las actividades preventivas previstas en la planificación, así como de la adecuación de tales actividades a los riesgos que pretenden prevenirse o a la aparición de riesgos no previstos y derivados de la situación que determina la necesidad de la presencia de los recursos preventivos."* (art.22 bis. 4)

Así, interesa igualmente advertir el *modus operandi* determinado por la norma:

> *"5. Cuando, como resultado de la vigilancia, se observe un deficiente cumplimiento de las actividades preventivas, las personas a las que se asigne la presencia:*
>
> *a) Harán las indicaciones necesarias para el correcto e inmediato cumplimiento de las actividades preventivas.*
>
> *b) Deberán poner tales circunstancias en conocimiento del empresario para que éste adopte las medidas necesarias para corregir las deficiencias observadas si éstas no hubieran sido aún subsanadas."*
>
> *6. Cuando, como resultado de la vigilancia, se observe ausencia, insuficiencia o falta de adecuación de las medidas preventivas, las personas a las que se asigne la presencia deberán poner tales circunstancias en conocimiento del empresario, que procederá de manera inmediata a la adopción de las medidas necesarias para corregir las deficiencias y a la modificación de la planificación de la actividad preventiva y, en su caso, de la evaluación de riesgos laborales."*

3.2. La adecuación de los sistemas de control remoto para suplir la presencia física del recurso preventivo.

Como hemos advertido, la regulación transcrita reseña expresamente la necesidad de la presencia de la persona designada por el empresario como recurso preventivo en el centro de trabajo. En este sentido, esta mención es una constante a lo largo del todo el art. 22 bis del Reglamento de los Servicios de Prevención. El número 3 del citado precepto arriba transcrito, se refiere literalmente a la necesaria *"ubicación en el centro de trabajo de las personas a las que se asigne la presencia*" dado que ello *"deberá permitirles el cumplimiento de sus funciones propias, debiendo tratarse de un emplazamiento seguro que no suponga un factor adicional de riesgo, ni para tales personas ni para los trabajadores de la empresa, debiendo permanecer en el centro de trabajo durante el tiempo en que se mantenga la situación que determine su presencia"*

A nuestro juicio, la redacción del art. 22 bis permite la utilización de sistemas de control remoto siempre que se extremen al máximo las exigencias de seguridad respecto a las personas trabajadoras objeto de vigilancia.

Para mantener esta aseveración, partimos de la consideración de que la ubicación en el centro de trabajo es nada más que un instrumento para realizar un control simultáneo a la realización de la operación que debe ser objeto de control.

La finalidad de la presencia, determinada por el número 4 del citado precepto, se articula como una *"medida preventiva complementaria que tiene como finalidad vigilar el cumplimiento de las actividades preventivas en relación con los riesgos derivados de la situación que determine su necesidad para conseguir un adecuado control de dichos riesgos."* Ello nos induce a pensar que la presencia y ubicación en el centro es sencillamente la forma en la que se articula la vigilancia para permitir un control inmediato y constante, a pie de operación, de la actividad peligrosa que requiere del recurso preventivo conforme a la norma.

Si el sistema de control remoto permite una vigilancia en términos de intensidad y profundidad igual o superior a la que permitiría la presencia física no entendemos que sea incompatible con la regulación vigente. Si el sistema de control remoto posibilita la "*comproba-ción de la eficacia de las actividades preventivas previstas en la plani-ficación, así como de la adecuación de tales actividades a los riesgos que pretenden prevenirse o a la aparición de riesgos no previstos y derivados de la situación que determina la necesidad de la presencia de los recursos preventivos.*" (art. 22 bis. 4) no encontramos obstáculo para su admisión.

En este sentido, el sistema de control remoto puede ser una solución adecuada e, incluso imprescindible en zonas de difícil acceso o en las que la mera presencia física suponga un peligro para el recurso preventivo. También puede considerarse que este sistema puede ser extremadamente útil para complementar la propia presencia física del recurso preventivo.

No obstante, es necesario matizar que:

- Las obligaciones que se imponen por la norma al recurso preventivo determinan que el sistema de control utilizado debe incluir de forma preceptiva la comunicación del recurso preventivo con el empresario y con los trabajadores y mandos involucrados en la operación que requiere de su supervisión en materia preventiva. Por tanto, el sistema de control remoto debe estar complementado con un sistema de comunicación que articule la comunicación de las posibles deficiencias advertidas o la inadecuación de las medidas tomadas tanto a la empresa encargada de las decisiones como a los trabajadores y mandos. En suma, el desarrollo de las funciones y cometidos que se atribuyen al recurso preventivo por los números 5 y 6 del RD 39/1997.

- Las utilizaciones del sistema de control remoto articulado a partir del dron no pueden servir para utilizar personas distintas a las designadas normativamente, con habilitación y cumplimientos de requisitos distintos o inferiores a los exigidas por los textos reglamentarios.

En conclusión, estimamos que respecto a la obligación de vigilancia establecida para el recurso preventivo es posible la utilización de un sistema de control remoto a través de drones o cámaras fijas siempre que la vigilancia y control pueda alcanzar un nivel igual o superior al de la ubicación a pie de operación y que se implementen las medidas técnicas de comunicación que permitan el ejercicio de las funciones y facultades que la norma atribuye al recurso preventivo. Para ello, es imprescindible cumplir con las exigencias ordinarias en materia preventiva ya reseñadas–evaluación de riesgos que determine el alcance y posibilidad de uso de este sistema de control en las actividades, puestos y operaciones que es necesario el recurso preventivo, fiabilidad, no sustitución de la presencia física si esta es más recomendable, formación e información en los términos expresados- y las propias de la normativa específica de este tipo de mecanismos de vigilancia y supervisión.

4. La adecuación de los sistemas de control remoto para el cumplimiento de la obligación de vigilancia en los casos de concurrencia de actividades empresariales.

Analizamos aquí dos supuestos de obligaciones de vigilancia: la del empresarial principal y encargado de coordinación, porque otros de los medios o instrumentos de coordinación, el recurso preventivo, ya ha sido analizado.

4.1. La adecuación de los medios de control remoto para el cumplimiento de la obligación de vigilancia del empresario principal.

El art. 10 del citado Real Decreto 171/2004, de 30 de enero, desarrollando el art. 24 LPRL. establece, bajo la rúbrica, "deber de vigilancia" una serie de deberes para el empresario principal, definido como aquél que "contrata o subcontrata con otros la realización de obras o servicios correspondientes a la propia actividad de aquél y que se desarrollan en su propio centro de trabajo." -art. 2 c) del RD 171/2004-.

Entre las obligaciones del empresario principal enunciadas en el citado art. 10, pero también en el art. 24 apartados 3 y 4 LPRL[37], se

---

[37] "3. Las empresas que contraten o subcontraten con otras la realización de obras o servicios correspondientes a la propia actividad de aquéllas y que se desarro-

Luis Pérez Capitán

halla la de controlar el "cumplimiento de la normativa de prevención de riesgos laborales por parte de las empresas contratistas o subcontratistas de obras y servicios correspondientes a su propia actividad y que se desarrollen en su propio centro de trabajo." Vigilancia, por tanto, de actuaciones y conductas de trabajadores y mandos de empresas ajenas siempre que se desarrollen actividades correspondientes a la propia actividad y en el propio centro de trabajo[38].

---

llen en sus propios centros de trabajo **deberán vigilar el cumplimiento por dichos contratistas y subcontratistas de la normativa de prevención de riesgos laborales.** 4. Las obligaciones consignadas en el último párrafo del apartado 1 del artículo 41 de esta Ley serán también de aplicación, respecto de las operaciones contratadas, en los supuestos en que los trabajadores de la empresa contratista o subcontratista no presten servicios en los centros de trabajo de la empresa principal, siempre que tales trabajadores deban operar con maquinaria, equipos, productos, materias primas o útiles proporcionados por la empresa principal."

[38]   El concepto de centro de trabajo a estos efectos debe tomarse en un sentido amplio tal como lo considera el Tribunal Supremo en su Sentencia de 22 de noviembre del 2003 (RJ 003, 510). Respecto a la controvertida cuestión de la propia actividad, sin entrar en demasiadas disquisiciones, sea la Sentencia del Tribunal Supremo en su Sala de lo Social, en una de las Sentencia más recientes sobre la materia, la 56/2020, de 23 de enero del 2020 la que nos ilumine sobre el sentido de este concepto, recogiendo la doctrina recaída del mismo órgano sobre la materia:

"(...) la STS 15/6/2017, rcud. 972/2016, reitera que: "La noción de "propia actividad" ha sido ya precisada por la doctrina de la Sala en las sentencias de 18 de enero de 1995, 24 de noviembre de 1998 y 22 de noviembre de 2002 en el sentido de que lo que determina que una actividad sea "propia" de la empresa es su condición de inherente a su ciclo productivo. En este sentido la sentencia de 24 de noviembre de 1998 señala que en principio caben dos interpretaciones de este concepto: a) la que entiende que propia actividad es la "actividad indispensable", de suerte que integrarán el concepto, además de las que constituyen el ciclo de producción de la empresa, todas aquellas que resulten necesarias para la organización del trabajo; y b) la que únicamente integra en el concepto las actividades inherentes, de modo que sólo las tareas que corresponden al ciclo productivo de la empresa principal se entenderán "propia actividad" de ella. En el primer caso, se incluyen como propias las tareas complementarias. En el segundo, estas labores no "nucleares" quedan excluidas del concepto y, en consecuencia de la regulación del artículo 42 del Estatuto de los Trabajadores. Pero, como precisa la sentencia citada, recogiendo la doctrina de la sentencia de 18 enero 1995, "si se exige que las obras y servicios que se contratan o subcontratan deben corresponder a la propia actividad empresarial del comitente, es porque el legislador está pensando en una limitación razonable que excluya una interpretación favorable a cualquier clase de actividad empresarial". Es obvio que la primera de las

En relación con esta obligación no se apercibe diferencia alguna con las reflexiones realizadas respecto a la empresa en la relación laboral en tanto nos encontramos con obligaciones de índole material de parecido alcance y naturaleza. En suma, lo expresado hasta ahora es útil tanto para el cumplimiento del deber de vigilancia y control por el empresario respecto de sus trabajadores como del empresario principal respecto a la seguridad de los trabajadores de las contratas o subcontratas que prestan servicios en los centros de trabajo de aquél. Las exigencias arriba establecidas se deben si acaso extremar cuando estamos ante personas trabajadoras de una empresa contratada.

4.2. El encargado de coordinación39 y las posibilidades del cumplimiento de sus obligaciones de vigilancia a través de sistema de control remoto.

Al encargado de coordinación el del R.D. 171/2004, de 30 de enero, le dedica dos extensos preceptos: los artículos 13 y 14. El encargado de coordinación será designado por "el empresario titular del centro de trabajo cuyos trabajadores desarrollen actividades en él". Sin embargo, y, a pesar de que no lo prevea directamente el artículo 13, ante la inexistencia del titular de centro de trabajo con trabajadores propios desarrollando labores en el mismo, corresponde al empresario principal tal facultad[40].

---

interpretaciones posibles anula el efecto del mandato del artículo 42 del Estatuto de los Trabajadores que no puede tener otra finalidad que reducir los supuestos de responsabilidad del empresario comitente y, por ello, se concluye que "ha de acogerse la interpretación que entiende que propia actividad de la empresa es la que engloba las obras y servicios nucleares de la comitente" .La doctrina de mérito establece la distinción entre actividades inherentes "formando parte del ciclo productivo", de las actividades que sin pertenecer a esas categorías también sean necesarias para realizar la actividad y concluye extrayendo estos últimos del ámbito del artículo 42 del Estatuto de los Trabajadores". (la negrita es nuestra).

[39] Seguimos aquí la exposición de nuestro artículo PEREZ CAPITAN, L., "El nuevo marco regulador de la coordinación preventiva. Un análisis del R.D. 171/2004, de 30 de enero." *Revista de Derecho Social*, núm. 24, pp. 63 a 66

[40] Para ello aplicamos la cláusula del artículo 12.1 párrafo segundo del RD 171/2004, conforme al cual, como ya se ha señalado: "La iniciativa para el establecimiento de los medios de coordinación corresponderá al empresario

El encargado de coordinación será medio preferente de coordinación cuando concurran dos o más de las circunstancias que enuncia la norma[41]: La enunciación de las funciones *ex lege* de esta figura son de interés para responder al interrogante que nos interesa.

Funciones conforme al art. 14.1 del RD 171/2004:

"1. (...)

a) Favorecer el cumplimiento de los objetivos previstos en el artículo 3.

b) Servir de cauce para el intercambio de las informaciones que, en virtud de lo establecido en este real decreto, deben intercambiarse las empresas concurrentes en el centro de trabajo.

c) Cualesquiera otras encomendadas por el empresario titular del centro de trabajo."

Funciones que como puede advertirse de la mera lectura del precepto no son, en principio, ejecutivas, de imposición de medidas concretas. Sin embargo, la propia excepcionalidad de las situaciones en las que son exigibles y la propia experiencia preventiva, aconsejan a pensar que la cláusula c) transcrita será utilizada con asiduidad. De hecho, lo normal será que dentro de la propia organización del sistema de coordinación preventivo se le otorguen funciones decisorias y/o ejecutivas.

---

titular del centro de trabajo cuyos trabajadores desarrollen actividades en éste o, en su defecto, al empresario principal."

[41]   "a) Cuando en el centro de trabajo se realicen, por una de las empresas concurrentes, actividades o procesos reglamentariamente considerados como peligrosos o con riesgos especiales, que puedan afectar a la seguridad y salud de los trabajadores de las demás empresas presentes.

b) Cuando exista una especial dificultada para controlar las interacciones de las diferentes actividades desarrolladas en el centro de trabajo que puedan generar riesgos calificados como graves o muy graves.

c) Cuando exista una especial dificultad para evitar que se desarrollen en el centro de trabajo, sucesiva o simultáneamente, actividades incompatibles entre sí desde la perspectiva de la seguridad y salud de los trabajadores.

d) Cuando exista una especial complejidad para la coordinación de las actividades preventivas como consecuencia del número de empresas y trabajadores concurrentes, del tipo de actividades desarrolladas y de las características del centro de trabajo."

La adscripción de funciones de vigilancia son la derivación directa de la lectura del apartado a) y el citado expresamente art. 3 del propio RD 171/2004 en cuanto que los objetivos de la coordinación son los siguientes:

a) *La aplicación coherente y responsable de los principios de la acción preventiva establecidos en el artículo 15 de la Ley 31/1995, de 8 de noviembre, de Prevención de Riesgos Laborales, por las empresas concurrentes en el centro de trabajo.*

b) *La aplicación correcta de los métodos de trabajo por las empresas concurrentes en el centro de trabajo.*

c) *El control de las interacciones de las diferentes actividades desarrolladas en el centro de trabajo, en particular cuando puedan generar riesgos calificados como graves o muy graves o cuando se desarrollen en el centro de trabajo actividades incompatibles entre sí por su incidencia en la seguridad y la salud de los trabajadores*

d) *La adecuación entre los riesgos existentes en el centro de trabajo que puedan afectar a los trabajadores de las empresas concurrentes y las medidas aplicadas para su prevención."*

Es obvio que conseguir "la aplicación correcta de los métodos de trabajo" y "el control de las interacciones de las diferentes actividades desarrollas en el centro de trabajo" requiere el desarrollo de una actividad de vigilancia.

Estamos ante funciones y facultades cuya correcta ejecución y desarrollo requiere el conocimiento directo, la presencia del encargado de coordinación en el momento de desarrollo de las tareas a vigilar, presencia que no es necesario que sea permanente. La norma no lo exige ni concreta, pero la frecuencia y permanencia debe ser acorde a la peligrosidad y dificultad de la actividad.

Las reflexiones realizadas en relación al recurso preventivo son perfectamente extensibles al encargado de coordinación, incluso con más rotundidad y sin riesgo de atentar contra la seguridad jurídica, en tanto en cuanto en la norma no se recoge con tanta minuciosidad la necesidad de la presencia, ni se determina la exigencia de la ubicación en el centro de trabajo del sujeto designado como encargado de coordinación. No obstante, como en el caso del recurso preventivo la utilización del sistema de control remoto articulado a partir del dron no puede servir para delegar la tarea en personas distintas a las designadas normativamente, con habilitación y cumplimientos de requisitos distintos o inferiores a los exigidas por los textos reglamentarios.

Es obvio que la presencia es necesaria para el ejercicio de las funciones y cometidos propios del encargado de prevención, pero si el sistema de control remoto articulado a través de drones permite a éste el ejercicio de sus funciones y facultades en iguales o mejores condiciones no se advierte obstáculo alguno a salvo de los derivados de la normativa específica de uso del dron y el sistema que le acompaña y acoge.

5. Los sistemas de control remoto y la obligación de vigilancia en el ámbito de las obras de construcción.

Dentro de este ámbito, es el Real Decreto 1627/1997, de 24 de octubre, por el que se establecen disposiciones mínimas de seguridad y de salud en las obras de construcción[42] y se transpone al ordenamiento jurídico español la Directiva 92/57/CEE, de 24 de junio, el que

---

[42]   El concepto de obras de construcción viene establecido de forma amplia en el art. 1 a) del RD: "cualquier obra, pública o privada, en la que se efectúen trabajos de construcción o ingeniería civil cuya relación no exhaustiva figura en el anexo." La Guía Técnica para la evaluación y prevención de los riesgos relativos a las obras de construcción, califica la definición del citado precepto como "genérica" y "amplia", reseñando que: "Por otra parte, y en relación con los términos "edificación" e "ingeniería civil", la Ley 38/1999, de 5 de noviembre, de Ordenación de la Edificación (LOE), define, en su artículo 2, el proceso de la edificación como "la acción y el resultado de construir un edificio de carácter permanente, público o privado", siempre que su uso principal esté comprendido entre los citados en dicho artículo. En su apartado segundo, el citado artículo incluye tanto las obras de edificación de nueva construcción, como aquellas otras de ampliación, modificación, reforma o rehabilitación. Respecto a las obras de ingeniería civil, a falta de una definición legal expresa, se pueden citar como tales la construcción de carreteras, vías férreas, puentes, túneles, redes para diversos usos y otras nombradas, de forma no exhaustiva, en el apartado 42 de la CNAE-2009. De igual modo, en la anterior definición se entenderán incluidas las obras de ingeniería civil de restauración y reparación de construcciones existentes, así como la conservación y el mantenimiento de los elementos construidos." Instituto Nacional de Seguridad y Salud en el Trabajo, Madrid, noviembre 2019, p. 15.

establece las disposiciones mínimas de seguridad y de salud que deben aplicarse en las obras de construcción temporales o móviles, y con ello ciertas peculiaridades en la esfera de las obligaciones de vigilancia.

5.1. Las herramientas de control remoto y su conciliación con las obligaciones de vigilancia del coordinador en materia de seguridad y de salud durante la ejecución de la obra.

De obligada designación por el promotor de la obra, cuando "en la ejecución de la obra intervenga más de una empresa, o una empresa y trabajadores autónomos o diversos trabajadores autónomos" –art. 3.2 RD 1627/1997) el coordinador de seguridad y salud es un técnico competente integrado en la dirección facultativa, designado por el promotor para llevar a cabo las tareas relacionadas en el art. 9 del citado RD[43].

---

[43] "a) Coordinar la aplicación de los principios generales de prevención y de seguridad:

1.º Al tomar las decisiones técnicas y de organización con el fin de planificar los distintos trabajos o fases de trabajo que vayan a desarrollarse simultánea o sucesivamente.

2.º Al estimar la duración requerida para la ejecución de estos distintos trabajos o fases de trabajo.

b) Coordinar las actividades de la obra para garantizar que los contratistas y, en su caso, los subcontratistas y los trabajadores autónomos apliquen de manera coherente y responsable los principios de la acción preventiva que se recogen en el artículo 15 de la Ley de Prevención de Riesgos Laborales durante la ejecución de la obra y, en particular, en las tareas o actividades a que se refiere el artículo 10 de este Real Decreto.

c) Aprobar el plan de seguridad y salud elaborado por el contratista y, en su caso, las modificaciones introducidas en el mismo. Conforme a lo dispuesto en el último párrafo del apartado 2 del artículo 7, la dirección facultativa asumirá esta función cuando no fuera necesaria la designación de coordinador.

d) Organizar la coordinación de actividades empresariales prevista en el artículo 24 de la Ley de Prevención de Riesgos Laborales.

e) Coordinar las acciones y funciones de control de la aplicación correcta de los métodos de trabajo.

f) Adoptar las medidas necesarias para que sólo las personas autorizadas puedan acceder a la obra. La dirección facultativa asumirá esta función cuando no fuera necesaria la designación de coordinador."

La normativa específica determina una serie de obligaciones documentales de gran importancia. De esta forma, el coordinador de seguridad y salud durante la ejecución de la obra tiene conforme al art. 13 del RD 1627/1997 la obligación de tener en su poder el Libro de Incidencias facilitado por el Colegio Profesional u Oficina de Supervisión de proyectos de la obra pública con el fin controlar y seguir el plan de seguridad y salud.

Observemos, además, que el coordinador de seguridad tiene la importante competencia de poder paralizar los trabajos o totalidad de la obra en circunstancias de riesgo grave e inminente para la seguridad y salud de los trabajadores. –art. 14 RD 1627/1997-.

De la normativa expuesta, así como de la que se va seguidamente a relatar llegamos a una solución distinta de la que hemos considerado para los recursos preventivos

Adviértase, que conforme al art. 13 del RD 1627/1997, modificado en esta materia por el RD 1.109/2007, de 24 de agosto, que desarrolla la L. 32/2006 reguladora de la subcontratación en el sector de la construcción tiene bajo su responsabilidad el Libro de Incidencias que literalmente "estará en poder del coordinador en materia de seguridad y salud durante la ejecución de la obra o, cuando no fuera necesaria la designación de coordinador, en poder de la dirección facultativa" –art. 13. 3 RD 1627/1997-.

Expongamos muy sucintamente la regulación contenida en los distintos apartados del art. 13 y el art. 14 ambos del RD 1627/1 997:

- En cada centro de trabajo, existirá con fines de control y seguimiento del plan de seguridad y salud un libro de incidencias que constará de hojas por duplicado facilitado por el Colegio profesional al que pertenezca el técnico que haya aprobado el plan de seguridad y salud o la oficina de supervisión de proyectos u órgano equivalente cuando se trate de obras de las Administraciones públicas.

- El libro de incidencias deberá mantenerse siempre en la obra, como hemos reseñado, en poder del coordinador en materia de seguridad y salud durante la ejecución de la obra o, cuando no fuera necesaria la designación de un coordinador, en poder de la dirección facultativa de la obra.

- A dicho libro, tendrán acceso la dirección facultativa de la obra, contratistas y subcontratistas y trabajadores autónomos, así como las personas u órganos con responsabilidades en materia de prevención en las empresas intervinientes en la obra, los representantes de los trabajadores y los técnicos de los órganos especializados en materia de seguridad y salud en el trabajo de las Administraciones públicas competentes, quienes podrán hacer anotaciones en el mismo, relacionadas con el control y seguimiento del plan de seguridad y salud.

- Efectuada una anotación en el Libro de Incidencias, el Coordinador en materia de Seguridad y Salud durante la ejecución de la obra o, cuando no sea necesaria la designación de Coordinador, la dirección facultativa, deberán notificarla al contratista afectado y a los representantes de los trabajadores de éste. En el caso de que la anotación se refiera a cualquier incumplimiento de las advertencias u observaciones previamente anotadas en dicho Libro por las personas facultadas para ello, deberá remitirse una copia a la Inspección de Trabajo y Seguridad Social en el plazo de veinticuatro horas. En todo caso, deberá especificarse si la anotación efectuada supone una reiteración de una advertencia u observación anterior o si, por el contrario, se trata de una nueva observación"

- El coordinador en materia de seguridad y salud durante la ejecución de la obra o cualquier otra persona integrada en la dirección facultativa observase incumplimiento de las medidas de seguridad y salud, advertirá al contratista de ello, dejando constancia de tal incumplimiento en el libro de incidencias (art. 14.1 RD 1627/1997)

- Además, ya hemos advertido que el art. 14 del RD 1627/97, faculta al coordinador para, en circunstancias de riesgo grave e inminente para la seguridad y la salud de los trabajadores, disponer la paralización de los tajos o, en su caso, de la totalidad de la obra. En ese supuesto, deberá dar cuenta a los efectos oportunos a la Inspección de Trabajo y Seguridad Social correspondiente, a los contratistas y, en su caso, a los subcontratistas afectados por la paralización, así como a los representantes de los trabajadores de éstos.

La lectura conjunta de los preceptos reseñados determina una serie de obligaciones que exigen una presencia física en la obra difícilmente conciliable con el sistema de control remoto a través de drones. El coordinador de seguridad es el responsable y encargado del Libro de Incidencias de la obra. Libro de Incidencias que carece de una regulación que permita su opción digitalizada, dado que solo existe como permitido un documento material que debe estar en la obra. El coordinador debe consignar las deficiencias que advierta en el Libro de Incidencias, cometido que no puede cumplir sino a través de una presencia física que dado el modelo admitido es el único posible. Es también el coordinador el responsable de la comunicación de las anotaciones e incidencias que él u otros sujetos legitimados hayan efectuado en el citado. Debe también, por último, el coordinador de seguridad y salud durante la ejecución de la obra paralizar cuando concurran las circunstancias establecidas en la norma. Y no olvidemos que está más que facultad es un deber u obligación. La paralización se debe anotar en el Libro de Incidencias y comunicar por el propio coordinador a la Inspección de Trabajo y Seguridad Social y a los demás sujetos enunciados por el RD 1627/1997.

La norma está diseñada para asegurarse la presencia física del coordinador de seguridad y salud durante la ejecución en la obra. No establece la frecuencia de esta presencia, pero, sin duda, ésta estará relacionada con el desenvolvimiento de la obra y la peligrosidad de las actividades que en ella se desarrollen.

El sistema de control remoto puede ser un instrumento que complete las actividades de vigilancia y control de coordinador. No puede negarse su utilidad, puede incluso convertirse en un auxiliar imprescindible, alertando de la necesidad de la visita. Pero la regulación actual no permite un documento, libro de incidencias, en la nube u otra solución tecnológica que permitiera su complementariedad con un sistema de control remoto. En este sentido, la propia regulación se centra en la exigencia de una presencia física puesto que ciertas facultades como la paralización o la menos drástica anotación de deficiencias resulta difícil que tenga una articulación a través de un sistema de control remoto dada la realidad tecnológica de nuestras obras.

Para articular como sistema alternativo a la presencia física un sistema de control remoto, es necesario un cambio normativo que se acompañe de las mismas exigencias que hemos reseñado en párrafos anteriores, pero aún más exacerbadas dada la altamente relevante y ejecutiva posición del coordinador de seguridad y salud durante la ejecución de la obra.

5.2. Algunas menciones específicas al deber de vigilancia: director de obra y director de ejecución de obra.

Más allá de las obligaciones del contratista y subcontratista enunciadas en el art. 10. 2[44] del RD 1627/1997, que nos recuerdan a las del empresario principal y la empresa de la relación laboral, se advierten específicas competencias de control de la dirección facultativa–el técnico o técnicos competentes designados por el promotor, encargados de la dirección y del control de la ejecución de la obra, conforme al art. 2. 1 g) RD 1627/1997- integrada, entre otros, por

- El director de obra –art. 12 Ley 38/1999, de 5 de noviembre, de Ordenación de la Edificación-: "es el agente que, formando parte de la dirección facultativa, dirige el desarrollo de la obra en los aspectos técnicos, estéticos, urbanísticos y medioambientales, de conformidad con el proyecto que la define, la licencia de edificación y demás autorizaciones preceptivas y las condiciones del contrato, con el objeto de asegurar su adecuación al fin propuesto." Sus obligaciones y su alto carácter técnico –arts. 12, apartados 1 y 3- determinan un alto grado de responsabilidad sobre el cumplimiento de la legislación preventiva en la obra.

- El director de ejecución de obra. Conforme al art. 13 de la Ley Ordenadora de la Edificación es "el agente que, formando parte de la dirección facultativa, asume la función técnica de dirigir

---

[44] "2. Los contratistas y los subcontratistas serán responsables de la ejecución correcta de las medidas preventivas fijadas en el plan de seguridad y salud en lo relativo a las obligaciones que les correspondan a ellos directamente o, en su caso, a los trabajadores autónomos por ellos contratados.
Además, los contratistas y los subcontratistas responderán solidariamente de las consecuencias que se deriven del incumplimiento de las medidas previstas en el plan, en los términos del apartado 2 del artículo 42 de la Ley de Prevención de Riesgos Laborales."

la ejecución material de la obra y de controlar cualitativa y cuantitativamente la construcción y la calidad de lo edificado.". Entre las funciones u obligaciones que la norma a le asigna se encuentra la de "dirigir la ejecución material de la obra comprobando los replanteos, los materiales, la correcta ejecución y disposición de los elementos constructivos y de las instalaciones, de acuerdo con el proyecto y con las instrucciones del director de obra.", debiendo "consignar en el Libro de Órdenes y Asistencias las instrucciones precisas". Por tanto, obligación de vigilancia de los procesos productivos que adquiere, al igual que la figura anterior, una clara derivada en el ámbito de la seguridad y salud de los trabajadores.

Las obligaciones que la norma impone a los técnicos integrantes de la dirección facultativa y de la dirección de la obra nos lleva a una solución pareja a la del coordinador de seguridad y salud durante la ejecución de la obra. Recordemos que el Libro de Órdenes y Asistencias continúa regulado por Decreto 462/1971, de 11 de marzo y la Orden Ministerial de 9 de junio de 1971. Como en el supuesto anterior, los sistemas de vigilancia por control remoto a través de drones pueden ser un interesante auxiliar y complemento para el desarrollo de su función, pero no un sustitutivo de una presencia física que la norma no desea hacer desaparecer.

6. Los Servicios de Prevención como sujetos obligados a efectuar una actividad de vigilancia.

Los técnicos integrados en los Servicios de Prevención no solo deben efectuar conforme a la norma las funciones de auxilio y asesoramiento establecidas en el art. 31.2 LPRL. Especialmente, en lo que se refiere a los Servicios de Prevención Ajenos se establece que salvo que ciertas actividades se realicen con recursos preventivos propios y así se especifique en el concierto, éste deberá consignar una serie de acciones que convierten al Servicio de Prevención en un ente obligado a vigilar y controlar el cumplimiento de importantes aspectos preventivos en las empresas que lo han contratado -art. 22 del Real Decreto 39/1997, de 17 de enero, por el que se aprueba el Reglamento de los Servicios de Prevención, especialmente números 4° y 5°-.

La solución reseñada para los encargados de coordinación es perfectamente aplicable en este supuesto.

IV. CONCLUSIONES

A través de dos importantes contenidos del deber de prevención –la obligación de formación y el deber de vigilancia-, hemos analizado las posibles disfunciones que puede suponer la utilización de las nuevas tecnologías en el cumplimiento de los mandatos propios de la legislación preventiva. Las consecuencias que se derivan del análisis son similares. Las nuevas tecnologías pueden integrarse dentro del núcleo obligacional preventivo siempre que sirvan a la finalidad de éste y satisfagan plenamente en todos sus aspectos el mismo. Sin duda, existe la tentación, dado que las nuevas tecnologías pueden abaratar el coste del cumplimiento del deber de prevención, de su utilización de forma indiscriminada como mera coartada formal de un cumplimiento materialmente inexistente.

La regulación actual permite en el ámbito de formación el uso de las nuevas tecnologías dada la amplitud de sus términos, pero siempre dirigidas a la satisfacción de una exigencia material, sin precisar los métodos más adecuados. Sin embargo, en el ámbito formativo la utilización de las nuevas tecnologías tiene su límite la regulación convencional y en la realidad de la tarea desarrollada, así como de la necesidad de una formación presencial práctica que asegure el éxito de la acción formativa.

En la esfera del cumplimiento de la obligación de vigilancia y control, sin aun una respuesta en la normativa y doctrina judicial, hemos aventurado una respuesta positiva pero exigente en cuanto a los requisitos necesarios para considerar adecuados los sistemas de control remoto. Siempre salvando las situaciones normativas específicas que claramente demandan la presencia del sujeto obligado (coordinador de seguridad y salud en el trabajo durante la ejecución de obra, director de obra y director de ejecución de obra).

En suma, estamos ante un campo tan abierto como la propia evolución de los adelantos técnicos en la materia, pero cuyo eje no varía: la adecuada y completa protección de la persona trabajadora.

V. BIBLIOGRAFÍA

AESPAL, "Gamificación y prevención de riesgos laborales: Cuando la PRL es divertida" publicado el 25 de octubre del 2017 en https://www.aepsal.com/gamificacion-prl-divertida/.

Azpiroz, A. "Quirónprevención realiza un análisis de Big Data como herramienta de prevención de diabetes tipo 2", publicado el 16 de marzo del 2022, consultado en https://www.consalud.es/profesionales/quiron-prevencion-realiza-analisis-big-data-herramienta-prevencion-diabetes-tipo-2_111613_102.html

CROEM, *Uso de drones aplicado a la prevención de riesgos laborales*, Murcia, 2018, p. 6: "Durante la construcción del Airbus A350, Ronie Gnecco tuvo la idea de utilizar drones para realizar las inspecciones de seguridad de la aeronave. Normalmente dos trabajadores emplean un tiempo de dos horas en levantar una plataforma elevadora para inspeccionar la calidad de un nuevo avión de Airbus

Galindo García, J. "¿Sirve la realidad virtual para prevenir riesgos laborales?" consultado el 6 de mayo del 2022 en https://www.asepeyo.es/blog/seguridad-laboral/realidad-virtual-para-prevenir-riesgos-laborales/

García Revaliente, C., "Tendencias en eLearning y Formación Online" publicado el 20 de diciembre de 2021, consultado en https://www.expoelear-ning.com/tendencias-elearning/

NORMA UNE 66181: 2012 Gestión de la calidad, sobre Calidad de la formación virtual" como herramienta para asegurar la calidad y confianza en ésta.

Pérez Arroyo, M. "Comparativa entre formación online y presencial: diferencias de efectividad" publicado el 23 de enero del 2020 y consultado en https://www.quironprevencion.com/blogs/es/prevenidos/comparativa-formacion-online-presencial-diferencias-efectiv

PEREZ CAPITAN, L., "El nuevo marco regulador de la coordinación preventiva. Un análisis del R.D. 171/2004, de 30 de enero." *Revista de Derecho Social*, núm. 24, pp. 63 a 66

Prolaboral, Workwear and Safety, "Las TIC'S y en Prevención de Riesgos Laborales" consultado el 6 de mayo del 2022 en https://workwear.prola-boral.es/tecnologias-prevencion-riesgos-laborales/

Sánchez Iglesias, A.L "Entrevista: "Las nuevas tecnologías han permitido avances importantes en la formación online que permiten su adecuación a las exigencias establecidas legalmente", publicado el 21 septiembre del 2020, consultado en https://prevencion.mc-mutual.com/actualidad-detalle/-/asset_publisher/ksRMfI4DgwKI/content/las-nuevas-tecnologias-han-permitido-avances-importantes-en-la-formacion-online-que-permi-ten-su-adecuacion-a-las-exigencias-establecidas-legalmente.

SHAPING EUROPE'S DIGITAL FUTURE, (2020) recuperado en https://ec.europa.eu/info/sites/info/files/communication-shaping-europes-digital-future-feb2020_en_4pdf., p. 1.

Tropiano, Y, y Noguera, A. "Los efectos positivos de la tecnología en el ámbito de la seguridad y salud en el trabajo" p. 4, consultado en http://www.cielolaboral.com/wp-content/uploads/2020/03/tropiano_nogueira_noticias_cielo_n3_2020.pdf

Valls Mollits, A. "ERGO IA, una nueva solución innovadora de análisis ergonómico" publicado el 11 de febrero de 2021 y consultado en https://www.quironprevencion.com/blogs/es/prevenidos/ergo-ia-nueva-solucion-innovadora-analisis-ergonomico

TERCERA PARTE
RESPONSABILIDAD CIVIL POR DAÑOS
DERIVADOS DE LA INTELIGENCIA
ARTIFICIAL

Capítulo séptimo:
MARCO NORMATIVO GENERAL Y PROPUESTAS DE REGULACIÓN EN LA RESPONSABILIDAD CIVIL

Mª ÁNGELES EGUSQUIZA BALMASEDA.
Catedrática de Derecho Civil
Universidad Pública de Navarra

I. CONSIDERACIONES PREVIAS.

La incorporación a la realidad social y jurídica de la Inteligencia Artificial (IA), que se plantea en el momento presente como una gran oportunidad para el desarrollo económico y social de los países que integran la Unión Europea (UE), ha venido acompañada de la lógica reflexión sobre los efectos de su aplicación.

La preocupación sobre los peligros de su utilización, singularmente la socavación de los derechos fundamentales de la persona y la falta de control por parte del ser humano de las actuaciones que se lleven a cabo por la IA, se encuentra presente en los documentos de trabajo y pergeño de regulación que se proyecta en la UE. Una muestra de ello son las referencias que efectúa la Resolución del Parlamento Europeo de 16 de febrero de 2017, sobre Normas de Derecho civil sobre robótica, a diversos textos (las leyes de la robótica de Asimov; las "re-comendaciones éticas" ordenadas o sugeridas para su regulación, que se acogen en la Comunicación de la Comisión Europea de 8 de abril de 2019, COM(2019) 168 final, bajo el expresivo título de "Generar confianza en la inteligencia artificial centrada en el ser humano"[1]; las "Directrices éticas para una inteligencia artificial fiable" del Grupo Independiente de Expertos de alto Nivel sobre Inteligencia Artificial[2]; el "Libro Blanco sobre la Inteligencia Artificial. Un enfoque europeo hacia la excelencia y la confianza" de 19 de febrero de 2020, COM (2020) 65 final; o la Resolución del Parlamento Europeo de 20 de octubre de 2020, con recomendaciones destinadas a la Comisión sobre el "Marco de los aspectos éticos de la inteligencia artificial, la robótica y las tecnologías conexas")[3].

Existe una conciencia clara y generalizada en el ámbito europeo de que resulta necesario regular el uso y la utilización de la IA. El objetivo que con ello se persigue es que la acción legislativa confiera a los ciudadanos y mercado interior de la UE la seguridad precisa para que se asuma un uso sin reticencias de la IA, que faculte la continuación del desarrollo e innovación tecnológica del sector, logrando el liderazgo de la UE frente a otras potencias mundiales con las que se compite en este sector, como Estados Unidos, Japón o China.

En el ámbito regulatorio, una de las parcelas jurídicas a las que se ha prestado mayor atención en la aplicación de la IA es la relativa a la responsabilidad civil. La potencial capacidad de los sistemas inteligentes de generar daños en personas o cosas en el contexto de la vida privada y laboral enfrenta la cuestión de su encaje en la estructura tradicional de aquella, cuando los daños se producen concurriendo elementos que resultan disruptivos respecto de los parámetros clásicos aquilatados en el derecho de daños. Como reflexiona ATIENZA

---

[1]   https://eur-lex.europa.eu/legal-content/ES/TXT/PDF/?uri=CELEX:52019DC01 68&from=PT

[2]   https://urjes.com/pruebas/wp-content/uploads/2021/05/Grupo-independien-te-de-expertos-...-Directrices-eticas-para-una-inteligencia-artificial-IA-fiable-ES.pdf

[3]   https://eur-lex.europa.eu/legal-content/ES/TXT/PDF/?uri=CELEX:52020IP027 5&from=EL

NAVARRO[4], estos "nuevos daños" plantean cuestiones que implican su técnica y que llevan a repensar sus reglas. La posibilidad de que su producción pueda escaparse al control humano, las dificultades de la aplicación del esquema monocausalista y antropocéntrico de las reglas tradicionales de la responsabilidad civil por la falta de identificación de un sujeto visible claro al que se pueda imputar la responsabilidad, las cuestiones de acreditación de los elementos que determinan el nacimiento de ésta, el alcance del resarcimiento y tiempo para su reclamación, constituyen temas centrales sobre los que existe un amplio debate.

En el trasfondo se halla la preocupación de que la configuración legislativa que finalmente se alcance ofrezca un adecuado equilibrio entre los intereses y el desarrollo empresariales y la protección de los ciudadanos en todas sus dimensiones, incluida la laboral, en el uso y utilización de la IA. Ello explica la procelosa actividad desplegada por la UE en este punto y los cambios de contenido y orientación vividos en las sucesivas propuestas que se han venido planteando respecto al régimen de la responsabilidad e indemnización del perjudicado.

La pregunta de partida en este ámbito es si resulta suficiente, para resolver los problemas que plantea la producción de los daños generados por los sistemas de IA, las reglas ya existentes, con las adaptaciones oportunas, o bien se hace preciso configurar un régimen propio de responsabilidad para el resarcimiento de los daños que se deriven de los sistemas de IA[5]. La respuesta de la doctrina a este interrogante no ha sido uniforme.

Para un sector de los autores, del que es exponente ATAZ LÓPEZ[6], la solución pasa por realizar una adaptación de los regímenes de responsabilidad civil ya existentes a los sistemas de IA, singular-

---

[4]   *Daños causados por la inteligencia artificial y responsabilidad civil*, Atelier, 2022, p. 25.

[5]   EBERS, M., "La utilización de agentes electrónicos inteligentes en el tráfico jurídico: ¿Necesitamos reglas especiales en el derecho de la responsabilidad civil?", *InDret*, nº 3, 2016, https://indret.com/wp-content/uploads/2018/05/1245.pdf.

[6]   ATAZ LÓPEZ, J., "Daños causados por las cosas: una nueva visión a raíz de la robótica y de la inteligencia artificial", *Working Papers* (Càtedra Jean Monnet de Dret Privat Europeu), Universitat de Barcelona, 2020. http://hdl.handle.net/2445/169850

mente la normativa sobre productos defectuosos o daños causados por la tenencia de bienes potencialmente peligrosos. La plasticidad de las reglas sobre responsabilidad civil ofrecería la cobertura estructural precisa para resarcir de los daños a la víctima y sólo se requeriría un ajuste de la regulación a las características singulares que presentan los sistemas inteligentes. No se aprecia, desde esta visión, la necesidad de introducir un nuevo régimen de responsabilidad civil, bastando con la adecuación de los existentes para que el fabricante de los dispositivos de IA, el proveedor de éstos o de los servicios de actualización, o bien quien sea propietario o se sirva de ellos, se hagan cargo del resarcimiento de las víctimas que sufrieran daños por ellos.

El otro planteamiento, que se enfrenta al anterior, parte de la idea de que nos encontramos ante la cuarta revolución industrial, en la que la problemática que genera el avance tecnológico de la robótica y sistemas de la IA precisa de una respuesta legislativa concreta y "ad hoc" en cuanto a la responsabilidad civil por los daños que se generan en este contexto. Se recuerda que las transformaciones legislativas y los cambios de criterio jurisprudencial tienen su origen, precisamente, en las revoluciones industriales, que son las que han motivado que se avance y diversifiquen los regímenes de responsabilidad civil, pasando de los sistemas subjetivos o por culpa al de riesgo, o introduciendo el específico de la reparación del daño por productos defectuosos.

Precisamente, en las características singulares que presentan los sistemas de IA -opacidad, complejidad, interconexión y autonomía[7]- fundamentan la necesidad de que se elabore un régimen de responsabilidad civil distinto al que acoge el Código civil o las reglamentaciones específicas, singularmente la de los daños causados por productos defectuosos, en el que se aborde desde su raíz los problemas que plantean estos sistemas. La capacidad de adaptación y autoaprendizaje, que induce a la inseguridad por la imprevisibilidad del comportamiento de los sistemas de IA, propicia la idea de que las herramientas actuales no permiten resolver los problemas que involucran a los daños producidos por la IA calificada "fuerte"[8].

---

[7]   Report from de Expert Group on Liability and New Technologies – New Technologies Formation [2019]. Cf. ATIENZA NAVARRO, M.L., pp. 53 y ss.

[8]   BOTELLO HERMOSA, P., "La responsabilidad civil extracontractual de los daños originados por robots a terceros: ¿por qué no una ley española sobre el

Una tercera visión sobre el camino a seguir en esta materia considera que lo oportuno sería impulsar una acción combinada entre la modificación normativa existente, singularmente aquella que tiene que ver con los productos defectuosos, y la actuación legislativa concreta de los daños causados por los sistemas inteligentes. A este planteamiento responde la actual acción normativa que impulsa la UE que combina el proyecto de modificación de la Directiva 85/374/CEE, atinente a los productos defectuosos, con el impulso de una regulación específica en materia de responsabilidad civil extracontractual por los daños causados por sistemas inteligentes de IA.

El alcance que deba tener esa última no deja de ser una cuestión conflictiva que enfrenta a las empresas que se sirven o utilizan los sistemas de IA con quienes pueden sufrir daños derivados de esos sistemas. Buena prueba de ello es el cambio de perspectiva normativa que se ha producido en este ámbito con el abandono del proyecto acogido en la Resolución del Parlamento Europeo de 20 de octubre de 2020, sobre la elaboración de un Reglamento relativo a la responsabilidad civil por el funcionamiento de los sistemas de inteligencia artificial, y su sustitución por la Propuesta de Directiva relativa a la adaptación de las normas de responsabilidad civil extracontractual a la inteligencia artificial (Directiva sobre responsabilidad en materia de IA) de 28 de septiembre de 2022 (COM(2022) 496 final). Este último giro de timón decanta la solución de la responsabilidad civil en materia de IA por un sistema jurídico complejo y heterointegrado, en el que la búsqueda de la norma aplicable y su conjugación con el resto de reglas van a acrecentar los interrogantes sustantivos, procesales y conflictuales que, en menor medida, ya se auguraban en cuanto a la desechada Propuesta de Reglamento sobre Responsabilidad Civil por IA[9].

---

régimen jurídico de la tenencia y uso de robots", AAVV, *Nuevas tecnologías y responsabilidad civil*, dir. BELLO JANEIRO, D., Reus, Barcelona, 2020, pp. 314 a 323; SANTOS GONZÁLEZ, Mª J., "Regulación legal de la robótica y la inteligencia artificial: retos de futuro", *Revista Jurídica de la Universidad de León*, nº 4, 2017, pp. 25 a 50.

[9]   ORTIZ FERNÁNDEZ, M., "Reflexiones acerca de la responsabilidad civil derivada del uso de la inteligencia artificial: Los principios de la Unión Europea", *ULP Law Review- Revista de Direitto da ULP*, vol. 14, nº 1, 2020, pp. 68 y 69.

II. COMPLEMENTARIEDAD NORMATIVA COMO AXIOMA EN LA REGULACIÓN FUTURA DE LA UE SOBRE RESPONSABILIDAD CIVIL POR IA.

La tesis sostenida por un núcleo relevante de autores, respecto de que no se precisa una respuesta común y homogénea a los daños que se causan por los sistemas de la IA, ha hecho fortuna en el momento presente y es la que subyace en el panorama que se proyecta para el futuro inmediato[10].

Se advierte que si el régimen de la responsabilidad civil no se encuentra unificado en el marco europeo, dada la diversidad que coexiste en la respuesta jurídica del derecho de daños en cada Estado[11], no tiene sentido postularlo cuando se trata de IA. En cada parcela jurídica rigen unos principios y reglas que son propios según la materia afectada; caso, por ejemplo, del ámbito sanitario, la circulación de vehículos a motor, la posesión de cosas peligrosas, la productos defectuosos, etc. El hecho de que la responsabilidad civil resulte mediatizada por el empleo de la IA no varía, en sustancia, tal diversidad.

Desde estos parámetros se comprende que el actual estado del pergeño normativo del marco europeo se plantee sobre la base del respeto a la heterogeneidad de los sistemas inteligentes y la diversidad sectorial de las regulaciones sobre responsabilidad civil. El resultado de todo ello es que no sólo no parece que haya, por ahora, una voluntad de establecer un régimen jurídico único en la UE que tenga por objeto todos los daños que pudieran producirse por razón de los sistemas de IA, sino que la política de intervención normativa que se auspicia se limitará a los aspectos imprescindibles.

Son tres los núcleos de actuación normativa que, dado el carácter disruptivo de los sistemas de IA, se consideran básicos en la tarea

---

[10]   KOCH, B., BORGHETTI, J. B., MACHNIKOWSKI P., PICHONNAZ, P., RODRIGUEZ DE LAS HERAS BALLELL, T., TWIGG-FLESNER, C., WENDEHORST, C., "Response of the European Law Institute to the Public Consultation of the European Commission on Civil Liability Adapting liability rules to the digital age and artificial intelligence", *Journal of European Tort Law*, https://doi.org/10.1515/jetl-2022-0002

[11]   KARNER, E., GEISTEELD, M., KOCH B., *Comparative law study on civil liability for artificial intelligence*, Publications Office of the European Union, 2021, p. 68 https://data.europa.eu/doi/10.2838/77360

de ofrecer al sector y a los ciudadanos la confianza necesaria para el desarrollo de aquellos y una respuesta preventiva a los problemas que pueden generar el uso de la IA. Los principios regulatorios de los que parte la elaboración de esta normativa de la UE son la complementariedad y fragmentación. La regulación que se proyecta se planea específica por sectores y, en cuanto a la responsabilidad civil, heterointegrada con los regímenes jurídicos de cada Estado, conformando un puzle regulatorio parcialmente atemperado por la futura armonización.

El primer ámbito de acción legislativa incide en el núcleo duro y específico de los sistemas de IA. Con ella se pretende conjurar los riesgos que en sí implica esa tecnología, preocupándose por disciplinar que ésta sea segura y queden protegidos los derechos fundamentales de la persona. La regulación que se proyecta parte de la necesidad de que exista un régimen único y plenamente unificado en la UE. De ahí que el pergeño normativo, en trance de elaboración, consista en una propuesta de armonización plena: Propuesta de Reglamento del Parlamento Europeo y del Consejo por el que se establecen normas armonizadas en materia de inteligencia artificial (Ley de Inteligencia Artificial) [COM(2021) 206 final] (LIA). El objeto de este Proyecto de LIA, según su artículo 1, es el establecimiento de: a) las normas armonizadas para la introducción en el mercado, la puesta en servicio y la utilización de sistemas de inteligencia artificial («sistemas de IA») en la Unión; b) las prohibiciones de determinadas prácticas de inteligencia artificial; c) los requisitos específicos para los sistemas de IA de alto riesgo y obligaciones para los operadores de dichos sistemas; d) las normas armonizadas de transparencia aplicables a los sistemas de IA destinados a interactuar con personas físicas, los sistemas de reconocimiento de emociones y los sistemas de categorización biométrica, y los sistemas de IA usados para generar o manipular imágenes, archivos de audio o vídeos; y e) las normas sobre el control y la vigilancia del mercado.

El Proyecto de LIA no contempla un régimen específico sobre la responsabilidad civil por los daños que se pudieran producir. No obstante, la aquilatación de qué prácticas de IA quedan prohibidas (art. 5), los deberes que dimanan de los requisitos que han de cumplir los sistemas de IA de alto Riesgo (arts. 8 a 11) y las obligaciones de sus proveedores en relación con los mismos (12 a 30) van a condicionar y delimitar los aspectos que pueden ser considerados como conductas o actuaciones que darán lugar, producido un daño, al desenvolvimiento de la responsabilidad y correspondiente imputación del mismo. Como se verá más adelante, una parte de esta regulación está llamada a integrar normativamente la disciplina prevista por la UE en cuanto a la responsabilidad civil extracontractual por daños de IA, lo cual no deja de suponer la instauración de un sistema complejo de capas normativas superpuestas, en el que el resultado último sobre la reparación del daño producido por IA será el fruto de una labor interpretativa de ardua dilucidación.

El segundo núcleo de acción normativa tiene presente la consideración de los sistemas de IA como un producto al que, con las adaptaciones oportunas, cabría proyectar el régimen específico existente sobre responsabilidad por productos defectuosos[12]. Hay un acuerdo unánime en cuanto a que una parte de la problemática suscitada por la generación de daños ligada a los sistemas de IA pueden encontrar su encaje en este régimen, ya pensado en atención a la anterior revolución industrial, habiendo sido advertida la necesidad de su adaptación a las singularidades de los sistemas inteligentes que se caracterizan por su complejidad, opacidad, autonomía y capacidad de autoaprendizaje.

Sobre esta actualización normativa se viene trabajando en la UE desde el año 2018. La última versión de la modificación de la Directiva 85/374/CE, de 25 de julio, se presentó el pasado 28 de septiembre de 2022, (COM (2022) 495). De ver la luz supondrá la derogación y modificación del régimen legal vigente en los últimos 37 años sobre responsabilidad por los daños causados por productos defectuosos y adecuará este régimen específico del derecho de daños a los riesgos y problemas que implica la utilización de la IA, con novedades significativas.

Así, en cuanto a su ámbito de actuación, la modificación de Directiva proyectada va a restringir su aplicación subjetiva al "consumidor", persona física, excluyendo del régimen a las empresas y entidades que

---

[12]   Una reflexión central con sus implicaciones en materia de la responsabilidad civil por daños generados por IA se ofrece por NAVAS NAVARRO, S., *Daños ocasionados por sistemas de inteligencia artificial*, Comares, 2022, pp. 35 y ss.

sufran un daño como consecuencia del defecto del producto[13]. Varía el criterio existente hasta la fecha, abocando a que la compensación de tales daños deba ser reparada conforme a las reglas de la responsabilidad civil de cada Estado. Se regresa a la diversidad de soluciones en un ámbito en el que se había logrado una cierta homogeneidad, lo que puede comprometer y poner en riesgo la competencia en el mercado interior (art. 5 PDRDPD).

La Propuesta de Directiva extiende, además, la responsabilidad por productos defectuosos a los proveedores de las plataformas en línea que permitan «a los consumidores celebrar contratos a distancia con comerciantes y que no sea un fabricante, importador o distribuidor» (art. 7.6 PDRDPD); régimen justificado en la tutela del consumidor medio y su eventual creencia de que el producto resulta suministrado por la propia plataforma o por un comerciante que actúa bajo su autoridad o control. Se deja fuera a las plataformas en línea que actúan como meros intermediarios o sistemas de almacenamiento de archivos referidos a la memoria caché o alojamiento que se detallan en los arts. 4 a 6 del Reglamento 2022/2065, de 19 de octubre de 2022 de Servicios Digitales (art. 10.b) PDRDPD).

Se excluye igualmente de su campo de actuación de forma expresa, art. 2.3.a, indicando el texto de la Propuesta de Directiva que "esta regulación no afectará", el régimen propio de la protección de datos. Los daños que se produzcan en relación con ellos se regularán por el régimen específico dispuesto en el Reglamento 2016/679, sobre Protección de Datos (art. 82), la Directiva 2002/58 sobre la Privacidad y las Comunicaciones Electrónicas, en trance de modificación por la Propuesta de Reglamento sobre el respeto de la vida privada y la protección de los datos personales en el sector de las comunicaciones electrónicas, y la Directiva 2016/680 de protección de las personas

---

[13]   Como pone de GÓMEZ LIGÜERRE, C., "La propuesta de Directiva sobre responsabilidad por daños causados por productos defectuosos", *Indret*, nº 4, 2022, https://indret.com/la-propuesta-de-directiva-sobre-responsabilidad-por-danos-causados-por-productos-defectuosos/ la equiparación que asume la propuesta de Directiva entre persona física y consumidora, además de no ser correcta, ya que la primera puede ser empresario o profesional, supone desconocer que algunos ordenamientos, como ocurre con el español, se reconoce la cualidad de consumidor también a determinadas personas jurídicas.

físicas en lo que respecta al tratamiento de datos personales por parte de las autoridades competentes para fines de prevención, investigación, detección o enjuiciamiento de infracciones penales o de ejecución de sanciones penales (art. 56).

Ello implicará que habrá que atender al caso concreto para determinar la norma que deba ser invocada y aplicada para sustanciar la reclamación de responsabilidad en busca de la reparación del daño, aun cuando en su generación incida algún elemento utilizado en los sistemas de IA que pudiera tacharse de defectuoso.

El tercer núcleo normativo que completa el panorama diseñado por la UE en cuanto a la exigibilidad de la responsabilidad por daños derivados de los sistemas de IA se centra en la regulación específica de la responsabilidad civil por el uso de éstos. A ella se alude en la Propuesta de Directiva de daños causados por productos defectuosos, indicándose en su ámbito de aplicación, art. 2.3, que esta norma "no afectará" a "las normas nacionales por las que se transpone el Derecho de la Unión, como la [Directiva sobre responsabilidad en materia de IA]", poniendo de relieve el carácter complementario de aquella respecto de ésta.

La duda sobre el alcance que realmente se quiere conferir a la armonización europea en esta materia surge ante el radical giro normativo dado por la UE en su última propuesta de regulación. De la idea inicial de una legislación plenamente armonizada en el régimen central de la responsabilidad civil por el uso de la IA, recogida en la Propuesta de Reglamento del Parlamento y del Consejo relativo a la responsabilidad civil por el funcionamiento de los sistemas de IA, que figuraba como Anexo a la Resolución del Parlamento Europeo, de 20 de octubre de 2020, con recomendaciones destinadas a la Comisión sobre un régimen de responsabilidad civil en materia de IA, hemos pasado al planteamiento limitado de la Propuesta de Directiva relativa a la adaptación de las normas de responsabilidad civil extracontractual a la inteligencia artificial (Directiva sobre responsabilidad en materia de IA) aprobada el pasado 28 de septiembre de 2022, COM(2022) 496 final. Por tanto, por el momento, la armonización normativa sobre responsabilidad civil verá la luz con un carácter "soft", lo que impelerá a los Estados miembros de la UE a su adaptación interna en los aspectos puntuales objeto regulación.

Este cambio de rumbo se ha justificado en las tradiciones jurídicas arraigadas de cada Estado sobre la responsabilidad civil y sus diferencias, motivadora de la reticencia de que se lleven a cabo reformas coordinadas, salvo que estén movidas por una perspectiva clara de beneficio en el mercado interior por un instrumento vinculante de la UE o la necesidad de adaptación a las nuevas tecnologías de la economía digital.

Desde la perspectiva práctica, la opción legislativa proyectada parece prevenir y atajar los problemas que podrían devenir del ensamble de la normativa comunitaria con las nacionales. Permitirá que los aspectos en los que se va a plantear la armonización del régimen de responsabilidad civil por uso de la IA que, como a continuación se verá tienen un alcance limitado, se acomoden a los regímenes sustantivos y procesales propios, evitando la rigidez de la coexistencia de una reglas introducidas por "Reglamento" con las preexistentes en los sistemas de cada Estado. Con ello las divergencias de tutela entre los Estados van a ser, a corto plazo, una consecuencia inevitable, a pesar de que esta armonización "soft" se justifique en la necesidad de evitar que se apliquen veintisiete regímenes de responsabilidad diferentes «lo que daría lugar a distintos niveles de protección y falsearía la competencia entre las empresas de los distintos Estados miembros»; realidad ya vivida en otros campos regulatorios que han afectado a la protección al consumidor.

De base se halla la realidad que subyace en la regulación, en la que no cabe ocultar la tensión que media entre los intereses empresariales, por un sistema de responsabilidad que no lastre sus beneficios económicos, con la protección de las víctimas de productos y servicios basados en la IA (personas físicas, empresas y cualquier otra entidad pública o privada) en un nivel semejante al que se ofrece fuera de este sector. Como telón de fondo se advierten las dificultades técnicas para que puedan prosperar las reclamaciones de responsabilidad civil conforme a las reglas generales preexistentes.

Desde la perspectiva del riesgo empresarial podría pensarse que la actual situación no ofrece más incomodidad que la incertidumbre de la proyección de las reglas clásicas a los nuevos supuestos de responsabilidad. No obstante, la seguridad jurídica en esta materia se plantea como un oportunidad para que las Pymes puedan competir en el mercado interior y a las aseguradoras se les faculte asegurar, en las mejores condiciones posibles, las actividades relacionadas con la IA.

III. PROPUESTA DE DIRECTIVA SOBRE RESPONSABILIDAD CIVIL EN MATERIA DE IA.

1. Planteamiento general.

Indica la Propuesta de Directiva sobre Responsabilidad Civil en materia de IA (PDRCIA) que la regulación que proyecta constituye la primera fase de un proceso normativo consecutivo en el que se implementará, de manera progresiva, un régimen armonizado que permita la reparación de los daños producidos por la IA. En esta primera etapa la acción se restringe a adoptar las medidas que alivien la carga que compete a la víctima de presentar las pruebas en las que se apoya su pretensión de responsabilidad civil. A ella seguirá una segunda fase en la que, tras un análisis de los resultados obtenidos en la primera, se reevaluará «en particular, la necesidad de armonizar la responsabilidad objetiva en los casos de uso de IA con un perfil de riesgo particular (posiblemente acompañado de un seguro obligatorio)».

Estos son los parámetros desde los que arranca la actual norma proyectada. Los axiomas en los que se fundamenta, expuestos en su considerandos, dan la dimensión que se persigue con esta escueta regulación, cuyo objeto de armonización sustantivo es limitado y el horizonte temporal de su vigencia se augura de corto plazo, como a continuación se verá.

2. Objeto y ámbito de aplicación.

Es voluntad manifiesta de esta Propuesta de Directiva (PDRCIA) la de no incidir en los aspectos generales de la normas nacionales sobre responsabilidad civil. El alcance de la normativa tiene una proyección muy limitada. No va a armonizar ni la definición de la culpa o la causalidad, ni los diferentes tipos de daños que dan lugar a las demandas por daños y perjuicios, ni la distribución de la responsabilidad entre varios causantes de los daños, ni la concurrencia de culpas, ni el cálculo de los daños y perjuicios o los plazos de prescripción. Ello se indica en el Cdo. 10, invocando el principio de proporcionalidad para justificar la conveniencia de armonizar «únicamente las normas de responsabilidad subjetiva que rigen la carga de la prueba para las personas que reclamen una indemnización por daños y perjuicios causados por sistemas de IA», y recalcar que «la presente Directiva no debe armonizar los aspectos generales de la responsabilidad civil que estén regulados de diferentes maneras por las normas nacionales de responsabilidad civil».

Tampoco incidirá en los aspectos procesales atinentes a la delimitación de la parte en la que recae la carga de la prueba o el grado de certeza necesario para que haya fuerza probatoria. En este sentido el art. 1.3.d) de la PDRCIA fija, expresamente, que ésta no afectará a «las normas nacionales que determinen qué parte ha de soportar la carga de la prueba, qué grado de certeza se exige para que haya fuerza probatoria o cómo se define la culpa, con excepción de lo previsto en los artículos 3 y 4» sobre la exhibición de pruebas y presunción de causalidad en caso de culpa, que son el objeto del acercamiento normativo.

El enfoque de la armonización es de mínimos, apuntándose que los demandantes de esta forma pueden beneficiarse de los regímenes nacionales que les sean más favorables, y que a los Estados les cabe articular una legislación que vaya más allá de lo contenido en la PDR-CIA, aplicando expedientes como la inversión de la carga de la prueba en la responsabilidad por culpa o fijando para los daños causados por sistemas de IA un sistema de responsabilidad objetiva (Cdo. 14).

Desde estos parámetros se puede pensar que se ven con buenos ojos la adopción de actuaciones legislativas concretas por parte de los Estados que den respuestas al tema de la responsabilidad civil por IA atendiendo a su propio sistema o al que quieran implementar. Las estrategias iniciadas en diversos países para la potenciación de

la IA, como ha acontecido en Chequia[14], Italia[15], Malta, Polonia[16] y
Portugal[17], también impulsada en España[18], pueden propiciar el desarrollo normativo en este ámbito[19]. De hecho, el propio artículo 1.4 de
la Propuesta de Directiva prevé que «*Los Estados miembros podrán*

---

[14]   Estrategia Nacional de Inteligencia Artificial de la República Checa, 2019:
https://www.mpo.cz/assets/en/guidepost/for-the-media/press   releases/2019/5/
NAIS_eng_web.pdf; AI Watch, «National strategies on Artificial Intelligence —
A European perspective» (Estrategias nacionales para la inteligencia artificial:
una perspectiva europea), edición de 2021, informe del JRC y la OCDE: https://
op.europa.eu/es/publication-detail/-/publication/619fd0b5-d3ca-11eb-895a-
01aa75ed71a1, p. 41.

[15]   2025 Strategia per l'innovazione técnica e la digitalizzazione del Paese: https://
assets.innovazione.gov.it/1610546390-midbook2025.pdf.

[16]   Cfr. Polityka Rozwoju Sztucznej. Inteligencji w Polsce na lata 2019 – 2027
(Política para el desarrollo de la inteligencia artificial en Polonia, 2019-2027)
(www.gov.pl/attachment/0aa51cd5-b934- 4bcb-8660-bfecb20ea2a9), 102.

[17]   AI Portugal 2030: https://www.incode2030.gov.pt/sites/default/files/julho_inco-
de_brochura.pdf; AI Watch, op. cit., p. 113.

[18]   ENIA. La Estrategia Nacional de Inteligencia Artificial. https://www.ciencia.gob.
es/dam/jcr:5af98ba2-166c-4e63-9380-4f3f68db198e/Estrategia_Inteligencia_
Artificial_IDI.pdf.

[19]   En España, desde la perspectiva de la tutela de los derechos fundamentales, se
ha previsto en la Ley 15/2022, de 12 de julio, integral para la igualdad de trato
y la no discriminación, art. 23. Inteligencia Artificial y mecanismos de toma de
decisión automatizados:
«1. En el marco de la Estrategia Nacional de Inteligencia Artificial, de la Carta
de Derechos Digitales y de las iniciativas europeas en torno a la Inteligencia
Artificial, las administraciones públicas favorecerán la puesta en marcha de mecanismos para que los algoritmos involucrados en la toma de decisiones que se
utilicen en las administraciones públicas tengan en cuenta criterios de minimización de sesgos, transparencia y rendición de cuentas, siempre que sea factible
técnicamente. En estos mecanismos se incluirán su diseño y datos de entrenamiento, y abordarán su potencial impacto discriminatorio. Para lograr este fin, se
promoverá la realización de evaluaciones de impacto que determinen el posible
sesgo discriminatorio.
2. Las administraciones públicas, en el marco de sus competencias en el ámbito
de los algoritmos involucrados en procesos de toma de decisiones, priorizarán la
transparencia en el diseño y la implementación y la capacidad de interpretación
de las decisiones adoptadas por los mismos.
3. Las administraciones públicas y las empresas promoverán el uso de una Inteligencia Artificial ética, confiable y respetuosa con los derechos fundamentales, siguiendo especialmente las recomendaciones de la Unión Europea en este sentido.
4. Se promoverá un sello de calidad de los algoritmos».

adoptar o mantener normas nacionales más favorables para que los demandantes fundamenten sus demandas civiles de responsabilidad extracontractual por daños y perjuicios causados por sistemas de IA, siempre que dichas normas sean compatibles con el Derecho de la Unión».

La premisa de aplicación de la PDRCIA, y reparación de daño, es que se responderá civilmente por los daños causados por los sistemas de IA cuando exista culpa o negligencia por parte de los demandados; fijándose así, en esta primera etapa de armonización, un régimen de responsabilidad subjetiva o por culpa para el resarcimiento a los perjudicados por sistemas de IA. En este régimen se confía, siendo la apuesta central sobre la que se asienta la armonización de la responsabilidad civil por IA. Así se plasma en el artículo 1.1 de la PDRCIA cuando, al definir el objeto de armonización -circunscrito a la exhibición de pruebas en los sistemas de IA de alto riesgo y la carga de prueba-, se ciñe expresamente a las "demandas de responsabilidad civil extracontractual subjetiva (basada en la culpa) por daños y perjuicios". Queda igualmente patente en la definición que ofrece PDRCIA, art. 2.5, sobre la "demanda por daños y perjuicios", cuando abunda en tal aspecto al identificarla como «una demanda de responsabilidad civil extracontractual subjetiva (basada en la culpa) por la que se solicita una indemnización por los daños y perjuicios causados por una información de salida de un sistema de IA o por la no producción por parte de dicho sistema de una información de salida que debería haber producido».

En tales reclamaciones el parámetro subjetivo de la culpa o negligencia tendrá que valorarse, sin embargo, conforme a la legislación nacional que resulte de aplicación, como expresamente apunta la definición que ofrece el artículo 2.9 de la PDRCIA sobre el sentido que habrá de darse al "deber de diligencia", concepto identificado como la *«norma de conducta exigida establecida por el Derecho nacional o de la Unión con el fin de evitar daños a bienes jurídicos reconocidos a nivel nacional o de la Unión, incluidos la vida, la integridad física, la propiedad y la protección de los derechos fundamentales».* Con esta remisión se aboca a que los daños que se deriven de IA tengan que ser resueltos, en un tanto por cierto muy elevado, acudiendo a las normas de Derecho Internacional Privado, dado el presumible carácter transnacional de las demandas de daños por utilización de los sistemas de IA. En la UE la aplicación del Reglamento nº 864/2007, de 11 de junio de 2007, relativo a la ley aplicable a las obligaciones extracontractuales (Roma II), marcará el régimen jurídico que resulte aplicable a los elementos que fundamentan la acción de responsabilidad subjetiva y sus efectos, lo cual no parece que simplifique y allane el camino para que el perjudicado pueda comprender fácilmente sus opciones resarcitorias y obtener una reparación.

La implementación dentro de la UE de un régimen armonizado de responsabilidad civil extracontractual de tipo objetivo para los sistemas de IA se pergeña como un hipótesis de futuro y tras un examen cuidadoso de los efectos que generen la aplicación de las medidas de convergencia que se proponen por la PDRCIA.

En este sentido, el artículo 5 de la Propuesta de Directiva plantea que, tras un periodo de cinco años desde la finalización de la transposición normativa, se lleve a cabo una revisión de lo que ha supuesto la armonización en esta primera fase. En este análisis se evaluará si resultan idóneas las normas de responsabilidad objetiva (sin culpa) para las demandas contra los operadores de determinados sistemas de IA, en tanto no estén ya reguladas por otras normas de responsabilidad de la Unión, así como si procede imponer el aseguramiento de estos daños en el sector; valorando el impacto que todo ello pueda tener en el mercado, y singularmente para las Pymes.

Cabe advertir que el radio de acción de esta responsabilidad subjetiva o por culpa, objeto de armonización, queda limitado materialmente a los daños y perjuicios imputables a un sistema de IA por culpa de una persona que sea, por ejemplo, el proveedor o el usuario conforme a la Ley de IA, cuando hayan sido causados por una información de salida -o por la no producción de una información de salida- (art. 2.5). No se aplicará a los daños derivados de una evaluación humana para la que se hubiera obtenido información o asesoramiento por los sistemas de IA. Este aspecto se deja expresamente señalado en el Cdo. 15, argumentándose que en tales casos la información de salida del sistema de IA no se interpone entre la acción u omisión humana y el daño, por lo que establecer la causalidad no es más difícil que en situaciones en las que no interviene un sistema de IA.

A todo lo expuesto se une el criterio de especialidad, pues sólo a una parte de los daños que se ocasionen por el empleo de sistemas de la IA les serán de aplicación estas reglas.

Se ha dejado fuera del ámbito de la actuación de la PDRCIA la responsabilidad penal (art. 1.2 in fine), pero también los casos de responsabilidad ligados al transporte, cuyas condiciones se regulan por el Derecho de la Unión, así como la normativa nacional de transposición de la Directiva sobre productos defectuosos que, como se ha visto, regulará de manera complementaria la incidencia de los sistemas de IA (art. 1.3.a y b).

Igualmente se excluye la reparación del daño que pueda ser adscrito al marco dispuesto en la Ley de Servicios Digitales. El art. 1.c) alude a éste señalando que la Directiva «no afectará... a las exenciones de responsabilidad y las obligaciones de diligencia debida establecidas en la Ley de servicios digitales». La razón que se ofrece es que esa normativa proporciona un marco integral y plenamente armonizado respecto de las obligaciones de diligencia debida para la toma de decisiones algorítmica por parte de los prestadores de servicios de alojamiento de datos, al igual que de la exención de responsabilidad por la difusión de contenidos ilícitos cargados por los destinatarios de sus servicios cuando se cumplan las condiciones de dicho Reglamento.

3. Contenido de la armonización en materia de responsabilidad civil extracontractual por IA.

3.1. Aspectos generales.

Como ya se ha indicado, el acercamiento normativo que proyecta la PDRCIA tiene un alcance restringido. Se circunscribe a dos cuestiones que, desde la perspectiva práctica, suelen entrañar la mayor complejidad a la hora de la presentación de una demanda y el reconocimiento de la responsabilidad civil subjetiva: la obtención de los elementos probatorios en los que se sustenta la reclamación -singularmente de la culpa o negligencia del demandado- y la acreditación del nexo causal.

El cambio de criterio respecto de la Propuesta de Reglamento de 2020 sobre la Responsabilidad Civil por IA resulta palpable[20]. Cabe recordar que el régimen previsto atribuía una responsabilidad civil objetiva al operador de sistemas de alto riesgo de la IA, determinaba el alcance e importe de la indemnización, así como el plazo de prescripción de las demandas. De este régimen se diferenciaba el aplicable a los sistemas de IA que no fueran de alto riesgo, en el que el productor se encontraba sometido al régimen de responsabilidad subjetivo o por culpa (arts. 4 a 6) y en el que la indemnización y plazos de ejercicio se regían por las legislaciones nacionales (arts. 7 y 8). Para ambos sistemas se regulaba, además, el régimen de imputación de la responsabilidad civil cuando hubiera en la producción del daño responsabilidad por parte de la víctima (art. 10), la solidaria concurriendo varios operadores (art. 11) y la petición de indemnización en la vía de regreso (art. 12).

Como ya se ha indicado anteriormente, todas estas cuestiones se encuentran en el PDRCIAL al albur de las soluciones que se ofrezcan por cada legislación nacional, al igual que el tema de la carga de la prueba, el grado de certeza para valorar la fuerza probatoria y definición de la culpa; cuestiones excluidas expresamente en el art. 3.d) de la actual Propuesta de Directiva. Este mismo sino tienen el resto de aspectos sobre los que el Proyecto de Reglamento había planteado una armonización plena -a quién se le atribuirá la responsabilidad no siendo "operador", la concurrencia de responsables y régimen de indemnización, la incidencia de la culpa de la víctima, el tipo de daños indemnizables, el alcance y cuantificación de la indemnización, los aspectos temporales y sustantivos del ejercicio de las acciones de responsabilidad civil por IA y las posibilidades de indemnización por las acciones de regreso-, sin que se sepa si la opción que se plantea

---

[20]   ÁLVAREZ OLALLA, M. P., "Propuesta de Reglamento en materia de responsabilidad civil por el uso de inteligencia artificial, del Parlamento Europeo, de 20 de octubre de 2020", *Revista CESCO De Derecho De Consumo*, nº 38, 2021, pp. 1-10. https://doi.org/10.18239/RCDC_2021.38.2742; ATIENZA NAVARRO, M. L., *Ob. cit.*, pp. 267 y ss.; NAVAS NAVARRO S., *Ob. cit.*, pp. 38 y ss.

para ellos de carente armonización será temporal o definitiva, dados los términos en los que se expresa el art. 5 de la PDRCIA[21].

3.1.1. *La exhibición de pruebas y presunción refutable de incumplimiento en los sistemas de IA de alto Riesgo.*

La primera medida articulada en la PDRCIA sigue los parámetros ya empleados por la UE para facilitar la prosperabilidad de otras acciones de responsabilidad civil extracontractual y lograr la reparación del daño. Este es el caso de las acciones por daños derivados de las infracciones del Derecho de la competencia en las que la acreditación

---

[21] Artículo 5. Evaluación y revisión específica:
«1. A más tardar el [FECHA cinco años después del final del período de transposición], la Comisión revisará la aplicación de la presente Directiva y presentará un informe al Parlamento Europeo, al Consejo y al Comité Económico y Social Europeo, acompañado, en su caso, de una propuesta legislativa.
2. El informe examinará los efectos de los artículos 3 y 4 en la consecución de los objetivos perseguidos por la presente Directiva. En particular, deberá evaluar la idoneidad de las normas de responsabilidad objetiva (sin culpa) para las demandas contra los operadores de determinados sistemas de IA —siempre que estas no estén ya reguladas por otras normas de responsabilidad de la Unión— y la necesidad de aseguramiento, teniendo en cuenta al mismo tiempo el efecto y el impacto en la introducción general y la adopción de los sistemas de IA, especialmente para las pymes.
3. La Comisión establecerá un programa de seguimiento para la preparación del informe con arreglo a los apartados 1 y 2, en el que se establecerá cómo y con qué periodicidad se recopilarán los datos y demás elementos de prueba necesarios. El programa especificará las medidas que deban adoptar la Comisión y los Estados miembros para recopilar y analizar los datos y demás elementos de prueba. A efectos de dicho programa, los Estados miembros comunicarán a la Comisión los datos y elementos de prueba pertinentes, a más tardar el [31 de diciembre del segundo año completo siguiente al final del período de transposición] y al final de cada año posterior».

de la existencia de acuerdos colusorios resultaba una empresa titáni-
ca[22] y cuyo resultado parece estimarse positivo[23].

Esta medida de la PDRCIA, también prevista en el art. 8 de la
Propuesta de Directiva sobre Responsabilidad por los Daños por Productos Defectuosos COM(2022) 495 final, se concreta en la facultad
que se otorga al "potencial" o efectivo "demandante" para recabar de
los tribunales el auxilio judicial, a fin de que quienes tengan pruebas
sobre la culpa o negligencia de los responsables de los daños «exhiban
las pruebas pertinentes que obran en su poder sobre un determinado
sistema de IA del alto riesgo del que se sospeche que ha causado daños».

---

[22]   Directiva 2014/104, de 26 de noviembre de 2014. Art. 5. Exhibición de las
pruebas:
«1. Los Estados miembros velarán por que, en los procedimientos relativos a
acciones por daños en la Unión y previa solicitud de una parte demandante que
haya presentado una motivación razonada que contenga aquellos hechos y pruebas a los que tenga acceso razonablemente, que sean suficientes para justificar la
viabilidad de su acción por daños, los órganos jurisdiccionales nacionales puedan ordenar que la parte demandada o un tercero exhiba las pruebas pertinentes
que tenga en su poder, a reserva de las condiciones establecidas en el presente
capítulo. Los Estados miembros velarán por que los órganos jurisdiccionales
nacionales puedan ordenar a la parte demandante o un tercero la exhibición de
las pruebas pertinentes, a petición del demandado (…)
2. Los Estados miembros velarán por que sus órganos jurisdiccionales nacionales
puedan ordenar la exhibición de piezas específicas de prueba o de categorías
pertinentes de pruebas, lo más limitadas y acotadas como sea posible atendiendo
a los hechos razonablemente disponibles en la motivación razonada.
3. Los Estados miembros velarán por que los órganos jurisdiccionales nacionales
limiten la exhibición de las pruebas a lo que sea proporcionado. A la hora de determinar si la exhibición solicitada por una parte es proporcionada, los órganos
jurisdiccionales nacionales tomarán en consideración los intereses legítimos de
todas las partes y de todos los terceros interesados…
4. Los Estados miembros garantizarán que los órganos jurisdiccionales nacionales estén facultados para ordenar la exhibición de las pruebas que contengan
información confidencial cuando lo consideren pertinente en casos de acciones
por daños. Los Estados miembros velarán por que los órganos jurisdiccionales
nacionales, cuando ordenen exhibir esa información, tengan a su disposición
medidas eficaces para protegerla».
[23]   En el caso del cartel de los camiones, entre otras, SAP de Barcelona de 17 de abril
de 2020, núm. 603/2020; SAP de Valencia 3 de mayo de 2022, núm. 408/2022 de
3 mayo; SAP de Asturias de 19 abril de 2022, núm. 389/2022.

Este instrumento de auxilio judicial, asignado a quien haya sufrido una daño y que permite la igualdad de armas basada en el principio de facilidad probatoria, se restringe en su armonización a los sistemas de alto riesgo de IA del art. 6 del Proyecto de Reglamento sobre Inteligencia Artificial, sistemas de IA que son los que de una manera más intensa pueden afectar a la salud, seguridad y los derechos fundamentales; aquellos para los que se proponía un régimen de responsabilidad objetivo en la desechada propuesta de Reglamento sobre Responsabilidad Civil por IA de 2020.

La previsión no supone instaurar un régimen de inversión de la carga de prueba, lo que implicaría un cierto acercamiento hacía el régimen de responsabilidad objetiva, sino una mera ayuda para que puedan superarse las dificultades que conllevan en este campo la opacidad, complejidad, imprevisibilidad o comportamiento autónomo que caracterizan a estos sistemas de IA. La exhibición de pruebas se piensa que facilitará la identificación de los elementos que permiten sustentar la reclamación: los actos u omisiones dañosos, los agentes causantes, la culpa o negligencia de ellos, o el nexo causal. Se trata de corregir la asimetría de la información que afecta a estos ligios, en detrimento del perjudicado, y de procurar que se compense el déficit de información propio entre quien ha experimentado un daño, como secuencia de un sistema de IA de alto riesgo, y quien se sirve u opera con él. En este sentido, señala el Cdo. 17 que: «El gran número de personas que suele participar en el diseño, el desarrollo, la introducción generalizada y el funcionamiento de sistemas de IA de alto riesgo hace difícil que los perjudicados identifiquen a la persona potencialmente responsable de los daños causados y demuestren que se cumplen las condiciones para interponer una demanda por daños y perjuicios. Para que los perjudicados puedan determinar si una demanda por daños y perjuicios es fundada, conviene conceder a los demandantes potenciales el derecho a solicitar a un órgano jurisdiccional que ordene la exhibición de las pruebas pertinentes antes de presentar una demanda por daños y perjuicios».

No se encuentra previsto, más allá de que las legislaciones nacionales lo implementen, una facultad semejante para el accionante de la reparación de un daño adscribible a un sistema de IA que no sea de alto riesgo. La Propuesta de Directiva justifica esta decisión, Cdo. 18, aduciendo que «es coherente con la [Ley de IA], que establece determinadas obligaciones específicas en materia de documentación, conservación de registros e información para los operadores que participan en el diseño, el desarrollo y la introducción de sistemas de IA de alto riesgo. Esta coherencia también garantiza la proporcionalidad necesaria al evitar que los operadores de sistemas de IA que planteen un riesgo menor o nulo tengan que documentar la información con un grado de detalle similar al exigido en el caso de los sistemas de IA de alto riesgo en virtud de la (Ley de IA)». No obstante, no se puede olvidar que también en los sistemas de IA que no son de alto riesgo la configuración técnica de esos sistemas puede hacer igualmente difícil e intrincada la prueba de los elementos constitutivos de la responsabilidad subjetiva o por culpa, y generar una situación de asimetría en la información. En estos casos el perjudicado estará a la suerte de lo que determine el régimen general de la responsabilidad civil subjetiva o por culpa de la normativa nacional que resulte de aplicación cuando no cuente con medios probatorios.

El ejercicio de este instrumento, que impetra una decisión favorable del juez a su solicitud, se condiciona al cumplimiento de varias exigencias, unas de carácter procedimental y otras de índole sustantiva, con las que se pretende equilibrar y proteger los intereses de las partes contendientes.

Desde la perspectiva procedimental, se requiere que los legitimados activamente, demandante potencial o demandante efectivo, hayan solicitado *previamente*, antes de recurrir al auxilio judicial, la exhibición de las pruebas "pertinentes" a quienes las tengan en su poder, ya sean demandados o terceros -proveedor, persona sujeta a las obligaciones de un proveedor con arreglo al artículo 24 o al artículo 28, apartado 1, de la Ley de IA, o usuario (art. 3.1 PDRCIA)-. El Cdo. 19 de la Propuesta de Directiva[24] despeja cualquier duda sobre este

---

[24]   «Los órganos jurisdiccionales nacionales deben poder ordenar, en el transcurso de un proceso civil, la exhibición o conservación de pruebas pertinentes relacionadas con los daños causados por sistemas de IA de alto riesgo a personas que ya estén obligadas a documentar o registrar información en virtud de la [Ley de IA], ya se trate de proveedores, de personas sujetas a las mismas obligaciones que los proveedores o de usuarios de un sistema de IA, y ya sean estos demandados o terceros con respecto a la demanda. Podrían darse situaciones en las que las pruebas pertinentes para el asunto obren en poder de entidades que no sean parte en la demanda por daños y perjuicios, pero que estén obligadas a documentar

extremo, reconociendo que ese requerimiento previo puede instarse también a quien no siendo parte demandada cuenta, sin embargo, con información relevante para la buena consecución de la reclamación de indemnización.

Para que se acuerde judicialmente, aquellos sujetos han de haberse negado o no facilitado, total o parcialmente, las pruebas solicitadas que sean "pertinentes" para sustentar la reclamación, si bien las consecuencias de la falta de colaboración serán distintas según la negativa o falta de colaboración provenga de quien será parte en el proceso -como demandado- o tenga la condición de tercero.

Tratándose de un demandante potencial, deberá presentar además un principio de prueba que haga verosímil la acción indemnizatoria que pretende, debiendo aportar en apoyo de su solicitud de exhibición probatoria «hechos y pruebas suficientes para sustentar la viabilidad de una demanda de indemnización por daños y perjuicios» (art. 3.1).

El grado de celo que se exige al reclamante, en cuanto a esa actuación extrajudicial previa de requerimiento de exhibición de esa información, implica que éste haya agotado su diligencia en esta tarea, topándose de contrario con una voluntad clara, y rebelde, de falta de colaboración. A tal efecto se dice en el art. 3.2 del PDRCIA que *«el órgano jurisdiccional nacional solo ordenará la exhibición de las pruebas por parte de una de las personas enumeradas en el apartado 1 cuando el demandante haya realizado todos los intentos proporcionados de obtener del demandado las pruebas pertinentes».*

Con estas exigencias previas se persigue, según se indica en el Cdo. 17, atajar «los litigios innecesarios y evitar costes a los posibles litigantes causados por demandas sin fundamento o con pocas posibilidades de prosperar».

Desde la perspectiva sustantiva, el aspecto central queda configurado por el tipo de pruebas que pueden ser objeto de la petición de exhibición y que se encuentran en manos de los demandados o terceros. En el espíritu de la norma se halla el mantenimiento del equilibrio de los intereses de las partes en la demanda por daños y perjuicios y

---

o registrar dichas pruebas de conformidad con la [Ley de IA]. Por lo tanto, es necesario fijar las condiciones en que se puede ordenar a tales terceros con respecto a la demanda que exhiban las pruebas pertinentes».

los de los terceros afectados. La PDRCIA indica que esa petición de exhibición ha de circunscribirse a las pruebas que resulten "pertinentes" (art. 3.1); entendiendo por "pertinentes", conforme al art. 3.4, los elementos probatorios que se ajusten a lo «necesario y proporcionado para sustentar una demanda potencial o una demanda por daños y perjuicios».

La "necesidad" se plantea en virtud de lo que resulte relevante para la prosperabilidad de la acción de reclamación, poniéndose como ejemplo, en el Cdo. 20, que la exhibición se limite solo a las partes de los registros o conjuntos de datos pertinentes que sirvan para demostrar el incumplimiento de un requisito fijado por la Ley de IA.

La cuestión de la proporcionalidad atiende no sólo a los aspectos del coste económico y/o de trabajo que puede conllevar la exhibición, sino también de las consecuencias que se derivan de abrir al conocimiento del reclamante y, por ende, al de otros sujetos, determinadas informaciones sobre los sistemas de IA de alto riesgo, así como su afectación a los derechos y bienes empresariales, comerciales o de otra índole. De ahí que se disponga expresamente en el art. 3.4 de la PDRCIA que «(a) la hora de determinar si una orden de exhibición o conservación de pruebas es proporcionada, los órganos jurisdiccionales nacionales tendrán en cuenta los intereses legítimos de todas las partes, incluidos los terceros afectados, en particular los relativos a la protección de secretos comerciales en el sentido del artículo 2, apartado 1, de la Directiva (UE) 2016/943 y de la información confidencial como, por ejemplo, la relacionada con la seguridad pública o nacional». Además, se impone, en caso de que se haya ordenado la revelación de un secreto comercial o de un supuesto secreto comercial, declarado confidencial en el sentido del artículo 9.1 Directiva (UE) 2016/943, que se adopten por los órganos jurisdiccionales, a instancia de parte o de oficio, «*las medidas específicas necesarias a fin de preservar la confidencialidad cuando dicha prueba se utilice o se mencione en procedimientos judiciales*». Con la cautela suplementaria de que se tenga que dotar a quienes reciben esas órdenes de exhibición de las pruebas de los "remedios procesales adecuados en respuesta a dichas órdenes".

Esta exhibición probatoria se prevé respecto de la "pruebas pertinentes que obran en poder" de los terceros o del demandado, lo cual plantea la cuestión sobre el alcance de tal previsión.

Respecto de la interpretación que pueda darse a ello resulta destacable lo señalado en la reciente STJUE de 10 de noviembre de 2022, asunto C-163/21, AD y otros vs. PACCAR Inc, DAF TRUCKS NV, DAF Trucks Deutschland GmbH, en cuanto a la medida pareja a la que propone PDRCIA, antes apuntada, prevista para el ejercicio de la acción por daños en el ámbito de la competencia, y plasmada en el art. 5, apartado 1, párrafo primero, de la Directiva 2014/104, de 26 de noviembre de 2014[25].

Así, en cuanto al principio de "proporcionalidad" en la exposición de las pruebas, el Alto Tribunal entiende que éste no se lesiona aunque implique un trabajo suplementario, pues «el alcance y el coste de la exhibición de las pruebas, especialmente para cualquier tercero afectado, también para evitar las búsquedas indiscriminadas de información que probablemente no llegue a ser relevante para las partes en el procedimiento... pued(e), en su caso, superar significativamente el correspondiente a la mera transmisión de soportes físicos, en particular de documentos, que tengan en su poder la parte demandada o un tercero» (Cdos. 52 y 53).

El significado de que las pruebas "obren en su poder", tema que generó la cuestión prejudicial elevada a aquel órgano decisor en cuanto a la interpretación del artículo 5.1 Directiva 2014/104, y la pregunta de si ello significa que aquellas deberían referirse únicamente a las pruebas preexistentes, excluyendo una solicitud de información que requiriera la elaboración de datos, se acota de la manera siguiente: «la referencia efectuada en dicha disposición a las pruebas pertinentes en poder de la parte demandada o de un tercero comprende también las pruebas que la parte frente a la que se dirige la solicitud de exhibición de pruebas deba crear ex novo, mediante la agregación o clasificación de información, conocimientos o datos que estén en su poder, siempre y cuando se respete estrictamente el artículo 5, apartados 2 y 3, de dicha Directiva, que impone a los órganos jurisdiccionales nacionales competentes el deber de limitar la exhibición de pruebas a lo que sea

---

[25]   Vid. nota 22.

pertinente, proporcionado y necesario, tomando en consideración los intereses legítimos y los derechos fundamentales de esa parte».

El factor compulsorio para lograr la exhibición de las pruebas deviene de la consecuencia que se anuda al incumplimiento de la orden dada por el órgano jurisdiccional nacional de exhibir o conservar las pruebas cuando éstas obran en poder del demandado, sin que se establezca ningún efecto tratándose de un tercero -lo que remite indefectiblemente a la legislación nacional de cada Estado-. Según dispone el art. 3.5 de la PDRCIA, esa será la de "presumir el incumplimiento del deber de diligencia pertinente" del demandado respecto de las obligaciones que ha de observar como proveedor o usuario de sistemas de IA de alto riesgo, que aparecen definidas y a las que aluden los apartados 2 y 3 del artículo 4 de la PDRCIA. Esta presunción implica una valoración de la culpa o negligencia en la actuación dañosa del demandado y consecuente concurrencia de este elemento subjetivo de la responsabilidad civil.

La presunción resulta de aplicación únicamente en el contexto de la reclamación judicial de la responsabilidad, cuando los órganos jurisdiccionales han ordenado la exhibición de las pruebas. No opera en el caso de que se hayan negado a ello los proveedores, la persona sujeta a las obligaciones de un proveedor, o el usuario en la solicitud previa a la interposición de la demanda.

Aquella se ha articulado como presunción "iuris tantum" y, por tanto, refutable. Al demandado se le reconoce la facultad de probar su diligencia expresamente en el art. 3.5 in fine del Proyecto de Directiva. La razón de este planteamiento radica en que la pretensión normativa pivota sobre la tutela del régimen subjetivo de responsabilidad civil y voluntad de que se aplique a los daños causados de forma deliberada o por un acto u omisión negligente. Se busca, en este caso, el aligeramiento de la carga probatoria de los reclamantes, en atención a la facilidad probatoria de los demandados sobre el cumplimiento diligente de las obligaciones que le competen respecto de los sistemas de IA de alto riesgo. Con ello se estima que se podrán reducir la duración de los litigios y proporcionar una mayor eficiencia a los procedimientos judiciales.

3.1.2. La presunción refutable de la relación de causalidad.

La otra medida prevista en la PDRCIA incide en uno de los elementos de más compleja acreditación en la responsabilidad civil: la prueba del nexo causal "entre la culpa del demandado y los resultados producidos por el sistema de IA o la no producción de resultados por parte del sistema de IA". Este mecanismo se entiende de aplicación sin distinción para las reclamaciones por daños que impliquen a los sistemas de IA, sean o no de alto riesgo. Con ello se persigue garantizar que el perjudicado goce de un nivel de protección similar al que se articula para aquellas situaciones en las que no interviene la IA y en las que, por tanto, la causalidad puede ser más fácil de demostrar. La carga probatoria relativa al "nexo causal" se aligera para el demandante en lo que puede considerarse la parte más ardua del proceso de causalidad: el iter de la actuación culposa del demandado, su incidencia en los sistemas de IA y la ulterior generación del daño cuyo resarcimiento se insta.

La fórmula empleada consiste en una presunción "iuris tantum", por tanto refutable por el demandado, sobre la totalidad del iter que marca el "nexo causal"; elemento que necesariamente ha de concurrir para que se aprecie una responsabilidad civil extracontractual -art. 4.1 y 7-.

La aplicación de esta presunción, según aparece conformada, requerirá de la concurrencia cumulativa de tres condiciones o elementos que deben darse indefectiblemente.

Primer requisito.- La acreditación de la culpa o negligencia del demandado o de una persona de cuyo comportamiento sea responsable el demandado consistente en el incumplimiento de un deber de diligencia, establecido por el Derecho de la Unión o nacional, destinado directamente a la protección frente a los daños que se hubieran producido (art. 4.1.a) PDRCIA).

El elenco de deberes cuyo incumplimiento da lugar a la valoración de la "culpa", a los efectos de aplicar la presunción del "nexo causal", se han acotado y limitado legalmente por la PDRCIA con el fin de evitar que puedan tomarse en consideración como relevantes los incumplimientos de los deberes de los proveedores y los usuarios de sistemas de IA de alto riesgo, sometidos a la Ley de IA, que no afecten directamente a la producción de los daños.

Para los primeros el nº 2 del art. 4 de la Propuesta de Directiva señala que el cumplimiento de la prueba de este elemento se objetivará solo «cuando el demandante haya demostrado que el proveedor o, en su caso, la persona sujeta a las obligaciones del proveedor, ha incumplido cualquiera de los siguientes requisitos establecidos en dichos capítulos, teniendo en cuenta las medidas adoptadas y los resultados del sistema de gestión de riesgos con arreglo al [artículo 9 y el artículo 16, letra a), de la Ley de IA]:

a) el sistema de IA es un sistema que utiliza técnicas que implican el entrenamiento de modelos con datos y que no se ha desarrollado a partir de conjuntos de datos de entrenamiento, validación y prueba que cumplen los criterios de calidad expuestos en el [artículo 10, apartados 2 a 4, de la Ley de IA];

b) el sistema de IA no ha sido diseñado ni desarrollado de modo que cumpla los requisitos de transparencia establecidos en [el artículo 13 de la Ley de IA];

c) el sistema de IA no ha sido diseñado ni desarrollado de modo que permita una vigilancia efectiva por personas físicas durante el período de utilización del sistema de IA de conformidad con el [artículo 14 de la Ley de IA];

d) el sistema de IA no ha sido diseñado ni desarrollado de modo que, a la luz de su finalidad prevista, alcance un nivel adecuado de precisión, solidez y ciberseguridad de conformidad con [el artículo 15 y el artículo 16, letra a), de la Ley de IA]; o

e) no se han adoptado de forma inmediata las medidas correctoras necesarias para poner el sistema de IA en conformidad con las obligaciones establecidas en el [título III, capítulo 2, de la Ley de IA] o para retirar del mercado o recuperar el sistema, según proceda, de conformidad con el [artículo 16, letra g), y artículo 21 de la Ley de IA]».

En cuanto a los segundos, "usuarios de sistemas de IA de alto riesgo sujetos a los requisitos establecidos en los capítulos 2 y 3 del título III de la [Ley de IA]", la prueba sobre la culpabilidad, «se cumplirá cuando el demandante demuestre que el usuario:

a) no cumplió con sus obligaciones de utilizar o supervisar el sistema de IA de conformidad con las instrucciones de uso adjuntas o, en su caso, de suspender o interrumpir su uso con arreglo al [artículo 29 de la Ley de IA]; o

b) expuso al sistema de IA a datos de entrada bajo su control que no eran pertinentes habida cuenta de la finalidad prevista del sistema con arreglo al [artículo 29, apartado 3, de la Ley]».

El incumplimiento de otros deberes u obligaciones resultará irrelevante a los efectos del valorar que se satisface con esta primera exigencia.

Segundo requisito.- Que se acredite que la culpa del demandado probablemente influyó en la información de salida del sistema de IA pertinente o en la ausencia de la información de salida; esto es «que pueda considerarse razonablemente probable, basándose en las circunstancias del caso, que la culpa ha influido en los resultados producidos por el sistema de IA o en la no producción de resultados por parte del sistema de IA» (art. 4.1.b) PDRCIA).

Tercer requisito.- Que se pruebe por el demandante que los daños cuya reparación se reclaman se deben a la información de salida producida por el sistema de la IA o la no producción de una información de salida del sistema de la IA (art. 4.1.c) PDRCIA).

El reconocimiento de la presunción de existencia del nexo causal tiene tres excepciones, dispuestas en atención a las circunstancias concurrentes entre las partes y el equilibrio de los intereses de perjudicados y usuarios de la IA.

No se aplicará esa presunción en las demandas por daños y perjuicios relacionadas con sistemas de IA de alto riesgo cuando el «demandado demuestre que el demandante puede acceder razonablemente a pruebas y conocimientos especializados suficientes para demostrar el nexo causal mencionado en el apartado 1» -art. 4.4 PDRCIA-; caso de la reclamación planteada por un demandante profesional.

Igualmente se excluye que pueda acudirse a la presunción del "nexo causal" en las reclamaciones por daños y perjuicios relacionadas con sistemas de IA que no sean de alto riesgo si el órgano jurisdiccional nacional considera que no es «excesivamente difícil para el demandante demostrar el nexo causal mencionado en el apartado 1»

-art. 4.5 PDRCIA-. La previsión se justifica en que «si el proveedor de un sistema de IA ha cumplido todas sus obligaciones y, en consecuencia, se ha considerado que dicho sistema es suficientemente seguro para ser comercializado con vistas a un uso determinado por usuarios no profesionales y, a continuación, se utiliza con dicha finalidad, no debe aplicarse una presunción de causalidad por la mera puesta en funcionamiento de dicho sistema por parte de tales usuarios no profesionales» (Cdo. 29).

Tampoco podrá acudirse a esa presunción en las demandas por daños y perjuicios «contra un demandado que haya utilizado el sistema de IA en el transcurso de una actividad personal de carácter no profesional», salvo que «el demandado haya interferido sustancialmente en las condiciones de funcionamiento del sistema de IA o cuando el demandado tuviese la obligación y estuviese en condiciones de determinar las condiciones de funcionamiento del sistema de IA y no lo haya hecho» -art. 4.6 PDRCIA-. En la ponderación de los intereses en juego, señala el Cdo. 29 de la Propuesta de Directiva, «(a) los usuarios no profesionales que compren sistemas de IA y simplemente lo pongan en funcionamiento con arreglo a su finalidad, sin interferir sustancialmente en las condiciones de funcionamiento, no se les debe aplicar la presunción de causalidad establecida en la presente Directiva». En cambio, se considera una situación diversa no excluyente de la presunción, si el usuario no profesional interfiere sustancialmente en las condiciones de funcionamiento de un sistema de IA, o bien tiene la obligación y está en condiciones de determinar las condiciones de funcionamiento del sistema de IA y no omite sus deberes; caso, por ejemplo, del usuario no profesional que no respeta las instrucciones de uso u otras obligaciones de diligencia aplicables a la hora de elegir el ámbito de operación o de fijar las condiciones de funcionamiento del sistema de IA.

Los perfiles legales establecidos para este mecanismo, con sus exigencias y exclusiones, hace pensar que la aplicación de la presunción fijada para el nexo causal no resultará una tarea sencilla de abordar y requerirá del demandante un acabado y complejo despliegue de los indicios y las pruebas que se fijan en la PDRCIA, a la que se sumarán las exigencias que se deriven del derecho de cada Estado.

IV. A MODO DE CONCLUSIÓN.

Queda por apuntar la proyección que esta Propuesta de Directiva pueda tener en el ámbito normativo jurídico y práctico español, cuestión de la que por el momento no se tiene noticia.

La armonización que actualmente propone la UE no deja de ser de "mínimos", lo que permite a los Estados avanzar hacia regímenes más protectores de los intereses de los perjudicados por los sistemas de la IA, implementado sistemas de responsabilidad por IA con inversión de la carga de prueba o incluso de responsabilidad objetiva que, sin embargo, no parece que sean opciones normativas deseadas por las empresas del sector. Así se indica en la justificación de la norma europea proyectada, poniéndose de relieve que, mientras los ciudadanos de la UE, las organizaciones de consumidores y las instituciones académicas apoyan de manera decidida las medidas tendentes a una objetivación de la responsabilidad combinada con un seguro obligatorio, el sentir mayoritario de las empresas es que tales planteamientos resultan desproporcionados.

El legislador español podrá ir más allá de la regulación pergeñada, pero también limitarse a interiorizar lo que finalmente recoja la Propuesta de Directiva. De optar por esta solución, la incorporación de la medida atinente a la "exhibición de pruebas y presunción refutable de incumplimiento", artículo 3 de la PDRCIA, que posibilita la obtención de pruebas para la preparación y sustentación de las demanda de responsabilidad civil por utilización del sistemas de IA de alto riesgo, puede pensar que siga los pasos que se articularon para facilitar el ejercicio de la acción de reclamación por daños por infracción de derecho de la competencia en el ámbito probatorio dispuesto en los arts. 5, 6 y 7 de la Directiva 2014/104.

Ese régimen, que presenta puntos comunes con el propuesto para la responsabilidad por daños de la IA de alto riesgo, se incorporó a la Ley de Enjuiciamiento Civil, art. 4 del Real Decreto-Ley nº 9/2017, de 26 de mayo, añadiendo una regulación "ad hoc" en sede del Libro II, Procesos declarativos, del Título I, de las Disposiciones comunes, del Capítulo V, dedicado a la prueba, disponiendo en la Sección 1ª bis, titulada "Del acceso a las fuentes de prueba en los procedimientos de reclamación de daños por infracción del derecho de la competencia": la exhibición de pruebas en procesos para el ejercicio de acciones por daños derivados de las infracciones del Derecho de la competencia -art. 283 bis a)-, las reglas sobre confidencialidad -art. 283 bis b)-, la competencia -art. 283 bis c)-, los gastos y caución -art. 283 bis d)-, el momento para la solicitud de las medidas de acceso a fuentes -art. 283 bis e)-, el procedimiento -art. 283 bis f)-, la ejecución de la medida de acceso a fuentes de prueba -art. 283 bis g)-, las consecuencias de la obstrucción a la práctica de las medidas de acceso a fuentes de prueba -art. 283 bis h), la exhibición de pruebas contenidas en un expediente de una autoridad de la competencia -art. 283 bis i)-, los límites impuestos al uso de pruebas obtenidas exclusivamente a través del acceso al expediente de una autoridad de la competencia -art. 283 bis j)-, y las consecuencias del incumplimiento de las obligaciones de confidencialidad y uso de las fuentes de prueba -art. 283 bis k)-. Por tanto, no sería extraño que el legislador adoptara una solución próxima, si la propuesta de Directiva sobre Responsabilidad Civil por IA ve la luz, concretándose la transposición en la inclusión de una nueva sección en el precitado Capítulo V, Título I, del Libro II de la LECiv, dedicado a las exhibición de pruebas en los procedimientos de reclamación de daños causados por los sistemas de IA de alto riesgo.

Mayor dificultad de acomodo puede pensarse que tenga al actual marco legislativo español el contenido del art. 4 de la PDRCIA, por incidir en el elemento central de la presunción refutable de la relación de causalidad para el caso de que el demandado se le presuma culpable. Esta quizá sea la ocasión y oportunidad para abordar, como en otros países se está planteando, una regulación que ofrezca respuesta en el ámbito jurídico a todas aquellas cuestiones que plantean los sistemas de IA, más allá del territorio intocable que marque el futuro Reglamento sobre la IA. De ser así, se verá la valentía del legislador para dotar a los perjudicados por estos sistemas de un régimen que no constituya un camino tortuoso hacía la reparación de los daños causados por la IA.

V. BIBLIOGRAFÍA

ÁLVAREZ OLALLA, M. P., "Propuesta de Reglamento en materia de responsabilidad civil por el uso de inteligencia artificial, del Parlamento Europeo, de 20 de octubre de 2020". *Revista CESCO De Derecho De Consumo*, nº 38, 2021, pp. 1-10. https://doi.org/10.18239/RCDC_2021.38.2742

ATAZ LÓPEZ, J., "Daños causados por las cosas: una nueva visión a raíz de la robótica y de la inteligencia artificial", *Working Papers* (Càtedra Jean Monnet de Dret Privat Europeu), Universitat de Barcelona, 2020. http://hdl.handle.net/2445/169850

ATIENZA NAVARRO, M. L., *Daños causados por la inteligencia artificial y responsabilidad civil,* Atelier, 2022.

BOTELLO HERMOSA, P. "La responsabilidad civil extracontractual de los daños originados por robots a terceros: ¿por qué no una ley española sobre el régimen jurídico de la tenencia y uso de robots", AAVV, *Nuevas tecnologías y responsabilidad civil,* dir. BELLO JANEIRO, D., Reus, Barcelona, 2020.

EBERS, M., "La utilización de agentes electrónicos inteligentes en el tráfico jurídico: ¿Necesitamos reglas especiales en el derecho de la responsabilidad civil?, *InDret,* nº 3, 2016. https://indret.com/wp-content/uploads/2018/05/1245.pdf

GÓMEZ LIGÜERRE, C., "La propuesta de Directiva sobre responsabilidad por daños causados por productos defectuosos", *Indret,* nº 4, 2022. https://indret.com/wp-content/uploads/2022/10/Editorial-InDret-_2022-numerada.pdf

KARNER, E., GEISTEELD, M., KOCH B., *Comparative law study on civil liability for artificial intelligence,* Publications Office of the European Union, 2021. https://data.europa.eu/doi/10.2838/77360

KOCH, B., BORGHETTI, J. B., MACHNIKOWSKI P., PICHONNAZ, P., RODRIGUEZ DE LAS HERAS BALLELL, T., TWIGG-FLESNER, C., WENDEHORST, C., "Response of the European Law Institute to the Public Consultation of the European Commission on Civil Liability Adapting liability rules to the digital age and artificial intelligence", *Journal of European Tort Law,* https://doi.org/10.1515/jetl-2022-0002

NAVAS NAVARRO, S., *Daños ocasionados por sistemas de inteligencia artificial,* Comares, 2022.

ORTIZ FERNÁNDEZ, M., "Reflexiones acerca de la responsabilidad civil derivada del uso de la inteligencia artificial: Los principios de la Unión Europea", *ULP Law Review- Revista de Direitto da ULP,* vol. 14, nº 1, 2020.

SANTOS GONZÁLEZ, Mª J., "Regulación legal de la robótica y la inteligencia artificial: retos de futuro", *Revista Jurídica de la Universidad de León,* nº 4, 2017.

Capítulo octavo:
EL CONCEPTO LEGAL DE PRODUCTO A LA LUZ DE LA NUEVA PROPUESTA DE DIRECTIVA SOBRE RESPONSABILIDAD POR LOS DAÑOS CAUSADOS POR PRODUCTOS DEFECTUOSOS

MARÍA JORQUI AZOFRA
Profesora Contratada Doctora de Derecho Civil
Universidad Pública de Navarra

SUMARIO: I. INTRODUCCIÓN; II. RAZONES QUE JUSTIFICAN LA REVISIÓN DEL ACTUAL CONCEPTO LEGAL DE PRODUCTO PARA SU ADAPTACIÓN A LA ERA DIGITAL; III. LA DEFINICIÓN DE PRODUCTO EN LA NUEVA PROPUESTA DE DIRECTIVA SOBRE RESPONSABILIDAD POR LOS DAÑOS CAUSADOS POR PRODUCTOS DEFECTUOSOS; IV. CONSIDERACIONES FINALES.

I. INTRODUCCIÓN

La Directiva del Consejo de 25 de julio de 1985 relativa a la aproximación de las disposiciones legales, reglamentarias y administrativas de los Estados miembros en materia de responsabilidad por los daños causados por productos defectuosos, (en adelante, Directiva 85/374/CEE), se ha sometido a un proceso de revisión. Desde su adopción han tenido lugar numerosos avances que han producido cambios significativos en la manera en que se fabrican, distribuyen y funcionan los productos, así como con respecto a la propia naturaleza de estos. El rápido desarrollo de la tecnología y la incorporación de bienes físicos en entornos digitales mediante contenido digital integrado (como el software), el crecimiento de dispositivos basados en IA y los avances en el IoT, ha tenido un impacto significativo.

El uso creciente de estas tecnologías digitales emergentes, —entre las que se hallan la inteligencia artificial (IA), el Internet de las cosas (IoT) y la robótica avanzada[1]—, genera importantes cuestiones que ponen de manifiesto la insuficiencia del marco jurídico en materia de responsabilidad por los daños causados por productos defectuosos. Hay que tener presente que dichas tecnologías vienen caracterizadas por su gran complejidad al incorporar elementos digitales que van modificándose, actualizándose, mejorándose. En ocasiones, dichos productos se confunden con los servicios, prestados también digitalmente. Son productos que interactúan con otros productos y servicios, que se alimentan de grandes cantidades de datos y generan un importante flujo de información.

Entre las características propias de estas tecnologías digitales que hacen cuestionable la idoneidad de determinadas normas contenidas en los actuales regímenes de responsabilidad, podemos destacar su *complejidad* (de los productos y sistemas de IA, de los servicios y de las cadenas de valor). Una serie de componentes (tangibles e intangibles) y productos pueden integrarse e influir en el funcionamiento de otros (por ejemplo, productos que forman parte de un ecosistema doméstico inteligente). La combinación de diferentes dispositivos digitales y la multiplicidad de agentes implicados en un ecosistema complejo puede dificultar la delimitación de la causa del daño y del sujeto responsable del mismo. Constituye una característica propia de estas tecnologías el integrar múltiples componentes (artículos tangibles e intangibles, servicios digitales interconectados con el producto, etc.) A veces, vendidos por separado y producidos por múltiples partes. Dichas tecnologías dependen, cada vez más, de algoritmos complejos y pueden evolucionar en entornos donde pueden interactuar entre sí.

---

[1]   El término «tecnologías digitales emergentes» es utilizado con el mismo significado que en el siguiente documento de trabajo de la Comisión Europea: Commission Staff Working Document Liability for emerging digital technologies Accompanying the document Communication from the Commission to the European Parliament, the European Council, the Council, the European Economic and Social Committee and the Committee of the Regions Artificial intelligence for Europe. Liability for emerging digital technologies. (SWD (2018) 137 final).

Otra característica hace referencia a su *opacidad* (el elemento «caja negra»). Los algoritmos pueden aparecer como una «caja negra». Este término tiene dos significados: Por un lado, se considera como un dispositivo que registra el funcionamiento del sistema de IA (registro por diseño). Los datos se almacenan y permitirían analizar, entre otras cuestiones, la aparición de situaciones que pueden hacer que el sistema de IA presente un riesgo, así como, en el caso de que este se materialice, las razones de lo sucedido; Por otro lado, este término se refiere a la opacidad del sistema; es decir, la dificultad para explicar por qué el sistema de IA ha llegado a determinados resultados. Esta característica relativa a la opacidad de muchos sistemas de IA, hace que el proceso de toma de decisiones de éstos sea difícil de determinar. Así, sin la colaboración de la parte presuntamente responsable puede ser excesivamente complejo y costoso acceder al algoritmo y a los datos. Lo que podría impedir que las víctimas presenten una demanda viable de responsabilidad civil. En suma, dicha característica junto con otras, podría dificultar la trazabilidad de acciones específicas hasta decisiones humanas concretas. Por ello, desde esta perspectiva se propone (dada la dificultad para detectar y probar, entre otras cuestiones, incumplimientos de la legislación, imputación de responsabilidades, y reclamación de indemnizaciones), clarificar la normativa actual y adaptarla a las nuevas realidades. Se trata, en este sentido, de que los perjudicados puedan ver reparados los daños causados por un producto o servicio basado en IA.

Otras características se refieren a la *conectividad* (entre un sistema de IA y otros sistemas ya sean o no de IA), *dependencia de datos* externos, apertura y posible modificación a través de actualizaciones y mejoras. Estas tecnologías dependen, cada vez más, de la disponibilidad y calidad de los datos. Los problemas de conectividad o la interpretación errónea de los datos pueden tener consecuencias perjudiciales para los usuarios y provocar daños. La dependencia de estas tecnologías de las conexiones de red y de datos las hace particularmente vulnerables también a los ciberataques. Resulta necesario aclarar, por tanto, qué expectativas de seguridad cabría esperar en relación con los daños derivados de pérdida o destrucción de datos, de violaciones de la ciberseguridad del sistema de IA y acerca de si dichos daños serán adecuadamente indemnizados.

La *autonomía* y *autoaprendizaje* durante su operación, la limitada previsibilidad, el manejo de datos y la vulnerabilidad a las amenazas de ciberseguridad, deben, por tanto, considerarse en esta materia. La capacidad de seguir «aprendiendo» de los sistemas de IA, después de su introducción en el mercado, (esto es, la capacidad de adaptar automáticamente el modo en que desarrollan sus funciones), puede alterar la finalidad prevista para la que se ha evaluado el sistema de IA en cuestión o sus funcionalidades de seguridad. Será preciso aclarar en qué medida dicha capacidad de aprendizaje automático puede, en su caso, ampliar la responsabilidad civil del productor y si éste debe haber previsto algunos cambios.

En suma, la complejidad, la opacidad, la autonomía, el autoaprendizaje, la conectividad, la dependencia y manejo de datos, etc., puede hacer difícil determinar quién controlaba al sistema de IA, o qué causa ha provocado la actuación dañosa. Por lo que, si todo ello no es abordado adecuadamente en la correspondiente normativa, el perjudicado podría tener dificultades para obtener una indemnización.

Esta nueva realidad requiere revisar la terminología y los conceptos utilizados en este régimen de responsabilidad por productos defectuosos y alinearse con lo previsto en otros regímenes normativos relacionados con la materia.

Recientemente, se ha aprobado una propuesta de Directiva del Parlamento europeo y del Consejo sobre responsabilidad por los daños causados por productos defectuosos[2]. En este trabajo examinaremos algunas de las consideraciones que sustentan la necesidad de ajustar nociones clave, como la de «producto», para garantizar que las normas de responsabilidad reflejen la naturaleza y los riesgos de los productos en la era digital y la economía circular moderna. Veremos, asimismo, cómo ha quedado dicha noción reflejada, finalmente, en dicha propuesta de Directiva.

Se propugna que las víctimas que reclamen una indemnización por los daños y perjuicios que les causen los productos y servicios basados en IA deben obtener un nivel de protección equivalente al de las per-

---

[2]   Propuesta de Directiva del Parlamento europeo y del Consejo sobre responsabilidad por los daños causados por productos defectuosos. Bruselas, 28.9.2022. COM(2022) 495 final. 2022/0302 (COD).

sonas que reclaman una indemnización por los daños causados sin la mediación de un sistema de IA. Esto permitiría aumentar el nivel de confianza en la IA y fomentaría su adopción. Así, con el fin de aprovechar los beneficios económicos y sociales de la IA y de promover la transición a la economía digital, es necesario adaptar determinadas normas nacionales de responsabilidad civil a las características específicas de los sistemas de IA. Estas adaptaciones, además de contribuir a la confianza de la sociedad, deben mantener la confianza en el sistema judicial. Muchas de las propuestas normativas en este ámbito pretenden, precisamente, proteger el derecho a la tutela judicial efectiva cuando se materialicen los riesgos específicos de la IA. Asimismo, dichas propuestas se verán complementadas por otras que establecerán requisitos preventivos normativos y de supervisión dirigidos a reducir los riesgos para la seguridad y los derechos fundamentales. Estas últimas tendrán por objeto prevenir, hacer un seguimiento y abordar dichos riesgos para evitar daños. No prevén la indemnización de las personas perjudicadas por los daños causados por un sistema de IA.

A la hora de abordar esta materia, hay que tener presente que las propuestas normativas europeas en esta materia deben respetar la coherencia con otras disposiciones existentes en la misma política sectorial y con otras políticas de la Unión Europea (en adelante, UE). En cada Estado miembro existen regímenes nacionales de responsabilidad que permiten reclamar una indemnización en más situaciones que en el marco de la Directiva sobre responsabilidad por productos defectuosos. Así, pueden interponerse reclamaciones contra una gama más amplia de personas responsables por una gama más amplia de daños y perjuicios. Estas reclamaciones se refieren tanto a servicios como a productos, y a menudo conceden más tiempo para presentar una reclamación. La Directiva sobre responsabilidad por productos defectuosos, como régimen de responsabilidad por riesgo creado (objetiva), no afecta a estos derechos, por lo que es coherente con los regímenes nacionales más amplios[3]. Además, existen varios instru-

---

[3]   Como señala el Considerando (9) de la propuesta de Directiva del Parlamento europeo y del Consejo sobre responsabilidad por los daños causados por productos defectuosos: «Con arreglo a los ordenamientos jurídicos de los Estados miembros, una persona perjudicada puede reclamar una indemnización por daños y perjuicios sobre la base de la responsabilidad contractual o por motivos

mentos complementarios en materia de responsabilidad a nivel de la UE, que deberán, asimismo, tenerse en cuenta. Así, hay que destacar la Directiva (UE) 2019/770 del Parlamento europeo y del Consejo de 20 de mayo de 2019, relativa a determinados aspectos de los contratos de suministro de contenidos y servicios digitales, (en adelante, Directiva 2019/770), y la Directiva (UE) 2019/771 del Parlamento europeo y del Consejo de 20 de mayo de 2019, relativa a determinados aspectos de los contratos de compraventa de bienes, por la que se modifican el Reglamento (CE) n.º 2017/2394 y la Directiva 2009/22/CE y se deroga la Directiva 1999/44/CE (en adelante, Directiva 2019/771)[4]. Asimismo, hay que tener presente el Reglamento (UE) del Parlamento Europeo y del Consejo de 27 de abril de 2016, relativo a la protección de las personas físicas en lo que respecta al tratamiento de datos personales y a la libre circulación de estos datos y por el que se deroga la Directiva 95/46/CE (en adelante, RGPD)[5].

La seguridad de los productos y la responsabilidad por los daños causados por productos defectuosos constituyen mecanismos complementarios para lograr un mercado de bienes único que garantice niveles elevados de seguridad. Actualmente, existen varias propuestas legislativas sobre esta materia. También, por ejemplo, existen otros instrumentos complementarios en materia de ciberseguridad. Asimismo, se armonizan entre sí la Propuesta de Directiva sobre res-

---

de responsabilidad extracontractual que no se refieran al carácter defectuoso de un producto (…). Dichas disposiciones, que también sirven para alcanzar, entre otras cosas, el objetivo de una protección eficaz de los consumidores, no deben verse afectadas por la presente Directiva».

[4]   Estas Directivas otorgan a los consumidores el derecho a la reparación, es decir, la sustitución, la reparación o el reembolso, cuando los bienes, incluidos los contenidos o servicios digitales, no sean conformes con el contrato o no funcionen correctamente. Estos actos se refieren a la responsabilidad contractual, mientras que la Directiva sobre responsabilidad por productos defectuosos se refiere a la responsabilidad extracontractual de los productores por los daños y perjuicios causados por la falta de seguridad.

[5]   El RGPD se refiere a la responsabilidad de los encargados y los responsables del tratamiento por los daños materiales o inmateriales causados por un tratamiento de datos que infrinja el RGPD, mientras que la propuesta de Directiva sobre responsabilidad por productos defectuosos solo prevé una compensación por las pérdidas materiales derivadas de la muerte, las lesiones corporales, los daños materiales y la pérdida o corrupción de datos.

ponsabilidad por los daños causados por productos defectuosos con la Propuesta de Directiva relativa a la adaptación de las normas de responsabilidad civil extracontractual a la IA[6]. La Comisión Europea adopta un enfoque holístico en su política de responsabilidad en materia de IA.

Es posible observar que estas dos iniciativas políticas, aprobadas en la misma fecha, se hallan estrechamente vinculadas y forman un paquete, refiriéndose las demandas de sus respectivos ámbitos de aplicación a diferentes tipos de responsabilidad. La Directiva sobre responsabilidad por productos defectuosos, a la que dedicaremos nuestra atención en este trabajo, cubre la responsabilidad objetiva del fabricante por productos defectuosos, lo que da lugar a una indemnización por determinados tipos de daños, principalmente sufridos por particulares. La Directiva sobre responsabilidad en materia de IA, cubre las demandas nacionales de responsabilidad civil extracontractual subjetiva (basada en la culpa). Esta última, que no se refiere al carácter defectuoso de un producto, establece, por ejemplo, normas comunes sobre la divulgación de información y la carga de la prueba dentro del contexto de reclamaciones subjetivas por daños y perjuicios causados por sistemas de IA. Dichas disposiciones se complementan entre sí para formar un sistema general de responsabilidad civil eficaz, teniendo como principal objetivo garantizar que las víctimas reciban una indemnización si, a pesar de los requisitos preventivos de la Propuesta de Reglamento del Parlamento Europeo y del Consejo por el que se establecen normas armonizadas en materia de inteligencia artificial (en adelante, AIA por sus siglas en inglés)[7], y otras normas de seguridad, se producen daños. La AIA tiene por objeto garantizar que los sistemas de IA de alto riesgo cumplan los requisitos de seguridad y derechos fundamentales (por ejemplo, gobernanza de datos, transparencia, vigilancia humana). En el capítulo 1 del Título III de la AIA se

---

[6]   Propuesta de Directiva del Parlamento europeo y del Consejo relativa a la adaptación de las normas de responsabilidad civil extracontractual a la inteligencia artificial (Directiva sobre responsabilidad en materia de IA). Propuesta de Bruselas, 28.9.2022. COM(2022) 496 final 2022/0303 (COD).

[7]   Propuesta de Reglamento del Parlamento Europeo y del Consejo por el que se establecen normas armonizadas en materia de inteligencia artificial (ley de inteligencia artificial) y se modifican determinados actos legislativos de la Unión. Bruselas, 21.4.2021. COM(2021) 206 final. 2021/0106 (COD)

establecen las normas de clasificación y se definen las dos categorías principales de sistemas de IA de alto riesgo: (i) los sistemas de IA diseñados para utilizarse como componentes de seguridad de productos sujetos a una evaluación de la conformidad *ex ante* realizada por terceros; y (ii) otros sistemas de IA independientes con implicaciones relacionadas principalmente con los derechos fundamentales, los cuales se contemplan explícitamente en el Anexo III de la AIA[8].

La propuesta de Directiva sobre responsabilidad por productos defectuosos garantizará que, cuando los sistemas de IA sean defectuosos y causen daños físicos, daños materiales o pérdidas de datos, sea posible solicitar una indemnización al proveedor de sistemas de IA o a cualquier fabricante que integre un sistema de IA en otro producto.

Como hemos señalado, en este trabajo analizaremos algunas de las principales cuestiones que sirven de fundamento para comprender por qué el concepto de «producto» de la Directiva 85/374/CEE (con

---

[8]   En el art. 6 de la AIA bajo la rúbrica «Reglas de clasificación para los sistemas de IA de alto riesgo», se establece en su apartado primero, lo siguiente: «Un sistema de IA se considerará de alto riesgo cuando reúna las dos condiciones que se indican a continuación, con independencia de si se ha introducido en el mercado o se ha puesto en servicio sin estar integrado en los productos que se mencionan en las letras a) y b): a) el sistema de IA está destinado a ser utilizado como componente de seguridad de uno de los productos contemplados en la legislación de armonización de la Unión que se indica en el anexo II, o es en sí mismo uno de dichos productos; b) conforme a la legislación de armonización de la Unión que se indica en el anexo II, el producto del que el sistema de IA es componente de seguridad, o el propio sistema de IA como producto, debe someterse a una evaluación de la conformidad realizada por un organismo independiente para su introducción en el mercado o puesta en servicio». En el aparto segundo de este mismo precepto se señala que: «Además de los sistemas de IA de alto riesgo mencionados en el apartado 1, también se considerarán de alto riesgo los sistemas de IA que figuran en el anexo III». Hay que precisar que el Título III de la AIA, contiene normas específicas para aquellos sistemas de IA que acarrean un alto riesgo para la salud y la seguridad o los derechos fundamentales de las personas físicas. Estos sistemas de IA de alto riesgo están permitidos en el mercado europeo siempre que cumplan determinados requisitos obligatorios y sean sometidos a una evaluación de conformidad *ex ante*. Un sistema de IA se considera de alto riesgo en función de su finalidad prevista, conforme a la legislación vigente relativa a la seguridad de los productos. Así, la clasificación de un sistema de IA como de alto riesgo no depende únicamente de la función que lleve a cabo, sino también de la finalidad específica y de las modalidades para las que se use dicho sistema.

décadas de antigüedad), requiere ser reconsiderado y modificado para adaptarlo a la realidad de la economía digital moderna. No nos adentraremos en otras nociones que, asimismo, requieren adaptarse a las características propias de esta realidad y que responden a cuestiones tales como las siguientes: qué sujetos forman parte del abanico de operadores económicos que pueden ser considerados responsables de los productos defectuosos; quién responde de los cambios introducidos en los productos mediante actualizaciones de programas informáticos, mejoras o cuando dichos cambios derivan del propio aprendizaje automático de los productos, una vez que estos se han introducido en el mercado o puesto en servicio y, en consecuencia, porqué el término «puesta en circulación» exige, asimismo, ser reconsiderado; qué consideración requiere, en la delimitación del concepto de defecto, cuestiones tales como el efecto en el producto de su capacidad de autoaprendizaje o el efecto sobre el mismo de otros productos que se utilicen junto con él; por qué los nuevos productos inteligentes o productos basados en IA requieren, en su caso, aligerar la carga de la prueba para las personas perjudicadas; o por qué, dada la importancia que tienen los datos en la era digital, debería ampliarse el concepto de daño indemnizable para cubrir las pérdidas materiales resultantes de la pérdida, destrucción o corrupción de datos.

II. RAZONES QUE JUSTIFICAN LA REVISIÓN DEL ACTUAL CONCEPTO LEGAL DE PRODUCTO PARA SU ADAPTACIÓN A LA ERA DIGITAL

Dada la interconexión, digitalización, autonomía e inteligencia con que vienen caracterizados los nuevos productos, se hace manifiesta la necesidad de aclarar el concepto de producto[9]. En particular, con

---

[9]   Véase el Informe de la Comisión al Parlamento Europeo, al Consejo y al Comité Económico y Social Europeo, sobre la aplicación de la Directiva del Consejo relativa a la aproximación de las disposiciones legales, reglamentarias y administrativas de los Estados miembros en materia de responsabilidad por los daños causados por productos defectuosos. COM(2018) 246 final, pp. 9 y 10. En dicho Informe se señalaba la necesidad de aclarar el concepto de producto. La Organización Europea de Consumidores considera, asimismo, esencial revisar la noción de producto para considerar su plena «dimensión digitalizada» en la

respecto a los programas informáticos, los cuales pueden considerarse unas veces como partes componentes de un producto y, en otras ocasiones, como programas informáticos independientes. La Directiva 85/374/CEE no se redactó teniendo presente las tecnologías digitales. Esto se pone de manifiesto por diversas cuestiones, tales como la relativa acerca de si (y bajo qué circunstancias), determinados productos digitales, —por ejemplo, el software descargado como un componente de seguridad adicional de un robot, o el software de diagnóstico médico—, se hallan cubiertos por esta. Como propuesta normativa se requiere mejorar la definición de producto y, por consiguiente, el ámbito de aplicación de la Directiva 85/374/CEE.

En este sentido, una de las primeras cuestiones que resulta preciso aclarar es si un programa informático (en particular, un programa informático independiente) constituye o no un producto[10]. Para ello, es preciso, primeramente, delimitar el concepto de producto.

Así, según lo dispuesto en el artículo 2 de la Directiva 85/374/ CEE, se entiende por «producto»: «cualquier bien mueble, excepto las materias primas agrícolas y los productos de caza, aun cuando está incorporado a otro bien mueble o a uno inmueble». En el mismo precepto, se señala qué se entiende por «materias primas agrícolas»: «los productos de la tierra, la ganadería y la pesca, exceptuando aquellos

---

que los elementos tangibles, los servicios digitales y el contenido digital interactúan continuamente y no pueden diferenciarse. Todos ellos deben estar cubiertos por la definición de «producto» Recomienda, en este sentido, que la Directiva 85/374/CEE debe aplicarse a todos los bienes tangibles e intangibles, incluidos los servicios digitales y el contenido digital. BEUC. *Product Liability 2.0 How to make EU rules fit for consumers in the digital age*. Ref: BEUX-X-2020-024. 07/05/2020, pág. 13.

[10] La clasificación de los programas informáticos como servicio o como producto no siempre son claras. Así, aunque el programa informático que dirige las operaciones de un producto puede considerarse una parte o componente de este, algunos tipos de programas informáticos independientes podrían ser más difíciles de clasificar. Report from the Commission to the European Parliament, the Council and the European Economic and Social Committee. Report on the safety and liability implications of Artificial Intelligence, the Internet of Things and robotics. COM(2020) 64 final, pág. 14.

productos que hayan sufrido una transformación inicial». Por «producto» se entiende también la electricidad[11].

En nuestro Derecho, el artículo 136 del Real Decreto Legislativo 1/2007, de 16 de noviembre, por el que se aprueba el texto refundido de la Ley General para la Defensa de los Consumidores y Usuarios y otras leyes complementarias (en adelante, TRLGDCU), establece que: «A los efectos de este capítulo se considera producto cualquier bien mueble, aun cuando esté unido o incorporado a otro bien mueble o inmueble, así como el gas y la electricidad»[12].

---

[11]	Tras la Directiva 1999/34, de 10 de mayo, se modifica el art. 2 de la Directiva 85/374/CEE y se considera «producto» a efectos de esta norma: cualquier bien mueble, aun cuando este incorporado a otro bien mueble o a un bien inmueble. También se entenderá por «producto» la electricidad. Quedando finalmente incluidos los productos de la ganadería, agricultura pesca y caza.

[12]	En nuestro Derecho interno, la regulación del sistema de responsabilidad por los daños de productos apareció por vez primera en la Ley General para la defensa de los consumidores y usuarios de 19 de julio de 1984 (LGDCU). Ley que supuso el desarrollo del principio constitucional de protección de los consumidores y usuarios (artículo 51 CE). El capítulo VIII de esta Ley, bajo la rúbrica "Garantías y Responsabilidades", contenía una regulación del derecho del consumidor y del usuario a ser indemnizados por los daños y perjuicios que el consumo de bienes y la utilización de productos o servicios les ocasionasen, salvo que tales daños estuvieran causados por su culpa exclusiva. Dicho capítulo contemplaba en su ámbito de aplicación tanto la responsabilidad por productos como la responsabilidad por servicios, si bien hay que matizar que su regulación no hallaba fácil encaje con los daños causados en la prestación de un servicio. La incorporación a nuestro Derecho interno de la Directiva 85/374/CEE, fue llevada a cabo por la Ley la Ley 22/1994, de 6 de julio, de responsabilidad civil por los daños causados por productos defectuosos. Posteriormente se aprobó el TRLGDCU, como respuesta a la necesidad de reducir y aclarar la confusión e inseguridad existentes en el ámbito del Derecho del consumo, dada la difusión de normas dictadas sobre diversas cuestiones. El TRLGDCU regula en su Libro III la «responsabilidad civil por bienes o servicios defectuosos» y deroga, por proceder a su refundición, entre otras, tanto la LGDCU, como la Ley 22/1994, de 6 de julio, de responsabilidad civil por los daños causados por productos defectuosos. Se pretende, así, reunir en un solo texto legal todas las reglas de responsabilidad, con independencia de que los daños deriven de productos o de servicios defectuosos. En cuanto a los daños causados por servicios, adapta el régimen del Capítulo VIII de la LGDCU. Resulta reseñable, de la regulación contenida en el TRLGDCU, en materia de responsabilidad por daños, el tratamiento conjunto de la responsabilidad civil por bienes y servicios defectuosos. En este sentido, se plantean algunas dudas de interpretación, (en particular, en cuanto al régimen de responsabilidad por servicios), ya que algunas de las normas establecidas en

El TRLGDCU, dentro de las disposiciones generales, en lo que se refiere al ámbito de aplicación, señala en el artículo 6 del TRLGDCU «concepto de producto», lo siguiente: «Sin perjuicio de lo establecido en el artículo 136, a los efectos de esta norma, es producto todo bien mueble conforme a lo previsto en el artículo 335 del Código Civil». Noción que excluye los bienes inmuebles y los servicios[13].

El legislador ha otorgado un terreno acotado al concepto de producto a efectos de responsabilidad por productos defectuosos («Sin perjuicio de lo establecido en el artículo 136»). Los redactores del TRLGDCU han preferido mantener en el artículo 136 una definición completa de producto. De este modo, cuando en la regulación de la responsabilidad por productos defectuosos se utiliza el término producto no hay que acudir al artículo 6, sino al artículo 136 única-

---

el TRLGDCU no aparecían en la LGDCU, excediéndose el Texto Refundido de la función encomendada e introduciendo modificaciones legislativas. Así, según señalan MARTÍN CASALS, M y SOLÉ FELIU, J, parece poder inferirse que, en lo que el TRLGDCU sobrepase los límites de la delegación legislativa, no está cubierto por la misma y, por tanto, carece de valor legal. Véase MARTÍN CASALS, M., y SOLÉ FELIU, J. "¿Refundir o legislar? Algunos problemas de la regulación de la responsabilidad por productos y servicios defectuosos en el texto refundido de la LGDCU", *Revista de Derecho Privado*, núm. 92, 2008, págs.79-111.

[13]   Véase, por ejemplo, la SAP de Barcelona 282/2008 de 8 de mayo FJ3 (JUR 2008/267387). Dentro del ámbito europeo, véase, por ejemplo, la STJUE de 21 de diciembre de 2011, asunto C-495/10, Centre hospitalier universitaire de Besançon contra Thomas Dutrueux y Caisse primaire d'assurance maladie du Jura. A este respecto, algunos autores han puesto de manifiesto que ello no impide la inclusión, en el ámbito de aplicación del TRLGDCU, de los servicios y de los inmuebles. Por ello, ha de matizarse que el artículo 6 recoge un concepto preliminar que no establece el ámbito de aplicación objetiva del TRLGDCU, ni lo circunscribe únicamente a los productos. Dicho ámbito no se ciñe a los productos o bienes muebles, sino que "se amplía al conjunto de bienes inmuebles y también a los servicios destinados a ser comercializados, esto es puestos en el mercado a disposición de los consumidores y usuarios". En este sentido, "lo relevante será que los bienes (tanto muebles, como inmuebles, corporales o incorporales) y servicios se encuentren comercializados o puestos en el mercado a disposición de los consumidores": Véase ESPINA FERNÁNDEZ, S. "Ámbito de aplicación objetiva del Real Decreto Legislativo 1/2007: bienes y servicios puestos a disposición de los consumidores", *Actualidad Jurídica Aranzadi*, núm. 756, 2008, pág. 1.

mente, aunque en ambos casos el concepto de producto se equipare básicamente con el de bien mueble[14].

A falta de una definición comunitaria de lo que se considera como «bien mueble», acudimos a nuestro ordenamiento jurídico para completar el concepto; en particular, a la remisión del artículo 6 del TRLGDCU al artículo 335 CC, que permite delimitar qué bienes pueden considerarse incluidos en la noción de productos. Sin embargo, es posible observar una discordancia entre el concepto comunitario y el español, pues la Directiva considera como producto cualquier bien mueble aun cuando esté incorporado a un bien inmueble (art. 2). El artículo 334.3 CC califica como bien inmueble «todo lo que esté unido a un inmueble de una manera fija, de suerte que no pueda separarse de él sin quebrantamiento de la materia o deterioro del objeto». La solución es la de atender al concepto comunitario y, por tanto, considerar como producto sometido al régimen del Capítulo I del Título II, del Libro III, a los bienes muebles unidos a un inmueble, aunque en el Derecho español sean considerados inmuebles[15].

---

[14]   Véase, en este sentido, BERCOVITZ RODRÍGUEZ-CANO, R. "Artículo 6", en BERCOVITZ RODRÍGUEZ-CANO, R. (Coord.), *Comentario del texto refundido de la Ley general para la defensa de los consumidores y usuarios y otras leyes complementarias*, Cizur Menor, Aranzadi, 2015, pág. 79; MARTÍN CASALS, M. y SOLÉ FELIU, J. "¿Refundir o legislar? Algunos ...", ob. cit., 2008, pág. 84; FERNÁNDEZ CARBALLO-CALERO y TORRES PÉREZ, F. "Ámbito de aplicación y derechos básicos de los consumidores y usuarios. Capítulo I. Ámbito de aplicación", en AAVV *La defensa de los consumidores y usuarios*, REBOLLO PUIG, M., e IZQUIERDO CARRASCO, M., (Dirs.), Iustel, Madrid, 2011, pág. 102.

[15]   AZPARREN LUCAS, A. "Comentario al artículo 136", En a AA.VV. *Comentarios a las Normas de Protección de los Consumidores. Texto refundido (RDL 1/2007) y otras leyes y reglamentos vigentes en España y en la Unión Europea*, CÁMARA LAPUENTE, S., (Dir.), Colex, Madrid, 2011, págs. 1189-1195; pág. 1190. Por tanto, no importa que, a otros efectos, la calificación jurídica de estos bienes, por aplicación de lo dispuesto en los arts. 333 a 335 CC, sea de inmuebles (en particular, los llamados «inmuebles por incorporación» y «por destino»). La dicción del art. 136 del TRLGDCU deja claro que tales bienes se incluyen en el concepto legal del producto a efectos del régimen de la responsabilidad por productos defectuosos. Como expresa PARRA LUCÁN, MA., a este respecto, la aplicación de este régimen a los bienes muebles incorporados a un inmueble supone: "—la responsabilidad por el carácter defectuoso en cuanto que inseguro del producto (artículo 137); — la responsabilidad del productor del mueble incorporado al inmueble (artículo 138); — la responsabilidad del proveedor del

Según el artículo 335 CC: «Se reputan bienes muebles los susceptibles de apropiación no comprendidos en el capítulo anterior, y en general todos los que se pueden transportar de un punto a otro sin menoscabo de la cosa inmueble a que estuvieren unidos». El CC, para delimitar los bienes muebles (que lo son por su propia naturaleza) atiende a dos requisitos fundamentales: ser «apropiables» y ser «transportables». El primero «las cosas que son o pueden ser objeto de apropiación» (según se desprende de la dicción de artículo 333 CC), admite una interpretación amplia, al poder considerarse como objeto apropiable una cosa o un derecho, refiriéndose a la titularidad o a la posesión entendida en sentido amplio de posibilidad de ejercer control sobre la cosa, aunque no sea fácil de aprehender o percibir, como podría ocurrir con las energías o con el software. El segundo requisito, que sean «transportables», comprende tanto los bienes muebles susceptibles de «ser transportados», como los «semovientes» y, en caso de estar unidos a un bien inmueble (según los arts. 335 y 334.3º CC) el carácter móvil del bien no debe producir menoscabo propio, ni tampoco del inmueble al que esté incorporado[16].

Se afirma que lo decisivo, para determinar qué cosas pertenecen a la categoría de bien mueble, no es tanto el criterio de la movilidad como el de la susceptibilidad de apropiación. Pudiéndose caracterizar la noción de apropiación por la aptitud de la cosa para ser integrada en un patrimonio y, correlativamente, por su validez para el tráfico jurídico. Para lo cual no es necesario que se trate de una cosa corporal. Por lo que también se configuran como cosas susceptibles de apropiación los denominados «bienes inmateriales» y las «sustancias intangibles», si resultan apropiables y no se hallan incluidos en la categoría legal de bienes inmuebles[17].

---

producto si el productor no puede ser identificado en los términos del artículo 138.2". PARRA LUCAN, MA. *La protección del consumidor frente a los daños. Responsabilidad civil del fabricante y del prestador de servicios*, Reus, Madrid, 2011, pág. 90.

[16] CÁMARA LAPUENTE, S. "Comentario al artículo 6", En AA.VV. *Comentarios a las Normas de Protección de los Consumidores. Texto refundido (RDL 1/2007) y otras leyes y reglamentos vigentes en España y en la Unión Europea*, CÁMARA LAPUENTE, S., (Dir.), Colex, Madrid, 2011, págs. 185-194.

[17] FERNÁNDEZ CARBALLO-CALERO y TORRES PÉREZ, F. "Ámbito de aplicación y derechos básicos de los consumidores y usuarios. Capítulo I. Ámbito

La normativa española, —a diferencia de otras legislaciones europeas, (que se refieren al producto como bien «corporal»)—, no exige el rasgo de corporalidad en el concepto legal de producto. Así, pueden considerarse incluidos en dicho concepto los bienes incorporales y, por ende, el software o programas informáticos. Por lo que los daños que estos pueden causar también se hallarían sometidos a su régimen legal.

Así, puede entenderse que la noción legal de producto que recoge el artículo 136 del TRLGDCU es muy amplia: «todos los bienes muebles, aun cuando se incorporen a otros bienes»[18]. Concepto que comprende todo tipo de bienes muebles: productos acabados, semiacabados («elementos») o partes integrantes; en serie o personalizados; industriales o artesanales; corporales o incorporales (energías, obras o prestaciones sujetas a propiedad intelectual, etc.); consumibles o no consumibles; nuevos, usados, o reacondicionados; medicamentos de origen humano (plasma, sangre…), etc.[19]

---

de aplicación", ob. cit., 2011, pág. 105.

[18]   Como se ha señalado, los rasgos propios de los «productos» a efectos de responsabilidad civil por productos defectuosos (art. 136 del TRLGDCU), incluyen al bien mueble «aun cuando esté unido o incorporado a otro bien mueble o inmueble». Mientras que en el contexto general (art. 6 del TRLGDCU) quedan excluidos tanto los inmuebles por incorporación como por destino. CÁMARA LAPUENTE, S. "Comentario al artículo 6", ob. cit., 2011, pág. 193. En dicha página, el autor (al contrastar el art. 136 y el art. 6 del TRLGDCU) considera que mientras el art. 136 "sólo contempla expresamente como productos/energías al gas y la electricidad, no ha de plantear dudas que el art. 6 comprende tanto a ambos como a otros fluidos y energías, en la medida en que sean apropiables y transportables". Como otra característica reseñable, el autor destaca que el concepto de producto del art. 136 está ligado a su «puesta en circulación» (art. 140.1.a) y su relación con un «productor» (art. 138), mientras que el producto del art. 6 carece de estas limitaciones objetivas y subjetivas.

[19]   PARRA LUCÁN, MA. "Artículo 136", en BERCOVITZ RODRÍGUEZ-CANO, R. (Coord.), *Comentario del texto refundido de la Ley general para la defensa de los consumidores y usuarios y otras leyes complementarias*, Cizur Menor, Aranzadi, 2015, págs. 1933-1965; pág. 1933; CÁMARA LAPUENTE, S. "Comentario al artículo 6", ob. cit., 2011, pág. 192; SEUBA TORREBLANCA, JC. "Concepto de producto", *Tratado de responsabilidad civil del fabricante*, SALVADOR CODERCH, P. y GÓMEZ POMAR, F., (Eds.), Thomson/Civitas, Madrid, 2008, págs.105-134; págs. 127-128.

Por lo que se refiere a las definiciones de los sistemas de IA, algunas señalan que estos pueden estar basados en hardware y/o software[20]. Precisamente, el Grupo de Expertos de Alto Nivel sobre IA[21], subraya esta idea en la siguiente definición de IA, tal y como se propone en la Comunicación de la Comisión al Parlamento Europeo, al Consejo Europeo, al Consejo, al Comité Económico y Social Europeo y al Comité de las Regiones sobre IA para Europa[22]:

«El término «inteligencia artificial» (IA) se aplica a los sistemas que manifiestan un comportamiento inteligente, pues son capaces de analizar su entorno y pasar a la acción –con cierto grado de autonomía– con el fin de alcanzar objetivos específicos.

Los sistemas basados en la IA pueden consistir simplemente en un programa informático, (por ejemplo, asistentes de voz, programas de análisis de imágenes, motores de búsqueda, sistemas de reconocimiento facial y de voz), pero la IA también puede estar incorporada en dis-

---

[20]   Véase Policy Department for Citizens' Rights and Constitutional Affairs Directorate-General for Internal Policies. Artificial Intelligence and Civil Liability. PE 621.926–July 2020, Tabla 2, págs. 23-29.

[21]   High-Level Expert Group on Artificial Intelligence (AI HLEG) es un grupo de expertos independientes creado por la Comisión Europea en junio de 2018. En el documento elaborado por este Grupo: A definition of AI: main capabilities and scientific disciplines, 2019, se amplía la definición de IA, tal y como se definía en la Comunicación de la Comisión sobre IA (COM(2018)237 final). Aclara ciertos aspectos de la IA como disciplina científica y como tecnología, con el fin de evitar malentendidos, y busca lograr un conocimiento común compartido de la IA que pueda ser utilizado de forma fructífera también por los no expertos en IA. Por tanto, hay que tener presente que la intención de este documento, – «A definition of AI: main capabilities and scientific disciplines» –, no es definir de manera precisa todas las técnicas y capacidades de la IA. Su objetivo consiste en describir, resumidamente, desde un enfoque educativo y útil para personas legas en esta materia, la comprensión conjunta de esta disciplina que dicho Grupo de Expertos está utilizando en sus resultados.

[22]   Communication from the Commission to the European Parliament, the European Council, the Council, the European Economic and Social Committee and the Committee of the Regions on Artificial Intelligence for Europe, Brussels, 25.4.2018 COM (2018) 237 final, pág. 1; High-Level Expert Group on Artificial Intelligence, (HLEG), A definition of AI: Main capabilities and disciplines, 2019, págs. 1-6; pág. 1.

positivos de hardware (por ejemplo, robots avanzados, automóviles autónomos, drones o aplicaciones del internet de las cosas)[23]».

La definición de IA propuesta por el Grupo de Expertos, es la siguiente: «Los sistemas de IA son sistemas de software (y posiblemente también de hardware) diseñados por humanos que, dado un objetivo complejo, actúan en la dimensión física o digital percibiendo su entorno a través de la adquisición de datos, interpretando los datos estructurados o no estructurados recopilados, razonando sobre lo percibido, o procesando la información derivada de estos datos y decidiendo la(s) mejor(es) acción(es) a tomar para lograr el objetivo dado. Los sistemas de IA pueden utilizar reglas simbólicas o aprender un modelo numérico, y también pueden adaptar su comportamiento analizando cómo el entorno se ve afectado por sus acciones anteriores»[24].

Conforme a esta definición, puede afirmarse que la IA comprende tanto el stand-alone software (el software independiente) o sistemas de IA independientes (stand-alone AI systems), como los sistemas de IA incorporados a dispositivos físicos (por ejemplo, la robótica).

Así, según las consideraciones anteriormente expuestas, los sistemas de IA incorporados a un dispositivo físico se hallan incluidos en el ámbito de aplicación de la normativa, según lo dispuesto en la Directiva 85/374/CEE (art. 2) y el TRLGDCU (art. 136). Pero también, como argumentaremos, los sistemas de IA independientes quedarían incluidos en dicho concepto.

Cuestión esta última que, según señalan algunos autores, no resulta evidente. Se considera que este régimen legal no encaja fácilmente con los bienes inmateriales. Así, por ejemplo, se señala que: "(el concepto de defecto como falta de seguridad, la puesta en circulación del

---

[23]   Communication from the Commission to the European Parliament, the European Council, the Council, the European Economic and Social Committee and the Committee of the Regions on Artificial Intelligence for Europe, Brussels, 25.4.2018 COM (2018) 237 final; High-Level Expert Group on Artificial Intelligence, (HLEG), *A definition of AI: Main capabilities and disciplines*, 2019, págs. 1-6; pág. 1.

[24]   Ibídem, 2019, pág. 6. Véase también, SAMOILI, S., LOPEZ COBO, M., GOMEZ GUTIERREZ, E., et. al., AI WATCH. Defining Artificial Intelligence. EUR 30117 EN, Publications Office of the European Union, Luxembourg, 2020, pág. 9. Disponible en: https://publications.jrc.ec.europa.eu/repository/handle/JRC118163

producto: ¿cuándo se produce en el caso del algoritmo de un programa?) y, en ocasiones, más se tratará de un servicio en el que se suministra información que de la entrega de un producto defectuoso"[25]. Para otros autores, resulta aplicable este régimen legal a los sistemas de IA consistentes en un programa informático si no se tiene en cuenta el tipo de daños que pueden resarcirse en base al mismo. Esto es, daños causados por muerte o lesiones corporales, daños causados a una cosa o la destrucción de una cosa que no sea el propio producto defectuoso, siempre que esa cosa se destine al uso o consumo privado y el perjudicado la haya utilizado principalmente para su uso o consumo privado. Se considera, desde esta perspectiva, que es difícil que el defecto que presente un «stand-alone software» (un «software independiente») genere este tipo de daños. Para que se produzcan el tipo de daños previstos por el régimen legal de responsabilidad por productos defectuosos, el software debe ser un elemento del bien corpóreo de que se trate, pudiendo ser considerado su diseñador como productor de una parte integrante[26].

Una vez que el software se introduce en una computadora, puede producir cambios materiales y tangibles. Si bien esto resulta obvio cuando el software se integra en una máquina, también debería resultar fácilmente imaginable para el software intangible[27]. Los riesgos involucrados en el software, —independientemente del medio en que se integre o no, (por ejemplo, si se distribuye o no en dispositivos de almacenamiento tangibles, o si se accede a él a través de tecnologías en la nube)—, sustentan la inclusión del software en la noción de producto. En la actualidad, puede resultar frecuente, como señalan algunos autores, que los sistemas de IA causen daños económicos,

---

[25] Véase PARRA LUCÁN, MA. "Artículo 136", ob. cit., 2015, pág. 1934.
[26] Véase NAVAS NAVARRO, S. "Responsabilidad civil del fabricante y tecnología inteligente". Una mirada al futuro. *Diario La Ley*, núm. 35, 2020, págs. 1-17; pág. 3.
[27] Piénsese en un malware que destruye todos los documentos del consumidor o una aplicación terapéutica de insulina (insulin therapy app) utilizada por un paciente que comete un fallo o error. En este caso, el paciente podría sufrir colapsos hipoglucémicos o hiperglucémicos potencialmente mortales. https://www.aemps. gob.es/informa/informacion-sobre-la-posibilidad-de-obtener-recomendaciones-de-dosis-de-insulina-incorrectas-al-utilizar-la-funcion-mentor-de-insulina-de-la-aplicacion-movil-onetouchreveal/

como podría suceder, por ejemplo, en los casos de algoritmos de alta frecuencia que emiten órdenes y contraórdenes al mercado. Pero, podría suceder también, "que este tipo de sistemas, que no tienen un sustrato físico causen daños personales. Piénsese, por ejemplo, en los supuestos en que esas órdenes, (...), en lugar de ir destinadas a adoptar decisiones económicas van dirigidas a seleccionar los destinatarios de un trasplante de órganos"[28]. Cada vez es más frecuente el uso de programas informáticos independientes que pueden causar daños por sí mismos (por ejemplo, una aplicación de teléfono inteligente para dispositivos médicos).

Mayor debate genera la cuestión acerca del impacto que tienen las actualizaciones posteriores del software en los defectos de un produc-

---

[28] Véase ATIENZA NAVARRO, ML. *Daños causados por inteligencia artificial y responsabilidad civil*, Atelier, Madrid, 2022, pág. 186. Es posible observar, cada vez más, la existencia de sistemas de IA independientes (por ejemplo, para el diagnóstico de determinadas enfermedades) que podrían producir algunos de esos tipos de daños, en el caso de existir defectos en su diseño, funcionamiento, etc. SECHOPOULOS, I., MANN, RM., "Stand-alone artificial intelligence–The future of breast cancer screening?", *Breast*, núm. 49, 2020, págs. 254-260. Piénsese también en aquellos casos en que una persona pueda ser objeto de una decisión que evalúe aspectos personales relativos a ella, y que se base únicamente en el tratamiento automatizado y produzca efectos jurídicos en ella o le afecte de manera significativa (como, por ejemplo, la denegación automática de una solicitud de crédito en línea o los servicios de contratación en red en los que no medie intervención humana alguna). Este tipo de tratamiento incluye la elaboración de perfiles consistente en cualquier forma de tratamiento de los datos personales que evalúe aspectos relativos a una persona física, (por ejemplo, para analizar o predecir aspectos relativos al rendimiento en el trabajo, la salud, etc.). Es posible que el sistema de IA adolezca de errores (o sesgos) y que, debido a un determinado error, por ejemplo, se produzca, como resultado perjuicios económicos, personales o morales, tales como los derivados de ser rechazado de un tratamiento, ver denegado un crédito, etc. Incluso, como señalan algunos autores, podría incrementarse la tendencia a aceptar automáticamente propuestas de decisiones concretas; esto es, asumir decisiones elaboradas por el sistema de IA sin revisarlas o contrastarlas a la luz de la situación concreta de, por ejemplo, un paciente y su entorno. Por lo que es posible que se proceda a tomar las decisiones que el sistema proponga sin una revisión o supervisión humana previas con la cualificación que corresponda. Véase ROMEO CASABONA, CM. "Elaboración de perfiles (comentario al artículo 4.4. RGPD)", en TRONCOSO REIGADA, A (Dir.), *Comentario al Reglamento General de Protección de Datos y la Ley Orgánica de protección de los datos personales y garantía de los derechos digitales*, Tomo I, Civitas/Thomson Reuters, Cizur Menor, 2021, pág. 610.

to en el que la versión original de dicho software estaba preinstalada cuando se introdujo en el mercado o se puso en servicio. Tampoco resulta claro si el software esencial para el funcionamiento del bien (tangible) pero proporcionado por un proveedor externo, independiente de la distribución del bien, puede hacer que este sea defectuoso en el sentido de la Directiva 85/374/CEE[29].

---

[29]   KOCH AB, et. al. "Response of the European Law Institute to the Public Consultation on Civil Liability – Adapting Liability Rules to the Digital Age and Artificial Intelligence", *Journal of European Tort Law*, vol .13, num. 1, 2022, pp. 25-63; p. 32. Como expresan algunos autores: "el software preinstalado en el vehículo en el momento de puesta en circulación del producto, se puede considerar un componente del mismo. Mayores dificultades plantean las actualizaciones posteriores del software o el suministro de software sin soporte material, online, y acaso por empresa distinta del fabricante del vehículo" Véase NAVARRO MICHEL, M. "Vehículos automatizados y responsabilidad por producto defectuoso", *Revista de Derecho Civil*, núm. 5, 2020, págs. 175-223; p. 181. Si el software y el hardware proceden de empresas diferentes, el tratamiento del software como un producto determina si el fabricante del mismo puede ser considerado responsable junto con el fabricante del hardware. Según algunos autores, para el «standalone software». Así, cuando el software se almacena en un medio tangible, como un CD, USB, Hard drives, se califica como producto. Véase, en este sentido, written Question No 706/88 by Mr Gijs de Vries to the Commission: Product liability for computer programs, Official Journal (OJ) C 114, 8.5.1989, 42. Sin embargo, si el software se descarga, la aplicación de la Directiva no está clara. En línea con esta última opinión se manifiestan algunos autores, por ejemplo: LUTTER, C. "Fragen der Produktehaftung im Hinblick auf den Betrieb unbemanter Schiffe", *Recht der Transportwirtschaft*, vol. 5, núm. 8, 2017, págs. 281-286; pág. 282; CAUFFMAN, C. "Robo-liability: the European Union in search to the best way to deal with liability for damage caused by artificial intelligence", damage caused by artificial intelligent", *Maastricht Journal of European and Comparative Law*, vol. 25, núm. 5, 2018, págs. 527-532; pág. 530; SPINDLER, G. "User Liability and Strict Liability in the Internet of Things and for Robots", in LOHSSE, S., SCHULZE, R., STAUDENMAYER, D. (Eds.), *Liability for Artificial Intelligence and the Internet of Things*, Nomos Verlag, Baden-Baden, 2019, págs. 125-143; pág. 128. Sin embargo, otros autores consideran que, ahora, la Directiva ya se extiende (y debería hacerlo), a los contenidos digitales. Véase, en este sentido, KOCH, BA., "Product Liability 2.0 -Mere Update or New Version?, in LOHSSE, S., SCHULZE, R., STAUDENMAYER, D. (Eds.), *Liability for Artificial Intelligence and the Internet of Things*, Nomos Verlag, Baden-Baden, 2019, págs. 99-116; pág. 106; WAGNER, G. "Produkthaftung für autonome Systeme", Archiv für die civilistische Praxis, 217, núm. 6, 2017, págs. 707-766; págs. 717-718; WUYTS, D. "The product liability directive–more than two decades of defective products in Europe", *Journal of European Tort Law*, vol. 5, núm.1, 2014, págs.

En general, cuando se trata de robots virtuales cuentan con un soporte físico[30]. Así, según hemos señalado, un software puede considerarse como un producto desde el momento en que es incorporado a la estructura de un dispositivo físico, de modo que este puede resultar defectuoso por el incorrecto funcionamiento de aquel (software de un aparato médico, del navegador de un avión, etc.)[31]. Aun siendo el software un bien inmaterial, puede considerarse como producto al incorporarse al bien material (al soporte o estructura física, por ejemplo, del robot)[32]. El producto final es producto a efectos legales,

---

1-34; pág. 6; WEBER, R. H. "Liability in the Internet of Things", *Journal of European Consumer and Market Law*, vol. 3, núm. 5, 2017, págs. 207-212; pág. 210.

[30]   Se señala que la máquina virtual, usualmente, cuenta con un soporte físico, cualquiera que este sea, para ser guardada, copiada o transmitida, aunque pueda simplemente ser bajada de la red. Así, se afirma que un software puede entenderse como producto desde el momento en que es incorporado a la estructura física de un robot. Véase ZURITA MARTÍN, I. *La responsabilidad civil por los daños causados por los robots inteligentes como productos defectuosos*, Reus, Madrid, 2020, p. 84; ZURITA MARTÍN, I. "Las propuestas de reforma legislativa del Libro Blanco Europeo sobre Inteligencia Artificial en materia de seguridad y responsabilidad civil", *Actualidad Jurídica Iberoamericana*, núm. 14, 2021, págs. 438-487; pág. 459.

[31]   Véase la STS de 13 de enero de 2015 que se pronunció sobre el recurso extraordinario por infracción procesal y de casación interpuesto contra la SAP Barcelona, de 7 de mayo de 2012, que resolvió el recurso de apelación contra la SJPI núm. 34 de Barcelona, de 3 marzo 2010. Las sentencias se referían a un supuesto en el que dos aviones se estrellan como resultado de que el sistema de anticolisión que formaba parte de los mismos no actúo como se esperaba a efectos de evitar el impacto. Los defectos que se imputaban al sistema de anticolisión fabricado por la demandante consistían en que: «el sistema no emitió una orden de reversión (...) pese a que se dieron condiciones que, conforme a las especificaciones del sistema, determinaban que tales contraórdenes se emitieran, lo que habría evitado el accidente (...); que el manual del piloto de los fabricantes no contenía las advertencias adecuadas, pues no indicaba con la suficiente claridad que, en caso de conflicto, entre una orden imperativa del sistema anticolisión (...) y una orden del centro de control de tráfico aéreo (...), la primera es obligatoria para la tripulación; que el software del dispositivo era defectuoso, pues limitaba la operatividad del aparato (...) y había una actualización del software, (...), que no había sido instalada y habría evitado el accidente». STS de 13 de enero de 2015. Sentencia núm. 649/2014 de 13 enero (RJ\2015\612).

[32]   Por lo general, una máquina robot (bien tangible) incorpora software de un modo que hace difícil distinguir el software del bien, por ejemplo, en los casos en los que el software es necesario para el funcionamiento del robot. En este

pudiéndose extender el régimen de responsabilidad al autor del diseño defectuoso del software[33].

Sin embargo, también el software, ☒aun cuando no esté incorporado a un dispositivo físico; esto es, cuando se trate de stand-alone software☒, puede considerarse incluido en la categoría de producto[34].

---

caso, se acepta, generalmente, que el programa informático se convierta en una parte inseparable del robot en el que se incorpora. Por tanto, debe tratarse como un producto que entra dentro del ámbito de aplicación de la Directiva 85/374/ CEE, dado el vínculo entre la máquina robot y el programa informático. NAVAS NAVARRO, S. "Robot Machines and Civil Liability", in EBERS, M., NAVAS NAVARRO, S (Eds.), *Algorithms and Law*, Cambridge University Press, 2020, págs. 157-173; pág. 167.

[33]   Los componentes de hardware de un sistema de IA se considerarían como productos, al igual que el software integrado en productos tangibles. Según señala la doctrina, se acepta, en general, que el paquete de hardware y software juntos constituyen el producto o «bien mueble» en el sentido de la Directiva. Por lo que, si el software fuese defectuoso, se aplicaría la Directiva y el fabricante podría ser considerado responsable. Véase, entre otros, WAGNER, G. "Robot liability", Disponible en: https://www.rewi.hu-berlin.de/de/lf/oe/rdt/pub/working-paper-no-2, 2019, pág. 10; KOCH, BA., "Product Liability 2.0 -Mere Update or New Version?, ob. cit. 2019, pág. 104; NAVAS NAVARRO, S. "Robot Machines and Civil Liability", ob. cit., 2020, pág. 167; FAIRGRIEVE, D., HOWELLS, G., MØGELVANG-HANSEN, P., STRAETMANS, G., VERHOEVEN, D., MACHNIKOWSKI, P., JANSSEN A., SCHULZE, R. "Product liability directive", in MACHNIKOWSKI, P (Ed.), *European Product Liability*, Intersentia, 2016, pág. 47. Estos últimos autores señalan que el software suministrado de una manera no física (por ejemplo, online) debe considerarse como un bien intangible que queda fuera del ámbito de aplicación de la Directiva. Sin embargo, no puede decirse lo mismo del software que se incorpora en un bien tangible de tal manera que apenas puede distinguirse de dicho bien, por ejemplo, en los casos en que el software es necesario para el funcionamiento, aunque sea parcialmente, del bien. En dichos casos, el software se convierte en una parte inseparable del bien en el que se incorpora. La Organización Europea de Consumidores, señala que un producto también puede incluir contenido digital si está integrado en un medio tangible. Esto cubre el paquete de hardware/software que caracteriza muchos productos de IoT, como electrodomésticos conectados. Que surja un problema debido al software incorporado, puede hacer que el producto sea defectuoso, lo que en última instancia genera responsabilidad del productor. BEUC, *Product Liability 2.0. How to make EU rules fit for consumers in the digital age*, p. 13. Ref: BEUC-X-2020-024–07/05/2020.

[34]   Son varios los autores que consideran el software como producto, aun cuando no esté incorporado a un dispositivo físico. Véase, entre otros, NAVAS NAVARRO, S. "Responsabilidad civil del fabricante y tecnología inteligente", ob. cit., 2020, págs. 1-17; pág. 3; ATAZ LÓPEZ, J. *Daños causados por las cosas:*

Como hemos señalado, el artículo 136 del TRLGDCU no exige que el bien sea corporal: «A los efectos de este capítulo se considera producto *cualquier bien mueble, aun cuando* esté unido o incorporado a otro bien mueble o inmueble». Dice «*cualquier bien mueble*», sin especificar que tengan que ser corporales, y ya hemos dicho que los bienes, si son incorporales y susceptibles de apropiación, se les consideran, por lo general, como bienes muebles. Dice el precepto también «*aun cuando*», por lo que no han de estar, necesariamente, incorporados a un bien mueble o inmueble. Tampoco lo exige la Directiva 85/374/CEE[35]. Por lo que el ámbito de aplicación de estas normas da pie a la inclusión de los bienes inmateriales, tales como el software[36]. Además,

---

Una nueva visión a raíz de la robótica y de la inteligencia artificial. Working paper 4/2020, pp. 45-46; pág. 35. Disponible en: http://diposit.ub.edu/dspace/bitstream/2445/169850/1/WP_2020_4%20%28Ataz%29.pdf. Este autor considera que la noción del art. 136 TRLGDCU es lo bastante amplia para incluir en ella, "no sólo a dispositivos materiales tales como robots, vehículos autónomos, drones, etc., sino también a aquellos programas informáticos en los que se basa la inteligencia artificial, aunque éstos no hayan sido implementados en ningún dispositivo material y hayan sido diseñados para ejecutarse en un ordenador"; ZURITA MARTÍN, I. "Las propuestas de reforma legislativa…, ob. cit., 2021, pág. 461; RUBÍ PUIG, A. "Retos de la inteligencia artificial y adaptabilidad del Derecho de daños", en CERDILLO i MARTÍNEZ, A., PEGUERA POCH, M., *Retos jurídicos de la inteligencia artificial*, Aranzadi, Cizur Menor, 2020, p. 66.

35   En opinión de algunos autores, puede argumentarse que, si bien el suministro del software puede equipararse a lo que constituye un servicio, ese no debería ser el caso del software en sí mismo considerado. De hecho, podría verse como el objeto del servicio o un resultado del mismo. En tal caso constituiría un producto. Esta consideración más amplia y flexible también estaría en consonancia con el objetivo proclamado en el considerando 2 introductorio de la Directiva de responsabilidad por productos defectuosos. Véase, en este sentido, FAIRGRIEVE, D., HOWELLS, G., MØGELVANG-HANSEN, P., STRAETMANS, G., VERHOEVEN, D., MACHNIKOWSKI, P., JANSSEN A., SCHULZE, R. "Product liability directive", ob. cit., 2016, pág. 46. La Comisión europea también ha considerado al software almacenado en un medio tangible como un producto. Question 706/88, De Vries [1989] OJ C114/42; CABRAL, TS. "Liability and artificial intelligence in the EU: Assessing the adequacy of the current Product Liability Directive", *Maastricht Journal of European and Comparative Law*, vol. 27, núm. 5, 2020, págs. 615–635, págs. 618 y ss.

36   Véase, en este sentido, NAVARRO MICHEL, M. "Vehículos automatizados…", ob. cit., 2020, pp. 175-223; CASTELLS i MARQUÈS, M. "Drones recreativos. Normativa aplicable, responsabilidad civil y protección de datos", *Revista de Derecho Civil*, vol. VI, núm. 1, 2019, pp. 297-333; p. 317. WAGNER, G., pone

en la era de la digitalización, las diferencias entre el uso de objetos tangibles e intangibles puede ser más difícil de justificar. La cuestión es si ha de ser relevante el modo en que se almacenan, copian o distribuyen los programas informáticos para determinar la aplicación de la Directiva 85/374/CEE. Los contenidos digitales están reemplazando, cada vez más, las funciones que realizaban, anteriormente, ciertos objetos físicos. En este sentido, sería útil que la redacción de la Directiva aclarara esto expresamente en una futura actualización de la misma. Pues, hay que tener presente que el software, muchas veces, no se distribuye en dispositivos de almacenamiento tangibles. Resulta habitual que este, por ejemplo, pueda descargarse de un servidor en la nube. El objetivo principal de la Directiva 85/374/CEE es asegurar un reparto justo de los riesgos inherentes a la producción técnica moderna, entre la parte perjudicada y el fabricante.

Asimismo, se afirma que otras Directivas, —tales como la Directiva 2010/40/UE del Parlamento Europeo y del Consejo, de 7 de julio de 2010, por la que se establece el marco para la implantación de los sistemas de transporte inteligentes en el sector del transporte por carretera y para las interfaces con otros modos de transporte—, parecen confirmar esta idea. En particular, esta Directiva incluye las aplicaciones de conectividad (con independencia de si se consideran productos o servicios) dentro del ámbito de aplicación de la Directiva 85/374/CEE. Pues, según dispone el artículo 11 de aquella, los Estados miembros velarán por que las cuestiones relativas a la responsabilidad, en lo referente a la implantación y el uso de aplicaciones y servicios de los sistemas de transporte inteligentes (STI), se aborden de acuerdo

---

como ejemplo el caso en el que el software fuese distribuido como un producto separado que se adquiriese a través de Internet en forma de descarga. Podría seguirse, según señala, la línea interpretativa en virtud de la cual la Directiva 85/374/CEE puede no ser aplicable al software defectuoso que se distribuyó por separado del hardware para el que fue diseñado y sin un dispositivo de almacenamiento corporal, como una memoria USB. Considera, sin embargo, que resulta preferible una visión más amplia que aplique el art. 2 de la Directiva de manera funcional. La aplicación de esta Directiva debería ser independiente del modo en que se almacenan, copian y distribuyen los programas de ordenador. WAGNER, G., Robot Liability, ob., cit., 2019, p. 11.

con el Derecho de la UE, en particular la Directiva 85/384/CEE, así como con la normativa nacional pertinente[37].

Por otra parte, la Directiva (UE) 2019/771, introduce conceptos tales como «bienes con elementos digitales»[38]. Esta Directiva contempla la siguiente definición de «bienes» en el artículo 2, punto 5, letra b): «Todo objeto mueble tangible que incorpore contenidos o servicios digitales o esté interconectado con ellos de tal modo que la ausencia de dichos contenidos o servicios digitales impediría que los bienes realizasen sus funciones (en lo sucesivo, «bienes con elementos digitales»). Esta Directiva no es aplicable a los contratos de suministro de contenidos o servicios digitales, a los que se aplica la Directiva (UE) 2019/770. Pero dicha Directiva (UE) 2019/771 sí resulta aplicable a los contenidos o servicios digitales incorporados a los bienes o interconectados con ellos, con independencia de si son suministrados por el vendedor o por un tercero (art. 3.3)[39].

---

[37] Véase, en este sentido, NAVARRO MICHEL, M. "Vehículos...", ob. cit., 2020, págs. 181-182.

[38] Concepto introducido también, por Real Decreto-ley 7/2021, de 27 de abril, de transposición de directivas de la Unión Europea en las materias de competencia, prevención del blanqueo de capitales, entidades de crédito, telecomunicaciones, medidas tributarias, prevención y reparación de daños medioambientales, desplazamiento de trabajadores en la prestación de servicios transnacionales y defensa de los consumidores, (modificándose el art. 59 bis. del TRLGDCU).

[39] Según dispone el Considerando 14 de la Directiva (UE) 2019/771: «Los contenidos digitales que se incorporan a un bien o se interconectan con él pueden consistir en cualesquiera datos que se produzcan y suministren en formato digital, como por ejemplo los sistemas operativos, las aplicaciones y cualquier otro programa informático. Los contenidos digitales pueden estar preinstalados en el momento de la celebración del contrato de compraventa o, cuando así lo estipule el contrato, instalarse posteriormente». Lo importante es que el suministro de un contenido o servicio digital se haga en cumplimiento del contrato de compraventa. En caso de duda, se presume que está comprendido en él (véase art. 3.3 *in fine*). Véase también, HOWELS, G. "Protecting Consumer Values in the Fourth Industrial Revolution", *Journal of Consumer Policy*, vol. 43, núm. 1, 2020, págs. 145-175; pág. 152. En cuanto a los servicios digitales interconectados con un bien, estos pueden ser, según dispone el citado Considerando 14, «servicios que permiten la creación, el tratamiento, la consulta o el almacenamiento de datos en formato digital, o el acceso a ellos, como por ejemplo los programas informáticos como servicio que se ofrece en el entorno de computación en la nube, el suministro continuo de datos de tráfico en un sistema de navegación, o el sumi-

Ambas Directivas han introducido dos nuevos conceptos, —el de «contenido digital» y el referido a «servicio digital»—, los cuales permiten comprender tanto al programa de ordenador tradicional como al que se encuentra en la base de la arquitectura de un sistema de IA[40]. Esto permite, asimismo, comprender tanto al sistema de IA-producto, al sistema de IA-servicio y al sistema de IA-híbrido (producto/servicio)[41].

Así, de acuerdo con la Directiva (UE) 2019/770 (art. 2, puntos 1 y 2) y la Directiva (UE) 2019/771 (art. 2, puntos 6 y 7) el «contenido digital» es definido como: «los datos producidos y suministrados en formato digital» y el «servicio digital» como: «a) un servicio que permite al consumidor crear, tratar, almacenar o consultar datos en formato digital, o b) un servicio que permite compartir datos en formato digital cargados o creados por el consumidor u otros usuarios de ese servicio, o interactuar de cualquier otra forma con dichos datos». En este sentido, como se ha puesto de manifiesto, "contemplados los sistemas de IA como contenido y/o servicio digital se facilita el camino para comprenderlos en el concepto de producto a los efectos de la responsabilidad del fabricante de los mismos"[42]. Para otros autores, dado que el concepto de «bien» en dichas Directivas es más amplio que el concepto de «producto» en la Directiva 85/374/CEE, parece difícil argumentar que los contenidos o servicios digitales deban ser considerados como productos[43].

La Directiva (UE) 2019/771 no se ocupa de la responsabilidad por producto defectuoso. Pero cabe traerla a colación porque contempla los contenidos y servicios digitales, con independencia de si están pre-

---

nistro continuo de planes de entrenamiento adaptados individualmente como en el caso de un reloj de pulsera inteligente».

[40] NAVAS NAVARRO, S. *Daños ocasionados por sistemas de inteligencia artificial. Especial atención a su futura regulación*, Comares, Granada, 2022, pág. 15.

[41] Ibidem, 2022, pág. 15.

[42] Ibidem, 2022, pág. 16.

[43] CABRAL, TS. "Liability and artificial intelligence in the EU: Assessing…", ob. cit., 2020, pág. 619. En este sentido, el autor considera que, para evitar inconsistencias sistemáticas, la noción de «producto» de la Directiva 85/374/CEE debería interpretarse de manera compatible con la noción de «bienes» de las citadas Directivas: Directiva (UE) 2019/770 y Directiva (UE) 2019/771.

instalados o suministrados con posterioridad, y de quién los ofrece, si es el vendedor, el fabricante o un tercero.

En suma, consideramos que el software incorporado a un producto final no ha de quedar excluido del régimen de producto defectuoso, pudiéndose extender este a los defectos del software[44]. El producto que incorpora un software, (sin el que aquel no puede funcionar o no puede hacerlo adecuadamente), entraña la posibilidad de presentar un defecto de seguridad referido, por ejemplo, al diseño del software.

Por otra parte, habría que examinar, en su caso, si el software se configura como un «componente de seguridad de un producto o sistema». Según la definición dada por la AIA, este se define en los siguientes términos: «un componente de un producto o un sistema que cumple una función de seguridad para dicho producto o sistema, o cuyo fallo o defecto de funcionamiento pone en peligro la salud y la seguridad de las personas o los bienes» (art. 3.14)[45].

---

[44] KOCH AB, et. al. "Response of the European Law Institute to the Public Consultation on Civil Liability – Adapting Liability Rules to the Digital Age and Artificial Intelligence", ob. cit., 2022, p. 31. Estos autores consideran, en cuanto a la definición de «producto» de la Directiva 85/374/CEE, que, si bien esta no es expresamente clara en este punto, se asume comúnmente que los productos que, en el momento de su puesta en circulación, incorporan elementos digitales para realizar sus funciones, se hallan dentro del alcance de la definición de producto. En particular, cuando el software operativo está instalado en un dispositivo físico (como un electrodoméstico). En este caso, es claramente un componente cuyos defectos pueden hacer que dicho dispositivo en el que está preinstalado sea defectuoso si por esa razón no cumple con las expectativas de seguridad, según lo dispuesto en el art. 6 de la Directiva.

[45] En este sentido, si se trata de un sistema de IA de alto riesgo, —bien sea como componente de seguridad de uno de los productos contemplados en la legislación de armonización de la Unión que se indica en el anexo II, o es el propio sistema de IA uno de dichos productos—, debe someterse a una evaluación de la conformidad realizada por un organismo independiente para su introducción en el mercado o puesta en servicio (art. 6. 1. b de la AIA). Todo ello tiene relevancia también en lo referente a las autorizaciones regulatorias: por ejemplo, los vehículos y sus componentes están sujetos a las respectivas aprobaciones de seguridad, incluida cualquier alteración importante de su forma original. En este sentido, es posible que, si se necesitara una aprobación regulatoria después de una modificación del software utilizado en el vehículo, dicha modificación equivalga a un nuevo producto. Dependerá de que se trate de una modificación sustancial; esto es, por ejemplo, que se provoque la modificación de la finalidad prevista para la que se ha evaluado al sistema de IA en cuestión. Véase la definición de «modifi-

Por otra parte, el producto que integra un software puede acarrear, asimismo, que este no pueda utilizarse para la finalidad prevista. En este caso, además de un defecto que podría causar daños conforme a las normas sobre responsabilidad por productos defectuosos, existiría, en su caso, una falta de conformidad que abriría la vía a poder reclamar por ella al vendedor del bien.

Asimismo, la definición de «sistema de IA», que incorpora la AIA, subraya la idea de considerar a este como: «el *software* que se desarrolla empleando una o varias de las técnicas y estrategias que figuran en el anexo I y que puede, para un conjunto determinado de objetivos definidos por seres humanos, generar información de salida como contenidos, predicciones, recomendaciones o decisiones que influyen en los entornos con los que interactúan»[46].

En suma, en la AIA la definición de sistema de IA se basa en las principales características funcionales del software, y en particular en su capacidad para generar, a la luz de un conjunto de objetivos definidos por seres humanos, contenidos, predicciones, recomendaciones, decisiones u otra información de salida que influyan en el entorno con el que interactúa el sistema, ya sea en una dimensión física o digital. Asimismo, según hemos señalado, los sistemas de IA pueden diseñarse para operar con distintos niveles de autonomía y utilizarse de forma independiente o como componentes de un producto. Esto con independencia de si el sistema forma parte físicamente de él (integrado) o tienen una funcionalidad en el producto sin formar parte de él (no integrado).

Como recapitulación de estas consideraciones generales, entendemos que resulta necesario precisar mejor el ámbito de aplicación del régimen de la responsabilidad por productos defectuosos, a efectos de

---

cación sustancial» contemplada en el art. 3.23 de la AIA. La remanufacturación que modifique sustancialmente un producto basado en IA puede tener como resultado que se vea afectada su conformidad con los requisitos de seguridad aplicables.

[46]   Véase art. 3.1 AIA. El anexo I señala, las distintas técnicas y estrategias de IA, mencionadas en el art. 3 punto 1. Por ejemplo, las estrategias de aprendizaje automático, incluidos el aprendizaje supervisado, el no supervisado y el realizado por refuerzo, que emplean una amplia variedad de métodos, entre ellos el aprendizaje profundo.

garantizar que haya una indemnización por los daños causados por estos. También cuando, por ejemplo, puedan ser considerados como sistemas de IA de alto riesgo, bien sea por estar destinados a ser utilizados como componentes de seguridad de uno de los productos contemplados en la legislación de armonización de la UE[47], o constituyen en sí mismos uno de dichos productos. Asimismo, dichos productos pueden ser sistemas de IA independientes. Estos sistemas de IA independientes pueden ser considerados también de alto riesgo si, a la luz de su finalidad prevista, presentan un alto riesgo de menoscabar la salud y la seguridad o los derechos fundamentales de las personas, teniendo en cuenta tanto la gravedad del posible perjuicio como la probabilidad de que se produzca[48].

Consideramos que sería perjudicial para el mercado único digital, —y crearía incertidumbre en los fabricantes, comerciantes, vendedores, prestadores de servicios, usuarios y otros operadores del mercado—, tener conceptos incompatibles dentro del mismo marco normativo. Así, entendemos justificada la propuesta de actualizar la Directiva 85/374/CEE. Es preciso, en este sentido, modificar el concepto legal de «producto» de la misma y, por tanto, el artículo 136 del TRLGDCU. Se debe aclarar si los programas informáticos, con independencia de su modo de suministro o uso, y de si están almacenados en un dispositivo físico o se accede a ellos a través de tecnologías en la nube, entran dentro del ámbito de aplicación de la citada Directiva[49].

---

[47]   Véase el anexo II de la AIA, donde se recoge la lista de la legislación de armonización de la Unión. Se contemplan dos secciones: Sección A, en la que se incluye la lista de la legislación de la Unión basada en el nuevo marco legislativo; y la Sección B, que establece la lista de otra legislación de armonización de la Unión.

[48]   Véase el anexo III de la AIA.

[49]   Como ya hemos señalado, algunos autores manifiestan que no está claro si la Directiva 85/374/CEE, con su definición de «producto» cubre asimismo el software de IA no tangible y, especialmente, las tecnologías en la nube. Por otra parte, dicha Directiva solo se aplica a los productos y no a los servicios. Por lo tanto, las empresas que prestan servicios tales como servicios de datos (en tiempo real), acceso a datos, herramientas de análisis de datos, entre otros, no son responsables en virtud de la Directiva de responsabilidad por productos defectuosos, por lo que la legislación nacional (no armonizada) decide si las reglas de responsabilidad (objetiva) desarrolladas para la responsabilidad del producto pueden aplicarse en consecuencia a los servicios. EBERS, M. "Regulating AI and

III. LA DEFINICIÓN DE PRODUCTO EN LA NUEVA PROPUESTA DE DIRECTIVA SOBRE RESPONSABILIDAD POR LOS DAÑOS CAUSADOS POR PRODUCTOS DEFECTUOSOS

Como ha quedado puesto de manifiesto, los productos que actualmente se comercializan en el mercado vienen caracterizados por su complejidad, —al comprender elementos digitales que van actualizándose, modificándose, mejorándose, confundiéndose, a veces, con los servicios (prestados estos también digitalmente)—, por interactuar y comunicarse con otros productos y servicios mediante diferentes sistemas. Todo lo cual, a su vez, genera gran cantidad de datos, los cuales constituyen un bien en sí mismos. Hablamos de productos que, además, pueden emplear sistemas de IA para tomar decisiones. Esta nueva realidad sustenta la necesidad de aclarar, entre otros, el concepto de producto.

En atención al concepto de IA que hemos señalado anteriormente, podemos afirmar que uno de los elementos fundamentales del mismo es el programa informático o software. Este puede concebirse como contenido digital y como servicio digital separadamente o de forma híbrida. En estos casos, como hemos puesto de manifiesto, la línea divisoria entre productos y servicios puede ser borrosa. Los productos que, en su día, fueron utilizados como productos comprados por el consumidor, ahora se suministran no sólo en la nube, sino también como servicios por parte de un proveedor de servicios[50]. Los bienes

---

Robotics. Ethical and Legal Challenges", ob. cit., 2020, págs. 37-99; pág. 58. Como veremos, en la nueva propuesta de Directiva se pretende enmendar esto ampliándose la responsabilidad objetiva a aquellos servicios digitales que están integrados en un producto o interconectados con él de tal manera que la ausencia del servicio impediría al producto desempeñar una o varias de sus funciones. En estos casos, el servicio conexo será considerado *componente* del producto al que está interconectado cuando esté bajo el «control del fabricante» del producto.

[50] BUITEN, M., STREEL, A., PEITZ, M. Report: *EU Liability rules for the age of artificial intelligence*, 2021, pág. 51. Disponible en: https://cerre.eu/publications/eu-liability-rules-age-of-artificial-intelligence-ai/ Como señalan estos autores, donde los consumidores antes compraban un CD, ahora tienen una suscripción a Spotify. Es posible que, a medida que mejoren las capacidades de computación en la nube, más sistemas de IA funcionen también como un modelo de servicio (no sólo los bienes digitales, sino también los físicos). Véase, en este sentido,

digitales han desdibujado la distinción entre productos y servicios. Es posible que resulte cada vez más difícil trazar una línea nítida entre unos y otros para el IoT y sistemas de IA[51].

En este sentido, se considera que la distinción entre productos y servicios estaría menos justificada con respecto a muchos bienes digitales, dado que sus riesgos bien podrían ser los mismos. Sería preciso, por tanto, desarrollar criterios de definición claros. Así, es posible distinguir bienes que contienen un elemento digital (como el software), constituyéndose este como un elemento estático, —esto es, como un elemento digital que es estándar y producido en masa—[52]. Asimismo, cabe la posibilidad de que el contenido digital pueda incorporarse al bien como un elemento dinámico, que se actualiza con frecuencia, que puede interactuar con este, significativamente, hasta el punto de poder afectar a la operatividad del bien. En un número creciente de productos, el dispositivo físico tiene relevancia, pero no tanta como

---

[51] RACHUM-TWAIG, O. "Whose Robot Is It Anyway?: Liability for Artificial-Intelligence-Based Robots". *University of Illinois Law Review*, vol. 4, 2020, págs. 1141-1175; pág. 1172. https://www.illinoislawreview.org/wp-content/uploads/2020/08/Rachum-Twaig.pdf
Véase, en cuanto a las consideraciones que exponen algunos autores sobre el efecto del IoT en materia de consumo: CROOTOF, R. "An Internet of Torts: Expanding Civil Liability tandards to Address Corporate Remote Interference", *Duke Law Journal*, vol. 69, 2019, págs. 583-667. Disponible en: https://scholarship.law.duke.edu/cgi/viewcontent.cgi?referer=&httpsredir=1&article=4002&context=dlj; ELVY, SA. "Hybrid Transactions and the Internet of Things: Goods, Services, or Software?", *Washington and Lee Law Review*, vol. 74, núm. 1, 2017, págs. 77-172.

[52] Piénsese, por ejemplo, en el caso de un software operativo instalado en un dispositivo físico (como una lavadora) que permanece sin cambios y que no se actualiza a través de una conexión a Internet. Dicho software operativo se trataría como un componente y, en este sentido, sería una característica integral del producto. Véase European Law Institute (ELI), TWIGG-FLESNER, C. Guiding Principles for Updating the Product Liability Directive for the Digital Age, *ELI Innovation Paper Series*. 2021, pág. 5. Disponible en: https://europeanlawinstitute.eu/fileadmin/user_upload/p_eli/Publications/ELI_Guiding_Principles_for_Updating_the_PLD_for_the_Digital_Age.pdf; FAIRGRIEVE, D., HOWELLS, g., MØGELVANG-HANSEN, P., et. al. "Product liability directive", ob. cit., 2016, pág. 47, donde los autores señalan esta idea al subrayar que hay casos en los que el software se incorpora a un bien tangible de tal modo que apenas puede distinguirse del bien, —por ejemplo, cuando el software es necesario para el funcionamiento, aunque sea parcialmente, del bien—.

el contenido digital asociado. Además, una vez que dicho contenido requiere conexión a Internet y se actualiza periódicamente, puede no estar claro si un problema con el contenido digital podría tratarse como un problema con el propio dispositivo físico. Así, con el fin de evitar incertidumbres sobre bienes que incorporan contenido digital y aquellos que se basan en contenido digital que se actualiza periódicamente o en la interacción con un servicio digital, debe revisare y ampliarse el concepto de producto para comprender estos supuestos.

En cuanto a los bienes con elementos digitales, planteábamos la cuestión relativa a las posibles actualizaciones, cambios, mejoras que puedan afectar al software o al sistema de IA a lo largo de su ciclo de vida. La naturaleza cambiante que caracteriza a estos productos es importante en relación con diversas cuestiones que afectan a la responsabilidad civil. No sólo en lo referente a la definición de producto, sino también en lo que se refiere, por ejemplo, a las obligaciones *pre* y *post* comercialización del sistema de IA, la causalidad y el momento de su introducción en el mercado o puesta en servicio del sistema de IA.

Así, cuando el contenido digital preinstalado se actualice regularmente, —por lo general, de forma inalámbrica y, por tanto, sin ningún soporte de datos tangible (adicional), se podría argumentar que un fallo en el (ahora actualizado) contenido digital, no constituye un problema relacionado con el propio dispositivo físico en el que se instaló la actualización. Ahora bien, debería eliminarse cualquier duda a este respecto cuando se trate de dispositivos físicos que incorporan contenido digital, especialmente aquellos que dependen de actualizaciones periódicas y/o de la interacción con un servicio digital. Ha de revisarse, por tanto, el concepto de producto y ajustar la Directiva 85/374/CEE a las consecuencias de las actualizaciones posteriores a la introducción en el mercado o puesta en servicio del dispositivo físico[53].

---

[53] Estas consideraciones también van en la línea sugerida de que la definición de «bienes con elementos digitales» del art. 2.5.b de la Directiva (UE) 2019/771 y del art. 2.3 de la Directiva (UE) 2019/770, sirva de referente para ampliar la de «producto» de la Directiva 85/374/CEE, con el fin (ya señalado) de lograr una mejor coordinación entre diferentes medidas en áreas afines. Véase, como reflejo de este enfoque, la definición de producto que contiene la Propuesta de Reglamento de seguridad general de los productos COM(2021) 346 final. El art. 3.1 lo

Por otra parte, el momento en que se instaló el contenido digital ofrecido por el fabricante, —ya sea antes o después de introducir en el mercado o poner en servicio el dispositivo tangible—, debería ser irrelevante con respecto a la responsabilidad del fabricante del dispositivo, siempre que su funcionalidad dependa de este contenido digital. Si el fabricante de un producto inteligente, por ejemplo, requiriese que su usuario descargase e instalase el software de su sitio web antes de que el bien pudiera utilizare como se hubiese informado, el hecho de que dicho software no esté preinstalado no debería dar lugar tampoco a un resultado distinto en cuanto al análisis de la responsabilidad por producto defectuoso. Esto debería tenerse en cuenta a la hora de redefinir la noción de producto, así como las implicaciones del momento en el que el producto (tangible) se introdujo en el mercado o se puso en servicio.

Otra de las cuestiones que podría plantearse es si el fabricante de bienes con elementos digitales ha de ser estrictamente responsable del contenido digital proporcionado por un tercero, en caso de ser dicho contenido esencial para el buen funcionamiento de los bienes. En línea con lo previsto en la Directiva (UE) 2019/771[54], si el software

---

define en los siguientes términos: «todo artículo, interconectado o no con otros artículos, entregado o puesto a disposición, a título oneroso o gratuito, en el transcurso de una actividad comercial, incluso en el contexto de la prestación de un servicio, destinado a los consumidores o que, en condiciones razonablemente previsibles, pueda ser utilizado por los consumidores, aunque no esté destinado a ellos». Véase también la ampliación del concepto de producto previsto en el art. 2.c de la Directiva 2005/29/CE, relativa a las prácticas comerciales desleales, para adecuarlo a los términos propios del mercado digital. Así, después de la reforma operada por la Directiva (UE) 2019/2161 del Parlamento europeo y del Consejo de 27 de noviembre de 2019 por la que se modifica la Directiva 93/13/CEE del Consejo y las Directivas 98/6/CE, 2005/29/CE y 2011/83/UE del Parlamento Europeo y del Consejo, en lo que atañe a la mejora de la aplicación y la modernización de las normas de protección de los consumidores de la Unión, el artículo 2.c se sustituye por el texto siguiente: «c) "producto": cualquier bien o servicio, incluidos los bienes inmuebles, los servicios digitales y el contenido digital, así como los derechos y obligaciones».

54   Véase, en este sentido, el ejemplo de reloj de pulsera inteligente expuesto en el Considerando (15) de la citada Directiva, donde se señala que «el propio reloj sería el bien con elementos digitales, que únicamente puede cumplir sus funciones con una aplicación que se suministra en virtud del contrato de compraventa, pero que el consumidor tiene que descargar en un teléfono inteligente: la aplica-

fuese esencial para utilizar las funciones principales del dispositivo inteligente, y este causara daños en el sentido previsto en la Directiva 85/374/CEE, debido a un fallo en el software, el perjudicado podría demandar al productor del dispositivo inteligente para obtener la reparación de los daños. Este tendría, en su caso, derecho a repetir frente al desarrollador del software[55].

Hemos señalado que uno de los elementos fundamentales del sistema de IA es el software. Este puede concebirse como contenido digital y como servicio separadamente o de forma híbrida. En estos casos, la línea divisoria entre productos y servicios podría no estar clara. En relación con esta cuestión, deberían quedar excluidos los servicios en el sentido del artículo 3.5 de la Directiva (UE) 2019/770; en particular la letra a: «la prestación de *servicios distintos de los servicios digitales*, independientemente de que el empresario haya utilizado formas o medios digitales para obtener el producto del servicio o para entregarlo o transmitirlo al consumidor». Asimismo, deberían quedar excluidos del ámbito de aplicación de la Directiva 85/374/CEE, los servicios en los que el elemento personal (la acción) predomine sobre el elemento material (el resultado)[56]. Deberían abordarse, no obstante, algunos servicios continuos si están vinculados y son necesarios para el funcionamiento del producto, como las actualizaciones periódicas proporcionadas por el fabricante. Esto, asimismo, requeriría

---

ción sería entonces el elemento digital interconectado. Lo anterior debe aplicarse también si el contenido o servicio digital incorporado o interconectado no es suministrado por el propio vendedor, sino por un tercero en virtud del contrato de compraventa».

[55] En la mayoría de los casos, los dos sujetos (el productor del dispositivo y el desarrollador del software) ya estarán vinculados por una relación contractual, por lo que, previsiblemente, la distribución de las posibles pérdidas se hallaría estipulada internamente. KOCH AB, et. al. "Response of the European Law Institute to the...", ob. cit., 2022, p. 33.

[56] La Directiva (UE) 2019/770 se aplica a los contratos que tienen como objeto el suministro de contenidos digitales o de un servicio digital al consumidor. En este sentido, no debe aplicarse en aquellos casos en los que el objeto principal del contrato sea la prestación de servicios profesionales —como, por ejemplo, los de asesoramiento jurídico u otros servicios de asesoramiento profesional que el empresario suele realizar personalmente, independientemente de que este haya utilizado medios digitales para obtener el producto del servicio o para entregarlo o transmitirlo al consumidor—. Véase el Considerando (27) de la Directiva 2019/770.

ciertos ajustes normativos, por ejemplo, en cuanto a las causas de exoneración para el productor, dado que el momento de introducción en el mercado o puesta en servicio del producto no sería, en su caso, relevante para dichas actualizaciones posteriores.

En cuanto al contenido digital en sí mismo considerado, —por ejemplo, el stand-alone-software o el stand-alone-AI system◻, puede calificarse, según hemos señalado anteriormente, como producto[57]. Es posible también que pueda concebirse, en su caso, como un servicio que conlleva un resultado[58]. Asimismo, cabe considerarlo directamente como un servicio digital (el software como servicio, según sus siglas en inglés, SaaS), —en nuestro caso, AI as a service—.

En este caso, si la responsabilidad por los daños causados por productos defectuosos ha de ampliarse para incluir productos digitales como el software, los proveedores del SaaS deberían ser estrictamente

---

[57]   Se ha señalado a este respecto, que las personas adquieren regularmente contenido digital por separado de cualesquiera dispositivos tangibles (tales como aplicaciones instaladas en tablets, o teléfonos inteligentes). Dichos productos puramente digitales también podrían provocar daños. Por esta razón, no sólo resulta importante ampliar la definición de «producto» para incluir productos (tangibles) con elementos digitales, sino también «productos puramente digitales». Desde esta perspectiva se afirma que, restringir dicho concepto para incluir sólo a los primeros daría lugar a incoherencias si el software se reconoce únicamente como un componente, pero no como un producto independiente. KOCH AB, et. al. "Response of the European Law Institute to the...", ob. cit., 2022, p. 34. En opinión de estos autores, la definición de «contenido digital», tal y como está contemplada en la Directiva (UE) 2019/770, es muy amplia, pudiendo cubrir una amplia gama de contenidos. En este sentido, proponen la posibilidad de limitar el alcance de la definición de producto a ciertos tipos de contenido digital, tales como el contenido digital funcional (el software y las aplicaciones funcionales).

[58]   Como se ha puesto de manifiesto, hay un debate acerca de si el contenido digital en sí mismo puede calificarse como un «producto» en el sentido de la Directiva 85/374/CEE. La pregunta es particularmente pertinente para el software «independiente» («stand-alone-software») no integrado, que puede descargarse por separado e incorporarse al hardware existente. Es posible esperar también que el hardware y el software no vengan como un paquete, sino que se compren por separado. Los consumidores también pueden tener la posibilidad de cambiar o modificar el software preinstalado. En este contexto, existe incertidumbre sobre si el software debe ser considerado como un producto o un servicio y si la Directiva 85/374/CEE es finalmente aplicable. BEUC, *Product Liability 2.0. How to make EU rules fit for consumers in the digital age*, p. 13. Ref: BEUC-X-2020-024–07/05/2020.

responsables de los defectos de los mismos, aunque ello no tenga lugar a través de un único acto de suministro, sino que, por ejemplo, abarque una serie de actualizaciones durante, al menos, cierto periodo de tiempo[59]. Funcionalmente, la provisión del SaaS es muy similar a la venta del software con actualizaciones regulares cuando se trata del papel desempeñado por el desarrollador o fabricante de este. Sería difícil explicar por qué el desarrollador o fabricante del software, que se vende a usuarios que reciben actualizaciones periódicas, debería recibir un trato diferente del proveedor del SaaS[60].

Dentro de la definición de «producto» de la Directiva 85/374/CEE cabe preguntarse si deben incluirse los productos «remanufacturados», «renovados» o «reacondicionados» por empresarios. En este sentido, es necesario distinguir entre un producto reparado y uno renovado o reacondicionado. En el caso de una reparación, la persona que recibe el producto suele ser la persona que encargó el proceso de reparación. Así, el producto, una vez reparado, se devuelve a dicha persona, quien puede comparar el estado del producto antes y después de la reparación, y quien, normalmente, podrá iniciar las respectivas acciones contractuales por los fallos en el trabajo de reparación. Sin embargo, un producto renovado o reacondicionado suele venderse, una vez restauradas o reacondicionadas sus funciones y demás cualidades, a un tercero. El restaurador es quien lo distribuye en el transcurso de un negocio. Así, desde la perspectiva del comprador, el restaurador no es diferente del productor de un nuevo producto: se espera que haya habido un control de las características de seguridad

---

[59]   Véase, en este sentido, lo dispuesto en el art. 7.3 de la Directiva (UE) 2019/771 y en el art. 8.2 de la Directiva (UE) 2019/770. Según establece este último: «El empresario velará porque se comuniquen y suministren al consumidor las actualizaciones, incluidas las relativas a la seguridad, que sean necesarias para mantener la conformidad de los contenidos o servicios digitales durante el período: a) en que deban suministrarse los contenidos o servicios digitales con arreglo al contrato, cuando este prevea el suministro continuo durante un período, o b) que el consumidor pueda razonablemente esperar habida cuenta del tipo y la finalidad de los contenidos o servicios digitales, y teniendo en cuenta las circunstancias y la naturaleza del contrato, cuando este establezca un único acto de suministro o una serie de actos de suministro separados».

[60]   KOCH AB, et. al. "Response of the European Law Institute to the...", ob. cit., 2022, p. 35.

del producto antes de autorizar su introducción en el mercado o puesta en servicio[61].

Estas consideraciones tienen relevancia en aras de lograr un reparto equitativo de los riesgos en la economía circular[62]. Así, cuando un operador económico realice una modificación sustancial en el producto, fuera del control del fabricante original, podrá considerarse un producto nuevo y debería ser posible responsabilizar a aquel (fabricante del producto modificado). Pues, dicho operador económico es quien realizó, por ejemplo, un cambio en las funciones originales previstas en el producto o en aquellas que afectan a la conformidad del mismo con el cumplimiento de los requisitos de seguridad aplicables. Esto es, dicho operador económico es responsable de que el producto cumpla los requisitos de seguridad. En estos casos, sí podríamos estar ante una nueva introducción en el mercado del respectivo producto modificado sustancialmente, por lo que el defecto debería contemplarse en relación con ese momento. En este caso, podríamos estar ante un producto «mejorado» que no hace que el anterior existente en el mercado sea considerado defectuoso. Se determina que una modificación es sustancial de acuerdo con los criterios establecidos en la legislación nacional y de la Unión en materia de seguridad de los productos.

Por tanto, desde esta perspectiva se propone tomar en consideración los productos «reacondicionados». Pues, desde el punto de vista del consumidor, pueden no cumplirse con sus legítimas expectativas de seguridad. Esto requiere, asimismo, el correspondiente ajuste nor-

---

[61]   Desde esta perspectiva, se considera que, según cómo se comercialice el producto reacondicionado, pueden aplicarse diferentes expectativas de seguridad (en comparación con el producto original) en el sentido del artículo 6 de la Directiva 85/374/CEE.

[62]   En la transición de una economía lineal a una economía circular, los productos se diseñan para que sean más duraderos, reutilizables, reparables y mejorables. En este sentido, la UE promueve formas innovadoras y sostenibles de producción y consumo que prolonguen la funcionalidad de los productos y componentes, tales como la remanufacturación, el reacondicionamiento y la reparación. Véase Comunicación de la Comisión al Parlamento Europeo, al Consejo, al Comité Económico y Social Europeo y al Comité de las Regiones – Nuevo Plan de acción para la economía circular por una Europa más limpia y más competitiva, COM(2020) 98 final.

mativo con respecto a los posibles sujetos responsables; esto es, será precisa una ampliación del concepto de productor, el cual abarcaría a estos empresarios que realizan modificaciones sustanciales y, posteriormente, introducen el producto modificado sustancialmente en el mercado o lo ponen en servicio[63].

Sin embargo, en cuanto a la posibilidad de considerar al código fuente de los programas informáticos como «producto» a los efectos de aplicar el régimen de responsabilidad de la Directiva 85/374/CEE, consideramos que debería excluirse dicha propuesta, ya que se trata de pura información. Como afirma el Tribunal de Justicia de la UE, la información no puede considerarse un producto defectuoso[64]. En la Propuesta de Directiva el código fuente de los programas informáticos no debe considerarse producto a efectos de la misma.

En definitiva, el software instalado en un dispositivo físico que permanece sin cambios y que no se actualiza a través de una conexión a Internet, puede considerarse como un componente de dicho dispositivo. Ahora bien, en un número creciente de productos, según hemos señalado, el dispositivo físico no sería tan importante como el contenido digital asociado al mismo. Además, una vez que el contenido digital requiriese conexión a Internet y tuviera que actualizarse periódicamente, podría plantear dudas si un problema con el conte-

---

[63]   En la Propuesta de Directiva, estos operadores económicos están contemplados dentro del abanico de sujetos potencialmente responsables de los productos defectuosos, en el art. 7.4.

[64]   TSJE 10 de julio de 2021 C-65/20 vi V Krone. Véase, en este sentido, NAVAS NAVARRO, S. *Daños ocasionados por...*, ob. cit., 2022, p. 85; KOCH AB, et. al. "Response of the European Law Institute to the...", ob. cit., 2022, p. 35; HOWELLS, G., TWIGG-FLESNER, Ch., WILLETT Ch. "Product Liability and Digital Products", in SYNODINOU, TE., JOUGLEUX, P., MARKOU, Ch., PRASTITOU, T. *EU Internet Law. Regulation and Enforcement*, Springer, 2017, págs. 183-195; pág.189. En opinión de ATAZ LÓPEZ, el encaje de los datos en la noción de producto es más discutible. Por otra parte, considera que los datos, en el caso de ser suministrados por una empresa de servicios y ser aquellos malos datos, provocarían, acaso, una aplicación del régimen de la responsabilidad civil por servicios defectuosos. "Pero en las tecnologías de que estamos hablando, parece que la nítida diferencia entre «producto» y «servicio» se desdibuja desde el momento en que el dato se convierte en componente fundamental del producto". ATAZ LÓPEZ, J. Daños causados por las cosas: Una nueva visión a raíz de..., ob. cit., 2020, p. 35.

nido digital ha de ser tratado como un problema con el propio dispositivo físico. En este sentido, con el fin de lograr una mayor claridad con respecto a los bienes que incorporan contenido digital y aquellos otros que se basan en contenido digital actualizado regularmente o en la interacción con un servicio digital, se debería realizar, como hemos señalado, una revisión y ampliación del concepto de producto.

Por otra parte, según hemos visto, las personas pueden adquirir por separado, de cualquier dispositivo tangible, contenido digital o servicios digitales, por ejemplo, en forma de aplicaciones instaladas en tabletas o teléfonos inteligentes[65]. Estos son productos digitales, que también podrían causar daños de maneras no previstas en el momento de adoptarse la Directiva 85/374/CEE. Como hemos señalado, los productos digitales han sido reconocidos como un nuevo tipo de producto en la legislación europea. Una ampliación del concepto permitiría, asimismo, que la Directiva se aplicara al IoT[66]; esto es, a supuestos en los que varios productos están conectados e interactúan

---

[65] Las opiniones sobre la clasificación legal de los contenidos digitales varían. Esto significa que, para algunos autores, no está claro si la Directiva 85/374/CEE se aplica al software que los consumidores compran por separado. En la doctrina es frecuente observar una distinción entre «software estandarizado» («standardised software») y «software hecho a medida» («bespoke software»): el software estandarizado y producido en masa generalmente se considera como «un producto», mientras que el software hecho a la medida se considera como «servicio individualizado». Véase BEUC. Product Liability 2.0 How to make EU rules fit for consumers in the digital age. Ref: BEUX-X-2020-024. 07/05/2020, pág. 12; FAIRGRIEVE, D., et. al., "Product liability directive", ob. cit., 2016, pág. 47; HOWELLS, G., et. al. "Product Liability and Digital Products", ob. cit., 2017, pág. 186.

[66] No solo es importante ampliar la definición de producto para incluir productos (tangibles) con elementos digitales, sino también, como hemos visto, los «productos puramente digitales». Restringirlo a lo primero, según señalamos, daría lugar a incoherencias si el software se reconoce como un componente, pero no como un producto independiente («standalone product»). Desde la llegada de Internet, no es posible considerar, sin derivar en inconsistencias, que el software se considere como un producto si se suministra en USB, pero no cuando se descargue de Internet. Como han señalado acertadamente varios autores, la responsabilidad no debería depender de la forma de distribución. WAGNER, G. 'Robot Liability', in LOHSSE, S., SCHULZE, R., STAUDENMAYER, D. (Eds.), Liability for Artificial Intelligence and the Internet of Things, Nomos Verlag, Baden-Baden, 2019, págs. 27-62; KOCH, B. 'Product Liability 2.0 – Mere Update or New Version?', ob. cit., 2019, pág.102.

entre sí, —por ejemplo, mediante el intercambio de datos que determina, a su vez, cómo funciona cada producto—[67].

Por otra parte, en la UE, determinadas propuestas normativas, —como, por ejemplo, la AIA y, en materia de responsabilidad civil, la Resolución del Parlamento europeo de 20 de octubre de 2020—[68], se realiza una distinción entre sistemas de IA de «alto riesgo» y de «bajo riesgo». Habría que plantearse, en este sentido, si una actualización de la Directiva 85/374/CEE debería, en este sentido, contemplar disposiciones específicas para productos digitales de «alto riesgo» y de «bajo riesgo»[69].

Muchas de las consideraciones expuestas han tenido su reflejo en la reciente Propuesta de Directiva sobre responsabilidad por los daños causados por productos defectuosos. En el Capítulo I, bajo la rúbrica de «Disposiciones generales», se define el objeto y el ámbito

---

[67]   Véase European Law Institute (ELI), TWIGG-FLESNER, C. Guiding Principles for Updating the Product Liability Directive for the Digital Age, ob. cit., 2021, págs. 5 y 6.

[68]   P9_TA(2020)0276. Régimen de responsabilidad civil en materia de inteligencia artificial. Resolución del Parlamento Europeo, de 20 de octubre de 2020, con recomendaciones destinadas a la Comisión sobre un régimen de responsabilidad civil en materia de inteligencia artificial (2020/2014(INL)).

[69]   Para NAVAS NAVARRO, S. no resultaría "nada descabellada esta posibilidad". NAVAS NAVARRO, S. *Daños ocasionados...*, ob. cit. 2022, p. 84. En dicha Resolución del Parlamento europeo, en la que se incluye una Propuesta de Reglamento relativo a la responsabilidad civil por el funcionamiento de los sistemas de IA, esta incluye reglas para los operadores finales y operadores iniciales (y, en el caso de estos últimos, siempre que su responsabilidad no esté ya cubierta por las reglas de responsabilidad contempladas en la Directiva 85/374/CEE). Habrá que observar, en este sentido, si la responsabilidad del productor es capaz de acomodar dos sistemas de responsabilidad con diferenciación (tal y como hace la citada Propuesta de Reglamento) entre sistemas de alto riesgo y otros sistemas de riesgo ordinario. En opinión de algunos autores, no parece justificable imponer una carga mayor al operador que al productor. Desde esta perspectiva, se afirma que el legislador europeo no estableció distinción alguna en el régimen aplicable a los productos en función de su mayor o menor proximidad al público o de la mayor o menor probabilidad de daño grave derivado de los mismos. Se afirma que el impacto de la revolución tecnológica en la producción es la *ratio legis* de la responsabilidad objetiva del productor. Véase, en este sentido, SOUSA ANTUNES, H., "Civil Liability Applicable to Artificial Intelligence: A Preliminary Critique of the European Parliament Resolution of 2020", (December 5, 2020), pág. 8. Sisponible SSRN: http://dx.doi.org/10.2139/ssrn.3743242

de aplicación de la Propuesta, así como los términos utilizados en ella. Adapta, asimismo, la terminología de responsabilidad de los productos al marco de seguridad de los productos de la UE, basando definiciones como las de «fabricante» e «introducción en el mercado» en las definiciones del nuevo marco legislativo creado por la decisión n.º 768/2008/CE[70]. También responde a la realidad de los productos en la era digital. En este sentido, como veremos a continuación, incluye los programas informáticos y los archivos de fabricación digital en la definición de producto. Asimismo, aclara cuándo un servicio conexo debe tratarse como un componente de un producto.

Como señala el Considerando (12) de esta Propuesta de Directiva: «los productos en la era digital pueden ser tangibles o intangibles. Los programas informáticos, como los sistemas operativos, los microprogramas, los programas de ordenador, las aplicaciones o los sistemas de IA, son cada vez más comunes en el mercado y desempeñan un papel cada vez más importante para la seguridad de los productos. Los programas informáticos pueden introducirse en el mercado como productos autónomos y, posteriormente, pueden integrarse en otros productos como componentes, y pueden causar daños por su ejecución. Por consiguiente, en aras de la seguridad jurídica, debe aclararse que los programas informáticos son un producto a efectos de la aplicación de la responsabilidad objetiva, independientemente de su modo de suministro o uso, y, por tanto, con independencia de si el programa informático está almacenado en un dispositivo o se accede a él a través de tecnologías en la nube. Sin embargo, el código fuente de los programas informáticos no debe considerarse un producto a efectos de la presente Directiva, ya que se trata de pura información». En este sentido, se señala también que el desarrollador o productor

---

[70]   Decisión n.º 768/2008/CE del Parlamento Europeo y del Consejo, de 9 de julio de 2008, sobre un marcocomún para la comercialización de los productos y por la que se deroga la Decisión 93/465/CEE del Consejo.

María Jorqui Azofra

de programas informáticos, incluidos los proveedores de sistemas de IA en el sentido de la AIA[71], debe ser tratado como un fabricante[72].

Así, la definición de «producto» que establece la Propuesta de Directiva es la siguiente: «cualquier bien mueble, aun cuando esté incorporado a otro bien mueble o a un bien inmueble; por «producto» se entiende también la electricidad, *los archivos de fabricación digital* y *los programas informáticos*» (el subrayado es nuestro) (art. 4.1).

Hay que precisar que esta Propuesta de Directiva no debe aplicarse a los programas informáticos libres y de código abierto desarrollados o suministrados fuera del transcurso de una actividad comercial. El Considerando (13) de la misma aclara, en este sentido, que, en aras de no obstaculizar la innovación o la investigación, la presente Directiva no debe aplicarse a «los programas informáticos, incluidos su código fuente y sus versiones modificadas, que se comparten abiertamente y son de libre acceso, utilizables, modificables y redistribuibles»[73]. Sin embargo, según se señala en este Considerando: «cuando los progra-

---

[71]   El «Proveedor» en la AIA es definido como: «Toda persona física o jurídica, autoridad pública, agencia u organismo de otra índole que desarrolle un sistema de IA o para el que se haya desarrollado un sistema de IA con vistas a introducirlo en el mercado o ponerlo en servicio con su propio nombre o marca comercial, ya sea de manera remunerada o gratuita» (art. 3.2).

[72]   En la Propuesta de Directiva sobre responsabilidad por los daños causados por productos defectuosos, el «fabricante» es definido en los siguientes términos: «toda persona física o jurídica que desarrolla, fabrica o produce un producto o que manda diseñar o fabricar un producto, o que lo comercializa con su nombre o su marca, o que desarrolla, fabrica o produce un producto para su uso propio» (art. 3.11).

[73]   Por ejemplo, hay robots que son «abiertos» cuando, según señalan algunos autores, reúnen tres características relacionadas: (1) carecen de una función establecida; (2) aceptan software de terceros; (3) son modulares en diseño de hardware. Véase CALO, R. "Open Robotics", *Maryland Law Review*, vol. 70, núm. 3, 2011, págs. 571-613; págs. 573, 583-584. Como señala este autor, en un mundo abierto, los fabricantes no necesariamente podrían invocar la defensa (o la causa de exoneración de responsabilidad) consistente en el mal uso del producto, pues el robot abierto no está diseñado para realizar tareas predeterminadas (págs. 593-597). Entre las ideas que subyacen tras estas consideraciones es posible subrayar que, con el uso de programas informáticos libres y de código abierto desarrollados fuera del transcurso de una actividad comercial, es más fácil que tenga lugar la imprevisibilidad, al no poderse anticipar el universo de problemas potenciales que derivarían de la innovación de terceros.

mas informáticos se suministren a cambio de un precio o los datos personales se utilicen de forma distinta a la de mejorar la seguridad, la compatibilidad o la interoperabilidad del programa informático y, por tanto, se suministren en el transcurso de una actividad comercial, debe aplicarse la Directiva».

Dentro de los programas informáticos también se incluyen los programas informáticos independientes (stand-alone software) que puedan causar daños por sí mismos (como una aplicación de teléfono inteligente para dispositivos médicos). Por otra parte, se hace referencia, dentro del concepto de producto, a los «archivos de fabricación digital». Estos son definidos en la Propuesta de Directiva como: «una versión digital o plantilla digital de un bien mueble» (art. 4.2)

En este sentido, «[l]os archivos de fabricación digital, que contienen la información funcional necesaria para producir un elemento tangible permitiendo el control automatizado de máquinas o herramientas, como taladros, tornos, molinos e impresoras 3D, deben considerarse productos, a fin de garantizar la protección de los consumidores en los casos en que esos archivos sean defectuosos. Para evitar dudas, también debe aclararse que la electricidad es un producto» (art. 4.1).

Asimismo, según hemos señalado, un servicio conexo puede considerarse según la Propuesta de Directiva, como un *componente* de un producto. La definición de «componente» es la siguiente: «cualquier artículo, tangible o intangible, o cualquier servicio conexo, que esté integrado en un producto o interconectado con él por el fabricante de ese producto o que esté bajo su control» (art. 4.3).

Cada vez es más frecuente, como hemos indicado, que los servicios digitales estén integrados o interconectados con un producto de tal modo que la ausencia del servicio impediría al producto desarrollar una o varias de sus funciones, por ejemplo, el suministro continuo de datos de tráfico en un sistema de navegación. Si bien la Directiva no resulta aplicable a los servicios como tales, es necesario ampliar la responsabilidad objetiva a dichos servicios digitales. Pues, éstos son tan esenciales para determinar la seguridad del producto como lo son los componentes físicos o digitales.

La Propuesta de Directiva define el «servicio conexo» como: «un servicio digital que está integrado en un producto o interconectado con él, de tal manera que su ausencia impediría al producto realizar una o varias de sus funciones» (art. 4.4). Hay que precisar que el servicio conexo debe considerarse componente del producto al que está interconectado cuando está bajo el «control del fabricante» del producto; esto es, en el sentido de que es suministrado por el propio fabricante, o de que éste lo recomienda o influye de otro modo en su suministro por parte de un tercero[74].

Dado que las tecnologías digitales permiten a los fabricantes ejercer el control más allá del momento de la introducción del producto en el mercado o de la puesta en servicio, los fabricantes deben seguir siendo responsables de las deficiencias que se produzcan después de ese momento como resultado de programas informáticos o servicios conexos que estén bajo su control, ya sea en forma de updates (actualizaciones) o mejoras (upgrades)[75], o, en su caso, de algoritmos de aprendizaje automático.

IV. CONSIDERACIONES FINALES

La nueva propuesta de Directiva responde a la realidad de los productos en la era digital, incluyendo expresamente los programas informáticos y los archivos de fabricación digital en la definición de producto. Asimismo, incluye los servicios conexos, a los que extiende la responsabilidad objetiva, pues pueden resultar tan determinantes para la seguridad del producto como los componentes físicos o digita-

---

[74] La Propuesta de Directiva define del siguiente modo «control del fabricante»: «autorización por el fabricante de un producto de a) la integración, interconexión o suministro por un tercero de un componente, incluidas actualizaciones o mejoras de programas informáticos, o b) la modificación del producto» (art. 4.5).

[75] Los fabricantes deben ser responsables, en su caso, de los daños causados por la falta de suministro de actualizaciones o mejoras de seguridad de los programas informáticos que sean necesarias para abordar las vulnerabilidades del producto en respuesta a los riesgos de ciberseguridad. Ahora bien, esta responsabilidad no debe aplicarse cuando el suministro o la instalación de dichos programas informáticos escapen al control del fabricante, por ejemplo, cuando el propietario del producto no instale una actualización o mejora suministrada para garantizar o mantener el nivel de seguridad del producto. Tampoco debe aplicarse la responsabilidad al fabricante original del producto cuando se realice una modificación sustancial del mismo y se lleve ésta a cabo fuera del control de dicho fabricante.

les. Se precisa que dichos servicios conexos deben considerarse como componentes del producto al que están interconectados cuando están bajo el control del fabricante del producto, en el sentido de que son suministrados por el propio fabricante o éste los recomienda o influye de otro modo en su suministro por parte de un tercero.

Cuando se adoptó la Directiva 85/375/CEE, era posible identificar un solo momento a partir del cual se consideraba que el producto se ponía en circulación. Dentro del ámbito comunitario se halla consolidada la equiparación entre «puesta en circulación» y «puesta en el mercado»[76]. En el caso de sistemas de IA o de productos con elementos digitales, el seguimiento y actualización continuos, en particular de los elementos digitales, significa que la responsabilidad del productor podría extenderse mucho más allá del momento en que el producto se introdujo en el mercado o se puso en servicio.

En un mercado digital, como hemos señalado, los productos que se fabrican pueden ser no sólo tangibles sino, sobre todo, intangibles. Estos pueden incorporarse a aquellos y además es posible que comprendan servicios digitales. Asimismo, suele ser frecuente que los sistemas de IA y los productos que los incorporan vayan configurándose periódicamente a partir de actualizaciones (*updates*) y mejoras (*upgrades*), lo que hace difícil determinar cuándo el producto se considera puesto en circulación[77].

---

[76]   Según un amplio sector de la doctrina, este concepto legal de «puesta en circulación» se produce en su primera entrega voluntaria por el productor a cualquier intermediario o suministrador, o al usuario o destinatario final (sea o no consumidor), por cualquier título (venta, arrendamiento financiero o cualquier otra forma de distribución). Véase BERCOVITZ RODRÍGUEZ-CANO, R. "El régimen de responsabilidad por productos y servicios defectuosos, vigente en nuestro ordenamiento", en *Estudios de Consumo*, núm. 34, 1995, p. 126; GÓMEZ CALERO, J. *Responsabilidad civil por productos defectuosos*, Dykinson, Madrid, 1996, pp. 62-63; JIMÉNEZ LIÉBANA, D. *Responsabilidad civil: Daños causados por productos defectuosos*, McGrawHill, Madrid, 1998, pp. 247-249.

[77]   "¿Debe considerarse que una actualización del producto forma parte de éste en el momento en que se puso en circulación o en servicio, aunque sea de forma retroactiva? ¿Deben considerarse momentos de puesta en circulación o en servicio diferentes, una para el producto, otra para cada actualización y mejora?". NAVAS NAVARRO, S. Daños..., ob. cit., 2022, pp. 93-94. Véase también WENDEHORST, CH. *Safety and Liability Related Aspects of Software*, European

La terminología utilizada en la nueva propuesta de Directiva, hace referencia al momento de «introducción en el mercado» o de «puesta en servicio»[78], que es, normalmente, el momento en que un producto sale del control del fabricante, mientras que para los distribuidores es el momento en que lo comercializan[79].

Dada la complejidad que caracteriza a los productos digitales, se considera necesario que el momento de introducción en el mercado o puesta en servicio de estos comprenda, en su caso, las actualizaciones posteriores. En este sentido, se señala que, —cuando se trate de actualizaciones del contenido digital preinstalado del producto después de que este se haya introducido en el mercado o puesto en servicio—, no debe considerarse que estas constituyen un nuevo momento de introducción en el mercado o puesta en servicio del producto, si su funcionalidad depende de las mismas[80].

Cuando se trate de actualizaciones de un sistema de IA que no supongan un cambio en la finalidad predeterminada, ni nuevos datos (*inputs*), ni cambios en la forma de usarlo (por ejemplo, cambios que supongan un aumento de la sensibilidad a la hora de determinar un

---

Commission, 2021, pp. 68-69. Disponible en: https://digital-strategy.ec.europa.eu/en/library/study-safety-and-liability-related-aspects-software

[78]   La «introducción en el mercado» es definida como la: «primera comercialización de un producto en el mercado de la Unión» (art. 4. 8). La «puesta en servicio» consiste en: «la primera utilización de un producto en la Unión en el transcurso de una actividad comercial, ya sea a título oneroso o gratuito, en circunstancias en las que el producto no se haya introducido en el mercado antes de su primera utilización» (art. 4. 10).

[79]   La «comercialización» se define en los siguientes términos: «todo suministro, remunerado o gratuito, de un producto para su distribución, consumo o utilización en el mercado de la Unión en el transcurso de una actividad comercial» (art. 4. 9).

[80]   Como indicamos anteriormente, el momento en que se instaló el contenido digital ofrecido por el fabricante, —ya sea antes o después de poner en circulación el dispositivo tangible—, debería ser irrelevante con respecto a la responsabilidad del fabricante del dispositivo, siempre que su funcionalidad dependa de este contenido digital. La Propuesta de Reglamento del Parlamento Europeo y del Consejo relativo a las máquinas y sus partes y accesorios, en el Considerando 30 se establece que: «La evaluación de riesgos también debe contemplar futuras actualizaciones o desarrollos de un software instalado en el producto que estén previstas en el momento de la introducción de este en el mercado».

cáncer a partir de una mínima lesión del tejido") etc.[81], estaremos hablando, en general, de actualizaciones que no tienen que pasar de nuevo el proceso de certificación. Al igual que cuando se trate de modificaciones que impliquen cambios en los *inputs* que usa el algoritmo sin cambiar la finalidad prevista para el sistema (por ejemplo, "añadir nuevos datos que permitan que el programa sea compatible con otros dispositivos")[82]. En estos casos, no existirá una nueva introducción en el mercado o puesta en servicio del sistema de IA. Esto puede implicar que la actualización quede comprendida en el producto que se introduce en el mercado o se pone en servicio o, también, puede suponer la posibilidad de que la actualización posterior forme parte de la obligación de mantenimiento del fabricante, al hacer el seguimiento del producto tras su comercialización. Estas actualizaciones, representativas de cambios menores en el producto, quedan integradas en el deber de cuidado post-comercialización; esto es, en el correspondiente seguimiento del producto que, en su caso, deba hacer el fabricante.

Es posible distinguir entre actualizaciones (*updates*) y mejoras (*upgrades*). Unas y otras no deberían recibir el mismo tratamiento jurídico[83]. Estas últimas son modificaciones que afectan a la finalidad prevista del producto con cambios significativos en torno al uso de este, e implican nueva información añadida por el fabricante respecto del sistema de IA o cambios en la situación o condiciones contempladas[84]. En estos casos hablamos de modificaciones sustanciales que cambian las funciones originales previstas en el producto o que

---

[81]   Véase NAVAS NAVARRO, S., *Daños ocasionados por sistemas…*, ob. cit., 2022, pág. 95.

[82]   Ibidem, 2022, p. 95.

[83]   Según argumenta NAVAS NAVARRO, S., las actualizaciones suponen cambios menores que no necesitan pasar el proceso de conformidad previsto en la norma de que se trate. Mientras que, "en el supuesto de mejoras, se realizan cambios importantes que requieren cumplir con las condiciones pre-comercialización establecidas en las normas hasta alcanzar el certificado de conformidad". Ibidem, 2022, pág. 95.

[84]   NAVAS NAVARRO, S., pone como ejemplos, en este sentido, un programa que estaba destinado a detectar una enfermedad en la población adulta que se amplía a la población pediátrica, o un programa destinado a detectar un tipo de cáncer cuyo uso se expande a la detección de otro tipo de cáncer. La autora señala que se trata de una «modificación sustancial» (definida en art. 3.23 de la AIA). Ibidem, 2022, p. 95. En estos casos hablamos de modificaciones que cambian las

afectan al cumplimiento del producto con los requisitos de seguridad aplicables.

Por tanto, es posible que los productos se modifiquen posteriormente, por medios físicos o digitales, de una manera no prevista por el fabricante y esto puede implicar que dejen de cumplir los requisitos de seguridad correspondientes. En estos casos, dicha modificación se considerará sustancial. En la propuesta de Reglamento del Parlamento Europeo y del Consejo relativo a las máquinas y sus partes y accesorios, —2021/0105 (COD)—, se pone como ejemplo, la posibilidad de que los usuarios puedan cargar en alguno de estos productos software que no haya sido previsto por el fabricante y que pueda generar nuevos riesgos. En este sentido, el Considerando 23 establece que: «A fin de garantizar que las máquinas y sus partes y accesorios cumplan los requisitos esenciales de salud y seguridad pertinentes, debe obligarse a la persona que lleve a cabo la modificación sustancial a realizar una nueva evaluación de la conformidad antes de la introducción del producto modificado en el mercado o de su puesta en servicio. Dicho requisito solo debe aplicarse a la parte modificada del producto, siempre que la modificación no afecte al producto en su conjunto. A fin de evitar cargas innecesarias y desproporcionadas, no debe obligarse a la persona que lleve a cabo la modificación sustancial a repetir ensayos y producir nueva documentación en relación con aspectos del producto que no se hayan visto afectados por la modificación. Debe ser la persona que lleve a cabo la modificación sustancial quien demuestre que dicha modificación no afecta al producto en su conjunto».

En atención a lo expuesto, cuando se trate de mejoras que impliquen iniciar el proceso de conformidad establecido por la normativa correspondiente, sí que podría considerarse como una nueva introducción en el mercado o puesta en servicio del respectivo sistema de IA, por lo que el defecto debería contemplarse en relación con ese momento. En este caso, estaríamos ante un producto «mejorado» que, como he señalado, no hace que el anterior existente en el mercado sea considerado defectuoso. En este sentido, la nueva propuesta de Directiva, dispone, en su artículo 6.2, lo siguiente: «Un producto no se con-

---

funciones originales previstas en el producto o que afectan al cumplimiento del producto con los requisitos de seguridad aplicables.

siderará defectuoso por la única razón de que ya se haya introducido en el mercado o puesto en servicio, o se introduzca en el mercado o se ponga en servicio posteriormente, un producto mejor, incluidas las actualizaciones o mejoras de un producto»[85].

En este sentido, los fabricantes deben quedar exentos de responsabilidad cuando demuestren que es probable que la defectuosidad que causó los daños no existiera en el momento de la introducción en el mercado o puesta en servicio del producto o que aquella se produjo después de ese momento. Sin embargo, dado que las tecnologías digitales permiten a los fabricantes ejercer control más allá de dicho momento, estos deben seguir siendo responsables de las deficiencias que se produzcan después de ese momento como resultado de programas informáticos o servicios conexos que estén bajo su control, ya sea en forma de mejoras o actualizaciones o de algoritmos de aprendizaje automático[86]. Estos programas informáticos o servicios conexos deben considerarse bajo el control del fabricante cuando sean suministrados por él o cuando este los autorice o influya de otro modo en su suministro por un tercero.

Por tanto, el momento en que un producto deja de estar bajo el control del fabricante también es relevante. Así, cuando un producto se modifica sustancialmente fuera del control del fabricante original, se considera un producto nuevo y debe responsabilizarse a la persona que realizó la modificación sustancial como fabricante del producto modificado, cuando con ocasión del defecto se cause un daño y este esté relacionado con la parte del producto afectada por la modifica-

---

[85]   Como señala a este respecto el Considerando (25) de la citada Propuesta de Directiva: «En interés de dar una amplia oferta a los consumidores y con el fin de fomentar la innovación, la existencia o posterior introducción en el mercado de un producto mejor no debe llevar en sí misma a la conclusión de que un producto es defectuoso. Del mismo modo, el suministro de actualizaciones o mejoras de un producto no debe llevar en sí mismo a la conclusión de que una versión anterior del producto es defectuosa».

[86]   En la AIA se establece que: «en el caso de los sistemas de IA que siguen «aprendiendo» después de su introducción en el mercado o puesta en servicio (…), es necesario establecer normas que indiquen que no deben considerarse modificaciones sustanciales los cambios en el algoritmo y en su funcionamiento que hayan sido predeterminados por el proveedor y se hayan evaluado en el momento de la evaluación de la conformidad». Véase, en este sentido, el art. 43. 4 pfo. 2 de la AIA.

ción[87]. Pues, según la legislación pertinente de la Unión, dicho operador económico que realizó la modificación sustancial es responsable de que el producto cumpla los requisitos de seguridad. Así, según dispone el art. 7. 4 de la propuesta de Directiva: «Cualquier persona física o jurídica que modifique un producto que ya haya sido introducido en el mercado o puesto en servicio se considerará fabricante del producto a efectos del apartado 1, cuando la modificación se considere sustancial con arreglo a las normas nacionales o de la Unión aplicables en materia de seguridad de los productos y se lleve a cabo fuera del control del fabricante original». Sin embargo, los operadores económicos que realicen reparaciones u otras operaciones que no impliquen modificaciones sustanciales no deben estar sujetos a la responsabilidad prevista en la presente propuesta de Directiva.

En este sentido, se amplía también el concepto de producto defectuoso en la propuesta de Directiva, considerándose como tal aquel que no ofrece la seguridad que el público en general tiene derecho a esperar, teniendo en cuenta, entre otras, las siguientes circunstancias: «el momento en que el producto fue introducido en el mercado o puesto en servicio o, si el fabricante conserva el control sobre el producto después de ese momento, el momento en que el producto dejó el control del fabricante» (art. 6. 1. e). Asimismo, para reflejar la naturaleza cambiante de los productos en la era digital, se añaden factores tales como la interconexión o las funciones de autoaprendizaje de los productos a la lista no exhaustiva de circunstancias que deben tenerse en cuenta por los tribunales a la hora de evaluar el carácter defectuoso de los nuevos productos inteligentes[88]. Por tanto, con el fin de tener presente la creciente prevalencia de productos interconectados, la evaluación de la seguridad de éstos debe considerar los efectos de otros productos en el propio producto de que se trate. Del mismo modo, ha de tenerse en cuenta el efecto sobre la seguridad de un producto de

---

[87] Dicho operador económico podrá exonerarse de responsabilidad si demuestra que el carácter defectuoso que haya causado el daño está relacionado con una parte del producto no afectada por la modificación.

[88] Por ejemplo: «El efecto en el producto de la posibilidad de seguir aprendiendo después del despliegue» (art. 6. 1. c); «el efecto sobre el producto de otros productos que quepa esperar razonablemente que se utilicen junto con el producto» (Art. 6. 1. d); o «los requisitos de seguridad del producto, incluidos los requisitos de ciberseguridad pertinentes para la seguridad» (art. 6. 1. f).

su capacidad de aprendizaje tras su despliegue, con el fin de reflejar la expectativa legítima de que el programa informático de un producto y los algoritmos subyacentes estén diseñados de manera que se evite un comportamiento peligroso del producto. Y, asimismo, los requisitos de ciberseguridad pertinentes para la seguridad, y las intervenciones de las autoridades reguladoras, como la retirada de los productos, o de los propios operadores económicos, también deben tenerse en cuenta en esa evaluación de la seguridad. Sin embargo, estas intervenciones no deben crear por sí solas una presunción de defectuosidad.

Por otra parte, el abanico de operados económicos que pueden ser considerados responsables de los productos defectuosos se amplía. Se tiene en cuenta la creciente importancia de los productos fabricados fuera de la UE que se introducen en el mercado de la Unión, y se garantiza en la propuesta de Directiva que siempre haya un operador económico en la Unión contra el que pueda presentarse una reclamación de indemnización[89]. Así, con el fin de garantizar que los perjudicados tengan la posibilidad de reclamar una indemnización legalmente exigible cuando un fabricante esté establecido fuera de la UE, es posible exigir responsabilidades al importador del producto y al representante autorizado del fabricante[90]. Asimismo, cuando se trate de prestadores de servicios de tramitación de pedidos a distancia[91], debería ser posible considerarlos responsables; si bien, dada la

---

[89]   En la propuesta de Directiva, la definición de «operador económico» es la siguiente: «el fabricante de un producto o componente, el proveedor de un servicio conexo, el representante autorizado, el importador, el prestador de servicios de tramitación de pedidos a distancia o el distribuidor (art. 4. 16). Las plataformas en línea también entran dentro del abanico de sujetos potencialmente responsables.

[90]   Véase art. 7. 2 de la propuesta de Directiva.

[91]   El «prestador de servicios de tramitación de pedidos a distancia» es definido en la propuesta de Directiva como: «toda persona física o jurídica que ofrezca, en el transcurso de su actividad comercial, al menos dos de los siguientes servicios: almacenar, embalar, dirigir y despachar un producto, sin tener la propiedad del producto en cuestión, con la excepción de los servicios postales, tal como se definen en el artículo 2, apartado 1, de la Directiva 97/67/CE del Parlamento Europeo y del Consejo52, los servicios de paquetería, tal como se definen en el artículo 2, apartado 2, del Reglamento (UE) 2018/644 del Parlamento Europeo y del Consejo53, y cualquier otro servicio postal o servicio de transporte de mercancías» (art. 4. 14). Este operador económico, aunque en ocasiones realice

naturaleza subsidiaria de dicha función, sólo deberían ser responsables cuando no exista ningún importador o representante autorizado establecido en la Unión[92]. En la propuesta de Directiva se prevé que sólo pueda exigirse responsabilidades a los distribuidores cuando no identifiquen con prontitud a un operador económico establecido en la Unión[93].

En dicha propuesta de Directiva también se contempla que las plataformas en línea, cuando desempeñen la función de fabricante, importador o distribuidor con respecto a un producto defectuoso, puedan ser responsables en las mismas condiciones que esos operadores económicos[94]. Ahora bien, cuando las plataformas en línea desempeñen un mero papel de intermediario en la venta de productos entre comerciantes y consumidores, están cubiertas por una exención de responsabilidad condicional en virtud del Reglamento (UE)2022/2065 del Parlamento europeo y del Consejo de 19 de octubre de 2022, relativo a un mercado único de servicios digitales y por el que se modifica la Directiva 2000/31/CE (en adelante, Reglamento de Servicios Digitales). Sin embargo, con el fin de garantizar la protección efectiva de los consumidores que efectúan transacción comerciales intermediadas en línea, determinados prestadores de servicios de alojamiento de datos, en concreto, las plataformas en línea que permiten a los consumidores celebrar contratos a distancia con comerciantes, no deben poder acogerse a la exención de responsabilidad aplicable a los

---

las mismas funciones que los importadores, puede no corresponderse con la definición tradicional de importador en el Derecho de la UE.

[92] Véase art. 7. 3 de la propuesta de Directiva.
[93] Véase art. 7. 5 de la propuesta de Directiva.
[94] Véase art. 7. 6 de la propuesta de Directiva. En el art. 4. 17 se realiza una remisión a la definición de plataforma en línea contemplada en el Reglamento (UE)2022/2065 del Parlamento europeo y del Consejo de 19 de octubre de 2022, relativo a un mercado único de servicios digitales y por el que se modifica la Directiva 2000/31/CE (Reglamento de Servicios Digitales). Así, este Reglamento define la «plataforma en línea» como: «un servicio de alojamiento de datos que, a petición de un destinatario del servicio, almacena y difunde información al público, salvo que esa actividad sea una característica menor y puramente auxiliar de otro servicio o una funcionalidad menor del servicio principal y que no pueda utilizarse sin ese otro servicio por razones objetivas y técnicas, y que la integración de la característica o funcionalidad en el otro servicio no sea un medio para eludir la aplicabilidad del presente Reglamento» (art. 3. i)

prestadores de servicios de alojamiento de datos establecida en dicho Reglamento de Servicios Digitales, en la medida en que dichas plataformas presenten la información pertinente relativa a las transacciones en cuestión de manera que induzca al consumidor medio a creer que dicha información ha sido facilitada por las propias plataformas en línea o por comerciantes que actúan bajo su autoridad o control[95].

Como hemos señalado, en este trabajo han sido examinadas algunas de las principales cuestiones que sirven para comprender por qué el concepto de «producto» de la Directiva 85/374/CEE requiere ser modificado a efectos de responder a la nueva realidad de la era digital. Si bien, como habrá podido vislumbrarse en estas consideraciones finales, el criterio para determinar cuándo un producto es defectuoso también se ve afectado por factores que reflejan la naturaleza

---

[95]   Véase el Considerando 24 del Reglamento de Servicios Digitales, en el que se señala como ejemplo de estas prácticas: «el de una plataforma en línea que no muestre claramente la identidad del comerciante como exige el presente Reglamento, el de una plataforma en línea que no revele la identidad o los datos de contacto del comerciante hasta después de la formalización del contrato celebrado entre el comerciante y el consumidor, o el de una plataforma en línea cuando comercialice el producto o servicio en su propio nombre en lugar de en nombre del comerciante que suministrará el producto o servicio. A este respecto, debe determinarse de manera objetiva, teniendo en cuenta todas las circunstancias pertinentes, si la presentación podría inducir a un consumidor medio a creer que la información en cuestión ha sido proporcionada por la propia plataforma en línea o por comerciantes que actúen bajo su autoridad o control». Véase el art. 6. 3 del Reglamento de Servicios Digitales: «El apartado 1 no se aplicará con respecto a la responsabilidad, en virtud del Derecho en materia de protección de los consumidores, de las plataformas en línea que permitan que los consumidores celebren contratos a distancia con comerciantes, cuando dicha plataforma en línea presente el elemento de información concreto, o haga posible de otro modo la transacción concreta de que se trate, de manera que pueda inducir a un consumidor medio a creer que esa información, o el producto o servicio que sea el objeto de la transacción, se proporcione por la propia plataforma en línea o por un destinatario del servicio que actúe bajo su autoridad o control». Según lo dispuesto en este precepto, cuando las plataformas en línea presenten o permitan de otro modo la transacción específica de esta manera, debería ser posible considerarlas responsables, al igual que a los distribuidores en virtud de la citada propuesta de Directiva sobre responsabilidad por los daños causados por productos defectuosos. Esto es, dichas plataformas sólo serían responsables cuando presenten el producto o permitan de otro modo la transacción específica del modo indicado, y sólo cuando la plataforma en línea no identifique con prontitud a un operador económico pertinente establecido en la Unión.

cambiante de los nuevos productos. Del mismo modo, el abanico de operadores económicos que pueden ser considerados responsables de los productos defectuosos se extiende para adecuarse a las circunstancias propias de la economía digital moderna. Al quedar ampliado el ámbito de aplicación del régimen de responsabilidad por productos defectuosos de la UE, al incluir a los proveedores de programas informáticos, lo operadores económicos que introducen modificaciones sustanciales en los productos, los representantes autorizados y los prestadores de servicios de tramitación de pedidos a distancia..., las personas perjudicadas tendrán más posibilidades de ser indemnizadas por los daños sufridos.

Otras cuestiones que no han sido abordadas en este trabajo pero que requieren siquiera ser mencionadas, se refieren a la necesidad de ampliar el concepto de daño indemnizable. Así, dada la creciente importancia y valor de los activos inmateriales, se contempla en la nueva propuesta de Directiva, la compensación por la pérdida o corrupción de datos que no se utilicen exclusivamente con fines profesionales. En este sentido, la protección de los consumidores exige una indemnización por las pérdidas materiales derivadas no sólo de la muerte o las lesiones corporales, sino también por la pérdida o corrupción de datos. Por otra parte, dado que los bienes se utilizan cada vez más para fines privados y profesionales, también se prevé la indemnización de los daños causados a esos bienes de uso mixto. Sin embargo, los bienes utilizados exclusivamente con fines profesionales siguen quedando excluidos.

Por otra parte, en vista de los retos a los que se enfrentan las personas perjudicadas a la hora de tener que probar el daño que han sufrido, el carácter defectuoso del producto y el nexo de causalidad entre ambos, se han contemplado diversos mecanismos en la nueva propuesta de Directiva con el fin de lograr un equilibrio justo entre los intereses de la industria y los consumidores. Se prevé, en este sentido, que se aligere la carga de la prueba en determinados casos de complejidad técnica o científica. Se señala la posibilidad de facilitar el acceso de los demandantes a las pruebas que vayan a utilizarse en los procedimientos judiciales, garantizando al mismo tiempo que dicho acceso se limite a lo necesario y proporcionado, y que la información confidencial y los secretos comerciales estén protegidos. Asimismo, se prevé que puedan entrar en juego, por ejemplo, las presunciones de hecho como mecanismo para aligerar las dificultades probatorias del demandante, permitiendo al órgano jurisdiccional basar la existencia de un defecto o de un nexo causal en la presencia de otro hecho probado.

Asimismo, se prevé que los operadores económicos tengan derecho a quedar exentos de responsabilidad en determinadas condiciones en las que soportan la carga de la prueba. Dichas exenciones se adaptan en la nueva propuesta de Directiva para tener en cuenta la capacidad de los productos de poder ser modificados después de su introducción en el mercado.

Finalmente, en la nueva propuesta de Directiva se establecen normas de responsabilidad de carácter más general, que se basan en gran medida en las de la actual Directiva 85/374/CEE. Así, por ejemplo, se establece que, si hay dos o más personas responsables, lo son solidariamente. También se establece que si un producto defectuoso causa daños, las acciones contributivas de terceros no reducen la responsabilidad del fabricante[96], mientras que las acciones contributivas de la persona perjudicada pueden hacerlo. Se señala expresamente la responsabilidad de un operador económico no puede excluirse ni limitarse por disposiciones contractuales u otra legislación. Por tanto, no está permitido fijar límites económicos máximos o mínimos para la compensación. El plazo de tres años para iniciar el procedimiento no se modifica con respecto a la Directiva 85/374/CEE. Los operadores económicos son responsables de los productos defectuosos durante un período de diez años tras la introducción del producto en el mercado, si bien se prevé en la propuesta de Directiva que los demandantes puedan disponer de un período adicional de cinco años en los casos en que los síntomas de lesiones corporales tarden en aparecer. Se prevé, entre las «Disposiciones finales», que los Estados miembros publiquen, en un formato electrónico y fácilmente accesible, las re-

---

[96] Es posible que puedan darse situaciones en las que los actos u omisiones de terceros contribuyan además de al carácter defectuoso del producto, a la causa de los daños sufridos. Pensemos en la situación en la que un tercero explote una vulnerabilidad de ciberseguridad del producto. Así, cuando un producto es defectuoso debido, por ejemplo, a una vulnerabilidad que hace que este sea menos seguro de lo que el público en general tiene derecho a esperar, la responsabilidad del operador económico no debe reducirse como consecuencia de tales actos u omisiones. Esto, sin perjuicio, del derecho de repetición que pueda, en su caso, ejercerse. (art. 2.3 b de la Propuesta de Directiva).

soluciones judiciales relativas a la responsabilidad por productos defectuosos para que, en aras de una interpretación armonizada de las normas de responsabilidad por productos defectuosos, otros órganos jurisdiccionales nacionales puedan tener en cuenta estas resoluciones.

V. BIBLIOGRAFÍA

ATAZ LÓPEZ, J. *Daños causados por las cosas: Una nueva visión a raíz de la robótica y de la inteligencia artificial.* Working paper 4/2020.

ATIENZA NAVARRO, ML. *Daños causados por inteligencia artificial y responsabilidad civil*, Atelier, Madrid, 2022.

AZPARREN LUCAS, A. "Comentario al artículo 136", En a AA.VV. *Comentarios a las Normas de Protección de los Consumidores. Texto refundido (RDL 1/2007) y otras leyes y reglamentos vigentes en España y en la Unión Europea*, CÁMARA LAPUENTE, S., (Dir.), Colex, Madrid, 2011.

BERCOVITZ RODRÍGUEZ-CANO, R. "Artículo 6", en BERCOVITZ RODRÍGUEZ-CANO, R. (Coord.), *Comentario del texto refundido de la Ley general para la defensa de los consumidores y usuarios y otras leyes complementarias*, Cizur Menor, Aranzadi, 2015.

— "El régimen de responsabilidad por productos y servicios defectuosos, vigente en nuestro ordenamiento", en *Estudios de Consumo*, núm. 34, 1995.

BUITEN, M., STREEL, A., PEITZ, M. Report: *EU Liability rules for the age of artificial intelligence*, 2021, pág. 51. Disponible en: https://cerre.eu/publications/eu-liability-rules-age-of-artificial-intelligence-ai/

CABRAL, TS. "Liability and artificial intelligence in the EU: Assessing the adequacy of the current Product Liability Directive", *Maastricht Journal of European and Comparative Law*, vol. 27, núm. 5, 2020.

CALO, R. "Open Robotics", *Maryland Law Review*, vol. 70, núm. 3, 2011.

CÁMARA LAPUENTE, S. "Comentario al artículo 6", En a AA.VV. *Comentarios a las Normas de Protección de los Consumidores. Texto refundido (RDL 1/2007) y otras leyes y reglamentos vigentes en España y en la Unión Europea*, CÁMARA LAPUENTE, S., (Dir.), Colex, Madrid, 2011.

CASTELLS i MARQUÈS, M. "Drones recreativos. Normativa aplicable, responsabilidad civil y protección de datos", Revista de Derecho Civil, vol. VI, núm. 1, 2019.

CAUFFMAN, C. "Robo-liability: the European Union in search to the best way to deal with liability for damage caused by artificial intelligence", damage caused by artificial intelligent", *Maastricht Journal of European and Comparative Law*, vol. 25, núm. 5, 2018.

CROOTOF, R. "An Internet of Torts: Expanding Civil Liability tandards to Address Corporate Remote Interference", *Duke Law Journal*, vol. 69, 2019.

ELVY, SA. "Hybrid Transactions and the INTERNET of Things: Goods, Services, or Software?", *Washington and Lee Law Review*, vol. 74, núm. 1, 2017.

ESPINA FERNÁNDEZ, S. "Ámbito de aplicación objetiva del Real Decreto Legislativo 1/2007: bienes y servicios puestos a disposición de los consumidores", *Actualidad Jurídica Aranzadi*, núm. 756, 2008, pág. 1.

European Law Institute (ELI), TWIGG-FLESNER, C. Guiding Principles for Updating the Product Liability Directive for the Digital Age, *ELI Innovation Paper Series*. 2021,

FAIRGRIEVE, D., HOWELLS, G., MØGELVANG-HANSEN, P., STRAETMANS, G., VERHOEVEN, D., MACHNIKOWSKI, P., JANSSEN A., SCHULZE, R. "Product liability directive", in MACHNIKOWSKI, P (Ed.), *European Product Liability*, Intersentia, 2016.

FERNÁNDEZ CARBALLO-CALERO y TORRES PÉREZ, F. "Ámbito de aplicación y derechos básicos de los consumidores y usuarios. Capítulo I. Ámbito de aplicación"; en AAVV *La defensa de los consumidores y usuarios*, REBOLLO PUIG, M., e IZQUIERDO CARRASCO, M., (Dirs.), Iustel, Madrid, 2011.

GÓMEZ CALERO, J. *Responsabilidad civil por productos defectuosos*, Dykinson, Madrid, 1996.

HOWELLS, G., TWIGG-FLESNER, Ch., WILLETT Ch. "Product Liability and Digital Products", in SYNODINOU, TE., JOUGLEUX, P., MARKOU, Ch., PRASTITOU, T. *EU Internet Law. Regulation and Enforcement*, Springer, 2017.

HOWELS, G. "Protecting Consumer Values in the Fourth Industrial Revolution", *Journal of Consumer Policy*, vol. 43, núm. 1, 2020.

JIMÉNEZ LIÉBANA, D. *Responsabilidad civil: Daños causados por productos defectuosos*, McGrawHill, Madrid, 1998.

KOCH, BA, et. al. "Response of the European Law Institute to the Public Consultation on Civil Liability – Adapting Liability Rules to the Digital Age and Artificial Intelligence", *Journal of European Tort Law*, vol .13, num. 1, 2022

KOCH, BA., "Product Liability 2.0 -Mere Update or New Version?, in LOHSSE, S., SCHULZE, R., STAUDENMAYER, D. (Eds.), *Liability for Artificial Intelligence and the Internet of Things*, Nomos Verlag, Baden-Baden, 2019.

LUTTER, C. "Fragen der Produktehaftung im Hinblick auf den Betrieb unbemanter Schiffe", *Recht der Transportwirtschaft*, vol. 5, núm. 8, 2017.

MARTÍN CASALS, M., y SOLÉ FELIU, J. "¿Refundir o legislar? Algunos problemas de la regulación de la responsabilidad por productos y servicios defectuosos en el texto refundido de la LGDCU", *Revista de Derecho Privado*, núm. 92, 2008, págs.79-111.

NAVARRO MICHEL, M. "Vehículos automatizados y responsabilidad por producto defectuoso", *Revista de Derecho Civil*, núm. 5, 2020.

NAVAS NAVARRO, S. "Responsabilidad civil del fabricante y tecnología inteligente". Una mirada al futuro. *Diario La Ley*, núm. 35, 2020.

— "Robot Machines and Civil Liability", in EBERS, M., NAVAS NAVARRO, S (Eds.), *Algorithms and Law*, Cambridge University Press, 2020.

— *Daños ocasionados por sistemas de inteligencia artificial. Especial atención a su futura regulación*, Comares, Granada, 2022.

PARRA LUCÁN, MA. "Artículo 136", en BERCOVITZ RODRÍGUEZ-CANO, R. (Coord.), *Comentario del texto refundido de la Ley general para la defensa de los consumidores y usuarios y otras leyes complementarias*, Cizur Menor, Aranzadi, 2015.

— *La protección del consumidor frente a los daños. Responsabilidad civil del fabricante y del prestador de servicios*, Reus, Madrid, 2011.

RACHUM-TWAIG, O. "Whose Robot Is It Anyway?: Liability for Artificial-Intelligence-Based Robots". *University of Illinois Law Review*, vol. 4, 2020.

ROMEO CASABONA, CM. "Elaboración de perfiles (comentario al artículo 4.4. RGPD)", en TRONCOSO REIGADA, A (Dir.), *Comentario al Reglamento General de Protección de Datos y la Ley Orgánica de protección de los datos personales y garantía de los derechos digitales*, Tomo I, Civitas/Thomson Reuters, Cizur Menor, 2021

RUBÍ PUIG, A. "Retos de la inteligencia artificial y adaptabilidad del Derecho de daños", en CERDILLO i MARTÍNEZ, A., PEGUERA POCH, M., (Coords.), *Retos jurídicos de la inteligencia artificial*, Aranzadi, Cizur Menor, 2020.

SAMOILI, S., LOPEZ COBO, M., GOMEZ GUTIERREZ, E., et. al., AI WATCH. Defining Artificial Intelligence. EUR 30117 EN, Publications Office of the European Union, Luxembourg, 2020, pág. 9. Disponible en: https://publications.jrc.ec.europa.eu/repository/handle/JRC118163

SECHOPOULOS, I., MANN, RM., "Stand-alone artificial intelligence–The future of breast cancer screening?", *Breast*, núm. 49, 2020.

SEUBA TORREBLANCA, JC. "Concepto de producto", *Tratado de responsabilidad civil del fabricante*, SALVADOR CODERCH, P., y GÓMEZ POMAR, F., (Eds.), Thomson/Civitas, Madrid, 2008.

SOUSA ANTUNES, H., "Civil Liability Applicable to Artificial Intelligence: A Preliminary Critique of the European Parliament Resolution of 2020",

(December 5, 2020), pág. 8. Sisponible SSRN: http://dx.doi.org/10.2139/ssrn.3743242

SPINDLER, G. "User Liability and Strict Liability in the Internet of Things and for Robots", in LOHSSE, S., SCHULZE, R., STAUDENMAYER, D. (Eds.), *Liability for Artificial Intelligence and the Internet of Things*, Nomos Verlag, Baden-Baden, 2019.

WAGNER, G. 'Robot Liability', in LOHSSE, S., SCHULZE, R., STAUDENMAYER, D. (Eds.), *Liability for Artificial Intelligence and the Internet of Things*, Nomos Verlag, Baden-Baden, 2019.

— "Produkthaftung für autonome Systeme", *Archiv für die civilistische Praxis*, 217, núm. 6, 2017.

— "Robot liability", Disponible en: https://www.rewi.hu-berlin.de/de/lf/oe/rdt/pub/working-paper-no-2, 2019.

WEBER, R. H. "Liability in the Internet of Things", *Journal of European Consumer and Market Law*, vol. 3, núm. 5, 2017.

WENDEHORST, CH. *Safety and Liability Related Aspects of Software*, European Commission, 2021.

WUYTS, D. "The product liability directive–more than two decades of defective products in Europe", *Journal of European Tort Law*, vol. 5, núm.1, 2014.

ZURITA MARTÍN, I. "Las propuestas de reforma legislativa del Libro Blanco Europeo sobre Inteligencia Artificial en materia de seguridad y responsabilidad civil", *Actualidad Jurídica Iberoamericana*, núm. 14, 2021.

Otros materiales

BEUC. *Product Liability 2.0 How to make EU rules fit for consumers in the digital age*. Ref: BEUX-X-2020-024. 07/05/2020.

Commission Staff Working Document. Liability for emerging digital technologies Accompanying the document Communication from the Commission to the European Parliament, the European Council, the Council, the European Economic and Social Committee and the Committee of the Regions Artificial intelligence for Europe. Liability for emerging digital technologies. (SWD (2018) 137 final).

Communication from the Commission to the European Parliament, the European Council, the Council, the European Economic and Social Committee and the Committee of the Regions on Artificial Intelligence for Europe, Brussels, 25.4.2018 COM (2018) 237 final.

Comunicación de la Comisión al Parlamento Europeo, al Consejo, al Comité Económico y Social Europeo y al Comité de las Regiones – Nuevo Plan de acción para la economía circular por una Europa más limpia y más competitiva, COM(2020) 98 final.

High-Level Expert Group on Artificial Intelligence (AI HLEG). A definition of AI: main capabilities and scientific disciplines, 2019.

Informe de la Comisión al Parlamento Europeo, al Consejo y al Comité Económico y Social Europeo, sobre la aplicación de la Directiva del Consejo relativa a la aproximación de las disposiciones legales, reglamentarias y administrativas de los Estados miembros en materia de responsabilidad por los daños causados por productos defectuosos. COM(2018) 246 final.

Policy Department for Citizens' Rights and Constitutional Affairs Directorate-General for Internal Policies. Artificial Intelligence and Civil Liability. PE 621.926–July 2020.

Report from the Commission to the European Parliament, the Council and the European Economic and Social Committee. Report on the safety and liability implications of Artificial Intelligence, the Internet of Things and robotics. COM(2020) 64 final.

Jurisprudencia

Europea

STJUE de 21 de diciembre de 2011, asunto C-495/10, Centre hospitalier universitaire de Besançon contra Thomas Dutrueux y Caisse primaire d'assurance maladie du Jura.

Nacional

Tribunal Supremo

STS de 13 de enero de 2015. Sentencia núm. 649/2014 de 13 de enero (RJ 2015\612).

Audiencia Provincial

SAP de Barcelona 282/2008 de 8 de mayo (JUR 2008/267387).

Capítulo noveno:
RESPONSABILIDAD CIVIL POR EL SUMINISTRO DE CONTENIDOS Y SERVICIOS DIGITALES

RAQUEL LUQUIN BERGARECHE
Profesora Titular de Derecho Civil
Universidad Pública de Navarra

SUMARIO: I. INTRODUCCION. DIGITALIZACION Y SERVICIOS. II. RESPON-SABILIDAD POR EL SUMINISTRO DE SERVICIOS Y CONTENIDOS DIGITALES: ENCUADRE NORMATIVO. 1. La "Directiva de servicios digitales" y su transposición mediante Real Decreto-Ley 7/2021, de 27 de abril. *1.1. Ámbito de aplicación. 1.2. Precisiones terminológicas. 1.3. Responsabilidad civil contractual derivada de la prestación de servicios digitales: régimen jurídico.* 1.3.1. La Directiva (UE) 2019/770 del Parlamento Europeo y del Consejo de 20 de mayo de 2019 relativa a determinados aspectos de los contratos de suministro de contenidos y servicios digitales ("Directiva de servicios digitales"). 1.3.2. El Real Decreto-Ley 7/2021, de 27 de abril: modificaciones en la normativa relativa al suministro de productos y servicios digitales a consumidores. III. EL REGLAMENTO RELATIVO A UN MERCADO ÚNICO DE SERVICIOS DIGITA-LES O "LEY DE SERVICIOS DIGITALES" (DSA). 1. Marco normativo para el proceso europeo de digitalización. 2. Los servicios de intermediación en línea: intermediación, alojamiento de datos y plataformas en línea. 3. El nuevo régimen de responsabilidad de los prestadores de servicios digitales que actúan como intermediarios. *3.1. Ámbito de aplicación: la "conexión sustancial" del intermediario con la Unión Europea. 3.2. Precisiones terminológicas. 3.3. La exención de responsabilidad horizontal de los prestadores de servicios de la sociedad de la información: los "safe harbours" o puertos seguros. 3.4. Responsabilidad de los intermediarios.* 4. Régimen de responsabilidad de las plataformas en línea. 5. Plataformas en línea de muy gran tamaño: obligaciones adicionales y régimen reforzado. IV. BIBLIOGRAFIA.

I. INTRODUCCION. DIGITALIZACION Y SERVICIOS

La actual sociedad tecnológica compleja, de carácter global, confiere especial valor a la información ("Big Data"), las innovaciones tecnológicas y los avances en el campo de la biotecnología. La digitalización[1] ha pasado a formar parte del acervo de las sociedades avanzadas y, según últimos datos disponibles[2], nuestro país no es excepción a la regla. El término **"digitalización" conduce, por una parte a la conversión** de una información analógica en digital (es decir, numérica y binaria) y, por otra, hace referencia al cambio tecnológico que experimenta el entorno productivo empresarial y, en general, el de las organizaciones, que lleva consigo un nuevo paradigma y cultura organizativa. Digitalizar procesos no es sino automatizar, con base en tecnología que pivota hoy sobre los nuevos desarrollos digitales y de la IA, la manera en que damos solución a necesidades humanas básicas, tales como adquirir alimentos y vestido, comunicarnos, desplazarnos, gestionar la salud o disfrutar del ocio, pero también, entre otras aplicaciones, evaluar la solvencia de consumidores o empresas solicitan-

---

[1]   Proceso acelerado tras la crisis de la COVID19, que ha generado transformaciones de calado en todos los ámbitos: aparición de nuevos actores en el orden socio-económico y en el tráfico jurídico-patrimonial (plataformas online), nuevas categorías de bienes y productos digitales (v.gr, weareables), innovadoras modalidades de contratación ("smart contracts" a través de la tecnología blockchain) y complejos esquemas contractuales que desbordan algunos moldes tipificados que han devenido obsoletos. En el ámbito de la contratación, las transacciones online B2B y B2C han ganado ya terreno frente a los tradicionales contratos de intercambio de bienes y de prestación de servicios.

[2]   El "Índice de Economía y Sociedad Digital" (DESI) clasifica a los países de la UE según su nivel de digitalización y analiza sus avances en cuatro ámbitos: capital humano, conectividad, integración de la tecnología digital y servicios públicos digitales. En el DESI- 2022, elaborado con datos de 2021, España ocupa la séptima posición entre los 27 países miembros de la UE. DESI- 2022 destaca la mejora de los resultados respecto a años anteriores, sobre todo en lo que se refiere a la integración de la tecnología digital (puesto 11°, cinco puestos mejor que en 2021), donde destaca que el porcentaje de PYMES con un nivel básico de intensidad digital y que utilizan las redes sociales es superior a la media de la UE; capital humano (puesto 10° frente al 12 de 2021), en el que obtiene resultados relativamente buenos en habilidades digitales básicas; y en servicios públicos digitales (puesto 5°). Nuestro país ocupa el 5° puesto en la UE en materia de servicios públicos digitales, obteniendo una puntuación de 83,5, por encima de la media de la UE (67,3), valorándose indicadores como el número de usuarios de la administración electrónica, formularios precumplimentados, servicios públicos digitales para los ciudadanos, empresas y datos abiertos. Puede consultarse en el enlace https://administracionelectronica.gob.es/pae_Home/pae_OBSAE/Posicionamiento-Internacional/Comision_Europea_OBSAE/Indice-de-Economia-y-Sociedad-Digital-DESI-.html

tes de crédito, analizar la viabilidad futura de negocios o abordar la gestión de los conflictos.

A nivel normativo, son dos las normas comunitarias que, el pasado mes de abril de 2021, han sido objeto de transposición al ordenamiento español: se trata de las Directivas (UE) 2019/770 del Parlamento Europeo y del Consejo de 20 de mayo de 2019 relativa a determinados aspectos de los contratos de suministro de contenidos y servicios digitales ("Directiva de servicios digitales") y la Directiva (UE) 2019/771 del Parlamento Europeo y del Consejo de 20 de mayo de 2019, relativa a determinados aspectos de los contratos de compraventa de bienes ("Directiva sobre compraventa de bienes"). Por ello, el Título VIII del Real Decreto-ley 7/2021, de 27 de abril[3] lleva por título "Transposición de directivas de la Unión Europea en materia de contratos de compraventa de bienes y de suministro de contenidos o servicios digitales".

Las innovaciones tecnológicas se suceden a gran velocidad, lo que impulsa la necesidad de cambios normativos: nuevos e innovadores servicios digitales han trasformado la vida cotidiana de los ciudadanos de la UE desde que entrara en vigor, hace ya más de dos décadas, la Directiva 2000/31/CE de comercio electrónico[4], habiéndose modificado sustancialmente la forma de comunicarse, consumir y hacer negocios. A pesar de que las normas comunitarias en esta materia han sido interpretadas por el TJUE a fin de garantizar una armonización efectiva en el conjunto de la Unión y evitar la fragmentación jurídica, el legislador comunitario se ha decantado por "compilar" un conjunto normativo complejo, fragmentado y disperso en un único instrumento normativo de aplicación directa en todo los estados miembros.

En este sentido, el recientemente publicado en el DOUE (27 de octubre 2022) Reglamento (UE) 2022/2065 del Parlamento Europeo y del Consejo de 19 de octubre de 2022 relativo a un mercado único de servicios digitales y por el que se modifica la Directiva 2000/31/CE

---

3   https://www.boe.es/diario_boe/txt.php?id=BOE-A-2021-6872

4   Directiva 2000/31/CE del Parlamento Europeo y del Consejo de 8 de junio de 2000 relativa a determinados aspectos jurídicos de los servicios de la sociedad de la información, en particular el comercio electrónico en el mercado interior (Directiva sobre el comercio electrónico)https://www.boe.es/doue/2000/178/L00001-00016.pdf

("Reglamento de Servicios Digitales" o DSA)[5] pretende ir más allá[6]: las indudables funcionalidades de los servicios digitales no ocultan que los mismos se han convertido en fuente de riesgos tanto para la sociedad en su conjunto como para las personas que hacen uso de ellos. En su Comunicación "Shaping Europe's Digital Future" ("Configurar el futuro digital de Europa"), la Comisión Europea se comprometió a actualizar las normas horizontales que definen la responsabilidad[7] y

---

[5]   Tras la adopción por el PE en el pasado mes de julio de 2022 del conocido como "paquete de servicios digitales" o "Digital Services Act Package" que comprende la denominada "Ley de Servicios Digitales" (en adelante, DSA) y la "Ley de Mercados Digitales" (DMA), ambos textos deben ser adoptados por el Consejo de la UE, tras lo cual serán firmadas por los Presidentes de ambas instituciones y publicadas en el DOUE, entrando en vigor 20 días desde su publicación. Sobre la base de los principios establecidos en la Directiva sobre el comercio electrónico, la DSA se propone como objetivos garantizar las mejores condiciones para la prestación de servicios digitales innovadores en el mercado interior de la UE, contribuir a la seguridad en línea y a la protección de los derechos fundamentales y establecer una estructura de gobernanza robusta y duradera para la supervisión efectiva de los prestadores de servicios intermediarios.

[6]   https://www.boe.es/doue/2022/277/L.00001-00102.pdf

[7]   Este trabajo se centra en los perfiles de la responsabilidad por el suministro de contenidos y servicios digitales. Con carácter más amplio podría hablarse de una redefinición de los perfiles de daños indemnizables en el ámbito de la responsabilidad extracontractual (vehículos de conducción autómata, desarrollos de Inteligencia Artificial), que enfrenta al jurista actual a nuevos e interesantes desafíos. Robotización de procesos, Internet de las cosas, Big Data, *Cloud Computing*, *Fintech*, tecnologías *blockchain*…son fenómenos recientes que abren nuevos escenarios y demandan innovadores planteamientos en todas las áreas del ordenamiento jurídico. Tareas como conducir un vehículo, elaborar un menú alimenticio, prestar ayuda y asistencia a personas dependientes o efectuar una intervención de neurocirugía son actividades que, hace solo unas décadas se nos habrían antojado prestaciones de ejecución imposible por mano que no fuere humana: hoy día, se realizan ya por máquinas robotizadas que funcionan como sistemas autorregulados complejos regidos por reglas propias. Mención aparte merece un análisis de los posibles daños, patrimoniales y personales, generados en el marco del nuevo paradigma de la Salud Digital (e-Health), basado en una nueva forma de concebir las relaciones entre médico y paciente que confiere un nuevo protagonismo activo al paciente digital, incrementando no sólo su autonomía sino las exigencias de autorresponsabilidad (piénsese en la medición y registro de sus propias variables –presión arterial, niveles glucémicos, etc.- en dispositivos electrónicos de última generación. LUQUIN BERGARECHE, R. "Capítulo 6. Prestación de Servicios de Salud Digital: Algunas Reflexiones desde el Derecho Civil", en El impacto de la inteligencia artificial en la teoría y la prác-

obligaciones de los prestadores de servicios digitales, y especialmente de las denominadas "plataformas en línea".

La norma determina el régimen de responsabilidad de los prestadores de servicios intermediarios, especialmente plataformas en línea como los mercados y las redes sociales, determinando la imposición de obligaciones de "diligencia debida" para determinados intermediarios (concepto jurídico indeterminado que, como veremos, no está exento de problemas a la hora de su concreción práctica), incluyendo procedimientos de notificación y acción en relación con los contenidos ilícitos y la posibilidad de impugnar las decisiones de moderación de contenidos de las plataformas. Además, se imponen a determinadas plataformas[8] las obligaciones de recibir, conservar y, sólo en parte, verificar y publicar información, lo cual se considera que garantizará un entorno en línea más seguro y transparente para los consumidores de la Unión.

La norma configura el régimen de responsabilidad para los prestadores de servicios intermediarios estipuladas en la Directiva 2000/31/CE de 8 de junio de 2000 sobre el Comercio Electrónico[9], consolidada como fundamento de la economía digital y esencial para la protección de los derechos fundamentales de las personas en la prestación de servicios en línea[10].

---

tica jurídica (Solar Cayón, J.I. y Sánchez Martínez, Mª.O., Madrid, julio 2022, pp. 167 a 194.

[8] Según su Exposición de Motivos, en reconocimiento del especial impacto que en la economía y sociedad representan las plataformas de mayor tamaño, que tienen un importante alcance en la UE estimado actualmente en más de cuarenta y cinco millones de destinatarios se establece para ellas un nivel más alto de transparencia y rendición de cuentas, que afecta a los procedimientos de moderación de contenidos utilizados por los prestadores, a la publicidad y a los procesos algorítmicos que utilizan: es por ello que se imponen obligaciones de evaluación de los riesgos de sus sistemas, con el fin de proteger la integridad de sus servicios frente al eventual empleo de técnicas de manipulación de las personas.

[9] Directiva 2000/31/CE del Parlamento Europeo y del Consejo, de 8 de junio de 2000, relativa a determinados aspectos jurídicos de los servicios de la sociedad de la información, en particular el comercio electrónico en el mercado interior ("Directiva sobre el comercio electrónico").https://www.boe.es/buscar/doc.php?id=DOUE-L-2000-81295

[10] Se ha pretendido por el legislador aclarar algunos de sus aspectos a fin de eliminar factores que desincentivan las investigaciones voluntarias realizadas por los

En definitiva, entiende el legislador que un mercado único más profundo y sin fronteras para los servicios digitales requiere una mayor cooperación para garantizar la eficacia en la supervisión y ejecución de las nuevas normas, determinando responsabilidades claras para los estados, encargados de supervisar el cumplimiento de las obligaciones que incumben a los prestadores de servicios radicados en su territorio, contemplando incluso medidas de supervisión y ejecución para el caso de que aparezcan los denominados riesgos sistémicos[11].

Con respecto al marco "horizontal" de la exención de responsabilidad para los prestadores de servicios intermediarios, se suprimen los arts. 12 a 15 de la Directiva sobre el comercio electrónico, que se reproducen en la nueva norma manteniendo las exenciones de responsabilidad de dichos prestadores, según la interpretación realizada en este sentido por el TJUE.

El primer marco normativo europeo sobre Inteligencia Artificial está representado, sobre la base de documentos como el Libro Blanco IA (COM/2020/65), por la Propuesta de Reglamento UE por el que se establecen normas armonizadas en materia de Inteligencia Artificial y se modifican determinados actos legislativos de la Unión, de 1 de abril

---

intermediarios para garantizar la seguridad de sus usuarios y clarificar su rol desde la perspectiva de los consumidores en determinadas circunstancias, ayudando a los prestadores innovadores de menor tamaño a ampliar su escala gracias a la consecución de mayores niveles de seguridad jurídica.

[11]   En función del régimen jurídico de cada estado y el ámbito jurídico que se trate, las autoridades judiciales o administrativas nacionales pueden ordenar a los intermediarios que actúen contra determinados contenidos ilícitos. Estas órdenes, especialmente cuando requieran que el prestador impida la reaparición de contenidos ilícitos, deben dictarse en cumplimiento del derecho comunitario, especialmente con la prohibición de imponer obligaciones generales de supervisión, según la interpretación del TJUE. Se pretende asimismo el desarrollo de tecnologías sólidas que impidan la reaparición de información ilícita, acompañadas de las salvaguardias más estrictas para evitar que se retiren contenidos lícitos por error: estas herramientas podrían desarrollarse en virtud de acuerdos voluntarios entre todas las partes afectadas con el apoyo de los estados miembros. Interesa a todas las partes implicadas en la prestación de servicios intermediarios adoptar y aplicar tales procedimientos y las disposiciones del Reglamento en materia de responsabilidad no deberían impedir el desarrollo y el uso efectivo, por las distintas partes interesadas, de sistemas técnicos de protección e identificación y de reconocimiento automático gracias a la tecnología digital dentro de los límites establecidos por el Reglamento 2016/679.

de 2021[12], al que se acompaña la "Propuesta de regulación sobre Maquinaria y Robots": esta normativa pretende aunar una perspectiva realista de reconocimiento del avance tecnológico que representa la introducción del algoritmo; con un enfoque garantista en la protección de los derechos fundamentales de las personas (v.gr prohibición del reconocimiento facial como modo de identificación de las personas en determinadas circunstancias).

A la fecha de este trabajo, el Parlamento Europeo trabaja en la Propuesta de la Comisión, presentada el 21 de abril de 2021, para que la UE se convierta en el centro mundial de una Inteligencia Artificial[13] generadora de confianza[14]. Para analizar el impacto futuro de la IA en la Unión y en preparación a la propuesta legislativa de la Comisión, cuenta con una comisión especial sobre IA. El Informe final[15] de tal grupo de trabajo[16] incluye una propuesta de hoja de ruta europea en este campo: se trata de un enfoque integral para una posición común a largo plazo que subraya los valores y los objetivos clave relaciona-

---

[12]   https://eur-lex.europa.eu/resource.html?uri=cellar:e0649735-a372-11eb-9585-01aa75ed71a1.0008.02/DOC_1&format=PDF

[13]   Tema relacionado con el que se aborda, pero que excede, por su singularidad y complejidad, de los límites de este trabajo, es el de la responsabilidad civil por el uso de la Inteligencia Artificial, que requiere un estudio específico. Vid. "Estudio sobre Oportunidades de la Inteligencia Artificial" ("Opportunities of Artificial Intelligence"), de 15-06-2020, EAGER, J. WHITTLE, M. SMIT, J., CACCIA-GUERRA, G. LALE-DEMOZ, E. https://www.europarl.europa.eu/thinktank/es/document/IPOL_STU(2020)652713

[14]   Sobre esta materia, vid. EBERS, M: "The European Commission's Proposal for an Artificial Intelligence Act—A Critical Assessment by Members of the Robotics and AI Law Society (RAILS)", Hoch, Rosenkranz, Ruschemeier, Steinrötter, Ebers. Journal "J" 2021, 4, pp. 589–603, disponible en https://doi.org/10.3390/j4040043 y ALVAREZ OLALLA, P. "Propuesta de Reglamento en materia de responsabilidad civil por el uso de Inteligencia Artificial", Revista CESCO de Derecho de Consumo, n° 28, 2021. Más recientemente, véase el exhaustivo trabajo de NAVAS NAVARRO, S. "Daños ocasionados por sistemas de Inteligencia Artificial", Ed. Comares, 2022.

[15]   https://www.europarl.europa.eu/committees/es/aida/home/highlights

[16]   La consecución de los objetivos que se pretenden es harto delicada en el actual marco global de desarrollo tecnológico competitivo liderado por el gigante asiático (China) y los Estados Unidos de América: no interesando quedar rezagado, tampoco se considera admisible que ello sea a cualquier precio y sin delimitación de los necesarios límites. https://www.europarl.europa.eu/cmsdata/246872/A9-0088_2022_EN.pdf

dos con la IA que erige a las personas en el centro de la propuesta. En este ámbito de la responsabilidad civil, determinar quién es el responsable[17] del daño causado por un servicio o dispositivo que aplica IA implica un gran desafío[18]: si el productor estuviera libre de responsabilidad, podría no haber ningún incentivo para ofrecer un buen producto o servicio y se dañaría la confianza de los ciudadanos en la tecnología. En el otro extremo, regulaciones demasiados estrictas supondrían "de facto" un freno a la innovación. De este modo, el objetivo regulatorio[19] no puede ser otro que la generación de confianza a través de la provisión de normas que, incorporando el necesario nivel de protección a los ciudadanos, garanticen a la vez a las empresas la seguridad jurídica que precisan a la hora de poner en marcha nuevos desarrollos en este ámbito.

II. RESPONSABILIDAD CIVIL POR EL SUMINISTRO DE SERVICIOS DIGITALES: ENCUADRE NORMATIVO.

1. La *"Directiva de servicios digitales"* y su transposición mediante *Real Decreto-Ley 7/2021, de 27 de abril*.

La Directiva (UE) 2019/770, de 20 de mayo de 2019 incluye en su ámbito de aplicación a los contratos en los que el empresario suminis-

---

[17]   V.gr, en un accidente que implica a un coche de conducción autónoma ¿quién debe responder de los daños ocasionados: el propietario, el fabricante del vehículo o el programador…?.

[18]   En definitiva, como dan cuenta los expertos comunitarios, los resultados de la IA dependen de su uso y de los datos utilizados. Dejando de un lado los peligros para la democracia y los derechos fundamentales de las personas, en el ámbito privado las posibilidades de la IA introducen la posibilidad de sesgar (intencionalmente o no) tanto el diseño como los mismos datos. Es también un peligro utilizar la inteligencia artificial para adoptar decisiones influenciadas por la etnia, el sexo o la edad incluidos en los datos al contratar o despedir a una persona u ofrecer préstamos. La IA también implica la posibilidad de generar riesgos para la privacidad y la protección de datos (piénsese en el reconocimiento facial, la geolocalización o la creación de perfiles personales), además de fusionar información que una persona ha proporcionado con datos nuevos, generando resultados ni previstos ni esperados.

[19]   https://oeil.secure.europarl.europa.eu/oeil/popups/ficheprocedure.do?lang=en& reference=2020/2014(INL)

tra o se compromete a suministrar contenidos o servicios digitales al consumidor a cambio de que este facilite o se comprometa a facilitar sus datos personales. Modalidad cada vez más habitual en nuestros días: la información que se contiene en el dato y en el meta-dato es un valioso activo que confiere poder o capacidad de influencia de distinto orden derivada de su utilización para distintas finalidades (comerciales o de otro tipo), pudiendo incluso, con ayuda de la IA, configurar futuros comportamientos y líneas de acción de los usuarios.

Pese al cambio experimentado por el perfil de usuario de servicios digitales, cada vez más competente y proactivo, en el marco de un mercado digital complejo, global e interconectado que ofrece servicios en masa en una relación jurídica de profunda asimetría negocial, deben preverse a nivel legislativo principios y normas que establezcan ciertos límites a los desarrollos tecnológicos desde una posición humanista que pone en su centro la dignidad de la persona y los derechos que le son inherentes. Es por ello que debe tenerse en cuenta, entre otros derechos de la personalidad, la protección de datos personales como derecho fundamental, que impide considerarlos como mercancía, debiendo su tratamiento cumplir escrupulosamente el régimen de obligaciones que dimanan del RGPDP.

Como dice la Exposición de Motivos del Real Decreto-Ley 7/2021, de 27 de abril, ambas Directivas (UE) 770/2019 y 771/2019 han supuesto una evolución de gran calado en la normativa de consumo en aquellos aspectos relacionados con la compraventa de bienes y los contratos de suministro de contenidos y servicios digitales. Se trata de negocios jurídicos contractuales a cuyas particularidades la normativa de consumo aún no se ha adaptado contenidos o servicios que se suministran, como decimos, no sólo cuando el consumidor o usuario paga un precio por ellos sino también cuando, no satisfaciéndose precio en sentido estricto (en dinero), la contraprestación o retribución consiste en los datos personales que, en un "*do ut des*" recíproco, se facilitan por el usuario al empresario[20].

---

[20]   Se añade por el núm. dos un apdo. 4 al art. 59, según el cual «4. El ámbito de aplicación (...) también abarcará los contratos en virtud de los cuales el empresario suministra o se compromete a suministrar contenidos o servicios digitales al consumidor o usuario y este facilita o se compromete a facilitar datos personales, salvo cuando los datos personales facilitados por el consumidor o usuario sean

Estos contratos no disponen en la actualidad de regulación específica, pues la consideración tradicional del negocio jurídico contractual, hoy en proceso de revisión, no contemplaba estos supuestos. La necesidad de contar con un marco jurídico estable y armonizado a nivel de la UE y la necesidad de ofrecer a los consumidores o usuarios una protección integral en sus distintas formas de contratación son objetivos que justifican sobradamente la necesidad de regular este vacío normativo.

1.1. Ámbito normativo.

El Artículo Decimosexto, ubicado dentro del Título VIII del Real Decreto-ley 7/2021, de 27 de abril, lleva por título "Transposición de Directivas de la Unión Europea en materia de contratos de compraventa de bienes y de suministro de contenidos o servicios digitales" y modifica algunos preceptos del TRLGDCU aprobado por el Real Decreto Legislativo 1/2007, de 16 de noviembre.

Tal y como se ha apuntado, el suministro de contenidos o servicios digitales frecuentemente tiene como contraprestación la cesión de datos personales del consumidor o usuario. En lo que se refiere a su ámbito de aplicación, el artículo Dos añade un apdo. 4 al art. 59 TRLGDCU, según el cual, la norma « (…) también abarcará los contratos en virtud de los cuales el empresario suministra o se compromete a suministrar contenidos o servicios digitales[21] al consumidor o

---

tratados exclusivamente por el empresario con el fin de suministrar los contenidos o servicios digitales objeto de un contrato de compraventa o de servicios o para permitir que el empresario cumpla los requisitos legales a los que está sujeto, y el empresario no trate esos datos para ningún otro fin.»

[21]   "Contenido digital" comprende todos los datos producidos y suministrados en formato digital. El "Entorno digital" abarca el aparato (hardware), programa (software) y cualquier conexión a la red que el consumidor y usuario utilice para acceder a los contenidos o servicios digitales o para hacer uso de ellos (letra j) mientras que "Soporte duradero" es todo instrumento que permita al consumidor o usuario y al empresario almacenar información que se le haya dirigido personalmente de forma que en el futuro pueda consultarla durante un período de tiempo acorde con los fines de dicha información y que permita su fiel reproducción. Entre otros, tiene la consideración de soporte duradero, el papel, las memorias USB, los CD-ROM, los DVD, las tarjetas de memoria o los discos duros de ordenador, los correos electrónicos, así como los mensajes SMS (letra q).

usuario y este facilita o se compromete a facilitar datos personales[22], salvo cuando los datos personales facilitados por el consumidor o usuario sean tratados exclusivamente por el empresario con el fin de suministrar los contenidos[23] o servicios digitales objeto de un contrato de compraventa o de servicios o para permitir que el empresario cumpla los requisitos legales a los que está sujeto, y el empresario no trate esos datos para ningún otro fin».

1.2. Precisiones terminológicas.

El núm. 1 del art. 59 bis establece una serie de definiciones que a, nuestro juicio, pueden resultar útiles a un operador jurídico frecuentemente lego en aspectos tecnológicos: ello le permite establecer una guía de conceptos básicos en un ámbito técnico realmente complejo[24]

---

[22] Los "datos personales" comprenden "toda información sobre una persona física identificada o identificable, considerándose así toda persona cuya identidad pueda determinarse, directa o indirectamente, en particular mediante un identificador, como por ejemplo un nombre, un número de identificación, datos de localización, un identificador en línea o uno o varios elementos propios de la identidad física, fisiológica, genética, psíquica, económica, cultural o social de dicha persona" (letra h).

[23] "Contenido digital" son los datos producidos y suministrados en formato digital (letra d) y los "Bienes con elementos digitales" se definen como todo objeto mueble tangible que incorpore contenidos o servicios digitales o esté interconectado con ellos de tal modo que la ausencia de dichos contenidos o servicios digitales impediría que los bienes realizasen sus funciones.

[24] La norma define lo que debe entenderse por funcionalidad, compatibilidad, durabilidad, integración e interoperabilidad de los bienes o contenidos o servicios digitales. "Funcionalidad": la capacidad de los contenidos o servicios digitales de realizar sus funciones teniendo en cuenta su finalidad. "Compatibilidad" es la capacidad de los bienes de funcionar con los aparatos (hardware) o programas (software) con los cuales se utilizan normalmente los bienes del mismo tipo, sin necesidad de convertir los bienes, aparatos (hardware) o programas (software), así como la capacidad de los contenidos o servicios digitales de funcionar con los aparatos (hardware) o programas (software) con los cuales se utilizan normalmente los contenidos o servicios digitales del mismo tipo, sin necesidad de convertir los contenidos o servicios digitales. "Durabilidad", la capacidad de mantener sus funciones y rendimiento requeridos en condiciones normales de utilización durante el tiempo que sea razonable en función del tipo de bien. La "Integración" se define como la conexión e incorporación de los contenidos o servicios digitales con los componentes del entorno digital del consumidor o usuario para que los contenidos o servicios digitales se utilicen con arreglo a los

y, sujeto a continuas variaciones. En este sentido, se dispone en el núm. dos que "2. A los efectos de este libro, título I, capítulo I, art. s 66 bis y 66 ter, y de los títulos III y IV, se consideran:

A) "Bienes": las cosas muebles corporales. El agua, el gas y la electricidad se considerarán "bienes" cuando estén envasados para su comercialización en un volumen delimitado o en cantidades determinadas.»

B) "Servicio digital": "aquel que permite al consumidor o usuario crear, tratar, almacenar o consultar datos en formato digital, o un servicio que permite compartir datos en formato digital cargados o creados por el consumidor u otros usuarios de ese servicio, o interactuar de cualquier otra forma con dichos datos".

C) "Contrato de servicios": todo contrato (con excepción del contrato de venta o compraventa[25]) celebrado en el ámbito de una relación de consumo, en virtud del cual el empresario presta o se compromete a prestar un servicio al consumidor o usuario, incluido aquel de carácter digital (letra g).[26].

D) "Servicio digital": aquel que "permite al consumidor o usuario crear, tratar, almacenar o consultar datos en formato digital, o un servicio que permite compartir datos en formato digital cargados o creados por el consumidor u otros usuarios de ese servicio, o interactuar de cualquier otra forma con dichos datos" (letra o). Dentro de los servicios, el "servicio financiero" es todo

---

requisitos de conformidad previstos y la "Interoperabilidad" como la capacidad de los bienes o de los contenidos o servicios digitales de funcionar con aparatos (hardware) o programas (software) distintos de aquellos con los cuales se utilizan normalmente los bienes o los contenidos o servicios digitales del mismo tipo.

[25] "Contrato de compraventa o venta" es todo aquel celebrado en el ámbito de una relación de consumo, en virtud del cual el empresario transmite o se compromete a transmitir la propiedad de bienes al consumidor o usuario pudiendo llevar incluido la prestación de servicios (letra f)

[26] "Contrato complementario": un contrato por el cual el consumidor y usuario adquiere bienes o servicios sobre la base de otro contrato celebrado con un empresario, incluidos los contratos a distancia o celebrados fuera del establecimiento, y dichos bienes o servicios son proporcionados por el empresario o un tercero sobre la base de un acuerdo entre dicho tercero y el empresario (letra e).

el que se presta "en el ámbito bancario, de crédito, de seguros, de pensión privada, de inversión o de pago".

E) "Garantía comercial". Además de sus obligaciones legales con respecto a la garantía de conformidad, la "garantía comercial" es todo compromiso asumido por un empresario o un productor ("garante") frente al consumidor o usuario de proceder al reembolso del precio pagado o de sustituir, reparar o prestar un servicio de mantenimiento relacionado con el bien o el contenido o servicio digital, en caso de que no se cumplan las especificaciones o cualquier otro requisito no relacionado con la conformidad del bien o del contenido o servicio digital con el contrato enunciados en la declaración de garantía o en la publicidad y disponible bien en el momento o antes de la celebración del contrato (letra m).

1.3. Responsabilidad civil contractual derivada de la prestación de servicios digitales.

1.3.1. La Directiva (UE) 2019/770 del Parlamento Europeo y del Consejo de 20 de mayo de 2019 relativa a determinados aspectos de los contratos de suministro de contenidos y servicios digitales ("Directiva de servicios digitales").

La "Directiva de servicios digitales" ha sido transpuesta al ordenamiento español a través del Real Decreto-Ley 7/2021, de 27 de abril[27]: su Título VIII (art. decimosexto) contiene las modificaciones necesarias para llevar a cabo la correcta transposición de las dos directivas que afectan al TRLGDCU aprobado mediante Real Decreto Legislativo 1/2007, de 16 de noviembre[28].Como señala la Exposición

---

[27] Real Decreto-ley 7/2021, de 27 de abril, de transposición de directivas de la Unión Europea en las materias de competencia, prevención del blanqueo de capitales, entidades de crédito, telecomunicaciones, medidas tributarias, prevención y reparación de daños medioambientales, desplazamiento de trabajadores en la prestación de servicios transnacionales y defensa de los consumidores.

[28] Como también la Directiva (UE) 2019/771 del Parlamento Europeo y del Consejo de 20 de mayo de 2019, relativa a determinados aspectos de los contratos

de Motivos de la norma, el TRLGDCU procedió a refundir en un único texto la Ley 26/1984, de 19 de julio, General para la Defensa de los Consumidores y Usuarios y las normas de transposición de las directivas comunitarias dictadas en materia de protección de consumidores y usuarios que incidían en los aspectos regulados en dicha ley, en cumplimiento de la previsión recogida en la disposición final quinta de la Ley 44/2006, de 29 de diciembre, de mejora de la protección de los consumidores y usuarios. Con posterioridad, se han llevado a cabo sucesivas modificaciones del TRLGDCU, principalmente de cara a incorporar a nuestro ordenamiento los nuevos desarrollos legislativos de la UE[29]. En 2019 se publicaron en el DOUE las Directivas

---

de compraventa de bienes, por la que se modifican el Reglamento (CE) número 2017/2394 y la Directiva 2009/22/CE y se deroga la Directiva 1999/44/CE (en adelante, la Directiva (UE) 2019/771 o Directiva sobre compraventa de bienes).

[29]   Así se han modificado los arts. 21, 49.1 y 60.2, por Ley 25/2009, de 22 de diciembre, de modificación de diversas leyes para su adaptación a la Ley sobre el libre acceso a las actividades de servicios y su ejercicio; los arts. 8, 18, 19, 20, 47.3, 49.1 y 123, por Ley 29/2009, de 30 de diciembre, por la que se modifica el régimen legal de la competencia desleal y de la publicidad para la mejora de la protección de los consumidores y usuarios; y se añadieron determinados preceptos; se suprimió el título IV y se renumeró el V, por Ley 3/2014, de 27 de marzo, por la que se modifica el texto refundido de la Ley General para la Defensa de los Consumidores y Usuarios y otras leyes complementarias, aprobado por el Real Decreto Legislativo 1/2007, de 16 de noviembre. Posteriormente, se modificaron los arts. 19.2, 141.a) y 163, por Ley 15/2015, de 2 de julio, de la Jurisdicción Voluntaria; los art. s 66 bis.3 y 107.1, por Real Decreto-ley 9/2017, de 26 de mayo, por el que se transponen directivas de la Unión Europea en los ámbitos financiero, mercantil y sanitario, y sobre el desplazamiento de trabajadores; el art. 21.3 y 4, por Ley 7/2017, de 2 de noviembre, por la que se incorpora al ordenamiento jurídico español la Directiva 2013/11/UE, del Parlamento Europeo y del Consejo, de 21 de mayo de 2013, relativa a la resolución alternativa de litigios en materia de consumo; el art. 93.g) y el libro cuarto, se enumeró el anexo como I, y se añadieron los anexos II y III, por Real Decreto-ley 23/2018, de 21 de diciembre de transposición de directivas en materia de marcas, transporte ferroviario y viajes combinados y servicios de viaje vinculados. Más recientemente se ha modificado el art. 83, por Ley 5/2019, de 15 de marzo, reguladora de los contratos de crédito inmobiliario; los arts. 21.2 y 49.1, por Real Decreto-ley 37/2020, de 22 de diciembre, de medidas urgentes para hacer frente a las situaciones de vulnerabilidad social y económica en el ámbito de la vivienda y en materia de transportes; y los arts. 3, 8, 17 a 20, 43 y 60 y la disposición final primera, por Real Decreto-ley 1/2021, de 19 de enero de protección de los consumidores y usuarios frente a situaciones de vulnerabilidad social y económica.

(UE) 2019/770 y 2019/771 que afectan al contenido del TRLGDCU y que requieren su modificación para ser incorporadas al ordenamiento jurídico español. Es objetivo común a las dos normas comunitarias referidas la voluntad de armonizar determinados aspectos relativos a los contratos de compraventa de bienes y de suministro de contenidos o servicios digitales, en aras de lograr la consolidación de un auténtico "mercado único digital", reforzando la seguridad jurídica (esencial para los operadores jurídicos y económicos en mercados cada vez más complejos e interconectados a nivel global) y reducir los costes de las transacciones, en particular para las PYMES. Son también coincidentes ambas en las circunstancias que motivan su adopción: el notable incremento del mercado de bienes que incorporan contenidos o servicios digitales o están interconectados con ellos dentro de un contexto de expansión y desarrollo tecnológico que carece de precedentes históricos.

La proliferación de smartphones y otros dispositivos que incorporan la tecnología digital y aplicaciones de IA (v.gr, weareables que miden pulsaciones, ritmo cardiaco, nivel de estrés, calidad de sueño del usuario, o desempeñan funciones de comunicación, traducción, geolocalización, etc..), unida a un cada vez más generalizado uso por parte de los consumidores, demanda una actuación a escala de la UE que permita garantizar un alto nivel de protección de los derechos de la personas que pudieran verse afectados (libertad, intimidad, confidencialidad de datos personales,...), y aumentar la seguridad del tráfico jurídico reforzando el nivel de confianza de consumidores y de empresas[30].

---

[30] Como da cuenta la norma, el potencial de crecimiento del comercio electrónico en la Unión todavía plenamente explotado. La "Estrategia de la UE para un Mercado Único Digital" aborda los principales obstáculos este crecimiento, y señala que el hecho de garantizar a las personas consumidoras un mejor acceso a los contenidos y servicios digitales y facilitar que las empresas suministren contenidos y servicios digitales puede contribuir a no se halla impulsar la economía digital y a estimular el crecimiento económico general en la Unión. Asimismo "su contenido es tributario en gran medida de la regulación establecida en la Directiva 1999/44/CE del Parlamento Europeo y del Consejo, de 25 de mayo de 1999, sobre determinados aspectos de la venta y las garantías de los bienes de consumo, que ahora se deroga, que a su vez tiene como antecedente la Convención de las Naciones Unidas sobre los Contratos de Compraventa Internacional, hecha en Viena el 11 de abril de 1980".

En base a sus elementos comunes, ambas regulaciones[31] comparten previsiones coincidentes, que únicamente aparecen diferenciadas cuando la naturaleza del servicio o contenido digital lo requiere: ello ha llevado al legislador español a optar por integrarlas en un mismo texto, permitiendo "*evitar reiteraciones, además de incrementar la seguridad jurídica en su aplicación, al mantener los mismos conceptos y previsiones normativas que se aplicarán indistintamente a todas las situaciones que no requieran esa diferenciación por la naturaleza de la prestación acordada*". Enfoque que facilita que "*los supuestos mixtos, cada vez más frecuentes, en los que el bien y el servicio o contenido digital formen un conjunto funcionalmente inseparable, tengan una regulación clara y unificada, sin pasar de una disposición a otra según el modo en que se ofrezcan en el mercado*".

La "conformidad con el contrato" se determina ahora mediante el cumplimiento de unos requisitos objetivos y subjetivos, incluida la instalación, pudiendo exigir la persona consumidora su puesta en conformidad mediante su reparación o sustitución, en el caso de los bienes: si estos remedios no son efectivos, procederá la reducción del precio o la resolución del contrato.

Entre las opciones de modulación que la Directiva sobre compraventa de bienes admite a los Estados miembros, resulta de gran interés la determinación del plazo en el que se manifiesta la falta de conformidad que debe asumir el vendedor, así como el periodo en el que se presume que cualquier falta de conformidad que se manifieste ya existía en el momento de la entrega, salvo que el vendedor demuestre lo contrario o que esa presunción sea incompatible con la naturaleza de los bienes o con la índole de la falta de conformidad. Se

---

[31] Ambas directivas establecen una armonización plena y por ello, los estados miembros no podrán mantener o introducir, en su Derecho nacional, disposiciones que se aparten de las establecidas en ellas, en particular disposiciones más o menos estrictas para garantizar un diferente nivel de protección de las personas consumidoras, salvo que se disponga de otro modo en la normativa comunitaria aplicable. El contenido armonizado se basa en la entrega del bien, servicio o contenido digital no conforme con el contrato como causa de la responsabilidad del vendedor. Este concepto absorbe las tradicionales categorías de "vicios ocultos" y "entrega de cosa diversa" de nuestro Código Civil, según ha declarado el Tribunal Supremo (Sentencia 18/2008, de 17 de enero) con referencia a la Convención de Viena.

establece un plazo de tres años para que pueda manifestarse la falta de conformidad y de dos años para la presunción de que toda falta de conformidad que se manifieste, existía en el momento de la entrega del bien. Sin duda, esta ampliación de los plazos mínimos previstos en la Directiva, de dos años y un año respectivamente, refuerza la posición de las personas consumidoras al positivizar la necesidad de suministrar bienes con la calidad, seguridad y durabilidad que se puede razonablemente esperar de los mismos. La nueva estrategia europea tiene como uno de sus pilares el logro de patrones de consumo más responsables y sostenibles basados en la idea de durabilidad de los bienes y productos[32].

Respecto de la regulación de los servicios y contenidos digitales, además de su novedad en la normativa europea, la Directiva (UE)

---

[32]   Como se indica en el Considerando 32 de la Directiva (UE) 2019/771, la garantía de una mayor durabilidad de los bienes resulta importante en orden a lograr implementar tales patrones sostenibles y una economía de tipo circular. Tal "durabilidad" debe referirse a la capacidad de los bienes de mantener sus funciones y rendimiento obligatorios en condiciones normales de utilización. Para que pueda deducirse la conformidad con los bienes adquiridos éstos deben poseer la durabilidad que sea habitual en los bienes del mismo tipo y que pueda razonablemente esperarse habida cuenta de su naturaleza específica, incluida la posible necesidad de su mantenimiento en condiciones de razonabilidad. En la medida en que la información específica sobre la durabilidad se indique en cualquier declaración precontractual que forme parte de los contratos de compraventa, la persona consumidora debe poder confiar en ella como parte de los criterios subjetivos de conformidad. Para coadyuvar a la durabilidad de los bienes puestos en el mercado, la norma mantiene y refuerza las previsiones de nuestra legislación garantizando la existencia de un adecuado servicio técnico, así como de los repuestos necesarios, durante un plazo mínimo de diez años a partir de la fecha en que el bien deje de fabricarse, contribuyendo con ello al derecho a la reparación reclamado por el Parlamento Europeo en su Resolución de 25 de noviembre de 2020, sobre el tema «Hacia un mercado único más sostenible para las empresas y los consumidores». Estas medidas se integran en la nueva "Estrategia Española de Economía Circular 2030", que trata de pasar del actual modelo lineal de nuestra economía, que se apoya en la producción de bienes y servicios bajo las pautas de «usar-consumir-tirar», lo que conlleva un uso intensivo de recursos naturales y una elevada generación de residuos, a un modelo en el que el valor de los bienes se mantenga durante el mayor tiempo posible, lo que incide en el aumento del valor económico de los mismos y en la reducción de los residuos que se generen. Este cambio a un consumo más responsable requiere la participación activa e informada de las personas consumidoras.

2019/770, del Parlamento Europeo y del Consejo de 20 de mayo de 2019, incluye en su ámbito de aplicación a los contratos en los que el empresario suministra o se compromete a suministrar contenidos o servicios digitales al consumidor a cambio de que este facilite o se comprometa a facilitar sus datos personales. Esta modalidad, cada vez más habitual en el mercado digital, debe tener en cuenta que la protección de datos personales es un derecho fundamental, por lo que no pueden considerarse mercancía y su tratamiento debe cumplir las obligaciones aplicables de conformidad con el Reglamento (UE) 2016/679, del Parlamento Europeo y del Consejo, de 27 de abril de 2016, relativo a la protección de las personas físicas en lo que respecta al tratamiento de datos personales y a la libre circulación de estos datos y por el que se deroga la Directiva 95/46/CE.

1.3.2. *El Real Decreto-Ley 7/2021, de 27 de abril:* modificaciones en la normativa española relativa al suministro de productos y servicios digitales a consumidores.

El Título VIII del Real Decreto-Ley 7/2021, de 27 de abril lleva por título "Transposición de directivas de la Unión Europea en materia de contratos de compraventa de bienes y de suministro de contenidos o servicios digitales". Su Art. Decimosexto procede a la modificación del TRLGDCU":

- Se añade un nuevo apdo. 5 al art. 62 TRLGDCU, con la siguiente redacción: «5. En caso de que el usuario incumpla el compromiso de permanencia adquirido con la empresa, la penalización por baja o cese prematuro de la relación contractual, será proporcional al número de días no efectivos del compromiso de permanencia acordado.»

- El art. 66 bis TRLGDCU (Entrega de bienes y suministro de contenidos o servicios digitales que no se presten en soporte material) queda redactado del siguiente modo:

1. Salvo que las partes acuerden otra cosa, el empresario entregará los bienes mediante la transmisión de su posesión material o control al consumidor o usuario, sin ninguna demora indebida y en un plazo máximo de 30 días naturales a partir de la cele-

bración del contrato y suministrará los contenidos o servicios digitales sin demora indebida tras la celebración del contrato.

La obligación de suministro por parte del empresario se entenderá cumplida cuando:

a) El contenido digital o cualquier medio adecuado para acceder al contenido digital o descargarlo sea puesto a disposición del consumidor o usuario o sea accesible para él o para la instalación física o virtual elegida por el consumidor y usuario para ese fin.

b) El servicio digital sea accesible para el consumidor o usuario o para la instalación física o virtual elegida por el consumidor o usuario a tal fin.

2. Si el empresario no cumple su obligación de entrega, el consumidor o usuario lo emplazará para que cumpla en un plazo adicional adecuado a las circunstancias.

En el caso de que el empresario no cumpla su obligación de suministro, el consumidor o usuario podrá solicitar que le sean suministrados los contenidos o servicios digitales sin demora indebida o en un período de tiempo adicional acordado expresamente por las partes.

Si el empresario continúa sin cumplir con la entrega o suministro, el consumidor o usuario tendrá derecho a resolver el contrato.

3. No obstante lo anterior, el consumidor o usuario tendrá derecho a resolver el contrato en el momento en el que se dé alguna de las siguientes situaciones:

a) El empresario haya rechazado entregar los bienes o haya declarado, o así se desprenda claramente de las circunstancias, que no suministrará los contenidos o servicios digitales.

b) Las partes hayan acordado o así se desprenda claramente de las circunstancias que concurran en la celebración del contrato, que para el consumidor o usuario es esencial que la entrega o el suministro se produzca en una fecha determinada o anterior a esta. En el supuesto de tratarse de bienes, dicho acuerdo deberá haberse producido antes de la celebración del contrato.

4. Cuando el consumidor o usuario resuelva el contrato de suministro de contenidos o servicios digitales con arreglo al presente artículo, se aplicarán en consecuencia los artículos 119 ter y 119 quáter TRLGDCU.

5. Recaerá en el empresario la carga de la prueba sobre el cumplimiento de las obligaciones que le corresponden en virtud de este artículo.

6. Este artículo no será aplicable a los contratos excluidos del ámbito del Título IV de este Libro que aparecen relacionados en el apdo. 2 del art. 114 TRLGDCU, a excepción de los señalados en su apdo. a).»

– En lo que se refiere al régimen de garantías y servicios posventa, el núm. Siete modifica el título IV del Libro Segundo, relativo a las garantías y servicios posventa, estableciendo la siguiente regulación.

Según el art. 114. 1. TRLGDCU están incluidos en el ámbito de aplicación de este título los contratos de compraventa de bienes existentes o de bienes que hayan de producirse o fabricarse y los contratos de suministro de contenidos o servicios digitales, incluyéndose como tales todos aquellos que tengan por objeto la entrega de soportes materiales que sirvan exclusivamente como portadores de contenidos digitales[33]. El Reglamento (UE) 2016/679, General de Protección de Datos, así como la Ley 9/2014, de 9 de mayo, General de Telecomu-

---

[33]   Lo previsto en este título no será de aplicación (núm.2) a:

a) Los animales vivos.

b) Los bienes de segunda mano adquiridos en subasta administrativa a la que los consumidores y usuarios puedan asistir personalmente.

c) La prestación de servicios distintos de los servicios digitales, independientemente de que el empresario haya utilizado formas o medios digitales para obtener el resultado del servicio o para entregarlo o transmitirlo al consumidor o usuario.

nicaciones y su normativa de desarrollo, se aplicarán a cualesquiera datos personales tratados en las relaciones contempladas en los apartados anteriores, prevaleciendo sus disposiciones en caso de conflicto.

---

d) Los servicios de comunicaciones electrónicas prestados por lo general a cambio de una remuneración a través de redes de comunicaciones electrónicas, con la excepción de los servicios que suministren contenidos transmitidos mediante redes y servicios de comunicaciones electrónicas o ejerzan control editorial sobre ellos, y que incluyen:
1.º El servicio de acceso a internet, entendido según la definición del punto 2) del párrafo segundo del art. 2 del Reglamento (UE) 2015/2120 del Parlamento Europeo y del Consejo, de 25 de noviembre de 2015, por el que se establecen medidas en relación con el acceso a una internet abierta.
2.º El servicio de comunicaciones interpersonales, excepto los servicios de comunicaciones interpersonales independientes de la numeración.
3.º Los servicios consistentes, en su totalidad o principalmente, en el transporte de señales, como son los servicios de transmisión utilizados para la prestación de servicios máquina a máquina y para la radiodifusión.
e) Los contenidos o servicios digitales relacionados con la salud prescritos o suministrados por un profesional sanitario a pacientes para evaluar, mantener o restablecer su estado de salud, incluidos la receta, dispensación y provisión de medicamentos y productos sanitarios.
f) Los servicios de juego que impliquen apuestas de valor pecuniario en juegos de azar, incluidos aquellos con un elemento de destreza, como las loterías, los juegos de casino, los juegos de póquer y las apuestas, por medios electrónicos o cualquier otra tecnología destinada a facilitar la comunicación y a petición individual del receptor de dichos servicios.
g) Los servicios financieros.
h) El programa (software) ofrecido por el empresario bajo una licencia libre y de código abierto, cuando el consumidor o usuario no pague ningún precio y los datos personales facilitados por el consumidor o usuario sean tratados exclusivamente por el empresario con el fin de mejorar la seguridad, compatibilidad o interoperabilidad de ese programa (software) concreto.
i) El suministro de los contenidos digitales cuando estos se pongan a disposición del público en general por un medio distinto de la transmisión de señales como parte de una actuación o acontecimiento, como las proyecciones cinematográficas digitales.
j) El contenido digital proporcionado de conformidad con la Ley 37/2007, de 16 de noviembre, sobre reutilización de la información del sector por organismos del sector público de cualquier Estado miembro de la Unión Europea. En el caso a que se refiere la letra b), los consumidores o usuarios podrán acceder fácilmente a información clara y comprensible de que no se aplican los derechos derivados del presente título.

- El art. 115 TRLGDCU regula la importante cuestión de la conformidad de los bienes y de los contenidos o servicios digitales. Los bienes, contenidos o servicios digitales que el empresario entregue o suministre al consumidor o usuario se considerarán conformes con el contrato cuando cumplan los requisitos establecidos que sean de aplicación siempre que, cuando corresponda, hayan sido instalados o integrados correctamente, todo ello sin perjuicio de los derechos de terceros (a los que se refiere el segundo párrafo del art. 117). Se distinguen requisitos subjetivos y objetivos.

- Los requisitos subjetivos se establecen en el art. 115 bis TRLGDCU, según el cual, para ser conformes con el contrato, los bienes y los contenidos o servicios digitales deberán cumplir, en particular y cuando sean de aplicación, los siguientes:

    a) Ajustarse a la descripción, tipo de bien, cantidad y calidad y poseer la funcionalidad, compatibilidad, interoperabilidad y demás características que se establezcan en el contrato.

    b) Ser aptos para los fines específicos para los que el consumidor o usuario los necesite y que este haya puesto en conocimiento del empresario como muy tarde en el momento de la celebración del contrato, y respecto de los cuales el empresario haya expresado su aceptación.

    c) Ser entregados o suministrados junto con todos los accesorios, instrucciones, también en materia de instalación o integración, y asistencia al consumidor o usuario en caso de contenidos digitales según disponga el contrato.

    d) Ser suministrados con actualizaciones, en el caso de los bienes, o ser actualizados, en el caso de contenidos o servicios digitales, según se establezca en el contrato en ambos casos.

- Los requisitos objetivos para la conformidad enumerados en el art. 115 ter TRLGDCU, exigen de los bienes:

a) Ser aptos para los fines a los que normalmente se destinen bienes o contenidos o servicios digitales del mismo tipo, teniendo en cuenta, cuando sea de aplicación, toda norma vigente, toda norma técnica existente o, a falta de dicha norma técnica, todo código de conducta específico de la industria del sector.

b) Cuando sea de aplicación, poseer la calidad y corresponder con la descripción de la muestra o modelo del bien o ser conformes con la versión de prueba o vista previa del contenido o servicio digital que el empresario hubiese puesto a disposición del consumidor o usuario antes de la celebración del contrato.

c) Cuando sea de aplicación, entregarse o suministrarse junto con los accesorios, en particular el embalaje, y las instrucciones que el consumidor y usuario pueda razonablemente esperar recibir.

d) Presentar la cantidad y poseer las cualidades y otras características, en particular respecto de la durabilidad del bien, la accesibilidad y continuidad del contenido o servicio digital y la funcionalidad, compatibilidad y seguridad que presentan normalmente los bienes y los contenidos o servicios digitales del mismo tipo y que el consumidor o usuario pueda razonablemente esperar, dada la naturaleza de los mismos y teniendo en cuenta cualquier declaración pública realizada por el empresario, o en su nombre, o por otras personas en fases previas de la cadena de transacciones, incluido el productor, especialmente en la publicidad o el etiquetado. El empresario no quedará obligado por tales declaraciones públicas, si demuestra alguno de los siguientes hechos:

1.º Que desconocía y no cabía razonablemente esperar[34] que conociera la declaración en cuestión.

---

[34]   En el caso de contratos de compraventa de bienes con elementos digitales o de suministro de contenidos o servicios digitales (núm. 2), el empresario velará por que se comuniquen y suministren al consumidor o usuario las actualizaciones,

2.º Que, en el momento de la celebración del contrato, la declaración pública había sido corregida del mismo o similar modo en el que había sido realizada.

3.º Que la declaración pública no pudo influir en la decisión de adquirir el bien o el contenido o servicio digital.

No habrá lugar a responsabilidad por faltas de conformidad en el sentido de lo dispuesto en los apdos. 1 o 2 cuando, en el momento de la celebración del contrato, el consumidor o usuario hubiese sido informado de manera específica de que una determinada característica de los bienes o de los contenidos o servicios digitales se apartaba de los requisitos objetivos de conformidad establecidos en los apdos. 1 o 2 y el consumidor o usuario hubiese aceptado de forma expresa y por separado dicha divergencia (núm. 5).

---

incluidas las relativas a la seguridad, que sean necesarias para mantener la conformidad, durante cualquiera de los siguientes períodos:
a) Aquel que el consumidor o usuario pueda razonablemente esperar habida cuenta del tipo y la finalidad de los bienes con elementos digitales o de los contenidos o servicios digitales, y teniendo en cuenta las circunstancias y la naturaleza del contrato, cuando el contrato establezca un único acto de suministro o una serie de actos de suministro separados, en su caso.
b) Aquel en el que deba suministrarse el contenido o servicio digital con arreglo al contrato de compraventa de bienes con elementos digitales o al contrato de suministro, cuando este prevea un plazo de suministro contínuo durante un período de tiempo. No obstante, cuando el contrato de compraventa de bienes con elementos digitales prevea un plazo de suministro continuo igual o inferior a tres años, el período de responsabilidad será de tres años a partir del momento de la entrega del bien.
En caso de que el consumidor o usuario no instale en un plazo razonable las actualizaciones proporcionadas de conformidad con el apartado anterior, el empresario no será responsable de ninguna falta de conformidad causada únicamente por la ausencia de la correspondiente actualización, siempre que se cumplan las siguientes condiciones (núm. 3):
a) El empresario hubiese informado al consumidor o usuario acerca de la disponibilidad de la actualización y de las consecuencias de su no instalación; y
b) El hecho de que el consumidor o usuario no instalase la actualización o no lo hiciese correctamente no se debiera a deficiencias en las instrucciones facilitadas.
Cuando el contrato prevea el suministro continuo de contenidos o servicios digitales a lo largo de un período, estos serán conformes durante todo ese período (núm. 4).

Salvo que las partes lo hayan acordado de otro modo, los contenidos o servicios digitales se suministrarán de conformidad con la versión más reciente disponible en el momento de la celebración del contrato (núm. 6).

La falta de conformidad que resulte de una instalación incorrecta del bien o integración incorrecta de los contenidos o servicios digitales en el entorno digital del consumidor o usuario se equiparará a la falta de conformidad cuando se de alguna de las condiciones establecida en el art. 115 quater TRLGDCU:

a) La instalación o integración incorrecta haya sido realizada por el empresario o bajo su responsabilidad y, en el supuesto de tratarse de una compraventa de bienes, su instalación esté incluida en el contrato.

b) En el contrato esté previsto que la instalación o la integración la realice el consumidor o usuario, haya sido realizada por éste y la instalación o la integración incorrecta se deba a deficiencias en las instrucciones de instalación o integración proporcionadas por el empresario o, en el caso de bienes con elementos digitales, proporcionadas por el empresario.

El ejercicio de las acciones que contempla este título será incompatible con el ejercicio de las acciones derivadas del saneamiento previstas en el Código Civil. En todo caso, el consumidor o usuario tendrá derecho, de acuerdo con la legislación civil y mercantil, a ser indemnizado por los daños y perjuicios derivados de la falta de conformidad (art. 116 TRLGDCU).

El Cap. II regula la responsabilidad del empresario y los derechos del consumidor y usuario y establece en su art. 117 TRLGDCU que

"1. El empresario responderá ante el consumidor o usuario de cualquier falta de conformidad que exista en el momento de la entrega del bien, contenido o servicio digital, pudiendo el consumidor o usuario, mediante una simple declaración, exigir al empresario la subsanación de dicha falta de conformidad, la reducción del precio o la resolución del contrato. En cualquiera de estos supuestos el consumidor o usuario podrá exigir, además, la indemnización de daños y perjuicios, si procede.

El consumidor o usuario tendrá derecho a suspender el pago de cualquier parte pendiente del precio del bien o del contenido o servicio digital adquirido hasta que el empresario cumpla con las obligaciones establecidas en el presente título.

Cuando, a consecuencia de una vulneración de derechos de terceros, en particular de los derechos de propiedad intelectual, se impida o limite la utilización de los bienes o de los contenidos o servicios digitales, el consumidor o usuario podrá exigir igualmente, en el supuesto de su falta de conformidad, las medidas correctoras previstas en el apartado anterior, salvo que una ley establezca en esos casos la rescisión o nulidad del contrato".

El art. 118 TRLGDCU regula el régimen jurídico de la "puesta en conformidad" en los siguientes términos:

- Si el bien no fuera conforme con el contrato, para ponerlo en conformidad, el consumidor o usuario tendrá derecho a elegir entre la reparación o la sustitución, salvo que una de estas dos opciones resultare imposible o que, en comparación con la otra medida correctora, suponga costes desproporcionados para el empresario, teniendo en cuenta todas las circunstancias y, entre ellas las recogidas en el apdo. 3, así como si la medida correctora alternativa se podría proporcionar sin mayores inconvenientes para el consumidor o usuario.

– Si los contenidos o servicios digitales no fueran conformes con el contrato, el consumidor o usuario tendrá derecho a exigir que sean puestos en conformidad.

– El empresario podrá negarse a poner los bienes o los contenidos o servicios digitales en conformidad cuando resulte imposible o suponga costes desproporcionados, teniendo en cuenta todas las circunstancias, y entre ellas:

a) El valor que tendrían los bienes o los contenidos o servicios digitales si no hubiera existido falta de conformidad.

b) La relevancia de la falta de conformidad.

Las medidas correctoras para la puesta en conformidad se ajustarán a las siguientes reglas:

- Serán gratuitas para el consumidor o usuario. Dicha gratuidad comprenderá los gastos necesarios en que se incurra para que los bienes sean puestos en conformidad, especialmente los gastos de envío, transporte, mano de obra o materiales.

- Deberán llevarse a cabo en un plazo razonable a partir del momento en que el empresario haya sido informado por el consumidor o usuario de la falta de conformidad.

- Deberán realizarse sin mayores inconvenientes para el consumidor o usuario, habida cuenta de la naturaleza de los bienes o de los contenidos o servicios digitales y de la finalidad que tuvieran para el consumidor o usuario.

Cuando proceda la reparación o la sustitución del bien, el consumidor o usuario lo pondrá a disposición del empresario y este, en su caso, recuperará el bien sustituido a sus expensas de la forma que menos inconvenientes genere para el consumidor o usuario dependiendo del tipo de bien.

Cuando una reparación requiera la retirada de bienes que hayan sido instalados de forma coherente con su naturaleza y finalidad antes de manifestarse la falta de conformidad o, cuando se sustituyan, la obligación de repararlos o sustituirlos incluirá la retirada de los no conformes y la instalación de los bienes sustituidos o reparados, o la asunción de los costes de dicha retirada e instalación por cuenta del empresario.

El consumidor o usuario no será responsable de ningún pago por el uso normal de los bienes sustituidos durante el período previo a su sustitución.

En cuanto al régimen jurídico de la reducción del precio y resolución del contrato, dispone el art. 119 TRLGDCU que el consumidor o usuario podrá exigir una reducción proporcionada del precio o la resolución del contrato, en cualquiera de los siguientes supuestos:

a) En relación con bienes y los contenidos o servicios digitales, cuando la medida correctora consistente en ponerlos en conformidad resulte imposible o desproporcionada en el sentido del apdo. 3 del art. 118 TRLGDCU.

b) El empresario no haya llevado a cabo la reparación o la sustitución de los bienes o no lo haya realizado de acuerdo con lo
dispuesto en los apdo. 5 y 6 del art. 118 TRLGDCU o no lo
haya hecho en un plazo razonable siempre que el consumidor
o usuario hubiese solicitado la reducción del precio o la resolución del contrato.

c) El empresario no haya puesto los contenidos o servicios digitales en conformidad de acuerdo con las reglas recogidas en el
apdo. 4 del art. 118 TRLGDCU.

d) Aparezca cualquier falta de conformidad después del intento
del empresario de poner los bienes o los contenidos o servicios
digitales en conformidad.

e) La falta de conformidad sea de tal gravedad que se justifique
la reducción inmediata del precio o la resolución del contrato.

f) El empresario haya declarado, o así se desprenda claramente de
las circunstancias, que no pondrá los bienes o los contenidos o
servicios digitales en conformidad en un plazo razonable o sin
mayores inconvenientes para el consumidor o usuario.

– Reducción del precio (art. 117 bis TRLGDCU).

Será proporcional a la diferencia existente entre el valor que el
bien o el contenido o servicio digital hubiera tenido en el momento
de la entrega o suministro de haber sido conforme con el contrato
y el valor que el bien o el contenido o servicio digital efectivamente
entregado o suministrado tenga en el momento de dicha entrega o
suministro. Cuando el contrato estipule que los contenidos o servicios
digitales se suministren durante un período de tiempo a cambio del
pago de un precio, la reducción en precio se aplicará al período de
tiempo durante el cual los contenidos o servicios digitales no hubiesen
sido conformes.

– Resolución contractual (art. 119 ter. TRLGDCU)

El consumidor o usuario ejercerá el derecho a resolver el contrato
mediante una declaración expresa al empresario indicando su voluntad de resolver el contrato (nÍm. 1). Este remedio de resolución contractual no procederá cuando la falta de conformidad sea de escasa

importancia, salvo en los supuestos en que el consumidor o usuario haya facilitado datos personales como contraprestación, correspondiendo la carga de la prueba al empresario (núm. 2). Cuando la falta de conformidad se refiera sólo a algunos de los bienes entregados en virtud del mismo contrato y haya motivos para su resolución, el consumidor o usuario podrá resolver el contrato sólo respecto de dichos bienes y, en relación con cualesquiera de los otros bienes, podrá resolverlo también si no se puede razonablemente esperar que el consumidor o usuario acepte conservar únicamente los bienes conformes (núm. 3).

Las obligaciones de las partes en caso de resolución del contrato de compraventa de bienes serán las establecidas en el num.4.

– Del empresario.

a) El empresario reembolsará al consumidor o usuario el precio pagado por los bienes tras la recepción de estos o, en su caso, de una prueba aportada por el consumidor o usuario de que los ha devuelto.

b) El consumidor o usuario restituirá al empresario, a expensas de este último, los bienes.

Las obligaciones y derechos del empresario en caso de resolución del contrato de suministro de contenidos o servicios digitales son los siguientes:

a) El empresario reembolsará al consumidor o usuario todos los importes pagados con arreglo al contrato.

No obstante, en los casos en los que el contrato establezca el suministro de los contenidos o servicios digitales a cambio del pago de un precio y durante un período de tiempo determinado, y los contenidos o servicios digitales hayan sido conformes durante un período anterior a la resolución del contrato, el empresario reembolsará al consumidor o usuario únicamente la parte proporcional del precio pagado correspondiente al período de tiempo durante el cual los contenidos o servicios digitales no fuesen conformes, así como toda parte del precio pagado por el consumidor o usuario como pago a cuenta de cualquier período restante del contrato en caso de que este no hubiese sido resuelto.

b) En lo que respecta a los datos personales del consumidor o usuario, el empresario cumplirá las obligaciones aplicables con arreglo al Reglamento (UE) 2016/679 general de protección de datos, así como a la Ley Orgánica 3/2018, de 5 de diciembre, de Protección de Datos Personales y garantía de los derechos digitales.

c) El empresario se abstendrá de utilizar cualquier contenido, distinto de los datos personales, proporcionado o creado por el consumidor o usuario al utilizar los contenidos o servicios digitales suministrados por el empresario, excepto cuando dicho contenido cumpla alguna de las condiciones recogidas en el art. 107.5.

d) Salvo en las situaciones a que se refiere el art. 107.5, letras a), b) o c), el empresario pondrá a disposición del consumidor o usuario, a petición de este, cualquier contenido distinto de los datos personales que el consumidor o usuario haya proporcionado o creado al utilizar los contenidos o servicios digitales suministrados por el empresario.

e) El consumidor o usuario tendrá derecho a recuperar los contenidos digitales que haya creado al utilizar los contenidos o servicios digitales sin cargo alguno, sin impedimentos por parte del empresario, en un plazo razonable y en un formato utilizado habitualmente y legible electrónicamente.

f) El empresario podrá impedir al consumidor o usuario cualquier uso posterior de los contenidos o servicios digitales, en particular, haciendo que estos no sean accesibles para el consumidor o usuario o inhabilitándole la cuenta de usuario, sin perjuicio de lo dispuesto en la letra d).

– Del consumidor o usuario.

Las obligaciones del consumidor o usuario en caso de resolución del contrato de suministro de contenidos o servicios digitales serán las siguientes (núm. 6):

a) Tras la resolución del contrato, el consumidor o usuario se abstendrá de utilizar los contenidos o servicios digitales y de ponerlos a disposición de terceros.

b) Cuando los contenidos digitales se hayan suministrado en un soporte material, el consumidor o usuario, a solicitud y a expensas del empresario, devolverá el soporte material a este último sin demora indebida. Si el empresario decide solicitar la devolución del soporte material, dicha solicitud se realizará en el plazo de catorce días a partir de la fecha en que se hubiese informado al empresario de la decisión del consumidor o usuario de resolver el contrato.

c) Al consumidor o usuario no se le podrá reclamar ningún pago por cualquier uso realizado de los contenidos o servicios digitales durante el período previo a la resolución del contrato durante el cual los contenidos o servicios digitales no hayan sido conformes.

El ejercicio por el consumidor o usuario de su derecho a retirar su consentimiento u oponerse al tratamiento de datos personales permitirá que el empresario resuelva el contrato siempre y cuando el suministro de los contenidos o servicios digitales sea continuo o consista en una serie de actos individuales y se encuentre pendiente de ejecutar en todo o en parte. En ningún caso el ejercicio de estos derechos por el consumidor supondrá el pago de penalización alguna a su cargo (núm. 7).

Los plazos y modalidades de reembolso por parte del empresario en caso de reducción del precio o resolución del contrato se establecen en el art. 119 quater según el cual todo reembolso que el empresario deba realizar al consumidor o usuario debido a la reducción del precio o a la resolución del contrato se ejecutará sin demora indebida y, en cualquier caso, en un plazo de catorce días a partir de la fecha en la que el empresario haya sido informado de la decisión del consumidor o usuario de reclamar su correspondiente derecho. No obstante lo anterior, en el caso de que se trate de la resolución de un contrato de compraventa de bienes, el plazo para el reembolso en el párrafo anterior empezará a contar a partir de que se haya dado cumplimiento a lo previsto en el 119 ter 4.a TRLGDCU).

El empresario (núm.2) efectuará el reembolso indicado en el apdo. anterior utilizando el mismo medio de pago empleado por el consumidor o usuario para la adquisición del bien o de los contenidos o servicios digitales, salvo que se hubiese acordado expresamente entre las partes de otro modo, y siempre que no suponga un coste adicional para el consumidor o usuario y no podrá imponer al consumidor o usuario ningún cargo por el reembolso (núm. 3).

- Ejercicio de derechos por el consumidor y usuario y plazo para la manifestación de la falta de conformidad.

El Cap. III regula el ejercicio de derechos por el consumidor y usuario. El art. 120 regula el plazo para la manifestación de la falta de conformidad estableciendo que

1. En el caso de contrato de compraventa de bienes o de suministro de contenidos o servicios digitales suministrados en un acto único o en una serie de actos individuales, el empresario será responsable de las faltas de conformidad que existan en el momento de la entrega o del suministro y se manifiesten en un plazo de tres años desde la entrega en el caso de bienes o de dos años en el caso de contenidos o servicios digitales[35], sin perjuicio de lo dispuesto en el art. 115 ter, apdo. 2, letras a) y b) TRLGDCU.

---

[35] Debe tenerse en cuenta la posibilidad de suspensión del cómputo de plazos prevista en el art. 122 TRLGDCU:

1. Las medidas correctoras para poner el bien o el contenido o servicio digital en conformidad suspenden el cómputo de los plazos a que se refieren los art. s 120 y 121.

2. El período de suspensión comenzará en el momento en que el consumidor o usuario ponga el bien o el contenido o servicio digital a disposición del empresario y concluirá en el momento en que se produzca la entrega del bien o el suministro del contenido o servicio digital, ya conforme, al consumidor o usuario.

3. Durante el año posterior a la entrega del bien o el suministro del contenido o servicio digital ya conforme, el empresario responderá de las faltas de conformidad que motivaron la puesta en conformidad, presumiéndose que se trata de la misma falta de conformidad cuando se reproduzcan los defectos del mismo origen que los inicialmente manifestados.

En los bienes de segunda mano, el empresario y el consumidor o usuario podrán pactar un plazo menor al indicado en el párrafo anterior, que no podrá ser inferior a un año desde la entrega.

2. En el caso de contenidos o servicios digitales o de bienes con elementos digitales, cuando el contrato prevea el suministro continuo de contenidos o servicios digitales durante un período de tiempo determinado, el empresario será responsable de cualquier falta de conformidad de los contenidos o servicios digitales que se produzca o se manifieste dentro del plazo durante el cual deben suministrarse los contenidos o servicios digitales de acuerdo con el contrato. No obstante, si el contrato de compraventa de bienes con elementos digitales establece el suministro continuo de los contenidos o servicios digitales durante un período inferior a tres años, el plazo de responsabilidad será de tres años a partir del momento de la entrega[36].

 – Carga de la prueba.

En cuanto al "onus probandi", salvo prueba en contrario, se presumirá, según dispone el art 121, que las faltas de conformidad que se manifiesten en los dos años siguientes a la entrega del bien o en el año siguiente al suministro del contenido o servicio digital suministrado en un acto único o en una serie de actos individuales, ya existían cuando el bien se entregó o el contenido o servicio digital se suministró, excepto cuando para los bienes esta presunción sea incompatible con su naturaleza o la índole de la falta de conformidad.

---

[36] El consumidor o usuario cooperará con el empresario en la medida de lo razonablemente posible y necesario para establecer si la causa de la falta de conformidad de los contenidos o servicios digitales en el momento indicado en el art. 120, apartados 1 o 2 TRLGDCU según sea de aplicación, radica en el entorno digital del consumidor o usuario. La obligación de cooperación se limitará a los medios técnicos disponibles que sean menos intrusivos para el consumidor o usuario. Cuando el consumidor o usuario se niegue a cooperar, y siempre que el empresario haya informado al consumidor o usuario de dicho requisito de forma clara y comprensible con anterioridad a la celebración del contrato, la carga de la prueba sobre si la falta de conformidad existía o no en el momento indicado en el art. 120, apartados 1 o 2, TRLGDCU según sea de aplicación, recaerá sobre el consumidor o usuario (núm. 4).

En los bienes de segunda mano, el empresario y el consumidor y usuario podrán pactar un plazo de presunción menor al indicado en el párrafo anterior, que no podrá ser inferior al período de responsabilidad pactado por la falta de conformidad, de acuerdo con lo previsto en el art. 120.1 TRLGDCU.

En el caso de los contenidos o servicios digitales o de bienes con elementos digitales, cuando el contrato prevea el suministro continuo de contenidos o servicios digitales durante un período de tiempo determinado, la carga de la prueba respecto de si los contenidos o servicios digitales eran conformes durante el período indicado en el apdo. 2 del art. 120 TRLGDCU recaerá sobre el empresario cuando la falta de conformidad se manifieste en dicho período de tiempo (mum. 2).

Los apartados 1 y 2 no se aplicarán cuando el empresario demuestre que el entorno digital del consumidor o usuario no es compatible con los requisitos técnicos de los contenidos o servicios digitales objeto del contrato, y cuando el empresario haya informado al consumidor o usuario sobre dichos requisitos técnicos de forma clara y comprensible con anterioridad a la celebración del contrato (núm. 3).

Los apartados 3 y 4 no serán de aplicación a los bienes con elementos digitales (núm 5).

Salvo prueba en contrario, la entrega o el suministro se entienden hechos en el día que figure en la factura o tique de compra, o en el albarán de entrega correspondiente si este fuera posterior. El empresario deberá entregar al consumidor o usuario que ejercite su derecho a poner el bien o el contenido o servicio digital en conformidad justificación documental sobre la puesta a disposición del bien o del contenido o servicio digital por parte del consumidor y usuario en la que conste la fecha de entrega y la falta de conformidad que origina el ejercicio del derecho, así como justificación documental de la entrega al consumidor o usuario del bien o del suministro del contenido o servicio digital ya conforme, en la que conste la fecha de esta entrega y la descripción de la medida correctora efectuada (art. 123 TRLGDCU).

– Prescripción de la acción para la reclamación de falta de conformidad con los bienes o contenidos o servicios digitales: Plazo y acción directa.

La acción para reclamar el cumplimiento de lo previsto en el capítulo II de este título prescribirá a los cinco años desde la manifestación de la falta de conformidad (art. 124 TRLGDCU). Cuando al consumidor o usuario le resulte imposible o le suponga una carga excesiva dirigirse al empresario por la falta de conformidad, podrá reclamar directamente al productor con el fin de conseguir que el bien o el contenido o servicio digital sea puesto en conformidad: se trata de una acción directa, regulada en el art. 125 TRLGDCU.

Con carácter general, y sin perjuicio de que cese la responsabilidad del productor, a los efectos de este título, en los mismos plazos y condiciones que los establecidos para el empresario, el productor responderá por la falta de conformidad cuando esta se refiera al origen, identidad o idoneidad de los bienes o de los contenidos o servicios digitales, de acuerdo con su naturaleza y finalidad y con las normas que los regulan.

– Acción de repetición o reembolso.

Quien haya respondido frente al consumidor o usuario dispondrá del plazo de un año para repetir frente al responsable de la falta de conformidad (acción de repetición o de reembolso), plazo que se computará a partir del momento (dies a quo) en que se ejecutó la medida correctora.

– Modificación de los contenidos o servicios digitales: supuestos.

El Cap. IV se refiere a la modificación de los contenidos o servicios digitales, y dispone en el art. 126 TRLGDCU que cuando el contrato establezca que el suministro de los contenidos o servicios digitales, o el acceso a estos por parte del consumidor o usuario, se haya de garantizar durante un período de tiempo, el empresario podrá modificar los contenidos o servicios digitales más allá de lo necesario para mantener la conformidad de los contenidos o servicios digitales con arreglo a los art.s 115 bis y 115 ter TRLGDCU si se cumplen, de forma cumulativa, los siguientes requisitos:

a) El contrato permite tal modificación y proporciona una razón válida para realizarla.

b) La modificación se realiza sin costes adicionales para el consumidor o usuario.

c) El consumidor o usuario es informado de forma clara y comprensible acerca de la modificación.

d) En caso de que el consumidor o usuario tenga derecho a resolver el contrato de acuerdo con lo establecido en el art. 126 bis TRLGDCU, se informe al consumidor o usuario, con una antelación razonable y en un soporte duradero, de las características y el momento de la modificación y de su derecho a resolver el contrato, o sobre la posibilidad de mantener los contenidos o servicios digitales sin tal modificación con arreglo al apdo. 4 de dicho artículo.

El consumidor o usuario tendrá derecho a resolver el contrato si la modificación afecta negativamente a su acceso a los contenidos o servicios digitales o a su uso, salvo si dicho efecto negativo es de menor importancia (art. 126 bis).

En este supuesto, el consumidor o usuario tendrá derecho a resolver el contrato sin cargo alguno en un plazo de treinta días naturales a partir de la recepción de la información o a partir del momento en que el empresario modifique los contenidos o servicios digitales, si esto ocurriera de forma posterior (núm. 2).3. En el caso de que el consumidor o usuario resuelva el contrato de conformidad con los apartados anteriores, se aplicarán los arts. 119 ter y 119 quáter TRLGDCU. Este precepto no será de aplicación si el empresario ha dado al consumidor y usuario la posibilidad de mantener, sin costes adicionales, los contenidos o servicios digitales sin la modificación y estos siguen siendo conformes.

El Cap. V establece las garantías comerciales y servicios posventa en el art. 127 TRLGDCU, según el cual toda garantía comercial será vinculante para el garante en las condiciones establecidas en la declaración de garantía comercial y en la publicidad asociada disponible en el momento de la celebración del contrato o antes de dicha celebración. El productor que ofrezca al consumidor o usuario una garantía comercial de durabilidad con respecto a determinados bienes por un período de tiempo determinado será responsable directamente frente al consumidor o usuario, durante todo el período de la garantía comercial de durabilidad, de la reparación o sustitución. El productor podrá ofrecer al consumidor o usuario condiciones más favorables en la declaración de garantía comercial de durabilidad (núm.1). Si las condiciones establecidas en el documento de garantía comercial son menos favorables para el consumidor o usuario que las enunciadas en la publicidad asociada, la garantía comercial será vinculante según las condiciones enunciadas en la publicidad relativa a la garantía comercial, a menos que antes de la celebración del contrato la publicidad asociada se haya corregido del mismo modo o de modo comparable a aquella.

La declaración de garantía comercial se entregará al consumidor o usuario en un soporte duradero a más tardar en el momento de entrega de los bienes y estará redactada, al menos, en castellano, de manera clara y comprensible.

El art. 127 bis TRLGDCU regula la reparación y servicios posventa disponiendo en su núm. 1 que el productor garantizará, en todo caso, la existencia de un adecuado servicio técnico, así como de repuestos durante el plazo mínimo de diez años a partir de la fecha en que el bien deje de fabricarse. Queda prohibido incrementar los precios de los repuestos al aplicarlos en las reparaciones. La lista de precios de los repuestos deberá estar a disposición del público así como la del resto de servicios aparejados, debiéndose diferenciar en la factura los diferentes conceptos (núm. 2). La acción o derecho de recuperación de los bienes entregados por el consumidor o usuario al empresario para su reparación prescribirá un año después del momento de la entrega. Reglamentariamente, se establecerán los datos que deberá hacer constar el empresario en el momento en que se le entrega un bien para su reparación y las formas en que podrá acreditarse la mencionada entrega. (núm. 3)»

III. EL REGLAMENTO RELATIVO A UN MERCADO ÚNICO DE SERVICIOS DIGITALES O LEY DE SERVICIOS DIGITALES ("DIGITAL SERVICES ACT" O DSA)[37].

1. Marco normativo para el proceso europeo de digitalización.

La Directiva sobre el comercio electrónico[38], incorporada al ordenamiento español por la Ley 34/2002, de 11 de junio (Ley de Servicios de la Sociedad de la Información y del Comercio Electrónico, LSSICE) ha puesto las bases del marco jurídico necesario para dotar a los operadores económicos de seguridad en el mercado de servicios digitales, desempeñando un papel significativo en la construcción del mercado único digital en la UE[39].

Transcurridas ya desde la promulgación de aquella normativa dos décadas intensas en transformaciones económicas y sociales, el proceso de digitalización no sólo se ha consolidado sino que ha experimentado un crecimiento sin precedentes, emergiendo nuevos y cada vez más complejos modelos de negocio y relaciones jurídicas de prestación de servicios en línea en todos los campos de la actividad humana: comercio, comunicación, salud, trabajo, ocio, cultura, etc., obligando a revisar principios y normas que devienen obsoletas ante los retos y desafíos de las sociedades actuales por los avances en el campo de la tecnología digital. Como reflejo de ello, una de las prioridades de la Comisión Europea (2019- 2024)[40] es alcanzar una «Europa adaptada a la era digital», para lo cual el ejecutivo comunitario se propone «configurar el futuro digital de Europa» sobre los tres pilares de la

---

[37]   https://www.boe.es/doue/2022/277/L00001-00102.pdf

[38]   Directiva 2000/31/CE, del Parlamento Europeo y el Consejo, de 8 de junio de 2000, relativa a determinados aspectos jurídicos de los servicios de la sociedad de la información.

[39]   CASTELLÓ PASTOR, J.J, "Nuevo régimen de responsabilidad de los servicios digitales que actúan como intermediarios a la luz de la propuesta de Reglamento relativo a un mercado único de servicios digitales", en CASTELLÓ PASTOR, J.J. (Dir.), Desafíos jurídicos ante la integración digital: aspectos europeos e internacionales, Aranzadi-Thomson Reuters, 2021, pp. 38-77.

[40]   «Una Europa adaptada a la era digital. Capacitar a las personas con una nueva generación de tecnologías» https://ec.europa.eu/info/strategy/priorities-2019- 2024/europe-fit-digital-age.es

tecnología al servicio de las personas, una economía digital que sea justa a la vez de competitiva y una sociedad abierta, democrática y sostenible. Es por ello que el 15 de diciembre de 2020, inmersa la comunidad global en una crisis sanitaria sin precedentes por la pandemia de la Covid-19, la Comisión Europea presentó la Propuesta de un Reglamento relativo a un mercado único de servicios digitales conocido como "Ley de Servicios Digitales" ("Digital Services Act") y otra sobre los mercados competitivos y justos en el sector digital conocida como "Ley de Mercados Digitales" ("Digital Market Act")[41], normas que modernizan el régimen aplicable a los prestadores de servicios.

Esta última norma ha sido recientemente aprobada y publicada en el DOUE el 27 de octubre de 2022.

2. Los servicios de intermediación en línea: intermediación, alojamiento de datos y plataformas en línea.

El comercio electrónico se ha afianzado en las últimas décadas y representa actualmente uno de los motores económicos del mercado europeo: se contabilizan en la actualidad más de diez mil plataformas digitales en la Unión Europea, que prestan servicios en casi todos los sectores económicos. Los intermediarios o proveedores de servicios de intermediación en línea son agentes fundamentales de la transformación digital, proporcionando indudables ventajas a los operadores económicos (sobre todo, PYMES, que representan sobre un 80% del tejido empresarial de la Unión) y a los consumidores, favoreciendo el comercio transfronterizo y la difusión y publicidad de sus productos

---

[41] El 5 de julio de 2022, el Parlamento Europeo aprueba finalmente, tras un intenso periodo de consultas y negociaciones, el Reglamento que contiene la "*Digital Markets Act*" (DMA) o "Ley de Mercados Digitales", norma jurídica comunitaria de aplicación directa a todos los estados miembros que sujeta a las grandes plataformas digitales a un régimen regulatorio que establece obligaciones específicas, prohíbe ciertas conductas y contiene un estricto régimen sancionador que, en cierto modo, es réplica del previsto para las infracciones que constituyen vulneraciones de la normativa sobre competencia. El 18 de julio de 2022 el Consejo ha procedido a la aprobación con ciertas enmiendas de esta norma, que se ha publicado en el mes de octubre de 2022 en el DOCE entrando en vigor a los veinte días: su aplicación no obstante, no tendrá lugar sino transcurridos seis meses a contar desde de su entrada en vigor.

y servicios a través de sus plataformas. Sin embargo, los servicios de intermediación en línea pueden (y de hecho son) frecuentemente utilizados como canales de venta de mercancías ilegales, falsificadas o peligrosas, de prestar servicios contrarios a la ley o a los derechos de los consumidores o de difundir contenido ilícito por Internet, razón por la cual el legislador se ha ocupado de establecer límites a través del establecimiento de un régimen de responsabilidad cuyas primeras bases se contienen en la "Directiva sobre el comercio electrónico".

La Exposición de Motivos de este Reglamento comunitario[42] señala que «sobre la base de los principios esenciales establecidos en la Directiva sobre el comercio electrónico, que mantienen su validez hasta hoy, esta propuesta pretende garantizar las mejores condiciones para la prestación de servicios digitales innovadores en el mercado interior, contribuir a la seguridad en línea y la protección de los derechos fundamentales, y establecer una estructura de gobernanza robusta y duradera para la supervisión efectiva de los prestadores de servicios intermediarios». Fomentar la confianza de los operadores resulta fundamental: a tal fin, la Directiva sobre el comercio electrónico se proponía estimular el desarrollo de los servicios digitales en línea[43]

---

[42]   Tras la adopción por el PE en el pasado mes de julio de 2022 del conocido como "paquete de servicios digitales" o "Digital Services Act Package" que comprende la denominada "Ley de Servicios Digitales" (en adelante, DSA) y la "Ley de Mercados Digitales" (DMA), ambos textos deben ser adoptados por el Consejo de la UE.

[43]   Véase el último informe sobre la economía digital (datos 2021) en https://unctad.org/system/files/official-document/der2021_overview_es_1.pdf
Los principales grupos de países utilizados figuran en un archivo de Excel que se puede descargar desde UNCTADstat, en: http://unctadstat.unctad.org/EN/Classifications.html.
Cerca del 80 % de todo el tráfico de Internet está relacionado con los vídeos, las redes sociales y los juegos. Se prevé que el tráfico global de datos mensual experimente un importante aumento: desde 230 exabytes en 2020 a 780 exabytes en 2026.
A la hora de evaluar las implicaciones de los datos y los flujos de datos transfronterizos para el desarrollo, es preciso tener en cuenta algunas brechas y desequilibrios digitales que son de fundamental importancia. Sólo el 20 % de los habitantes de los países menos adelantados (PMA) son usuarios de Internet; cuando lo son, tienen que contentarse con velocidades de descarga relativamente bajas y a un precio relativamente alto. Además, la naturaleza del uso de Internet es diferente. Por ejemplo, mientras que hasta 8 de cada 10 usuarios de Internet

y el comercio electrónico transfronterizo en la Unión protegiendo a la vez a los usuarios, y ello sobre la base de cuatro ejes vertebradores: la libertad de prestar los servicios de la sociedad de la información en cada estado miembro y en todo el mercado interior de la Unión, la protección de los usuarios, la exención de la responsabilidad de los intermediarios (verificado el cumplimiento de ciertas condiciones) y el favorecimiento de la implementación de códigos de conducta y de mecanismos de solución extrajudicial de litigios (ADR y ODR).

La DSA se aplica, si bien con distinto grado de obligaciones, a los servicios de Alojamiento de datos, a los motores de búsqueda en línea, a las redes sociales y a los "*marketplaces*". En concreto[44]:

- Los "**Servicios de intermediación**" son los que ponen a disposición de los usuarios las infraestructuras de red e incluyen proveedores de acceso a Internet y registradores de nombres de dominio, entre otros;
- Los "**Servicios de alojamiento de datos**" almacenan información proporcionada por los destinatarios del servicio a petición e incluyen, entre otros, los servicios de computación en nube o de alojamiento web;
- Las "**plataformas en línea**" son las redes sociales o *marketplaces*, como los prestadores de servicios de alojamiento de datos.

La DSA se aplica también a los motores de búsqueda y a las plataformas en línea consideradas "de muy gran tamaño" y a motores de búsqueda "de muy gran tamaño·". Determinados prestadores serán calificados de este modo, y se les impondrán consecuentemente obligaciones adicionales, como se verá, cuando el umbral de usuarios supere el 10% de la población de la UE, umbral que podrá ser ajustado por la Comisión, si bien a la fecha se cuantifica en 45 millones de usuarios.

---

compran en línea en varios países desarrollados, esa cifra baja a 1 de cada 10 en muchos PMA.

[44] PINA, C. Ley de Servicios Digitales (DSA): un nuevo marco legal para las plataformas digitales de servicios intermediarios. Disponible en https://www.garrigues.com/es_ES/garrigues-digital/ley-servicios-digitales-dsa-nuevo-marco-legal-plataformas-digitales-servicios

Quedan fuera del ámbito de aplicación de la DSA los "servicios de comunicaciones interpersonales", contemplados en la Directiva (UE) 2018/1972 del Parlamento Europeo y el Consejo, que incluye correos electrónicos y servicios de mensajería privada. Sin embargo, las obligaciones de la DSA se podrían aplicar a servicios que permitan poner información a disposición de un número potencialmente ilimitado de destinatarios, no determinado por el remitente de la comunicación.

3. Nuevo régimen de responsabilidad de los prestadores de servicios digitales que actúan como intermediarios.

3.1. Ámbito de aplicación: la "conexión sustancial" del intermediario con la Unión Europea.

La DSA establece[45] normas armonizadas[46] sobre la prestación de servicios intermediarios en el mercado interior y en particular, según se deriva de su art. 1:

---

[45]   Todo ello con el fin de "contribuir al correcto funcionamiento del mercado interior de servicios intermediarios, establecer unas normas uniformes para crear un entorno en línea seguro, predecible y confiable, en el que los derechos fundamentales consagrados en la Carta Europea estén efectivamente protegidos".

[46]   El DSA es complementaria de la legislación sectorial existente y no afecta a la aplicación de las leyes de la UE que regulan determinados aspectos de la prestación de servicios de la sociedad de la información, que se aplican con carácter de "lex specialis". A modo de ejemplo, seguirán aplicándose las obligaciones estipuladas en la Directiva 2010/13/CE, en su versión modificada por la Directiva (UE) 2018/1808, sobre los prestadores de plataformas de intercambio de vídeos (Directiva de servicios de comunicación audiovisual) en lo que respecta a contenidos audiovisuales y comunicación comercial audiovisual. Sin embargo, el Reglamento se aplica a esos prestadores en la medida en que la Directiva de servicios de comunicación audiovisual u otros actos jurídicos de la Unión, como Reglamento para la prevención de la difusión de contenidos terroristas en línea, no contengan disposiciones de carácter más específico que les sean aplicables.
El marco establecido en el Reglamento (UE) 2019/1150, sobre el fomento de la equidad y la transparencia para los usuarios profesionales de servicios de intermediación en línea, a fin de garantizar que los usuarios profesionales de dichos servicios y los usuarios de sitios web corporativos en relación con motores de búsqueda en línea dispongan de opciones apropiadas de transparencia, de equidad y de reclamación, será de aplicación con carácter de "lex specialis".

a) Un marco para la exención condicionada de responsabilidad de los prestadores de servicios intermediarios;

b) Normas sobre obligaciones específicas de diligencia debida adaptadas a determinadas categorías específicas de prestadores de servicios intermediarios;

c) Normas sobre aplicación y ejecución, por ejemplo, en relación con la cooperación y coordinación entre autoridades competentes.

La DSA se aplicará a los servicios intermediarios prestados a destinatarios del servicio que tengan su lugar de establecimiento o residencia en la Unión, con independencia del lugar de establecimiento de los prestadores de dichos servicios[47]. No se aplicará a ningún servicio que

---

Además, sus disposiciones serán complementarias al acervo de protección del consumidor y, en concreto, en lo que respecta a la Directiva (UE) 2019/2161, por la que se modifica la Directiva 93/13/CEE del Consejo, y las Directivas 98/6/CE, 2005/29/CE y 2011/83/UE, que establecen normas concretas para aumentar la transparencia en algunas de las funciones ofrecidas por determinados servicios de la sociedad de la información.

Igualmente será de aplicación el Reglamento (UE) 2016/679 (el Reglamento General de Protección de Datos) y otras normas de la Unión sobre la protección de los datos personales y la privacidad de las comunicaciones. Por ejemplo, las medidas relativas a la publicidad en las plataformas en línea complementan, pero no modifican, las normas existentes sobre consentimiento y el derecho de oposición al tratamiento de los datos personales. Imponen obligaciones de transparencia para con los usuarios de las plataformas en línea, y esta información también les permitirá ejercer sus derechos como interesados. Además, permiten que autoridades e investigadores autorizados examinen la forma en que se presentan los anuncios y cómo se personalizan.

[47] Como expresa el Considerando Quinto, el Reglamento debe aplicarse a los prestadores de determinados servicios de la sociedad de la información definidos en la Directiva (UE) 2015/1535 del Parlamento Europeo y del Consejo , es decir, cualquier servicio prestado normalmente a cambio de una remuneración, a distancia, por vía electrónica y a petición de un destinatario a título individual. En concreto, el presente Reglamento debe aplicarse a los prestadores de servicios intermediarios, y en particular servicios intermediarios integrados por los servicios conocidos como «mera transmisión», de «memoria tampón» y de «alojamiento de datos», dado que el crecimiento exponencial del uso que se hace de dichos servicios, principalmente con todo tipo de fines legítimos y beneficiosos para la sociedad, también ha incrementado su importancia en la intermediación y propagación de información y actividades ilícitas o de otro modo nocivas. En

no sea un servicio intermediario ni a ningún requisito que se imponga al respecto de un servicio de esa índole, con independencia de si el servicio se presta mediante el uso de un servicio intermediario (núm. 4 del art. 1)[48].

No cabe considerar que la mera accesibilidad técnica de un sitio web desde la Unión Europea permita acreditar "per se" la existencia de una "conexión sustancial con la Unión.

---

la práctica, algunos prestadores de servicios intermediarios intermedian en relación con servicios que pueden prestarse o no por vía electrónica, como servicios de tecnologías de la información remotos, de transporte, de hospedaje o de reparto. El presente Reglamento solo debe aplicarse a los servicios intermediarios y no afectar a los requisitos estipulados en el Derecho de la Unión o nacional en relación con productos o servicios intermediados a través de servicios intermediarios, por ejemplo en situaciones en las que el servicio intermediario constituye parte integral de otro servicio que no es un servicio intermediario según se especifica en la jurisprudencia TJUE.

[48] A fin de garantizar la eficacia de las normas y la igualdad de condiciones de competencia en el mercado interior, tales normas deben aplicarse a los prestadores de servicios intermediarios con independencia de su lugar de establecimiento o residencia, en la medida en que presten servicios en la UE, según se demuestre por una "conexión sustancial con la Unión". De esta manera, se establece en el Considerando Octavo que debe considerarse que "existe tal conexión sustancial (...) cuando el prestador de servicios tenga un establecimiento en la Unión o, en ausencia de este, cuando exista un número significativo de usuarios en uno o varios Estados miembros, o se orienten actividades hacia uno o más Estados miembros. La orientación de las actividades hacia uno o más Estados miembros puede determinarse en función de todas las circunstancias pertinentes, incluidos factores como el uso de una lengua o una moneda utilizada generalmente en ese Estado miembro, o la posibilidad de encargar bienes o servicios, o el uso de un dominio nacional de alto nivel. La orientación de las actividades hacia un Estado miembro también puede derivarse de la disponibilidad de una aplicación para móvil en la tienda de aplicaciones nacional correspondiente, de la existencia de publicidad local o publicidad en la lengua utilizada en dicho Estado miembro, o de una gestión de las relaciones con los clientes que incluya, por ejemplo, la prestación de servicios a los clientes en la lengua comúnmente utilizada en tal Estado miembro. También se presumirá que existe una conexión sustancial cuando el prestador de servicios dirija sus actividades hacia uno o más Estados miembros, como establece el art. 17, apdo. 1, letra c), del Reglamento (UE) n.º 1215/2012 del Parlamento Europeo y del Consejo".

3.2. Precisiones terminológicas.

Por «servicios de la sociedad de la información» se entiende según el art. 2 todo servicio en el sentido del art. 1, apdo. 1, letra b), de la Directiva (UE) 2015/1535[49].

«Plataforma en línea» es aquel prestador de un servicio de alojamiento de datos que, a petición de un destinatario del servicio, almacena y difunde al público información, salvo que esa actividad sea una característica menor y puramente auxiliar de otro servicio y, por razones objetivas y técnicas, no pueda utilizarse sin ese otro servicio, y la integración de la característica en el otro servicio no sea un medio para eludir la aplicabilidad del presente Reglamento.

«Destinatario del servicio» es toda persona física o jurídica que utilice el servicio intermediario pertinente y «consumidor» la persona física que actúe con fines ajenos a su actividad comercial, negocio o profesión.

«Ofrecer servicios en la Unión» es hacer posible que las personas físicas o jurídicas de uno o varios Estados miembros utilicen los servicios del prestador de servicios de la sociedad de la información que tenga una conexión sustancial con la Unión; se considerará que existe dicha conexión sustancial cuando el prestador tenga un establecimiento en la Unión; en ausencia de dicho establecimiento, la determinación de la conexión sustancial se basará en criterios objetivos

---

[49]   Y en este sentido, se entenderá por:
"b) «servicio»: todo servicio de la sociedad de la información, es decir, todo servicio prestado normalmente a cambio de una remuneración, a distancia, por vía electrónica y a petición individual de un destinatario de servicios. A efectos de la presente definición, se entenderá por:
i) «a distancia», un servicio prestado sin que las partes estén presentes simultáneamente,
ii) «por vía electrónica», un servicio enviado desde la fuente y recibido por el destinatario mediante equipos electrónicos de tratamiento (incluida la compresión digital) y de almacenamiento de datos y que se transmite, canaliza y recibe enteramente por hilos, radio, medios ópticos o cualquier otro medio electromagnético,
iii) «a petición individual de un destinatario de servicios», un servicio prestado mediante transmisión de datos a petición individual.
En el anexo I figura una lista indicativa de los servicios no cubiertos por esta definición"-

específicos, como por ejemplo:–un número significativo de usuarios en uno o varios Estados miembros, o que se dirijan actividades hacia uno o varios Estados miembros.

«Comerciante» es toda persona física o jurídica, ya sea privada o pública, que actúe, incluso a través de otra persona que actúe en su nombre o en su representación, con fines relacionados con su actividad comercial, negocio, oficio o profesión.

El «Servicio intermediario» puede revestir tres modalidades:

– Un servicio de «mera transmisión» consistente en transmitir, en una red de comunicaciones, información facilitada por el destinatario del servicio o en facilitar acceso a una red de comunicaciones;

– Un servicio de memoria tampón ("caching") consistente en transmitir por una red de comunicaciones información facilitada por el destinatario del servicio, que conlleve el almacenamiento automático, provisional y temporal de esta información, con la única finalidad de hacer más eficaz la transmisión ulterior de la información a otros destinatarios del servicio, a petición de estos;

– Un servicio de «alojamiento de datos» consistente en almacenar datos facilitados por el destinatario del servicio y a petición de este;

Por «contenido ilícito», a efectos de la norma, se considera aquella información que, por sí sola o en referencia a una actividad, incluida la venta de productos o la prestación de servicios, incumpla las leyes de la Unión o las leyes de un Estado miembro, sea cual sea el objeto o carácter concreto de esas leyes;

Por «Difusión al público» se entiende el poner información a disposición de un número potencialmente ilimitado de terceros a petición del destinatario del servicio que ha facilitado dicha información.

«Contrato a distancia» es un contrato en el sentido del art. 2, punto 7, de la Directiva 2011/83/UE.

«Interfaz en línea» es todo programa informático, incluidos los sitios web o partes de sitios web, y las aplicaciones, incluidas las aplicaciones móviles;

«Coordinador de servicios digitales de establecimiento» es el coordinador de servicios digitales del Estado miembro donde el prestador de un servicio intermediario esté establecido o su representante legal resida o esté establecido.

«Coordinador de servicios digitales de destino» es el coordinador de servicios digitales de un Estado miembro donde se preste el servicio intermediario;

«Publicidad» es la información diseñada para promocionar el mensaje de una persona física o jurídica, con independencia de si trata de alcanzar fines comerciales o no comerciales, y presentada por una plataforma en línea en su interfaz en línea a cambio de una remuneración específica por la promoción de esa información.

«Sistema de recomendación» es un sistema total o parcialmente automatizado y utilizado por una plataforma en línea para proponer en su interfaz en línea información específica para los destinatarios del servicio, por ejemplo, a consecuencia de una búsqueda iniciada por el destinatario o que determine de otro modo el orden relativo o la relevancia de la información presentada.

«Moderación de contenidos» son actividades realizadas por los prestadores de servicios intermediarios destinadas a detectar, identificar y actuar contra contenidos ilícitos o información incompatible con sus condiciones, que los destinatarios del servicio hayan proporcionado, por ejemplo la adopción de medidas que afecten a la disponibilidad, visibilidad y accesibilidad de dicho contenido ilícito o de dicha información, como la relegación de la información, la inhabilitación del acceso a la misma o su retirada, o que afecten a la capacidad de los destinatarios del servicio de proporcionar dicha información, como la eliminación o suspensión de la cuenta de un destinatario del servicio.

Y «Condiciones» son todas las especificaciones, sea cual sea su nombre y forma, que rigen la relación contractual entre el prestador de servicios intermediarios y los destinatarios de los servicios.

3.3. La exención de responsabilidad horizontal de los prestadores de servicios de la sociedad de la información: los "safe harbours" o puertos seguros.

Los prestadores de servicios de la sociedad de la información que se limiten a desarrollar una actividad de acceso y mera transmisión de almacenamiento de información en forma de memoria-tampón ("catching") o de alojamiento de datos ("hosting"), siempre que dicha actividad sea de naturaleza técnica, automática y pasiva y el prestador del servicio desempeñe un papel "neutro" (no activo) configuran un sistema de exención de responsabilidad horizontal que ya se contemplaba en la DCE y que se conoce como puertos seguros.

La exención de responsabilidad de los prestadores de servicios intermediarios lo es de la responsabilidad civil tanto contractual como extracontractual, administrativa, penal o de cualquier otro tipo por todo tipo de actividades iniciadas por terceros, incluidas las infracciones de derechos de autor y marcas registradas, difamación, publicidad engañosa, prácticas comerciales, competencia desleal, publicaciones de contenido ilegal, etc. Es esto lo que se conoce como "puertos seguros o de exención de responsabilidad"[50] sobre los que el TJUE se ha pronunciado en diversas ocasiones[51].

Uno de los factores configuradores del éxito del comercio electrónico y de las plataformas en línea es la configuración, en el marco de este sistema de "puertos seguros" [52], de una "inmunidad" (de forma

---

[50] Las nuevas tecnologías que mejoran la disponibilidad, eficiencia, velocidad, fiabilidad, capacidad y seguridad de los sistemas de transmisión y almacenamiento de datos en línea han permitido crear un ecosistema en línea cada vez más complejo. Los prestadores de servicios que establecen y facilitan la arquitectura lógica subyacente y el correcto funcionamiento de Internet, incluidas las funciones técnicas auxiliares, también pueden beneficiarse de las exenciones de responsabilidad estipuladas en el DSA, en la medida en que sus servicios cumplan los requisitos para considerarse de «mera transmisión», «memoria tampón» o alojamiento de datos. Dichos servicios pueden incluir, según el caso, redes de área local inalámbricas, sistemas de nombres de dominio (DNS), registros de nombres de dominio de alto nivel, autoridades de certificación que expiden certificados digitales, o redes de suministro de contenidos, que habiliten o mejoren las funciones de otros prestadores de servicios intermediarios. Del mismo modo, los servicios utilizados con fines de comunicación también han evolucionado de forma considerable, así como los medios técnicos para su prestación, dando lugar a servicios en línea como la voz sobre IP, servicios de mensajería y servicios de correo electrónico vía web, que envían las comunicaciones a través de un servicio de acceso a internet. También esos servicios pueden beneficiarse de las exenciones de responsabilidad, en la medida en que cumplan los requisitos para considerarse de «mera transmisión», «memoria tampón» o alojamiento de datos.

[51] Vid., entre otras, las Sentencias de 23 de marzo de 2010, Google France y Google c. Louis Vuitton y otros, asuntos acumulados C-236/08 a C238/08 (EU:C:2010:159), apdo.s 113-14; de 12 de julio de 2011, L'Oréal y otros c. eBay International y otros, asunto C-324/09 (ECLI:EU:C:2011:474), apdo. 113 y Sentencia de 11 de septiembre de 2014, Papasavvas, asunto C-291/13 (EU:C:2014:2209), apdo.s 39-40.

[52] BUSTO LAGO, J.M., «La responsabilidad civil de los prestadores de servicios de la sociedad de la información», en REGLERO CAMPOS, L. F. y BUSTO LAGO, J. M. (Coords.), Tratado de Responsabilidad Civil, 4.ª ed., Cizur Menor, Thomson-Aranzadi, 2008, pp. 971-1123; ARROYO I AMAYUELAS, E., «La responsabilidad de los intermediarios en internet: ¿puertos seguros a prueba de futuro?», en ARROYO I AMAYUELAS, E. y CÁMARA LAPUENTE, S. (Coords.), El derecho privado en el nuevo paradigma digital, Marcial Pons, 2020, pp. 343-384; CASTELLÓ PASTOR, J. J., Motores de búsqueda y derechos de autor: infracción y responsabilidad, Aranzadi, Cizur Menor, 2016, p. 219 y ss.; LÓPEZ RICHART, J., «Un nuevo régimen de responsabilidad para las plataformas de almacenamiento de contenidos generados por usuarios en el mercado único digital», Pe. i.: Revista de Propiedad Intelectual, núm. 60 (2018),

más correcta en el ámbito civil debería hablarse de "exención de responsabilidad") que únicamente se reconoce en aquellas situaciones en las que el intermediario de la actividad trata con los datos facilitados por el destinatario del servicio[53]. En este sentido, la DCE distinguía ya el prestador "activo" y "pasivo", excluyendo de la esfera de inmunidad al primero[54]. El intermediario no puede excederse de su función de hacer de canal o medio de transmisión, perdiendo la capacidad de inmunidad si, desempeñando un rol activo, realiza alguna labor de

---

pp. 67-126; DE MIGUEL ASENSIO, P. A., Derecho Privado de Internet, 5.ª ed., Civitas, Cizur Menor-Navarra, 2015, pp. 127-290.

[53] Además de estos tres puertos seguros de la DCE, el legislador español añadió la exención de la responsabilidad por el contenido ilícito generado por el usuario de su servicio (v.gr, infracciones de derechos de derechos de la propiedad intelectual e industrial, sobre protección de los consumidores, sobre derechos de la personalidad, contenidos terroristas, materiales relacionados con el abuso sexual de menores o delitos de incitación al odio, venta de productos ilegales, etc.) a los prestadores de servicios que faciliten enlaces a contenidos o instrumentos de búsqueda.

[54] Nada fácil de alcanzar como da cuenta la doctrina (Castelló, 2020) el deseado equilibrio entre los intermediarios y los titulares de derechos: una regulación excesivamente proteccionista pondría en riesgo el propio sistema de la red, mientras que la exoneración total de responsabilidad de los intermediarios perjudicaba a los titulares de derechos. Las fuertes de los lobbies tecnológicos comportaron el establecimiento de un régimen de responsabilidad menos estricto del inicialmente previsto, adquiriendo así la DCE un marcado carácter minimalista (cfr. considerando núm. 10 DCE). Entre otros, la libertad de expresión e información, el derecho al respeto de la vida privada y a la protección de los datos personales, el derecho de propiedad y a la libertad de empresa. Vid. ROSATI, E., Copyright and The Court of Justice of The European Union, Oxford University press, 2019, p. 155.
Vid. GASCÓN MARCÉN, A., «Los intermediarios de internet y la protección de los derechos humanos», en Las empresas transnacionales en el derecho internacional contemporáneo: Derechos humanos y objetivos de desarrollo sostenible, Tirant lo Blanch, 2019, pp. 399-412; Id., Citado por CASTELLÓ, ob. cit. p. 5. Igualmente y en este sentido, «La lucha contra el discurso de odio en línea en la Unión Europea y los intermediarios de internet», en Libertad de expresión y discurso de odio por motivos religiosos, Laboratorio sobre la libertad de Creencias, 2019, pp. 64-86. En tal caso, el intermediario se apropia de los datos del usuario. Vid. HUSOVEC, M., Injunctions Against Intermediaries in the European Union - Accountable But Not Liable?, Cambridge University Press, Cambridge, 2017, pp. 56-57. Vid. la STJUE Papasavvas, asunto C-291/13, apdo.s 45 y 46. ANGELOPOULOS, C., European Intermediary Liability in Copyright: A Tort-Based Analysis, Wolters Kluwer, 2017, p. 16.

edición de los datos facilitados por el usuario del servicio, o siendo el mismo proveedor de contenido. En este sentido, el Considerando 18 DSA establece que las exenciones de responsabilidad no deberán aplicarse cuando, en lugar de limitarse a la prestación neutra de los servicios, por un tratamiento puramente técnico y automático de la información proporcionada por el destinatario del servicio, el prestador de servicios intermediarios "desempeñe un papel activo de tal índole que le confiera el conocimiento de dicha información, o control sobre ella. En consecuencia, no cabe acogerse a dichas exenciones al respecto de responsabilidades relacionadas con información no proporcionada por el destinatario del servicio, sino por el propio prestador del servicio intermediario, inclusive cuando la información se haya elaborado bajo la responsabilidad editorial de dicho prestador".

En vista de la distinta naturaleza de las actividades de «mera transmisión» ("mere conduit"), «memoria tampón» y «alojamiento de datos» (hosting) y la diferente posición y capacidad de los prestadores de los servicios en cuestión, es necesario distinguir las normas aplicables a dichas actividades, en la medida en que están sujetas a distintos requisitos y condiciones y su ámbito de aplicación es diferente.

Los prestadores de servicios no serán responsables del contenido subido por los usuarios, si en el momento en el que tienen conocimiento "efectivo" del contenido ilícito, actúan de manera diligente para su retirada o inhabilitan el acceso: el prestador puede obtener dicho conocimiento efectivo a través de órdenes de los organismos competentes, investigaciones realizadas por iniciativa propia o notificaciones de los afectados, en la medida en que sean suficientemente precisas y estén bien fundamentadas.

Este régimen especial de responsabilidad no será aplicable en ningún caso respecto de la información generada por la propia plataforma, respecto de la cual los prestadores tendrán responsabilidad directa. Además, deberán presentar la información de manera que no induzca a los consumidores a creer que ha sido facilitada por las propias plataformas y no por sus usuarios (por ejemplo, los *marketplaces* deberán aclarar qué servicios son prestados por terceros a través de sus plataformas)[55]. A fin de beneficiarse de la exención de responsabilidad de los servicios de alojamiento[56], el prestador deberá, en el momento en que tenga conocimiento efectivo del contenido ilícito, actuar de manera diligente para retirar dicho contenido o inhabilitar el acceso al mismo. La retirada o inhabilitación del acceso debe llevarse a cabo con respeto al principio de libertad de expresión[57].

Las exenciones de responsabilidad estipuladas en la DSA no deben afectar a la posibilidad de que se dicten requerimientos de distinta índole contra los prestadores de servicios intermediarios, aunque cumplan las condiciones establecidas como parte de tales exenciones[58].

---

[55] Como dice el Considerando 21 del DSA, un prestador debe poder beneficiarse de las exenciones de responsabilidad para prestar servicios de «mera transmisión» y «memoria tampón» cuando no tenga absolutamente nada que ver con la información transmitida. Esto requiere, entre otras cosas, que el prestador no modifique la información que transmite. Sin embargo, no cabe entender que este requisito abarque manipulaciones de carácter técnico que tengan lugar durante la transmisión, ya que dichas manipulaciones no alteran la integridad de la información transmitida.

[56] Como expresa el Considerando 23, con el fin de garantizar la protección efectiva de los consumidores que efectúan transacciones comerciales intermediadas en línea, ciertos prestadores de servicios de alojamiento de datos, en concreto, plataformas en línea que permiten a los consumidores formalizar contratos a distancia con comerciantes, no deben poder beneficiarse de la exención de responsabilidad aplicable a los prestadores de servicios de alojamiento establecida en el presente Reglamento, en la medida en que dichas plataformas en línea presenten la información pertinente en relación con las transacciones en cuestión de manera que induzca a los consumidores a creer que la información ha sido facilitada por las propias plataformas en línea o por destinatarios del servicio que actúan bajo su autoridad o control, y que dichas plataformas en línea tienen por tanto conocimiento de la información o control sobre la misma, aunque puede que en realidad no sea el caso. En ese sentido, deberá determinarse de manera objetiva, teniendo en cuenta todas las circunstancias pertinentes, si la presentación podría inducir a un consumidor medio y razonablemente bien informado a creerlo así.

[57] El prestador puede obtener dicho conocimiento efectivo, en particular, a través de investigaciones realizadas por iniciativa propia o avisos recibidos de personas físicas o entidades en la medida en que dichos avisos sean suficientemente precisos y estén adecuadamente fundamentados para que un operador económico pueda detectar de manera razonable, evaluar y, en su caso, actuar contra el contenido presuntamente ilícito (Considerando 22).

[58] Dichos requerimientos podrían consistir, en particular, en órdenes de tribunales o autoridades administrativas que exijan que se ponga fin a una infracción o que se impida, por ejemplo, mediante la retirada de contenidos ilícitos especificados

A fin de crear seguridad jurídica y no desincentivar las actividades destinadas a detectar, identificar y actuar contra contenidos ilícitos que los prestadores de servicios intermediarios puedan llevar a cabo de forma voluntaria, conviene aclarar que el mero hecho de que los prestadores realicen esa clase de actividades no supone que ya no puedan acogerse a las exenciones de responsabilidad previstas en la DSA siempre que esas actividades se lleven a cabo de buena fe y con diligencia.

El mero hecho de que esos prestadores adopten medidas, de buena fe, para cumplir los requisitos del Derecho de la UE no debe excluir que puedan acogerse a esas exenciones de responsabilidad[59].

Como decimos, resultará en ocasiones complicado en la práctica aplicar estas normas que delimitan el rol activo-pasivo como criterio la hora garantizar la inmunidad o exención de responsabilidad del prestador de servicio de almacenamiento de datos, sobre todo en el contexto de las plataformas, amparadas generalmente por el puerto seguro porque rara vez actúan como meros intermediarios sino que ejercen en mayor o menor grado una influencia sobre el contenido alojado, llegando en ocasiones a confundir al usuario con respecto al origen o la identidad del bien o servicio mostrado.

Distinción entre lo activo y lo pasivo del papel o rol del intermediario[60] que, en la práctica, como ha resaltado la doctrina, puede quedar en entredicho por los mecanismos implementados por las plataformas en línea para detectar la presencia de contenido ilícito en la

---

en tales órdenes, dictadas de conformidad con el Derecho de la Unión, o la inhabilitación del acceso a los mismos (Considerando 24).

[59]   Por consiguiente, las actividades y medidas que un determinado prestador pueda haber adoptado no deberán tenerse en cuenta a la hora de determinar si el prestador puede acogerse a una exención de responsabilidad, en particular en lo que se refiere a si presta su servicio de forma neutra y puede, por tanto, quedar sujeto al ámbito de aplicación de la disposición pertinente, sin que esta norma implique, no obstante, que el prestador pueda necesariamente acogerse a ella (Considerando 25).

[60]   A raíz de la STJUE "Google France c. Vuitton", asuntos acumulados C-236/08 a C-238/08, apdo.s 113 y 116. algunos autores han considerado incorrecta esta extensión. Entre otros, RIORDAN, J., The Liability of Internet Intermediaries, Oxford University Press, Oxford, 2016, p. 402; LÓPEZ RICHART, J., «Un nuevo régimen...», op. cit., pp. 83-84. 34

red: en este caso se plantea determinar si el intermediario realiza de este modo una función activa cuando, en la búsqueda del ilícito, identifica con carácter previo el dato de entre los almacenados en el servidor a fin de impedirlo "ex ante" o, en su caso, eliminarlo "ex post". Interpretación que paradójicamente[61] conduciría a un resultado no deseado: el intermediario que proactivamente elimine el dato ilícito podría perder su protección como "safe harbour".

Prácticas que han llevado al legislador europeo a establecer un conjunto de normas con el fin de asegurar que se conceden opciones apropiadas de transparencia y de equidad a los usuarios profesionales de servicios de intermediación en línea y a los usuarios de sitios web corporativos en relación con los motores de búsqueda en línea[62].

---

[61]   CASTELLO PASTOR, J.J, "Nuevo régimen de responsabilidad de los servicios digitales que actúan como intermediarios a la luz de la propuesta de Reglamento de un mercado único de servicios digitales", en CASTELLO PASTOR, J.J. "Desafíos jurídicos ante la integración digital: aspectos europeos e internacionales, Aranzadi Thomson Reuters, 2021, pp. 38-77, p. 42.

[62]   *Vid.* LAPIEDRA ALCAMÍ, R., «Hacia la transparencia y la equidad en el ranking de resultados a la luz del Reglamento 2019/1150», en CASTELLÓ PASTOR, J.J. (Dir.), Desafíos jurídicos ante la integración digital: aspectos europeos e internacionales, Aranzadi Thomson Reuters, 2021; FLAQUER RIUTORT, J., «Obligaciones de transparencia y equidad en la prestación de servicios de intermediación en línea: orientaciones futuras en el ordenamiento comunitario», Revista Aranzadi de Derecho y Nuevas Tecnologías, núm. 50 (2019); CASTELLÓ PASTOR, J.J., «El ranquin de los resultados ofrecidos por buscadores, asistentes digitales y altavoces inteligentes: un problema no resuelto», Actas de derecho industrial y derecho de autor, tomo 40 (2019-2020), pp. 283-298. por su falta de neutralidad (i.e. conocimiento o control sobre estos datos).

3.4. Régimen de responsabilidad de los intermediarios.

3.4.1. *Exención de responsabilidad de los intermediarios de mera transmisión o alojamiento de datos ("caching" y "hosting") y por investigaciones por iniciativa propia o voluntarias para detectar, identificar y retirar contenidos ilícitos o inhabilitar el acceso a los mismos .*

El Capítulo II (Responsabilidad de los prestadores de servicios intermediarios), establece en su art. 3 bajo el título de "Mera transmisión", que cuando se preste un servicio de la sociedad de la información que consista en transmitir, en una red de comunicaciones, información facilitada por el destinatario del servicio o en facilitar el acceso a una red de comunicaciones " no se podrá considerar al prestador del servicio responsable de la información transmitida, a condición de que el prestador del servicio:

a) no haya originado él mismo la transmisión; b) no seleccione al receptor de la transmisión; y c) no seleccione ni modifique la información transmitida.

En el núm. 2 del art. 3 se dispone, por otra parte, que las actividades de transmisión y concesión de acceso enumeradas en el apdo. 1 engloban el almacenamiento automático, provisional y transitorio de la información transmitida, pero "siempre que dicho almacenamiento se realice con la única finalidad de ejecutar la transmisión en la red de comunicaciones y que su duración no supere el tiempo razonablemente necesario para dicha transmisión". Lo cual "no afectará a la posibilidad de que un tribunal o una autoridad administrativa, de conformidad con los sistemas jurídicos de los Estados miembros, exija al prestador de servicios que ponga fin a una infracción o que la impida".

Cuando se preste un servicio de la sociedad de la información consistente en transmitir por una red de comunicaciones información facilitada por un destinatario del servicio ("Memoria tampón" o "Caching"), el prestador del servicio no podrá ser considerado responsable del almacenamiento automático, provisional y temporal de esta información, realizado con la única finalidad de hacer más eficaz la transmisión ulterior de la información a otros destinatarios, a petición de estos, ello a condición de que: a) el prestador de servicios no modifique la información; b) el prestador de servicios cumpla las condiciones de acceso a la información; c) el prestador de servicios cumpla las normas relativas a la actualización de la información, especificadas de una manera ampliamente reconocida y utilizada por el sector; d) el prestador de servicios no interfiera en la utilización lícita de tecnología, ampliamente reconocida y utilizada por el sector, con el fin de obtener datos sobre la utilización de la información; y e) el prestador de servicios actúe con prontitud para retirar la información que haya almacenado, o inhabilitar el acceso a la misma, en cuanto tenga conocimiento efectivo del hecho de que la información contenida en la fuente inicial de la transmisión ha sido retirada de la red, de que se ha inhabilitado el acceso a dicha información o de que un tribunal o una autoridad administrativa ha ordenado retirarla o impedir que se acceda a ella. Lo cual no afectará a la posibilidad de que un tribunal o una autoridad administrativa, de conformidad con los sistemas jurídicos de los Estados miembros, exija al prestador de servicios que ponga fin a una infracción o que la impida.

El Alojamiento de datos o "hosting" se regula en el art. 5: en el núm. 1 se establece que cuando se preste un servicio de la sociedad de la información consistente en almacenar información facilitada por un destinatario del servicio[63], el prestador de servicios no podrá ser considerado responsable de los datos almacenados a petición del destinatario, a condición de que se cumplan las siguientes condiciones: a) Que no tenga conocimiento efectivo de una actividad ilícita o de un contenido ilícito y, en lo que se refiere a una acción por daños y perjuicios, no tenga conocimiento de hechos o circunstancias por los

---

[63]   El apdo. 1 no se aplicará cuando el destinatario del servicio actúe bajo la autoridad o el control del prestador de servicios ni tampoco con respecto a la responsabilidad, en virtud de la legislación de protección al consumidor, de las plataformas en línea que permitan que los consumidores formalicen contratos a distancia con comerciantes, cuando dicha plataforma en línea presente el elemento de información concreto, o haga posible de otro modo la transacción concreta de que se trate, de manera que pueda inducir a un consumidor medio y razonablemente bien informado a creer que esa información, o el producto o servicio que sea el objeto de la transacción, se proporcione por la propia plataforma en línea o por un destinatario del servicio que actúe bajo su autoridad o control.

que la actividad o el contenido revele su carácter ilícito, o de que b) En cuanto tenga conocimiento de estos puntos, el prestador de servicios actúe con prontitud para retirar el contenido ilícito o inhabilitar el acceso al mismo.

Precepto éste que "no afectará a la posibilidad de que un tribunal o una autoridad administrativa, de conformidad con los sistemas jurídicos de los Estados miembros, exija al prestador de servicios que ponga fin a una infracción o que la impida".

El art. 6 DSA regula la extensión de la exención de responsabilidad por la realización de investigaciones voluntarias por iniciativa propia y cumplimiento de la legislación ("el buen samartitano"), y así, los prestadores de servicios intermediarios no serán considerados inelegibles para acogerse a las exenciones de responsabilidad a que se refieren los artículos 3, 4 y 5 por la única razón de que realicen investigaciones por iniciativa propia u otras actividades de forma voluntaria con el fin de detectar, identificar y retirar contenidos ilícitos, o inhabilitar el acceso a los mismos, o adoptar las medidas necesarias para cumplir los requisitos del Derecho de la Unión, incluidos los estipulados en el Reglamento.

No existe, como establece el art. 8, obligación general de supervisión o de búsqueda activa de hechos, y así, no se impondrá a los prestadores de servicios intermediarios ninguna obligación general de supervisar los datos que transmitan o almacenen, ni de buscar activamente hechos o circunstancias que indiquen la existencia de actividades ilícitas.

3.4.2. Actuaciones contra contenidos ilícitos.

Los prestadores de servicios intermediarios, cuando reciban una orden de actuación contra un elemento concreto de contenido ilícito, dictada por las autoridades judiciales o administrativas nacionales en virtud del Derecho de la Unión o nacional aplicable, informarán a la autoridad que haya dictado la orden, sin dilaciones indebidas, acerca de su aplicación y especificarán las actuaciones realizadas y el momento en que se realizaron (art. 8). Los Estados miembros velarán por que las órdenes a que se refiere el apdo. 1 cumplan las siguientes condiciones:

a) Que las órdenes contengan los siguientes elementos:

- una Exposición de Motivos en la que se explique por qué la información es un contenido ilícito, haciendo referencia a la disposición específica del Derecho de la Unión o nacional que se haya infringido;
- uno o varios localizadores uniformes de recursos (URL) exactos y, en su caso, información adicional que permita identificar el contenido ilícito de que se trate;
- información acerca de las vías de recurso disponibles para el prestador del servicio y para el destinatario del servicio que haya proporcionado el contenido;

b) Que el ámbito de aplicación territorial de la orden, en virtud de las disposiciones aplicables del Derecho de la Unión y nacional, incluida la Carta y, en su caso, los principios generales del Derecho internacional, no exceda de lo estrictamente necesario para alcanzar su objetivo;

c) Que la orden se redacte en la lengua declarada por el prestador y se envíe al punto de contacto designado por el prestador, de conformidad con el art. 10.

El coordinador de servicios digitales del Estado miembro de la autoridad judicial o administrativa que dicte la orden transmitirá, sin dilaciones indebidas, una copia de las órdenes a que se refiere el apdo. 1 a todos los demás coordinadores de servicios digitales a través del sistema establecido de conformidad con el art. 67.4. Las condiciones y los requisitos estipulados en el presente artículo se entenderán sin perjuicio de los requisitos establecidos en el Derecho procesal penal nacional de conformidad con el Derecho de la UE.

3.4.3. Ordenes de entrega de información por las autoridades nacionales judiciales o administrativas[64].

3.4.4. El indeterminado criterio de la "diligencia debida" de los prestadores de servicios intermediarios para crear un entorno en línea transparente y seguro.

El Capítulo III de la "DSA" establece las obligaciones de diligencia debida para crear un entorno en línea transparente y seguro. La sección 1 establece las disposiciones aplicables a todos los prestadores de servicios intermediarios. El art. 11 dispone que los intermediarios que no tengan un establecimiento en la UE pero que ofrezcan servicios en la Unión designarán, por escrito, a una persona física o jurídica como su representante legal en uno de los estados miembros donde el prestador ofrezca sus servicios. Se podrán exigir responsabilidades al

---

[64]   El art. 9 regula las órdenes de entrega de información, disponiendo que los prestadores de servicios intermediarios, cuando reciban una orden de entrega de un elemento de información concreto acerca de uno o varios destinatarios concretos del servicio, dictada por las autoridades judiciales o administrativas nacionales pertinentes en virtud del Derecho de la Unión o nacional aplicable, de conformidad con el Derecho de la Unión, informarán a la autoridad que haya dictado la orden, sin dilaciones indebidas, acerca de su recepción y aplicación.
Los Estados miembros velarán por que las órdenes a que se refiere el apdo. 1 cumplan las siguientes condiciones: que la orden contenga una Exposición de Motivos en la que se explique con qué fin se requiere la información y por qué el requisito de entrega de la información es necesario y proporcionado para determinar el cumplimiento de las normas de la Unión o nacionales aplicables por parte de los destinatarios de los servicios intermediarios, salvo que no se pueda aportar dicha exposición por razones relacionadas con la prevención, investigación, detección y enjuiciamiento de delitos; información acerca de las vías de recurso disponibles para el prestador y para los destinatarios del servicio de que se trate; que la orden solo requiera que el prestador aporte información ya recabada para los fines de la prestación del servicio y que esté bajo su control;
- que la orden se redacte en la lengua declarada por el prestador y se envíe al punto de contacto designado por dicho prestador, de conformidad con el art. 10. El coordinador de servicios digitales del Estado miembro de la autoridad nacional judicial o administrativa que dicte la orden transmitirá, sin dilaciones indebidas, una copia de la orden a que se refiere el apdo. 1 a todos los coordinadores de servicios digitales a través del sistema establecido de conformidad con el art. 67.
Ello sin perjuicio de los requisitos establecidos en el Derecho procesal penal nacional de conformidad con el Derecho de la Unión.

representante legal designado por el incumplimiento de las obligaciones estipuladas en el reglamento, sin perjuicio de la responsabilidad del prestador de servicios intermediarios y de las acciones legales que puedan iniciarse contra éste (núm. 3).

Los prestadores de servicios intermediarios incluirán en sus condiciones información sobre cualquier restricción que impongan en relación con el uso de su servicio al respecto de la información proporcionada por los destinatarios del servicio. Dicha información:

– Abarcará información sobre todo tipo de políticas, procedimientos, medidas y herramientas que se utilicen con fines de moderación de contenidos, incluidas las decisiones algorítmicas y la revisión humana;
– Se expondrá en lenguaje claro e inequívoco;
– Se hará pública en un formato fácilmente accesible.

Los prestadores de servicios intermediarios actuarán (art. 12) de manera diligente, objetiva y proporcionada para aplicar y ejecutar las referidas restricciones a que se refiere el apdo. 1, con la debida consideración de los derechos e intereses legítimos de todas las partes implicadas, incluidos los derechos fundamentales aplicables de los destinatarios del servicio consagrados en la Carta (de Derechos de la UE).

El art. 13 establece las obligaciones de transparencia informativa de los prestadores de servicios intermediarios: deberán publicar, al menos una vez al año, informes claros, detallados y fácilmente comprensibles sobre cualquier actividad de moderación de contenidos que hayan realizado durante el período pertinente (ello no se aplicará a los prestadores de servicios intermediarios que sean microempresas o pequeñas empresas en el sentido del anexo de la Recomendación 2003/361/CE).

En este sentido, señala Castelló que "(...) la naturaleza técnica, automática y pasiva de la actividad del prestador de servicio de intermediación (y su neutralidad) implica que no tenga conocimiento ni control de la información transmitida o almacenada. De esta manera, habida cuenta de que no tiene la obligación general de supervisar los datos que almacena o de realizar búsquedas activas de hechos o circunstancias que indiquen actividades ilícitas, el operador económico desconoce el carácter ilegal de los archivos almacenados (o de la actividad ilícita que pudiera realizarse con los mismos). Así, el operador que sea informado de la ilegalidad debe tratar de forma diligente los hechos y circunstancias que se le comuniquen (esto es: retirar los datos en cuestión o impedir el acceso) para no perder su inmunidad ya que, de lo contrario, podría considerársele responsable indirecto (en función de la ley material aplicable al fondo del asunto, pues, recuérdese, la Directiva sobre el comercio electrónico armoniza únicamente los casos en los que el prestador de servicio de intermediación queda exento de responsabilidad) de estos datos notificados" Es por ello, como recuerda este autor, que el prestador de servicios de almacenamiento de datos se sitúa en una difícil posición cada vez que tiene que eliminar el contenido (posiblemente ilícito) alojado en sus servidores por cuanto debe alcanzar cierto equilibrio entre los derechos e intereses legítimos de todas las partes afectadas y, en particular, preservar la libertad de expresión de los usuarios"[65].

Ahora bien, no debe perderse de vista que la pérdida en aquellos casos del privilegio como puerto seguro no implica directa y automáticamente la derivación de responsabilidad del intermediario[66], pues ello depende del resultado de la aplicación "ad casum" de la ley nacional sustantiva que resulte aplicable al fondo del asunto (ley material).

El sistema pivota, de este modo, sobre un deber de diligencia del intermediario que resulta a nuestro juicio excesivamente indeterminado y que puede plantear problemas en su traslación práctica. El prestador de servicio de intermediación de "hosting" o alojamiento de datos tiene la capacidad técnica de borrarlos o de hacer imposible

---

[65] Vid. HOBOKEN, J., QUINTAIS, J. P., POORT, J., VAN EIJK, N., Hosting intermediary services and illegal content online – an analysis of the scope of Article 14 E-Commerce Directive in light of developments in the Online service landscape, 2018, pp. 31 y ss. 36STALLA-BOURDILLON, S., «Internet Intermediaries as Responsible Actors? Why It Is Time to Rethink the E-Commerce Directive as Well», en TADDEO, M. y FLORIDI, L. (eds), The Responsibilities of Online Service Providers. Springer, 2017, pp. 284-85. Citados por Castelló, Nuevo régimen de responsabilidad de los servicios digitales que actúan como intermediarios a la luz de la propuesta de Reglamento de un mercado único de servicios digitales", en CASTELLO PASTOR, J.J. "Desafíos jurídicos ante la integración digital: aspectos europeos e internacionales, Aranzadi Thomson-Reuters, 2021, nota a pie nº 31.

[66] Vid., CASTELLÓ PASTOR, JJ., Motores de búsqueda..., op. cit., pp. 238-239; DE MIGUEL ASENSIO, P.A., Derecho Privado de..., ob. cit., p. 225.

el acceso a ellos, razón por la que se espera del mismo una actuación diligente, eficaz y rápida, cuando se ponga en su conocimiento la existencia de datos ilícitos en su servicio[67]. Como ha dado cuenta la doctrina, no se establecen con claridad determinaciones sobre la concreción del nivel de diligencia que es exigible ni tampoco de un mecanismo para presentar notificaciones sobre contenidos ilícitos que sea común a los estados miembros. Ello dificulta el momento a partir del cual se puede entender que el operador económico conoce la eventual infracción y actúa de forma diligente para erradicarla. Tampoco precisa si el conocimiento de la ilicitud hace referencia a hechos y circunstancias concretas, o cabría, por el contrario, inferirse el conocimiento general de la infracción del alojamiento en los servidores de contenidos ilícitos. Es por ello que la notificación se constituye en un instrumento elemental para combatir el contenido ilícito en línea, al tiempo que permite exonerar al operador económico de su eventual responsabilidad si actúa con diligencia.

Adicionalmente, se plantean problemas prácticos derivados de la notificación pues se obliga al empresario intermediario al rastreo de Internet o al empleo de medios que pueden ser desproporcionados y contrarios a los derechos cuando se pretende eliminar tal contenido ilícito. El TJUE[68] ha precisado en reiteradas ocasiones que un intermediario no puede verse obligado a proceder a una supervisión de la totalidad de los datos.

---

[67]   Vid. en este sentido la STJUE de 15 de septiembre de 2016, Tobias Mc Fadden y Sony Music Entertainment Germany GmbH, asunto C-484/14 (EU:C:2016:689), apdo. 62.

[68]   Vid. SSTJUE L'Oréal y otros, asunto C-324/09, apdo.s 139 y 144 y la de 24 de noviembre de 2011, Scarlet Extended c. SABAM, asunto C-70/10, ECLI:EU:C:2011:771, apdo.s 36 y 40) o de la casi totalidad (vid. la STJUE de 16 de febrero de 2012, SABAM c. Netlog NV, asunto C-360/10, ECLI:EU:C:2012:85, apdo.s 37 y 38) de los datos respecto de todos sus clientes con el fin de evitar cualquier futura infracción. Entre otras, vid.las SSTJUE de 8 de septiembre de 2016, GS Media BV y Sanoma Media Netherlands BV, Playboy Enterprises International Inc., Britt Geertruida Dekker, asunto C-160/15, (ECLI:EU:C:2016:644), apdo. 49; Google France c. Vuitton et al., asuntos acumulados C-236/08 a C-238/08, apdo. 120; o L'Oréal c. eBay, asunto C-324/09, apdo.s 120 y 124. CASTELLÓ PASTOR, J. J., «Detección y retirada de contenidos que vulneren derechos de autor en la red: necesidad de un código de buenas prácticas», Actas de Derecho Industrial, núm. 37 (2016-2017), pp. 284-287.

En este punto, entendemos criticable que el legislador comunitario haya recurrido tan a menudo al uso de conceptos jurídicos indeterminados, v.gr, "conocimiento efectivo", actuar con "diligencia", etc., sin una mayor especificación de los criterios que permitan su concreción en la práctica.

3.4.5. Notificación y acción frente a contenidos ilícitos.

El art. 14 DSA establece los mecanismos de notificación y acción de contenidos ilícitos: en su núm. 1 dispone que los prestadores de servicios de alojamiento de datos establecerán mecanismos que permitan que cualquier persona física o entidad les notifique la presencia en su servicio de elementos de información concretos que esa persona física o entidad considere contenidos ilícitos. Dichos mecanismos serán de fácil acceso y manejo, y permitirán el envío de avisos exclusivamente por vía electrónica.

Los mecanismos mencionados serán tales que faciliten el envío de avisos suficientemente precisos y adecuadamente fundamentados, de acuerdo con los cuales un operador económico "diligente" pueda determinar la ilicitud del contenido en cuestión[69].

---

[69]   Con ese fin, los prestadores adoptarán las medidas necesarias para habilitar y facilitar el envío de avisos que contengan todos los elementos siguientes: a)una explicación de los motivos por los que una persona física o entidad considera que la información en cuestión es contenido ilícito; b)una indicación clara de la localización electrónica de esa información, en particular la(s) URL exacta(s) y, en su caso, información adicional que permita detectar el contenido ilícito; c)el nombre y una dirección de correo electrónico de la persona física o entidad que envíe el aviso, excepto en el casode información que se considere que implica uno de los delitos a que se refieren los art. s 3 a 7 de la Directiva 2011/93/UE; d) una declaración que confirme que la persona física o entidad que envíe el aviso está convencida de buena fe de que la información y las alegaciones que dicho aviso contiene son precisas y completas.
Se considerará que los avisos que incluyan los elementos a que se refiere el apdo. 2 confieren un conocimiento efectivo para los efectos del art. 5 al respecto del elemento de información concreto de que se trate. El prestador también notificará a esa persona física o entidad, sin dilaciones indebidas, su decisión al respecto de la información a que se refiera el aviso e incluirá información sobre las vías de recurso disponibles al respecto de esa decisión.
Los prestadores de servicios de alojamiento de datos tramitarán los avisos que reciban a través de los mecanismos a que se refiere el apdo. 1, y adoptarán sus

En definitiva, la notificación debe proporcionar elementos suficientes para que el intermediario pueda advertir fácilmente el carácter ilícito. Si bien en algunos supuestos no plantea mayores problemas (pornografía infantil, xenofobia o relacionados con intromisiones al derecho del honor), en otros puede ser complicado (infracciones de los derechos de propiedad intelectual e industrial). Al margen de lo expuesto, un tribunal o una autoridad administrativa, de conformidad con el sistema jurídico de cada Estado miembro (ley material), puede exigir al intermediario que ponga fin a una determinada infracción, mediante la retirada del contenido o el bloqueo de su acceso, pero también que impida que la información vuelva a ponerse en la red[70].

---

decisiones al respecto de la información a que se refieran tales avisos, de manera oportuna, diligente y objetiva. Cuando utilicen medios automatizados incluirán información sobre dicho uso en la notificación. Cuando un prestador de servicios de alojamiento de datos decida retirar elementos de información concretos proporcionados por los destinatarios del servicio, o inhabilitar el acceso a los mismos, con independencia de los medios utilizados para detectar, identificar o retirar dicha información o inhabilitar el acceso a la misma y del motivo de su decisión, comunicará la decisión al destinatario del servicio a más tardar en el momento de la retirada o inhabilitación del acceso y aportará una exposición clara y específica de los motivos (art. 15).

[70] Vid LLOPIS NADAL, P., Tutela judicial civil de la propiedad intelectual en internet, Thomson ReutersAranzadi, 2018, FROSIO, G., «Enforcement of European Rights on a Global Scale» en ROSATI, E. (ed.), Handbook of European Copyright Law, Routledge, 2021 (capítulo disponible en: https://ssrn.com/abstract=3650521 or http://dx.doi.org/10.2139/ssrn.3650521); HUSOVEC, M., Injunctions Against Intermediaires..., op. cit. pp. 57 y 58; ROSATI, E., Copyright and the Court..., op. cit., 2019, pp. 154-169; SENFTLEBEN, M. y ANGELOPOULOS, C., "The Odyssey of the Prohibition on General Monitoring Obligations on the Way to the Digital Services Act: Between Article 15 of the E-Commerce Directive and Article 17 of the Directive on Copyright in the Digital Single Market, Amsterdam/Cambridge (2020) (disponible en https://ssrn.com/abstract=3717022).

4. Régimen de responsabilidad de las plataformas en línea.

La Sección Tercera DSA comprende los arts. 16 a 24 y establece la siguiente regulación:

A. Exclusión de microempresas y pequeñas empresas (art. 16)

No se aplicará a las plataformas en línea que sean microempresas o pequeñas empresas en el sentido del anexo de la Recomendación 2003/361/CE.

B. Sistema interno de tramitación de reclamaciones (art. 17).

Las plataformas en línea facilitarán a los destinatarios del servicio, durante un período mínimo de seis meses desde la decisión a que se refiere este apartado, acceso a un sistema interno eficaz de tramitación de reclamaciones, que permita presentar las reclamaciones por vía electrónica y de forma gratuita, contra las siguientes decisiones adoptadas por la plataforma en línea sobre la base de que la información proporcionada por los destinatarios del servicio es contenido ilícito o incompatible con sus condiciones: a) las decisiones de retirar la información o inhabilitar el acceso a la misma; b) las decisiones de suspender o cesar la prestación del servicio, en todo o en parte, a los destinatarios; c) las decisiones de suspender o eliminar la cuenta de los destinatarios.

Las plataformas en línea velarán por que sus sistemas internos de tramitación de reclamaciones[71] sean de fácil acceso y manejo y habi-

---

[71] En particular, se establece que los proveedores de estas plataformas tramitarán las reclamaciones enviadas a través de su sistema interno de tramitación de reclamaciones de manera oportuna, diligente y objetiva. Cuando una reclamación contenga motivos suficientes para que la plataforma en línea considere que la información a que se refiere la reclamación no es ilícita ni incompatible con sus condiciones, o contenga información que indique que la conducta del reclamante no justifica la suspensión o el cese del servicio ni la suspensión o eliminación de la cuenta, revertirá la decisión a que se refiere el apdo. 1 sin dilaciones indebidas. Los proveedores de plataformas en línea comunicarán a los reclamantes, sin dilaciones indebidas, la decisión que hayan tomado al respecto de la información a que se refiera la reclamación e informarán a los reclamantes de la posibilidad de resolución extrajudicial de litigios recogida en el art. 18 y otras posibilidades

liten y faciliten el envío de reclamaciones suficientemente precisas y adecuadamente fundamentadas.

C. Resolución extrajudicial de litigios (art. 18).

Los destinatarios del servicio a quienes van destinadas las decisiones a que se refiere el art. 17, apdo. 1, tendrán derecho a elegir cualquier órgano de resolución extrajudicial de litigios que haya sido certificado de conformidad con el apdo. 2 para resolver litigios relativos a esas decisiones, incluidas las reclamaciones que no hayan podido resolverse a través del sistema interno de tramitación de reclamaciones mencionado en dicho artículo. Las plataformas en línea tratarán de buena fe con el órgano seleccionado con miras a resolver el litigio y quedarán vinculadas por la decisión que dicho órgano adopte.

Ello ha de entenderse sin perjuicio del derecho del destinatario afectado a recurrir la decisión ante un tribunal de conformidad con la legislación aplicable.

D. El sistema de "alertadores fiables" (art. 19).

Las plataformas en línea adoptarán las medidas técnicas y organizativas necesarias para asegurarse de que los avisos enviados por los denominados "alertadores fiables, a través de los mecanismos a que se refiere el art. 14, se tramiten y resuelvan de forma prioritaria y sin dilación. La condición de "alertador fiable" será otorgada, previa solicitud de las entidades que lo deseen, por el coordinador de servicios digitales del Estado miembro donde el solicitante esté establecido, cuando este haya demostrado cumplir todas las condiciones siguientes previstas en el núm. dos: a) poseer conocimientos y competencias específicos para detectar, identificar y notificar contenidos ilícitos; b) representar intereses colectivos y no depender de ninguna plataforma en línea; c) realizar sus actividades con el fin de enviar avisos de manera oportuna, diligente y objetiva.

---

de recurso de que dispongan. Las plataformas en línea deberán velar por que las decisiones a no se adopten exclusivamente por medios automatizados.

E. Medidas y protección contra usos indebidos (art. 20).

Las plataformas en línea suspenderán, durante un período razonable y después de haber realizado una advertencia previa, la prestación de sus servicios a los destinatarios del servicio que proporcionen con frecuencia contenidos manifiestamente ilícitos.

Igualmente suspenderán la tramitación de avisos y reclamaciones enviados a través de los mecanismos de notificación y acción y los sistemas internos de tramitación de reclamaciones a que se refieren los arts 14 y 17, respectivamente, por personas físicas o entidades o por reclamantes que envíen con frecuencia avisos o reclamaciones que sean manifiestamente infundados.

Las plataformas evaluarán, caso por caso y de manera oportuna, diligente y objetiva, si un destinatario, persona física, entidad o reclamante efectúa los usos indebidos a que se refieren los apdos. 1 y 2, teniendo en cuenta todos los hechos y circunstancias pertinentes que se aprecien a partir de la información de que disponga la plataforma. Tales circunstancias incluirán, como mínimo, lo siguiente: a)las cifras absolutas de elementos de contenido manifiestamente ilícitos o avisos o reclamaciones manifiestamente infundados, que se hayan enviado el año anterior; b)su proporción relativa en relación con la cifra total de elementos de información proporcionados o avisos enviados el año anterior; c)la gravedad de los usos indebidos y sus consecuencias; d) la intención del destinatario, persona física, entidad o reclamante.

Las plataformas expondrán en sus condiciones, de manera clara y detallada, su política al respecto de los usos indebidos a que se refieren los apdos 1 y 2, también en relación con los hechos y circunstancias que tengan en cuenta para evaluar si un determinado comportamiento constituye uso indebido y la duración de la suspensión.

Cuando una plataforma tenga conocimiento de cualquier información que le haga sospechar que se ha cometido, se está cometiendo o es probable que se cometa un delito grave que implique una amenaza para la vida o la seguridad de las personas, comunicará su sospecha de inmediato a las autoridades policiales o judiciales del Estado o Estados miembros afectados y aportará toda la información pertinente de que disponga. Cuando no pueda determinar con una seguridad razonable cuál es el Estado miembro afectado, informará a las auto-

Raquel Luquin Bergareche

ridades policiales del Estado miembro en que esté establecido o tenga su representante legal o bien informará a Europol (art. 21)

F. Trazabilidad de los comerciantes (art. 22).

Cuando una plataforma en línea permita a los consumidores formalizar contratos a distancia con comerciantes, se asegurará de que los comerciantes solo puedan utilizar sus servicios para promocionar mensajes o realizar ofertas sobre productos o servicios a los consumidores localizados en la Unión si, previamente al uso de sus servicios, la plataforma ha obtenido determinada información[72]

Una vez recibida esa información, hará esfuerzos razonables para evaluar si la información a que se refieren las letras a), d) y e) del apartado 1 es fiable mediante el uso de cualquier base de datos en línea o interfaz en línea oficial de libre acceso puesta a disposición por un Estado miembro o por la Unión o solicitando al comerciante que aporte documentos justificativos de fuentes fiables.

Cuando la plataforma obtenga indicaciones de que alguno de los elementos de información a que se refiere el apdo. 1 obtenido del comerciante en cuestión es inexacto o incompleto, dicha plataforma solicitará al comerciante que corrija la información en la medida en que sea necesario para garantizar que toda la información sea exacta y completa, sin dilación o en el plazo marcado por el Derecho de la Unión y nacional.

---

[72] A saber: a) el nombre, la dirección, el número de teléfono y la dirección de correo electrónico del comerciante; b) una copia del documento de identificación del comerciante o cualquier otra identificación electrónica con arreglo a la definición del art. 3 del Reglamento (UE) n.º 910/2014 del Parlamento Europeo y del Consejo; c) los datos bancarios del comerciante, cuando el comerciante sea una persona física; d) el nombre, el domicilio, el número de teléfono y la dirección de correo electrónico del operador económico, en el sentido del art. 3, apdo. 13, y el art. 4 del Reglamento (UE) 2019/1020 del Parlamento Europeo y del Consejo o cualquier acto pertinente del Derecho de la Unión; e) cuando el comerciante esté inscrito en un registro mercantil o registro público análogo, el registro mercantil en el que dicho comerciante esté inscrito y su número de registro o medio equivalente de identificación en ese registro; f) una certificación del propio comerciante por la que se comprometa a ofrecer exclusivamente productos o servicios que cumplan con las disposiciones aplicables del Derecho de la Unión.

Cuando el comerciante no corrija o complete dicha información, la plataforma en línea suspenderá la prestación de su servicio al comerciante hasta que se atienda la solicitud.

La plataforma conservará la información obtenida con arreglo a los apdos 1 y 2 de manera segura durante todo el tiempo que mantenga su relación contractual con el comerciante en cuestión. Posteriormente la suprimirá.

G. Obligaciones de transparencia informativa de los prestadores de plataformas en línea (art. 23).

Las plataformas incluirán en los informes a que se refiere dicho artículo información sobre: a) el número de litigios presentados ante los órganos de resolución extrajudicial de litigios a que se refiere el art. 18, los resultados de la resolución de los litigios y el tiempo medio necesario para completar los procedimientos de resolución de los litigios; b) el número de suspensiones impuestas en virtud del art. 20, distinguiendo entre suspensiones aplicadas por proporcionar contenido manifiestamente ilegal, enviar avisos manifiestamente infundados y enviar reclamaciones manifiestamente infundadas; c) el uso de medios automáticos con fines de moderación de contenidos, incluida una especificación de los fines precisos, los indicadores de la precisión de los medios automatizados para cumplir dichos fines y las salvaguardias aplicadas.

Las plataformas en línea publicarán, al menos una vez cada seis meses, información sobre el número medio mensual de destinatarios del servicio activos en cada Estado miembro, calculado como promedio de los seis últimos meses. Comunicarán al coordinador de servicios digitales de establecimiento, a petición de este, la información a que se refiere el apdo. 2, actualizada hasta el momento de efectuarse tal petición. Dicho coordinador de servicios digitales podrá exigir a la plataforma en línea que proporcione información adicional en relación con el cálculo a que se refiere dicho apartado, con explicaciones y justificaciones de los datos utilizados. Dicha información no incluirá datos personales.

La Comisión podrá adoptar actos de ejecución para establecer modelos de forma, contenido y otros detalles de los informes elaborados en virtud del apdo. 1.

H. Transparencia sobre la publicidad en línea (art. 24)

Las plataformas que presenten publicidad en sus interfaces en línea se asegurarán de que los destinatarios del servicio puedan conocer, por cada anuncio publicitario concreto presentado a cada destinatario específico, de manera clara e inequívoca y en tiempo real: a) que la información presentada es un anuncio publicitario; la persona física o jurídica en cuyo nombre se presenta el anuncio publicitario; c)información significativa acerca de los principales parámetros utilizados para determinar el destinatario a quién se presenta el anuncio publicitario.

2.1.3.8. Códigos de conducta (art. 35)

La Comisión y la Junta fomentarán y facilitarán la elaboración de códigos de conducta en el ámbito de la UE para contribuir a la debida aplicación del DSA, teniendo en cuenta en particular las dificultades concretas que conlleva actuar contra diferentes tipos de contenidos ilícitos y riesgos sistémicos, de conformidad con el Derecho de la Unión, en particular en materia de competencia y de protección de los datos personales. Cuando se genere un riesgo sistémico significativo (en el sentido del art. 26, apartado 1) y afecte a varias plataformas en línea de muy gran tamaño, la Comisión podrá invitar a las plataformas de muy gran tamaño afectadas, otras plataformas en línea de muy gran tamaño, otras plataformas en línea y otros prestadores de servicios intermediarios, según sea oportuno, así como a organizaciones de la sociedad civil y otras partes interesadas, a participar en la elaboración de códigos de conducta, por ejemplo estableciendo compromisos de adopción de medidas específicas de reducción de riesgos, así como un marco de información periódica sobre las medidas que se puedan adoptar y sus resultados.

El art. 38.2 dispone por su parte que los Estados miembros designarán a una de las autoridades competentes como su coordinador de servicios digitales.

5. Plataformas en línea de muy gran tamaño: obligaciones adicionales y régimen reforzado.

La Sección Cuarta DSA se aplica a las plataformas en línea que presten sus servicios a un número medio mensual de destinatarios del servicio activos en la UE igual o superior a cuarenta y cinco millones, umbral éste calculado de acuerdo con la metodología establecida y sujeto a variaciones.

La Comisión se asegurará de que la lista de plataformas en línea designadas "de muy gran tamaño" se publique en el DOCE y mantendrá dicha lista actualizada. Las obligaciones estipuladas en esta sección se aplicarán, o dejarán de aplicarse, a las plataformas en línea de muy gran tamaño afectadas al cabo de cuatro meses desde esa publicación.

Estas plataformas detectarán, analizarán y evaluarán, al menos una vez al año cualquier riesgo sistémico significativo que se derive del funcionamiento y uso que se haga de sus servicios en la Unión[73]. Cuando realicen evaluaciones de riesgos, tendrán en cuenta, en particular cómo influyen sus sistemas de moderación de contenidos, sistemas de recomendación y sistemas de selección y presentación de publicidad en cualquiera de los riesgos sistémicos, incluida la difusión potencialmente rápida y amplia de contenido ilícito y de información incompatible con sus condiciones.

---

[73] Esta evaluación de riesgos será específica de sus servicios e incluirá los siguientes riesgos sistémicos (art. 26):
a) la difusión de contenido ilícito a través de sus servicios;
b) cualquier efecto negativo para el ejercicio de los derechos fundamentales al respeto de la vida privada y familiar, la libertad de expresión e información, la prohibición de la discriminación y los derechos del niño, consagrados en los art. s 7, 11, 21 y 24 de la Carta respectivamente;
c) la manipulación deliberada de su servicio, por ejemplo, por medio del uso no auténtico o la explotación automatizada del servicio, con un efecto negativo real o previsible sobre la protección de la salud pública, los menores, el discurso cívico o efectos reales o previsibles relacionados con procesos electorales y con la seguridad pública.

Estas plataformas aplicarán medidas razonables, proporcionadas y efectivas de reducción de riesgos[74], adaptadas a los sistémicos específicos detectados (art. 27).

Las plataformas de muy gran tamaño se someterán, a su propia costa y al menos una vez al año, a auditorías para evaluar el cumplimiento de las obligaciones estipuladas en el capítulo III DSA y cualquier compromiso adquirido en virtud de los códigos de conducta.

Aquellas que presenten publicidad en sus interfaces en línea recopilarán y harán público mediante interfaces de programación de aplicaciones un repositorio que contenga la información a que se refiere el apdo. 2[75], hasta un año después de la última vez que se presente la publicidad en sus interfaces en línea. Se asegurarán de que el repositorio no contenga ningún dato personal de los destinatarios del servicio a quienes se haya o se pueda haber presentado la publicidad.

Estas plataformas proporcionarán al coordinador de servicios digitales de establecimiento o a la Comisión, cuando lo soliciten de forma motivada y en un período razonable, especificado en la solicitud,

---

[74]   Dichas medidas podrán incluir, cuando proceda:
a) la adaptación de los sistemas de moderación de contenidos o de recomendación, sus procesos decisorios, las características o el funcionamiento de sus servicios, o sus condiciones;
b) medidas selectivas dirigidas a limitar la presentación de anuncios publicitarios en asociación con el servicio que prestan;
c) el refuerzo de los procesos internos o la supervisión de cualquiera de sus actividades, en particular en lo que respecta a la detección de riesgos sistémicos;
d) la puesta en marcha o el ajuste de la cooperación con los alertadores fiables de conformidad con el art. 19;
e) la puesta en marcha o el ajuste de la cooperación con otras plataformas en línea mediante los códigos de conducta y los protocolos de crisis a que se refieren los art. s 35 y 37 respectivamente.

[75]   El repositorio incluirá al menos la información siguiente:
a) el contenido de la publicidad;
b) la persona física o jurídica en cuyo nombre se presenta el anuncio publicitario;
c) el período durante el que se haya presentado la publicidad;
d) si la publicidad estaba destinada a presentarse en particular a uno o varios grupos concretos de destinatarios del servicio y, en tal caso, los parámetros principales utilizados para tal fin;
e) el número total de destinatarios del servicio alcanzados y, en su caso, el total general del grupo o grupos de destinatarios a quienes la publicidad estuviera específicamente dirigida.

acceso a los datos que sean necesarios para vigilar y evaluar el cumplimiento del presente Reglamento (art. 31).

Las plataformas en línea de muy gran tamaño designarán uno o varios encargados de cumplimiento con la responsabilidad de vigilar el cumplimiento de la DSA (art. 32).

La Comisión podrá emprender las acciones necesarias para vigilar la aplicación y el cumplimiento efectivos del DSA por la plataforma en línea de muy gran tamaño afectada. También podrá ordenar a esa plataforma que proporcione acceso a sus bases de datos y algoritmos, y explicaciones al respecto. Las acciones previstas podrán incluir la designación de expertos y auditores externos independientes que ayuden a vigilar el cumplimiento de las disposiciones normativas vigentes y aporten conocimientos o experiencia específicos. Llegado el caso, dispone el art. 58 que adoptará una decisión de incumplimiento si constata que una plataforma en línea de muy gran tamaño incumple una o varias de las obligaciones establecidas en la ley de Servicios Digitales.

IV. BIBLIOGRAFÍA

ALVAREZ OLALLA, P. "Propuesta de Reglamento en materia de responsabilidad civil por el uso de Inteligencia Artificial", Revista CESCO de Derecho de Consumo, n° 28, 2021.

ARROYO I AMAYUELAS, E. «La responsabilidad de los intermediarios en Internet: ¿puertos seguros a prueba de futuro?», en ARROYO I AMAYUELAS, E. y CÁMARA LAPUENTE, S. (Coords.), El derecho privado en el nuevo paradigma digital, Marcial Pons, 2020.

BUSTO LAGO, J. «La responsabilidad civil de los prestadores de servicios de la sociedad de la información», en REGLERO CAMPOS, L. F. y BUSTO LAGO, J. M. (Coords.), Tratado de Responsabilidad Civil, Cizur Menor, Thomson Reuters Aranzadi, 2008.

CASTELLÓ PASTOR, J. J. «Exoneración de responsabilidad de los prestadores de servicios de la información en la sección 230 de la Communications Decency Act estadounidense», Revista Aranzadi de Derecho y Nuevas Tecnologías, n.° 39 (2015).

- Motores de búsqueda y derechos de autor: infracción y responsabilidad, Aranzadi, Cizur Menor, 2016.

- «Disponibilidad de productos y servicios en línea en el mercado único digital», en

CASTELLÓ PASTOR, J. J., GUERRERO PÉREZ, A., MARÍNEZ PÉREZ, M. (Dirs.), «Derecho de la contratación electrónica y comercio electrónico en la Unión Europea y en España», Tirant lo Blanch, Valencia, 2021.

-Nuevo régimen de responsabilidad de los servicios digitales que actúan como intermediarios a la luz de la propuesta de Reglamento de un mercado único de servicios digitales, en CASTELLO PASTOR, J.J. "Desafíos jurídicos ante la integración digital: aspectos europeos e internacionales, Aranzadi Thomson Reuters, 2021, pp. 38-77.

CORDERO ÁLVAREZ, C. I. «Plataformas digitales, economía colaborativa y cuestiones de Derecho internacional privado de los contratos», en Plataformas digitales: problemas jurídicos derivados de su actuación, Centro de Estudios Financieros, 2020, pp. 101-142.

DE MIGUEL ASENSIO, P. Derecho Privado de Internet, 5.ª ed., Civitas, Cizur Menor, Navarra, 2015.

_ «Servicios y mercados digitales: modernización del régimen de responsabilidad y nuevas obligaciones de los intermediarios», La Ley Unión Europea, núm. 88 (2021).

EBERS, M. "Liability For Artificial Intelligence And EU Consumer Law", JIPITEC – Journal of Intellectual Property, Information Technology and E-Commerce Law 12, (3), 2021, https://www.jipitec.eu/issues/jipitec-12-2-2021/5289; "Regulating AI 5 de 20 and Robotics: Ethical and Legal Challenges": Martin Ebers/Susana Navas Navarro (eds.), "Algorithms and Law", Cambridge 2020, pp. 37-99, https://papers.ssrn.com/sol3/papers.cfm?abstract_id=3392379

FLAQUER RIUTORT, J. «Obligaciones de transparencia y equidad en la prestación de servicios de intermediación en línea: orientaciones futuras en el ordenamiento comunitario», Revista Aranzadi de Derecho y Nuevas Tecnologías, núm. 50 (2019).

FROSIO, G. «Algorithmic Enforcement Online», en TORREMANS, P. (ed.), Intellectual Property and Human Rights, 4.ª ed., Kluwer Law Int'l, 2020.

- «Enforcement of European Rights on a Global Scale» en ROSATI, E. (ed.), Handbook of European Copyright Law, Routledge, 2021.

GARROTE FERNÁNDEZ-DIEZ, I., La responsabilidad de los intermediarios en Internet en materia de propiedad intelectual. Un estudio de derecho comparado, ed. Tecnos, Madrid, 2014.

GASCÓN MARCÉN, A. «Los intermediarios de Internet y la protección de los derechos humanos», en Las empresas transnacionales en el derecho internacional contemporáneo: Derechos humanos y objetivos de desarrollo sostenible, Tirant lo Blanch, 2019.

HOBOKEN, J., QUINTAIS, J. P., POORT, J., VAN EIJK, N. «Hosting intermediary services and illegal content online - an analysis of the scope of

Article 14 E-Commerce Directive in light of developments in the Online service landscape», 2018.

HUSOVEC, M., Injunctions Against Intermediaries in the European Union - Accountable But Not Liable?, Cambridge University Press, Cambridge, 2017.

LAPIEDRA ALCAMÍ, R. «Hacia la transparencia y la equidad en el ranking de resultados a la luz del Reglamento 2019/1150», en CASTELLÓ PASTOR, J. J. (Dir.), Desafíos jurídicos ante la integración digital: aspectos europeos e internacionales, Aranzadi Thomson Reuters, 2021.

LÓPEZ RICHART, J. «Un nuevo régimen de responsabilidad para las plataformas de almacenamiento de contenidos generados por usuarios en el mercado único digital», Revista de propiedad intelectual, núm. 60 (2018).

LUQUIN BERGARECHE, R. "Capítulo 6. Prestación de Servicios de Salud Digital: Algunas Reflexiones desde el Derecho Civil", en El impacto de la inteligencia artificial en la teoría y la práctica jurídica (Solar Cayón, J.I. y Sánchez Martínez, Mª.O., Madrid, julio 2022, pp. 167 a 194.

_ "Contratación tecnológica en la era del algoritmo: gestión de la COVID-19 y futuro Blockchain" en "Covid19: conflictos jurídicos actuales y desafíos / Luquin Bergareche (dir.), 2020, Wolters Kluwer, Bosch, págs. 177-196; "Acerca de la redefinición de la autonomía privada en la sociedad tecnológica", Revista Boliviana de Derecho, N°. 26, 2018, págs. 260-293;

NAVAS NAVARRO, S. "Daños ocasionados por sistemas de Inteligencia Artificial", Ed. Comares, 2022.

PINA, C. Ley de Servicios Digitales (DSA): un nuevo marco legal para las plataformas digitales de servicios intermediarios. Disponible en https://www.garrigues.com/es_ES/garrigues-digital/ley-servicios-digitales-dsa-nuevo-marco-legal-plataformas-digitales-servicios

REIG FABADO, I. «La adaptación del derecho de competencia europeo a la era digital: algunos aspectos de la propuesta legislativa para las grandes plataformas digitales», en CASTELLÓ PASTOR, J. J. (Dir.) Desafíos jurídicos ante la integración digital: aspectos europeos e internacionales, Aranzadi Thomson Reuters, 2021.

RIORDAN, J. «The Liability of Internet Intermediaries», Oxford University Press, Oxford, 2016.

STALLA-BOURDILLON, S. «Internet Intermediaries as Responsible Actors? Wh It Is Time to Rethink the E-Commerce Directive as Well», en TADDEO, M. y FLORIDI, L. (eds), The Responsibilities of Online Service Providers. Springer, 2017.